ROBERT MAPPLETHORPE

Una biografía

Patricia Morrisroe

ROBERT MAPPLETHORPE

Una biografía

Traducción de Gian Castelli Gair

CIRCE

Primera edición: Diciembre, 1996

Título original: «*Mapplethorpe: A Biography*»

ISBN: 84-7765-127-2

Depósito legal: B. 41.688-1996
Fotocomposición gama, s.l.
Arístides Maillol, 3, 1.° 1.ª
08028 Barcelona
Impresión: Liberdúplex, s.l.
C/ Constitución, 19
08014 Barcelona

Impreso en España

Diseño cubierta: Vilaseca/Altarriba Associats
Ilustración cubierta: © The Mapplethorpe Foundation. N.Y.

Para Lee

NOTA DE LA AUTORA

Conocí a Robert Mapplethorpe en 1983, tras recibir una inesperada llamada del agente fotográfico James Danziger, que por entonces trabajaba como redactor gráfico del *Sunday Times Magazine* londinense. Danziger proyectaba publicar un monográfico especial dedicado a la fotografía y estaba buscando a alguien que redactara un perfil de Mapplethorpe para la inauguración de la retrospectiva del autor en el Instituto de Arte Contemporáneo. Confesé que jamás había oído hablar de Robert Mapplethorpe, pero a Danziger se le echaba el tiempo encima y me persuadió para que escribiera el artículo.

Al día siguiente, tomé un taxi y acudí al *loft** de Mapplethorpe, situado en el número 24 de Bond Street, en Manhattan. Un drogadicto yacía tendido sobre la acera con una jeringuilla colgando del brazo. Hube de sortear su cuerpo para alcanzar la puerta de entrada al edificio, y al hacerlo sentí como si estuviera atravesando la frontera que me separaba de un lugar al que no deseaba ir. Un traqueteante montacargas me llevó hasta el loft del fotógrafo, quien lo había decorado con estatuas demoníacas y piezas de cerámica de artesanía. En el centro del salón había una enorme jaula de paredes forradas de tela metálica que albergaba un colchón cubierto por sábanas de satén negro. Mapplethorpe me esperaba sentado en un sillón de cuero negro con las piernas cruzadas. Era un hombre apuesto, de una belleza perversa, con ojos verdes y penetrantes y una piel pálida de matices azulados. Hablaba con voz suave y parecía decidido a crear un aura de misterio en la que quedaba vetada cualquier mención de sus primeros años de vida familiar en Floral Park, Queens. Su relación con la poetisa y artista Patti Smith quedaba también ex-

* *Lofts:* naves o espacios industriales situados por lo general en la última planta de edificios urbanos y empleados con frecuencia a modo de estudio y vivienda en los Estados Unidos. *(N. del T.)*

cluida. Sencillamente, me entregó un cartapacio repleto de imágenes eróticas y me observó mientras las estudiaba.

Sabía que Mapplethorpe estaba aguardando para ver mi reacción, y me pregunté cuál podría ser la respuesta adecuada. Aquellas situaciones me resultaban tan extrañas que mi mente apenas reconocía las imágenes. No obstante, algo había en aquellas fotografías que me hizo recordar escenas de crucifixión, y le pregunté: «¿Recibió usted una educación católica?» Mapplethorpe se animó inmediatamente y me mostró una de sus últimas fotografías, en la que podía verse a un hombre de raza negra tocado con una corona de espinas. «Supongo que podría decirse que manejo una cierta estética católica», explicó. Me sentí aliviada por haber descubierto algún terreno de interés mutuo, si bien comprendí que harían falta más de un par de horas para entender cómo un muchacho católico de clase media procedente del barrio de Queens había llegado a convertirse en el principal documentalista del mundo del sadomasoquismo. «Mi vida –prometió– resulta aún más interesante que mis fotografías.»

Por entonces, Mapplethorpe tan sólo contaba treinta y seis años de edad –demasiado joven, en algunos aspectos, para someterse a una biografía–, y durante los años siguientes apenas volví a acordarme de él. Pero fue entonces cuando el sida hizo añicos el concepto de esperanza «media» de vida: los afectados morían en el punto culminante de sus carreras, y la enfermedad producía en las víctimas una trágica parodia de los efectos de la senectud. A mis oídos habían llegado rumores de que Mapplethorpe padecía el sida, pero no le sugerí la posibilidad de escribir la historia de su vida hasta agosto de 1988. Para entonces, se le consideraba el mejor fotógrafo de estudio de su generación, así como una figura que había contribuido de modo determinante a elevar el reconocimiento de la fotografía dentro del mundo del arte. Dos meses antes, el Whitney Museum of American Art había inaugurado una retrospectiva de su obra que inmediatamente se vio sometida a una fuerte controversia. La muestra en cuestión habría de convertirse en uno de los acontecimientos artísticos más visitados de la historia del museo.

Lamentablemente, Mapplethorpe se veía enfrentado a la dolorosa evidencia de que por fin estaba consiguiendo cuanto había soñado en un momento en el que todo hacía presagiar su muerte próxima. Para entonces, había creado ya la Fundación Robert Mapplethorpe, destinada a asegurar su fama a título póstumo, y estaba impaciente por comenzar la preparación de un libro acerca de su vida mientras aún conservara suficiente energía para relatarla.

Desde nuestro primer encuentro, Mapplethorpe se había mudado a un loft más elegante y, a pesar de su enfermedad, siempre acudió a nuestras entrevistas formalmente ataviado con pantalones de terciopelo negro y jersey de cachemira a juego. Sus ojos verdes aún poseían un destello vibrante, pero su aspecto era el de un hombre de ochenta años, y remataba sus frases con agónicos accesos de tos. Hasta su muerte, acaecida el 9 de marzo de 1989, le entrevisté en dieciséis ocasiones distintas, ignorando si llegaría a verle de nuevo. A Mapplethorpe no le gustaba hablar de sí mismo y, no obstante, se expresaba con notable franqueza sobre cuestiones que la mayoría de las personas prefiere mantener en secreto. Una tarde, después de fumarse un porro, comenzó a describir su vida sexual con los más vívidos detalles; no se detuvo ni siquiera cuando su enfermero le acostó en la cama para insertarle una sonda intravenosa. La situación me recordó la *Entrevista con el vampiro*, de Anne Rice, ya que Mapplethorpe se describía a sí mismo como una criatura nocturna –«un demonio del sexo»– incapaz de controlar sus voraces apetitos.

Al fotógrafo no parecían desazonarle en absoluto sus obsesiones sexuales; de hecho, su mayor pesar era que no llegaría a cosechar los frutos de su celebridad. Irónicamente, habría de hacerse aún más famoso después de su muerte, cuando la Galería Corcoran de Washington D. C. canceló abruptamente una retrospectiva de su obra. Su exposición titulada «The Perfect Moment» («El Momento Perfecto») había sido financiada en parte por la Fundación Nacional para las Artes, y la decisión de la Corcoran, adoptada en junio de 1989, de cancelar la muestra desató un feroz debate en torno a la conveniencia de emplear fondos federales para financiar formas de arte sexualmente explícitas. Jesse Helms, senador estadounidense por Carolina del Norte, acusó al artista de «incitar a la homosexualidad» y describió la reacción de su esposa al contemplar el catálogo de «El Momento Perfecto»: «Que Dios nos proteja, Jesse, no puedo creer lo que estoy viendo...», había exclamado. Un año después, cuando la exposición llegó al Centro de Arte Contemporáneo de Cincinnati, su director, Dennis Barrie, fue acusado de difundir la obscenidad y de emplear a menores para actos pornográficos. El juicio de Cincinnati se convirtió en un caso determinante a la hora de revisar las normas vigentes en cuanto a obscenidad pública se refiere: Mapplethorpe iba a pasar a la historia como símbolo de la libertad artística o del «arte aberrante», dependiendo de cada punto de vista.

Mientras el nombre de Mapplethorpe ocupaba las portadas de los periódicos de todo el país, yo seguía rastreando su vida pasada. Había supuesto que reunir información de un personaje contemporáneo sería más sencillo que abordar la biografía de alguien fallecido largo tiempo atrás, pero el mundo de Mapplethorpe se hallaba ya enclaustrado en el pasado. El sida había hecho enmudecer a muchos de los testigos, y sus fotografías de la subcultura gay sadomasoquista se habían convertido en reliquias de una civilización perdida. Seguir la pista de los hombres que aparecían en aquellas fotografías era una senda que a menudo desembocaba en la página de esquelas.

Finalmente, terminé por encontrar a varios cientos de personas que habían conocido a Robert Mapplethorpe en sus diversas encarnaciones: colegial católico, cadete de la ROTC,* hippie, aventurero sexual, artista reconocido y célebre víctima del sida. Sus historias ayudaron a enriquecer sus fotografías y a dar vida a su diario visual. Y lo que descubrí no fue un «momento perfecto» sino toda una serie de ellos. Algunos puros, algunos mancillados, pero todos emblemáticos de la paradójica época que vivió.

Mapplethorpe estaba obsesionado por la belleza masculina, pero su relación más duradera fue la que mantuvo con la cantante de rock Patti Smith. Veneraba a los hombres de raza negra, pero los denigraba con epítetos racistas. Llegó a ser célebre por la franqueza liberadora de sus fotografías gay sadomasoquistas, pero le aterrorizaba que sus padres pudieran descubrir que era homosexual. Fue un maestro de la fotografía en blanco y negro, pero no había nada de monocromático en él. Llevó una existencia tenebrosa, gris y moralmente ambigua, y su muerte señaló el ocaso de una era.

* ROTC: *Reserve Officers Training Corps*: Cuerpo de Adiestramiento de Oficiales de Reserva. *(N. del T.)*

PRÓLOGO

16 DE MARZO DE 1989

Una pareja de limusinas negras procedente del Union Turnpike de Manhattan recorrió más de veinte kilómetros en dirección Este dejando atrás diversas peleterías, con sus esponjosos abrigos de piel de conejo, restaurantes chinos, pastelerías y salones de belleza en cuyos escaparates aún figuraba la imagen de la *Chica Breck*. Ambos vehículos torcieron a la derecha al llegar al Woolworth's de Floral Park, Queens, y enfilaron la calle Doscientos cincuenta y ocho en dirección a un feo edificio de ladrillo rojo adornado con las palabras VENID A REZAR CON NOSOTROS. El antiguo ayudante de Robert Mapplethorpe, Brian English, se quitó las gafas de sol para obtener una mejor perspectiva del templo al que acudían a orar los miembros de la familia de Mapplethorpe, el mismo en el que en breve comenzaría a oficiarse el funeral del artista. «Todo esto –dijo– es muy extraño.»

La iglesia de Nuestra Señora de las Nieves había sido inicialmente concebida como un gimnasio, pero un altar y unas hileras de bancos habían bastado para transformarla en un templo católico. A excepción de la cruz labrada en cromo y las falsas vidrieras coloreadas, su arquitectura general recordaba cualquier obra de Howard Johnson. Parecía el último lugar que Robert Mapplethorpe –a quien la esquela del *New York Times* había retratado como un esteta de gusto tan exquisito como poco corriente– habría escogido para su propio funeral.

Mapplethorpe no había ofrecido a sus amigos y colegas prácticamente ninguna información sobre su pasado. Hasta que no llegaron a Floral Park, no comenzaron a entender de dónde procedía y por qué los había abandonado. El credo artístico de Mapplethorpe había consistido siempre en «ver las cosas como nunca habían sido vistas anteriormente», pero nada había en aquella iglesia ni en su entorno que hubiera podido prestarse a forma alguna de alquimia artística. «Robert se merecía una catedral rematada por hermosas agujas y vidrieras auténticas», afirmó su amiga Amy Sullivan, quien se había desplazado hasta Queens para asistir al funeral. De idéntica opinión habían sido su abogado Michael Stout, el estilista Dimitri Levas, la editora y escritora Ingrid Sischy, la fotógrafa Lynn Davis y numerosos empleados de Mapplethorpe.

La tarde anterior se había celebrado un servicio funerario en su honor en Da Silvano, un restaurante italiano del Greenwich Village. Ingrid Sischy, sentada a la misma mesa de los artistas Brice Marden y Francesco Clemente, había elogiado la «increíble honradez» de Mapplethorpe, insistiendo con ello sobre una cuestión incluida en cierto ensayo anterior en el que le había alabado por crear «una obra que en definitiva defiende la ausencia de disimulo, de censura y de secretos vergonzosos». Para los amigos de Mapplethorpe, resultaba difícil pensar en Floral Park sin concebirlo precisamente como el reino de los secretos vergonzosos, ya que el propio entorno se ajustaba a todos los modelos establecidos de la estrechez de miras de la clase media. «Esté donde esté Robert –comentó Brian English–, ha de ser un lugar mejor que éste.»

Los visitantes de Manhattan aguardaron frente a la iglesia hasta que el organista atacó el primer acorde de lo que habría de ser una larga serie de himnos, a los que se añadió *Morning Has Broken* (Ha despuntado el alba), una canción escrita por la estrella del pop de los setenta Cat Stevens, quien para entonces se había convertido en un musulmán radical que no tardaría en exigir la muerte de Salman Rushdie. Pocos minutos después, el sacerdote, un hombre canoso en las postrimerías de la cincuentena, hizo su aparición frente al sencillo altar blanco. Unas colgaduras de color púrpura suspendidas de la pared servían para conmemorar la Cuaresma, época de penitencia y de preparación espiritual para la muerte y la resurrección de Jesucristo. Mediada la misa, el sacerdote se desplazó hasta un atril para pronunciar algunas palabras acerca del fotógrafo fallecido, y los amigos de Mapplethorpe se prepararon para lo peor.

> El alma humana posee un lado oscuro, conflictivo y atormentado. Se trata de un aspecto del alma humana que pocas personas tienen el valor de explorar. Ciertos poetas, como Baudelaire, Mallarmé y Blake, lo han intentado. El novelista Joseph Conrad, en *El corazón de las tinieblas*, presentaba a Marlowe y al señor Kurtz contemplando el caos y la devastación que se extendían ante ellos y exclamando cuatro palabras: «¡Qué horror, qué horror!»

Harry Mapplethorpe, el padre de Robert, había cargado una silla de ruedas y una botella de oxígeno en su Buick Skylark y, a continuación, se había fumado el tercer cigarrillo del día mientras esperaba a que su esposa Joan terminara de vestirse para el funeral. En otro tiempo había sido un hombre apuesto, pero las recientes calamidades familiares habían hecho mella en él, y su rostro se había endurecido en una mueca inexpresiva. Hasta jubilarse de los Laboratorios Underwriters en 1980, había dedicado su carrera a examinar los entresijos de sistemas eléctricos para comprobar cuáles cumplían las normativas de seguridad, y siempre había actuado de modo igualmente precavido en todos los aspectos de su propia vida: fue la primera persona de la calle Doscientos cincuenta y nueve que instaló alarmas contra incendio y contra robo en su casa, y durante casi medio siglo consiguió hacer de ella un refugio seguro. Posteriormente, en 1985, Joan pasó cinco meses en Cuidados Intensivos luchando contra un enfisema; en 1986, su hijo favorito, Richard, murió súbitamente de cáncer de cerebro y de pulmón; y tres años después Robert había muerto de sida.

Harry ayudó a Joan a subir al automóvil y enfilaron calle arriba hasta llegar a Nuestra Señora de las Nieves, donde vieron dos llamativas limusinas negras estacionadas frente al templo. Los Mapplethorpe se preguntaron quién viajaría en su interior, ya que jamás habían conocido a ninguno de los amigos de Robert y casi tenían miedo de hacerlo. Su hijo había sido para ellos un completo misterio, y cuanto más habían ido sabiendo de él, más enigmático les había resultado. Durante años, Joan había creído equivocadamente que Robert estaba casado con la cantante punk de rock Patti Smith, y hasta hacía poco no había sabido nada de su homosexualidad. Aún no daba crédito a ella por completo, ni siquiera después de contemplar en el Whitney Museum of American Art una retrospectiva de su obra compuesta por fotografías de la subcultura gay sadomasoquista que constituían un indicio inequívoco al respecto. Había querido preguntar a su hijo si aquellas imágenes reflejaban su propia sexualidad, así como el motivo que le había impulsado a fotografiarse con un látigo insertado en sus partes íntimas; pero algunas cosas, pensaba Joan, era mejor no mencionarlas.

Harry condujo a Joan al interior de la iglesia, pintada de color melocotón y decorada con objetos religiosos caseros. Tomaron asiento en el primer banco, junto a sus otros cuatro hijos y ocho nietos. A Joan le complacía que tantas de sus amigas de la Sociedad del Rosario y del club de bolos se hubieran molestado en acudir, pero sobre todo le complacía que el padre George Stack hubiera aceptado oficiar la misa. Varios meses antes de la muerte de Robert, había enviado al sacerdote a verle por si pudiera precisar de orientación espiritual. Su propia fe en Dios la había ayudado a sobrellevar épocas difíciles, pero, ¿que sería de Robert? ¿Qué sería de su alma?

La última vez que hablé con Robert me dijo que intentaba mostrar lo que él consideraba hermoso del modo más fiel posible. Creía también en la necesidad de ser una buena persona, compasiva y generosa. Más tarde, advertí que aquellas cualidades de las que hablaba Robert eran virtudes que los filósofos y teólogos atribuían tradicionalmente a Dios. En un aspecto sumamente real, creo que Robert, a su modo, estaba buscando a Dios...

El padre George Stack se trasladó en su propio automóvil desde Brooklyn a la iglesia de Nuestra Señora de las Nieves, en Floral Park, Queens, donde veinticinco años antes había comenzado su carrera religiosa como párroco. Su regreso a las «Nieves», como la denominaban sus feligreses, era un favor personal a Joan Mapplethorpe. Antaño, Robert había sido miembro de un grupo católico juvenil supervisado por él, y el sacerdote le recordaba como un tímido adolescente cuya pasión por el arte le había hecho destacar entre los demás quinceañeros. Robert visitaba con frecuencia el rectorado para enseñarle sus dibujos, a menudo consistentes en retratos de Nuestra Señora, a veces con Jesús en brazos. A lo largo de los años, el padre Stack había perdido contacto con Robert, y por lo poco que sabía tras contemplar sus fotografías erótico-homosexuales, sospechaba que ya no debían de tener mucho en común. Pero entonces, en noviembre de 1988, Joan Mapplethorpe le pidió que visitara a su hijo. «Tiene sida, padre –le había confesado–, y quiero que muera en estado de gracia.»

Los dos hombres habían pasado una tarde conversando, y al final Robert le había invitado a volver algún día. Sin embargo, la muerte le había sorprendido el 9 de marzo, y el sacerdote se preguntaba qué podría decir acerca de él. *«Nunca rechazaré a nadie que a mí acuda.»* Aquellas palabras de Jesucristo en los Evangelios siempre habían reconfortado especialmente al padre Stack, y solía incluir la frase en sus homilías funerarias. Sin embargo, en aquel caso no le servía una homilía corriente, ya que Mapplethorpe no era ni un miembro destacado de aquella comunidad, ni un padre de familia responsable ni un buen católico. De hecho, según todos los patrones tradicionales de la Iglesia católica, era el paradigma del pecador.

El padre Stack escogió para la ceremonia vestiduras de lino y seda de un blanco luminoso. El sacerdote no podía dejar de pensar en *El corazón de las tinieblas*, de Conrad, y en «la fascinación de la abominación». Sabía que Mapplethorpe había fotografiado imágenes de actos homosexuales sadomasoquistas, pero también sabía que lo compensaba realizando exquisitas fotografías de hermosísimas flores. ¿Acaso no constituían los lirios de Mapplethorpe un símbolo de resurrección?

Necesitamos creer en un Dios que es bueno y compasivo y misericordioso, especialmente en los momentos más tenebrosos de la vida. «Nunca rechazaré a nadie que a mí acuda.» Esa promesa nos lleva a creer que cuando Robert traspasó las puertas de la muerte y se presentó ante el trono del juicio divino, Jesucristo abrió Sus brazos y le dio la bienvenida al hogar.

Harry y Joan habían invitado a todos los presentes a acudir a su casa para tomar café y bollos, y una hilera de automóviles norteamericanos se unió a las dos limusinas en la procesión que enfiló la calle Doscientos cincuenta y ocho. Tradicionalmente, a todo funeral católico seguía la ceremonia del entierro, pero Robert había sido incinerado de acuerdo con sus propios deseos. Siempre perfeccionista en todos los detalles de su vida con excepción del último, no había especificado dónde quería que fueran esparcidas sus cenizas, por lo que Michael Stout, su albacea testamentario, no sabía qué hacer con ellas. Joan confiaba en que los restos de su hijo fueran devueltos a Queens, para que así regresara con su familia al menos en la muerte. Sin embargo, ahora que los había abandonado definitivamente, ignoraba cómo recuperarle.

PRIMERA PARTE

OSCUROS SECRETOS

CAPÍTULO UNO

> «Es una sensación interna que siempre he experimentado. No una sensación sexual, sino algo aún más potente. Y pensé que si de alguna manera lograba conservarla –si conseguía trasladar de algún modo ese elemento al arte–, habría logrado hacer algo que fuera exclusivamente mío.»
>
> Robert MAPPLETHORPE

Harry Mapplethorpe amaba lo ordinario del mismo modo que otros disfrutan con lo extraño y lo exótico. Ansiaba una vida desprovista de cualquier clase de altibajos emocionales, y jamás imaginó que su biografía hubiera de justificar más de una o dos líneas de la sección de necrológicas del periódico local. «Nunca pasaba gran cosa», decía Harry, sin el menor asomo de pesar. «Era todo perfectamente normal.» Creció en Hollis, Queens, y era hijo único de un ejecutivo de categoría media llamado igualmente Harry, cuyos padres habían emigrado a Nueva York procedentes de Inglaterra. El viejo Harry detestaba su trabajo en el National City Bank, pero ello no le impidió permanecer en él cincuenta años, ya que amaba profundamente la rutina. Trabajaba de nueve a cinco, de lunes a viernes, y dedicaba los fines de semana a sus colecciones de sellos y monedas.

El joven Harry recordaba a su madre alemana, Adelphine Zang, como a alguien que jamás leía un periódico sin antes ponerse los guantes y cubrirse el regazo con un paño de cocina. «Era un ama de casa impecable», decía. Dado que en el hogar no había otros niños, Harry siguió el ejemplo de su padre y se habituó a dedicar el tiempo libre a sus propias aficiones: el tiro al blanco y la fotografía. La descripción que aparece bajo la imagen de Harry en el anuario de 1937 del Instituto Jamaica constituye un conciso resumen de su personalidad: «Un tío directo.» Su hijo Robert resultaría ser otro «tío directo» como él; acaso no tan ortodoxo sexualmente como hubiera deseado Harry, pero sí riguroso en su técnica fotográfica. En muchos sentidos, era el niño mimado de su padre, por más que ninguno de los dos quisiera reconocerlo, pero así como Robert gustaba de saltarse las normas, Harry se sentía reconfortado por ellas.

A los dieciséis años de edad, Harry ya había conocido a su futura esposa en la fiesta de graduación de un vecino. Joan Maxey era perfecta para él. Vivía a pocas manzanas de distancia; también ella era católica, hija de padres irlandeses e ingleses, y su padre, ingeniero de los laboratorios de la compañía telefónica Bell, la había educado como una perfecta señorita de clase media. Los dos jóvenes incluso se parecían físicamente: ambos tenían el cabello castaño y ondulado, la piel blanca, los ojos claros y una constitución menuda. La gente a menudo los tomaba por hermanos.

En 1937, Harry ingresó en la escuela de ingeniería del Instituto Pratt de Brooklyn. Desde allí, regresaba a casa todos los días y veía a Joan casi todas las noches. Se casaron el 20 de junio de 1942, seis meses después del bombardeo japonés de Pearl Harbour, y abandonaron el hogar de sus padres para trasladarse a un apartamento de tres habitaciones situado en una zona residencial próxima bautizada con el nombre de Jamaica. Harry había sido excusado del servicio militar activo debido a su trabajo de ingeniero en una compañía de diseño naval, por lo que, a diferencia de la mayoría de sus jóvenes amistades casadas, la pareja no hubo de separarse durante los primeros años de la guerra. Tuvieron dos hijos en rápida sucesión: primero llegó Nancy, en abril de 1943, y luego Richard, en marzo de 1945, tras lo cual Harry se vio trasladado a Washington D. C., situación que luego describió como una pesadilla hecha realidad. Sin el apoyo de Joan, se sentía perdido en Washington, y todos los días, después del trabajo, regresaba a su pensión sintiéndose solitario y deprimido. Tan pronto como se declaró oficialmente el fin de la guerra —la victoria japonesa del 25 de agosto de 1945—, Harry presentó su dimisión al Departamento de Defensa e hizo el equipaje para regresar a Queens. En aquel momento, consideró que estaba adoptando la decisión más disparatada de su vida, ya que no contaba con otro trabajo y sus ahorros eran escasos. A los pocos días de su regreso, sin embargo, había conseguido un empleo en los Laboratorios Underwriters. Dotado de la certeza de los hombres que prefieren la continuidad al cambio, supo en ese instante que se hallaba ante un trabajo único.

Robert Michael Mapplethorpe nació el 4 de noviembre de 1946 en el sanatorio Irwin de Hollis. Harry apenas llegó a conservar recuerdos del nacimiento y la infancia de su hijo, pero Joan se sintió inmediatamente atraída por su tercer retoño, quien, nada más llegar al mundo, expresó la insatisfacción que éste le producía gritando con más fuerza que ningún otro bebé que hubiera oído jamás. No tardó en ser conocido como «Mapplethorpe el quisquilloso». Joan sabía que no está bien que las madres tengan preferencias entre sus hijos, pero Robert era su favorito. Con todo, sus recuerdos de él poseían un tinte macabro de Familia Addams y, así, relataba cierta ocasión en la que el pequeño mató a su tortuga, de nombre *Greenie*, empalándola sobre su dedo índice. La madre ignoraba qué significado podía tener aquello, y por qué entre cientos de historias posibles había escogido aquélla para ilustrar los primeros años de su hijo. Sin embargo, cada vez que recordaba a Robert con dos años, pensaba también en *Greenie*.

La cuarta en llegar, Susan, nació en agosto de 1949, y varios meses después los Mapplethorpe adquirieron su primera y única casa, situada en el número 83-12 de la calle Doscientos cincuenta y nueve de Floral Park, Queens. El barrio residencial surgido de la Segunda Guerra Mundial había evolucionado prácticamente de la noche a la mañana para dar cabida a las demandas de vivienda de los veteranos que regresaban a sus casas, y en numerosas hectáreas de patatales comenzaron a florecer viviendas unifamiliares al estilo de Cape Cod prácticamente idénticas entre sí. El blanco edificio que albergaba el hogar de los Mapplethorpe mostraba el mismo aspecto de cualquier otra casa blanca de la calle; contaba con cuatro pequeños dormitorios y un mirador que se abría sobre el único árbol del jardín. Harry y Joan no tuvieron que preocuparse por que su césped no fuera tan verde como el de otros vecinos, ya que todos los habitantes de la manzana se trasladaron al mismo tiempo y juntos vieron crecer la hierba. Compartían entre todos el cortacésped y las herramientas de jardín, se vigilaban mutuamente para que los niños no pisaran el terreno recién sembrado y, al fin, festejaron el reverdecimiento de la calle Doscientos cincuenta y nueve con reuniones amenizadas por barbacoas y piscinas de plástico. Se trataba de un vecindario tan imbuido de la uniformidad propia de los años cincuenta que cuando una de las familias se apartó del blanco y decidió pintar su mirador de verde, hubo de enfrentarse al rechazo del resto del vecindario por haber roto el protocolo.

Había un aspecto de Floral Park, sin embargo, que lo hacía realmente único: se trataba de un lugar inexistente, al menos a los ojos de los funcionarios de la ciudad de Nueva York, quienes parecían tornarse miopes a la hora de afrontar los problemas de un vecindario situado en la parte este de la ciudad. Los residentes de Floral Park lo bautizaron con el nombre de «Comunidad Perdida», y se unieron para exigir de los departamentos municipales correspondientes un mejor servicio sanitario, protección policial y sistemas de alcantarillado capaces de absorber las inundaciones producidas por las tormentas. Durante años, sin embargo, nadie les prestó atención. La basura se acumulaba en pilas cada vez mayores, las alcantarillas se desbordaban cada vez que llovía, y las calles, mal asfaltadas, fueron llenándose de baches y protuberancias. Además de soportar el desprecio municipal, la comunidad había de sufrir la humillación de verse constantemente comparada con su vecina, Floral Park, Long Island, dotada de mayores medios económicos. Dicha Floral Park no necesitaba depender del municipio para asegurar el funcionamiento de sus servicios, por lo que contaba con todas las ventajas de las que la otra carecía. Asimismo, al haber sido fundada en 1920, seguía considerándose la única auténtica, cosa que no ocurría con aquella pariente lejana que se extendía en el costado opuesto.

Los padres de Robert hacían caso omiso de las dificultades inherentes a vivir en la «Comunidad Perdida»: habían pagado once mil cuatrocientos noventa dólares por su casa, y les preocupaba más el poder hacer frente a los pagos de la hipoteca. Harry era uno de los pocos oficinistas de aquel vecindario de obreros, y el único de su círculo de amigos locales que poseía estudios superiores. A pesar de todo, su condición de «universitario» no se reflejaba sustancialmente en sus ingresos al compararlos con los del resto de los cabezas de familia, y la mensualidad de la casa le impedía permitirse un automóvil, por lo que había de perder una hora y veinte minutos diarios de ida, y otros tantos de vuelta, para trasladarse en autobús y metro a las instalaciones de los Laboratorios Underwriters, en Manhattan. Cuando regresaba a casa por la noche tan sólo deseaba cenar, ver si acaso algún programa de televisión, y acostarse. Los fines de semana se reservaban para las aficiones, de las que Harry se hallaba bien provisto, desde la filatelia y la numismática hasta la construcción de relojes de cuco y la cría de peces tropicales. El elemento común de todas sus empresas era que podía llevarlas a cabo solo y mantener un control absoluto sobre ellas. Incluso cuando fotografiaba a su familia, su mayor placer no residía en comunicarse con los suyos, sino en revelar él mismo los negativos. De lo que más disfrutaba no era de lo que suele denominarse la «parte creativa», sino del desafío técnico.

Los vecinos del barrio admiraban a Harry por su habilidad para reparar aspiradores y robots de cocina estropeados, pero adoraban a Joan por su personalidad cálida y abierta. A Joan le encantaba jugar a las cartas, acudir a la bolera con su pandilla de los martes por la noche y reunirse con sus numerosas amigas para celebrar «reuniones de club». Durante la década de los cincuenta, aquellas reuniones constituían una versión distinta de cualquier terapia de grupo, y las mujeres se citaban en torno al café y las pastas para hacer bromas a cuenta de los hábitos más irritantes de sus maridos o protestar por las travesuras de los niños. Nadie profundizaba nunca demasiado, pero para todas representaba un modo agradable de airear sus frustraciones domésticas. Joan, por su parte, siempre se mostraba absolutamente satisfecha, y si bien poseía un sentido del humor sumamente mordaz, rara vez lo dirigía a su marido. Pat Farre, que vivía a dos números de distancia de los Mapplethorpe y formaba también parte del «club», nunca oyó a Joan emitir una mala palabra acerca de Harry durante cuarenta años.

«La primera vez que acudí a casa de Joan —afirmaba Farre—, me sentí profundamente impresionada. Tenía a aquellos cuatro renacuajos escrupulosamente limpios, todos con la cara resplandeciente y sentados pulcramente en el sofá. Llevaba puesto un delantal y estaba preparando la cena. Todo era perfecto. Joan era el corazón de aquella familia. Harry era un personaje muy sólido, pero Joan representaba la parte creativa. Solía escribir breves poemas y siempre hacía comentarios ingeniosos. Verdaderamente, la gente la adoraba.»

Así y todo, Joan poseía un aspecto más complicado que no resultaba evidente de inmediato debido a que se manifestaba en la disciplina en la que más destacaba. Era un ama de casa fanática, y a menudo limpiaba su hogar hasta el agotamiento. Cierto es que a Harry le complacía que la casa estuviera bien arreglada (había sido criado por una mujer meticulosa, y él mismo era tan ordenado que mantenía los alimentos del refrigerador ordenados según sus formas y tamaños), pero Joan sobrepasaba incluso sus propias expectativas. «Era como si de repente hubiera sonado la alarma —explicaba Joan—. No me importaba la hora que fuera. Si a los suelos les hacía falta una pasada, me ponía a ello, aunque fueran las dos de la madrugada.» Varias décadas después, Joan hubo de recurrir a asistencia psiquiátrica tras sufrir un serio acceso depresivo. Según su hija Nancy, fue entonces cuando finalmente se le diagnosticó una condición maníaco-depresiva. Por entonces Joan era un modelo para el resto de las mujeres del vecindario. «Durante la Navidad, la veía hacer cosas que no había visto en toda mi vida —relataba Pat Farre—. Joan iba de un lado a otro preparando galletas y dos clases distintas de pastel de frutas, ya que tanto su madre como su suegra le habían dado una receta distinta y no quería ofender a ninguna de las dos. A continuación, se lanzaba a envolver los regalos y a colocar los paquetes debajo del árbol. Realmente, mantenía la casa en un estado magnífico, aunque pude notar que siempre temblaba ligeramente: se notaba si te fijabas en sus manos.» La inclinación de Joan por fumar un cigarrillo tras otro hacía aún más obvio el nerviosismo que acompañaba a su revoloteo. Tanto ella como Harry eran fumadores empedernidos (él, a menudo, mantenía dos cigarrillos encendidos al mismo tiempo), pero Joan padecía de asma —y posteriormente de enfisema—, por lo que las consecuencias de su hábito resultaban más significativas. «Opino que poseía una personalidad adictiva», observa Farre. «Dejaba de fumar durante una temporada, pero no tardaba en volver. A veces, le asaltaban tales accesos de tos que parecía que iba a morir asfixiada. Los críos apestaban a nicotina.»

En 1954, la madre de Joan murió de cáncer de pulmón a los cincuenta y cinco años de edad, y aunque la pequeña casa de los Mapplethorpe apenas podía dar cabida a los miembros de que ya constaba, Joan invitó a su padre diabético, James Maxey, a vivir con ellos. Éste se trasladó de mala gana al ático de los Mapplethorpe y costeó la instalación de un cuarto dormitorio contiguo al que Robert, de ocho años de edad, compartía con su hermano Richard, dos años mayor. (Las dos niñas, Nancy y Susan, ocupaban un dormitorio de la planta baja situado frente al de sus padres.) James Maxey no era el clásico abuelo chocho. La pérdida de su intimidad y de su pareja hacía que a menudo se mostrara excéntrico e irritable, y sus nietos soportaban mal las exigencias con las que acaparaba la atención, ya de por sí dividida, de su madre. Joan se mostraba constantemente preocupada por él, ya que dependía de la insulina y de dietas especiales para estabilizar el nivel de glucosa de su organismo. «En un par de ocasiones, llegó a sufrir crisis serias –recordaba Pat Farre–, y aquello la había asustado realmente. Cuando se fue a vivir con ellos, Joan era incapaz de darle una simple comida preparada; se sentía obligada a cocinarle recetas especiales, y la situación comenzó a desbordarle.»

La vida cotidiana representaba tal desafío para Joan que nunca pudo otorgar a su hijo preferido, Robert, la atención individual que éste anhelaba. De un modo intuitivo, comprendía que Robert era especial y pensaba que sería el único de sus hijos que acabaría distinguiéndose del resto. No obstante, el niño nunca recibió más aliento o alabanzas que sus hermanos. Robert creció a la sombra de su hermano mayor, Richard, quien pasaba tanto tiempo jugando al aire libre que parecía dotado de un bronceado permanente. Pat Farre consideraba a Richard uno de los niños más guapos que jamás había visto; no así a Robert que, si bien había sido un bebé encantador –«guapo hasta el punto de parecer una niña», decía Farre–, se había convertido luego en un muchacho desgarbado. Era mucho más pequeño y enclenque que Richard, y aunque había heredado el rasgo físico más llamativo de los Mapplethorpe (unos ojos bellísimos, en su caso de color verde oscuro), tenía las orejas grandes, el pelo castaño y alborotado y unas piernas tan flacas que Joan había de sentarse invariablemente a la máquina de coser para estrecharle los pantalones. Solía llamarle «mi flacuchín», y él, en efecto, no mostraba otro interés por la comida que el que podía tener como arma de guerra. A la hora de cenar, la mesa se convertía en un campo de batalla en el que Robert y Harry disputaban sus más violentas escaramuzas.

Tanto el padre como el hijo eran de apetito sumamente escaso, y Harry ansiaba la llegada del día en que la ciencia inventara una píldora que permitiera suprimir por completo la cuestión de la comida. Pese a ello, se sentía obligado a dejar siempre el plato limpio, y esperaba de sus hijos que siguieran su ejemplo. A veces, Robert lograba desembarazarse de su comida iniciando una batalla: cargaba el tenedor de guisantes y acribillaba a sus hermanos con aquellos verdes perdigones hasta que Harry, exasperado, alcanzaba su punto más próximo al juramento, gritando: «¡Demontre! ¡Ya basta!» Por lo general, Robert era enviado a su cuarto, donde en cierta ocasión se pasó dos horas propinando patadas a la puerta con el tacón de los zapatos hasta que Joan acudió finalmente a calmarle. Richard gozaba de buen apetito, por lo que las normas de limpieza del plato no le afectaban, pero Robert se veía igualmente obligado a terminarlo todo, y si remoloneaba había de quedarse sentado a la mesa hasta concluir. Tales escenas eran entonces –y continúan siendo hoy– algo cotidiano en hogares de toda Norteamérica. Sin embargo, el modo que tenía Harry de emplear la comida como arma para el dominio de su hijo resultaba profundamente perturbador para Robert, quien posteriormente llegó a quejarse ante su amigo Dimitri Levas de que en cierta ocasión su padre le había obligado a comerse unos huevos quemados mientras estaba sentado en el retrete.

A la experiencia de Robert frente a las rígidas normas de su hogar habría que añadir su temprana educación católica, que le sensibilizó ante los conceptos de culpa y pecado. En Floral Park no había escuelas católicas, por lo que Robert debía asistir a la catequesis todos los miércoles mientras los demás alumnos de la Escuela Pública 191 aprendían artes y oficios. Aprendió de memoria el catecismo de Baltimore y las jerarquías que reinaban después de la muerte: cielo, limbo, purgatorio e infierno. Descubrió qué pecados eran mortales, cuáles veniales, y el modo de lavar su alma mediante el sacramento de la confesión. Sin embargo, se vio expuesto no sólo a los rigurosos dictados de la Iglesia, sino también a una espiritualidad liberadora que conmemoraba el milagro de la resurrección de Jesucristo tras el dolor y el suplicio de su crucifixión. Cada vez que acudía a misa, observaba atentamente cómo el sacerdote transformaba el pan y el vino en el cuerpo y la sangre de Cristo. «Las iglesias poseen cierta magia y cierto misterio para los niños», dijo Mapplethorpe a Ingrid Sischy. «En mí aún se percibe por el modo en que dispongo las cosas. Siempre construyo pequeños altares. Siempre ha sido así... cada vez que ordeno algo, compruebo que el resultado es simétrico.»

A Robert, el catolicismo le inspiraba una sensación de orden y armonía, pero al mismo tiempo se encrespaba ante sus restricciones. «Robert no se tomaba la religión a la ligera», cuenta su vecino Bill Cassidy, que era de la misma edad que Richard Mapplethorpe. «Parecía creerse todas esas historias acerca del diablo, y en cierta ocasión me dijo: "En el infierno hay un reloj que a cada hora en punto anuncia: 'Nunca saldrás de aquí... nunca saldrás de aquí... nunca saldrás de aquí.' "»

Sólo escapaba de aquello una vez al año, cuando la madre de Harry llevaba a todos sus nietos al parque de atracciones de Coney Island. Allí fue donde Robert vislumbró por vez primera el mundo que se extendía más allá de Floral

Park. Se sintió fascinado por las brillantes luces, las muecas impúdicas de los payasos, la algarabía de los reclamos, la Rueda Mágica y el Ciclón. La experiencia le produjo tal euforia que conservó aquellas imágenes y olores para siempre. Durante años, el aroma de un perrito caliente recién hecho despertaba el recuerdo de los almuerzos con su abuela en Nathan's, «La casa de las hamburguesas».

Lo que más le gustaba, no obstante, eran las galerías de seres monstruosos, repletos de oscuras jaulas en las que se guarecían niñas simiescas, mujeres barbudas, hombres tatuados, enanos y encantadores de serpientes. A su hermana mayor, Nancy, le aterrorizaban, pero Robert siempre insistía en echar un vistazo a su interior, y le frustraban enormemente los esfuerzos de su abuela por mantenerle alejado. «No hay nada peor que querer ver algo y que alguien te lo impida», decía. Los monstruos se convirtieron para él en símbolos de lo extraño y lo prohibido, y aunque nunca les dedicó una atención tan estrecha como la que Diane Arbus mostraba en sus fotografías, sí es cierto que tales seres se adivinan bajo distintos disfraces en las imágenes de Mapplethorpe. Al identificar la Iglesia católica y Coney Island como los dos recuerdos más vívidos de su niñez, el artista definió el drama esencial de sus fotografías: el tira y afloja entre lo sagrado y lo profano que había de proporcionar a su obra aquello que él llamaba «filo».

Nancy se aproximaba más en edad a Richard, a pesar de lo cual admiraba el individualismo de Robert, a la vez que le consideraba el más interesante de ambos hermanos. Cada vez que los cuatro jugaban juntos, ella y Robert formaban pareja frente a Richard y Susan: los rebeldes contra los conformistas. Richard y Susan jamás ponían en tela de juicio la autoridad de sus padres, mientras que Robert y Nancy no se mostraban tan inclinados a aceptar los papeles tradicionales que les eran impuestos. Nancy era el marimacho del vecindario; en lugar de jugar con muñecas, trepaba a los árboles con tal desenvoltura que a menudo aparecía cubierta de rasguños y cardenales. Robert evitaba los juguetes bélicos y los juegos de guerra en beneficio de otras actividades más femeninas. Cierta Navidad, pidió que le regalaran un juego para diseñar abalorios de bisutería, y aquélla fue la primera vez que descubrió lo que luego denominaría «esa mágica sensación en mis dedos». Empleó todo su talento en equipar a su madre con broches y pendientes de esmalte cocido. Joan, sin embargo, se veía constantemente enfrentada a problemas que desviaban su atención de Robert y, en 1957, cuando el niño contaba diez años de edad, advirtió que había vuelto a quedarse embarazada.

Albergaba por entonces serias dudas acerca de la posibilidad de iniciar con treinta y seis años lo que llamaba una «segunda familia». Los dormitorios se encontraban ya al máximo de su capacidad, y dado que todas las casas de Floral Park eran del mismo tamaño, tampoco cabía mudarse a un hogar de mayores dimensiones a no ser que optaran por abandonar el vecindario.

Joan se debatió con la decisión durante meses, pero finalmente rogó a su padre que se trasladara a un edificio de apartamentos próximo. En febrero de 1958, pocas semanas antes del nacimiento de su quinto hijo, James Maxey murió a consecuencia de un infarto a los sesenta y nueve años de edad. Joan, incapaz de ponerse en contacto telefónico con su padre, había enviado a Harry a su apartamento, y éste le había encontrado muerto.

Joan bautizó a su hijo con el nombre de James en recuerdo de su padre, pero ni siquiera la nueva criatura logró eliminar el sentimiento de culpa que albergaba por la muerte de aquél. Se hundió en una depresión posteriormente complicada con un nuevo embarazo que concluyó con un aborto espontáneo.

Aquel escabroso período de la historia de la familia fue testigo de un mayor acercamiento al arte por parte de Robert, quien dejó de fabricar abalorios para dedicarse a realizar esbozos a lápiz. Linda Bahr, una de sus compañeras de sexto grado en la Escuela Pública 191, fue destinataria de uno de sus primeros dibujos, consistente en el retrato de una joven angelical que olfatea una flor. Bahr se sintió conmovida por la ternura de aquella imagen y por lo que difería del mundo rudo y agresivo que caracterizaba a los muchachos de sexto grado. «Robert no era tan atractivo como su hermano —decía Bahr—, y todas las chicas adoraban a Richard; pero Robert era dulce y amable, y siempre pensé que tenía unas manos preciosas... manos de artista.»

La creatividad de Robert proporcionaba sentido a su existencia, pero le aislaba de los demás muchachos del vecindario. Tom Farre consideraba las aspiraciones artísticas de Robert como algo «antimasculino», y aunque ambos eran de la misma edad, prefería jugar con Richard, mayor que él y más atlético que su hermano. «Siempre que pienso en Robert —decía Farre—, veo a aquel mocoso con los pantalones colgando y paseándose por ahí como Cantinflas.» A Robert no se le daban bien los deportes, pero ingresó en el equipo de béisbol local para complacer a su padre, que deseaba que sus hijos fueran buenos atletas. Sin embargo, apenas poseía coordinación de movimientos, y no se sentía cómodo a la hora de arrojar o golpear la pelota. Su padre nunca se había entrenado con él. En consecuencia, se pasaba la mayor parte del tiempo sentado en el banquillo, esperando a que cantaran su nombre.

Brian Pronger, en su libro titulado *The Arena of Masculinity* (El ruedo de la masculinidad), explora las experiencias homosexuales dentro del atletismo y aporta numerosos ejemplos de jóvenes homosexuales que fracasaron miserablemente en los deportes de equipo como resultado de su falta de interés o voluntad por adoptar una masculinidad ortodoxa. Dado que el deporte se halla contemplado como el inicio de un joven a la edad adulta, tal incapacidad puede resultar devastadora. Veinticinco años después, Robert continuaba describiendo su experiencia en aquel equipo de béisbol como una de las más humillantes odiseas de su vida.

Existía una actividad deportiva, sin embargo, en la que sí destacaba: la del palo saltador. Había ganado ya el título de «Campeón de saltador de la calle Doscientos cincuenta y nueve», por lo que un sábado por la tarde se dispuso a superar el récord mundial del Guinness en saltos con saltador. Se situó exactamente frente al mirador, confiando sin duda en tener a su padre como espectador, y comenzó a saltar de un lado a otro mientras entonaba la cuenta... 404... 405... 406. Sabía que su padre estaba en la casa, por lo que siguió saltando y contando hasta que, finalmente, se sintió mareado y se desplomó sobre el suelo del jardín. No superó el récord mundial, pero sí consiguió su mejor marca personal. Aun consciente de que su hazaña no era comparable a marcar un *home run* en béisbol, aguardaba con ansiedad la reacción de su padre. Sin embargo, cuando entró se lo encontró profundamente dormido sobre el sofá del salón.

Cuando Robert pasó a séptimo grado, en septiembre de 1958, sus padres lo declararon oficialmente apto para viajar solo en metro hasta Manhattan. Aprovechando su nueva libertad, el muchacho comenzó a pasar los sábados en la ciudad. Por lo general, acudía acompañado de su mejor amigo, Jim Cassidy, que vivía en la misma manzana y era también alumno de séptimo grado en la Escuela Pública 172. Ambos jóvenes habían sido admitidos en el programa acelerado del colegio, diseñado para comprimir en dos años los estudios de instituto. El programa se conocía con la abreviatura de «SP» por *Special Progress* (Progreso Especial), pero Robert gustaba de pensar que las iniciales respondían a *Special People* (Personas Especiales), y lo cierto es que ambos muchachos eran únicos dentro de la media general del vecindario. El padre de Jim era un bombero apasionado por la ópera, y de vez en cuando llevaba a su hijo a ver representaciones en el Metropolitan Opera House. «¡Anoche vi *Carmen* desde la cuarta fila!», presumía luego Jim frente al resto de sus compañeros, pero éstos, más interesados en los Brooklyn Dodgers, le despreciaban como un personaje grotesco. El abuelo de Jim había sido artista gráfico, y su madre era aficionada a pintar, por lo que Jim no consideraba las inclinaciones de Robert como algo peculiar ni afeminado. (De hecho, habían sido los Cassidy quienes habían ultrajado anteriormente al vecindario al pintar el mirador de verde.) Al igual que Robert, Jim era demasiado pequeño para su edad, y en comparación con su hermano mayor, Bill, tenía aspecto de canijo. Sin embargo, Jim compensaba con sus habilidades oratorias su falta de habilidad atlética, y si bien su locuacidad lograba exasperar a la mayoría de sus compañeros, tenía en Robert a alguien ávido de estímulos. La relación de este último con Jim se convirtió en la primera de las numerosas alianzas que, tras la figura de un mentor, habrían de ayudarle a lo largo de su carrera.

Jim, por su parte, no poseía temperamento artístico, pero sabía reconocer la creatividad de Robert, y ambos jóvenes acudían ocasionalmente a pasar los sábados al Metropolitan Museum of Art y al Museo de Arte Moderno. Más tarde, Jim gustaba de charlar acerca los diversos artistas cuyas obras habían admirado, pero Robert no era una persona verbal, y no lograba expresar con palabras la experiencia de la contemplación artística que, por el contrario, se reflejaba luego en sus dibujos. «Robert poseía un excelente estilo reproductivo», recordaba Cassidy. «Si, por ejemplo, acababa de ver un Dalí, incorporaba ciertos toques dalinianos a sus dibujos. Aunque, en conjunto, opino que fue Picasso quien más influyó en él.» Hasta entonces, la perspectiva artística de Robert se había visto limitada a la iconografía de la Iglesia católica y a las madonas y representaciones de Jesucristo a las que dirigía sus oraciones. Sus visitas a los museos sirvieron para añadir una nueva dimensión, y comenzó a dibujar madonas cubistas inspiradas en Picasso. «No se trataba de hermosas madonas botticellianas –explicaba Cassidy–, sino de criaturas grotescas de perfil quebrado. Supongo que eran representaciones religiosas en la medida en que eran madonas, pero había algo inquietante en el modo que tenía Robert de partirles el rostro.»

Aquellas madonas cubistas se convirtieron en un elemento básico de la obra temprana de Robert, y aunque es posible que no pretendiera aludir conscientemente a la relación que mantenía con su madre, lo cierto es que retornaba invariablemente a imágenes fragmentadas de la figura materna. Casi finalizado su segundo año en la Escuela Pública 172, Joan dio a luz a su sexto hijo, Edward, nacido en abril de 1960. Solía bromear con Pat Farre afirmando que bastaba que alguien la mirara para que se quedara embarazada, pero Robert no encontraba en ello motivo alguno de diversión. «Mi madre no es más que una máquina de fabricar bebés», se quejaba amargamente ante Jim Cassidy.

Joan sufrió un nuevo aborto tras el nacimiento de Edward, y comenzaron a sobrevenirle hemorragias que recomendaron su hospitalización e histerectomía. Con su madre cada vez menos disponible, Robert realizó periódicos intentos por forjar un vínculo con su padre, pero ni siquiera cuando adoptó la fotografía como afición logró socavar la indiferencia que Harry mostraba hacia él. Tanto Robert como Jim habían recibido sendas cámaras Brownie como regalo de Navidad, y algunas de las primeras fotografías de Robert fueron retratos de su hermano pequeño, James. «Por entonces, aún no se dedicaba a la composición artística», declara Cassidy. «Gran parte de la labor consistía en conseguir que el bebé se estuviera quieto para poder hacer la foto. Teníamos equipos caseros de revelado, por lo que revelábamos los negativos en su casa.»

A pesar de todo, el padre de Robert afirmaba no recordar que su hijo hubiera cogido jamás una cámara. «Con todo el equipo fotográfico que había en casa –solía decir–, cualquiera diría que habría terminado por mostrar algún interés en el tema, pero nunca fue así.»

Robert se graduó en la Escuela Pública 172 en junio de 1960, y aquel mismo otoño ingresó en el Instituto Martin Van Buren, un antiestético edificio de ladrillo beige situado en la avenida Hillside y dotado de capacidad para cinco mil alumnos. El programa «SP» había permitido a Robert saltarse un curso, por lo que era un año más joven que la mayoría de los nuevos estudiantes; dado que de por sí era poco corpulento para su edad, se sintió siempre socialmente en desventaja frente a las chicas de su clase. Por si ello no bastara, era un católico en una escuela en la que la población era predominantemente judía, lo que le hacía sentirse como un intruso. «Prácticamente todos los grupos se hallaban vedados para nosotros –explica Jim Cassidy, quien había recibido educación protestante–, y el único que aceptaba religiones cristianas nos rechazó a los dos.»

Robert recurrió a Nuestra Señora de las Nieves en busca de oportunidades sociales y se unió a los Columbian Squires, una organización fraternal católica a la que también pertenecía su hermano Richard. El grupo de los Squires era célebre por su capacidad de congregar a los adolescentes más «machos» de la parroquia, y Robert pasó a lucir su uniforme –una chaqueta azul decorada con una cruz de Malta– como símbolo de masculinidad. Comenzó a decir a sus amigos que le llamaran «Bob» y, lentamente, fue apartándose de Jim Cassidy, cuyos intereses culturales le habían valido la consideración de afeminado. Así y todo, Robert continuaba siendo un inadaptado por mucho que se esforzara en reforzar su endeble autoestima. «Era una persona amable y creativa rodeada por todos aquellos machotes agresivos», recuerda el padre George Stack, quien solía presidir las reuniones de los Squires. «Era como un cervatillo; para mí resultaba evidente que no encajaba en absoluto con los demás chicos.»

Robert se hallaba dividido entre el deseo de emular a su hermano Richard, y con ello complacer a su padre, y un impulso creativo que le arrastraba en dirección opuesta. Periódicamente, hacía acto de presencia en la puerta de la rectoría para mostrar al padre Stack sus madonas cubistas. El sacerdote, pese a lo poco ortodoxo de sus representaciones, procuraba siempre alabar a aquel joven artista tan ávido de reconocimiento. Terry Gray, el mejor amigo de Robert en el grupo de los Squires, era un tipo realista y práctico cuya idea de diversión consistía en salir a pasear con alguien en su tándem. Apenas prestaba atención al arte de Robert, pero éste, a pesar de todo, acostumbraba a llevar sus dibujos a casa de los Gray para enseñárselos a Dotty, la madre de Terry. El juicio de Dotty era invariablemente frío. «Son raros, y tú también lo eres», le decía, pese a las frustradas exhortaciones de Robert: «¿Acaso no ve la belleza que poseen?» Ella, sin embargo, era incapaz de captar la belleza de aquellas madonas con los ojos en mitad de la frente. En un intento de dirigir a Robert por senderos más tradicionales, le pidió que pintara un águila norteamericana sobre el contador eléctrico del sótano de la casa para que el hombre de la compañía Con Edison tuviera algo con que entretenerse. Robert complació los deseos de Dotty Gray, pero más tarde declaró exaltado ante Terry: «¡No volveré a hacer eso nunca más! Voy a ser un artista de verdad... un artista famoso.»

Robert dijo a Terry que pensaba cambiarse el nombre de Robert Mapplethorpe por otro más sonoro y masculino: «Bob Thorpe», lo que acaso constituía un modo de forjar su identidad artística sin menoscabar su virilidad. Es posible que estuviera debatiéndose con sentimientos sexuales que no alcanzaba a comprender, y por entonces no había nadie en quien pudiera confiar. Los sacerdotes de Nuestra Señora de las Nieves se mantenían alertas en su esfuerzo por limpiar de «pensamientos impuros» las mentes adolescentes; solían prevenir a los jóvenes feligreses para que evitaran ocasiones de pecado, entre las que se incluía la visión de películas «condenadas» tales como *Esplendor en la hierba*, el drama de represión adolescente dirigido por Elia Kazan. Robert aprendió que las actividades sexuales ajenas al sagrado sacramento del matrimonio se consideraban algo inmoral, y que el fin último del contacto sexual no era otro que la creación de vida humana. Cualquier otra forma de sexo era contemplada como un abuso de la unidad entre el cuerpo y el espíritu del individuo.

Los padres de Robert jamás hablaban de sexo, por lo que se sintió conmocionado al descubrir un ejemplar de *El amante de Lady Chatterley* escondido en el armario del dormitorio paterno. La versión íntegra de la novela de D. H. Lawrence no había estado disponible en los Estados Unidos hasta 1959, poco después de que un tribunal de Nueva York dictaminara que la prohibición del libro constituía una violación de la Primera Enmienda. El proceso de censura en cuestión había llegado a oídos de Robert, quien sabía que *El amante de Lady Chatterley* estaba considerado como un «libro pornográfico», y comenzó a pasar las hojas en busca de las escenas de sexo entre lady Chatterley y el criador de faisanes. Era la primera vez que se masturbaba y, pese a sus sentimientos de culpa, continuó regresando al oscuro armario y al libro previamente censurado. No tardó mucho en descubrir varias revistas nudistas igualmente almacenadas en el armario, y aunque disfrutaba contemplando las imágenes de mujeres desnudas, advirtió que también se sentía atraído por los hombres. La masturbación le producía ya de por sí suficientes sentimientos de culpa, pero la posibilidad de ser homosexual resultaba de todo punto sobrecogedora. Las personas junto a las que había crecido no experimentaban otra cosa que desprecio hacia los homosexuales, a los que se referían como «maricas», «invertidos» y «reinonas». Robert había llegado al punto de escoger el español como segunda lengua debido a que el francés se contemplaba como algo «propio únicamente de maricones». No tenía la menor intención de caer en la ignominia o, peor aún, en pecado mortal. «Sabía que la homosexualidad era algo malo –afirma–, algo que uno no debía practicar.»

Desde luego, nunca mencionó la cuestión frente a Richard, a quien despreciaba cada vez más. Aunque ambos hermanos compartiran el mismo dormitorio, apenas se dirigían la palabra. Su habitación se hallaba dividida por una línea central invisible, y ninguno podía invadir el territorio del otro. Richard no comprendía las raíces de la ira de Robert, y tendía a considerarle el excéntrico de la familia y a hacer caso omiso de él. Por otra parte, estaba ya bastante ocupado con sus amoríos adolescentes con una muchacha de la vecindad llamada Marylynn Celano, con la que proyectaba contraer matrimonio algún día. «Era como un romance de cuento de hadas», recordaba Jim Cassidy. «Ambos eran realmente atractivos, y verlos juntos en la parada del autobús bastaba para quitarte la respiración.» Robert, de por sí resentido a causa de la relación de Richard con su padre, se sentía por entonces consumido de envidia ante el cortejo de Marylynn, y se propuso conquistarla él mismo. Comenzó a telefonearla con frecuencia y a acudir a su casa para mostrarle sus últimos dibujos; le confió sus sueños de convertirse en artista y se ofreció para pintar su retrato. A Marylynn no le interesaba Robert desde el punto de vista amoroso, pero le respetaba más que a Richard, a quien veía demasiado sujeto a la estela de Harry. «Era evidente que Harry prefería a Richard», decía. «Richard era el niño mimado, pero Robert, de algún modo, era autosuficiente.»

Con todo, Robert aún no estaba seguro de qué significaba realmente ser un hombre, y las presiones derivadas de la necesidad de cumplir con una imagen estereotipada terminaron por alcanzar su punto de ruptura. El incidente resultante fue un episodio de importancia relativamente menor en la vida de un adolescente, pero sacudió con tal violencia los cimientos del hogar de los Mapplethorpe que los padres y hermanos de Robert pasaron a evocarlo en el futuro como el acontecimiento que definió su adolescencia. Robert y Terry Gray habían acudido a una fiesta de la vecindad, y Robert, quien hasta entonces no había probado jamás el alcohol, decidió de pronto vaciar una botella entera de whisky, tras lo cual procedió inmediatamente a desmayarse sobre la alfombra. Incapaz de resucitarle por medio de los métodos habituales, basados en cafeína y duchas frías, Terry se lo echó al hombro y lo depositó sobre el umbral de los Mapplethorpe poco después de medianoche. Joan, temerosa de que hubiera sufrido un coma diabético, telefoneó al médico de la familia, quien acudió de inmediato a la casa y no tardó en diagnosticar la situación del muchacho. Obligó a Robert a recorrer de un lado a otro el salón a base de patadas en el trasero, pero el alcohol había servido para destapar un recipiente de iras contenidas: Robert se puso a golpear el suelo con las manos y comenzó a vociferar obscenidades e insultos a sus padres hasta quedarse afónico. Al día siguiente, nadie recordaba qué había dicho exactamente.

Robert obtuvo su graduación en el Instituto Martin Van Buren en junio de 1963, y aunque había manifestado su deseo de acudir a la universidad, Harry había logrado convencerle para que ingresara en el Instituto Pratt, su *alma mater*, para lo cual tendría que trasladarse diariamente a Brooklyn y regresar luego a casa. Robert se sintió desolado ante la perspectiva de permanecer en Floral Park, ya que por entonces era el hermano mayor de cuantos vivían en la casa; Nancy se había casado con su novio del instituto y vivía en otra ciudad, y Richard había seguido los consejos de su padre y se había enrolado en la Academia Estatal de Marina de Fort Schyuler para estudiar ingeniería. Con ello, cada vez que se sentaba a la mesa, la compañía de Robert se reducía a Susan, quien por entonces contaba catorce años, y a dos mocosos alborotadores. «Sentía auténtica lástima por Robert», cuenta Jim Cassidy, quien proyectaba acudir a la universidad en Buffalo. «Nunca había conocido a nadie tan desesperado por escapar de Floral Park.»

Aquel verano, Robert trabajó como mensajero en el National City Bank que había visto el inicio de la carrera de su padre medio siglo atrás. Su labor consistía en viajar en metro y trasladar paquetes entre las oficinas centrales del banco, situadas en Manhattan, y Wall Street. A la hora del almuerzo, acudía a Times Square. Allí, se contentaba con un perrito caliente en Nathan's y, a continuación, visitaba la Galería de Monstruosidades de Hubert para regalarse la vista con curiosidades humanas tales como Sealo, el niño-foca –al que le crecían las manos a partir de los hombros–, un hermafrodita llamado Alberto Alberta, y Congo, el Fenómeno de la Jungla, un haitiano tocado con una peluca sobrecogedora que realizaba rituales de vudú. Diane Arbus llegó a extraer muchos de sus temas de Hubert's, pero Robert perdió todo interés por los monstruos el día que hojeó una revista con fotografías de homosexuales en una tienda de la calle Cuarenta y dos.

La revista se hallaba envuelta en celofán, y los genitales del modelo aparecían tapados con retazos de cinta adhesiva negra. Robert no había cumplido aún los dieciocho años, por lo que no podía adquirir la revista, pero llegó a obsesionarse con la idea de contemplar su contenido. «Todas [las revistas] estaban plastificadas, lo que de algún modo las hacía aún más sexy, ya que no podías verlas», reveló a Ingrid Sischy. «Los chicos experimentamos cierta clase de reacción que luego, claro está, se pierde cuando ya lo has visto todo. Yo notaba aquella sensación en el estómago. No era directamente sexual, sino algo más potente que todo eso. Pensé que si lograba trasladar aquel elemento al arte, si conseguía retener de algún modo aquella sensación, estaría haciendo algo única y exclusivamente mío.»

A lo largo de los años, Robert recurrió a contar esta historia cada vez que le pedían que explicara por qué había incorporado la pornografía a su obra. Sin embargo, rara vez explicaba sus emociones si no era con la frase de «aquella sensación en el estómago». Para alguien que hasta entonces no había visto otros hombres desnudos que los que aparecían en las revistas de naturaleza, debió de constituir una experiencia abrumadora el contemplar individuos atractivos y bien formados posando para el placer de otros hombres, ya que significaba que Robert no era el único que deseaba a miembros de su propio sexo.

Regresó numerosas veces a la tienda, confiando en hallar la ocasión de deslizar la revista bajo su chaqueta, pero terminaron por echarle de allí. Descubrió entonces a un quiosquero ciego que también vendía pornografía gay y, tras vigilarle durante varios días para asegurarse de que, efectivamente, no podía ver, Robert le arrebató una revista. Lo que descubrió al retirar el celofán y la cinta adhesiva le resultó tan excitante que esa misma semana regresó al quiosco para robar otro ejemplar. Aquella vez, sin embargo, el quiosquero ciego había alertado a dos amigos para que vigilaran que nadie robara revistas, y ambos se abalanzaron sobre Robert y le sujetaron por detrás. «¡Llamad a la policía! –comenzó a gritar el ciego–. ¡Llamad a la policía!» Robert logró desasirse y echó a correr calle abajo. No lograba imaginar qué habría ocurrido si la policía hubiera llamado a su padre para darle la noticia de que su hijo había sido detenido por robar pornografía gay. Resolvió finalizar sus flirteos con la homosexualidad.

Durante las semanas posteriores, Robert sufrió pesadillas con el quiosquero ciego que le hacían despertarse en mitad de la noche bañado en sudor.

CAPÍTULO DOS

«Aunque sólo ligeramente, Robert era demasiado intenso y conservador para mí. Era casi el estereotipo del "buen chico".»

Nancy NEMETH,
Reina del Baile Militar del ROTC, 1964.

Mapplethorpe llegó al Instituto Pratt en septiembre de 1963 e inmediatamente se inscribió en la unidad del Campo de Entrenamiento de Oficiales de Reserva en la que había servido su padre como cadete veinticuatro años atrás. Su experiencia con la pornografía gay había dejado en él tal sentimiento de culpa que se hallaba decidido a llevar una vida «normal». Pratt, al igual que la mayor parte de los institutos norteamericanos, se encontraba por entonces anclado en el tradicionalismo de los años cincuenta, y un repaso de los anuarios de la institución nos revela que el aspecto de la clase de 1963 era prácticamente idéntico al de la de 1958. Los hombres aparecen con el cabello pulcramente recortado y llevan la camisa abotonada; las mujeres, por su parte, lucen permanente y visten faldas y jerséis típicos de colegio. Las actividades sociales del campus se hallaban dominadas en gran parte por diversas fraternidades y clubes femeninos, y el semestre de otoño dio comienzo con una bulliciosa fiesta de la cerveza conocida con el nombre de «Boola-Boola» a la que siguieron los «Rush Rallies», una serie de meriendas y tertulias masculinas.

Podían advertirse indicios, sin embargo, de que el complaciente modo de vida de los cincuenta se hallaba próximo a expirar. Tres semanas antes de que Mapplethorpe ingresara en Pratt, Martin Luther King, Jr. pronunció su apasionado discurso titulado «He tenido un sueño» ante una multitud de doscientas cincuenta mil personas congregadas en Washington D. C., y antes de fin de año catorce mil personas habían de resultar detenidas en setenta y cinco ciudades del Sur a lo largo de diversas manifestaciones en pro de los derechos civiles. En noviembre tuvo lugar el asesinato de John F. Kennedy, suceso que sirvió para pulverizar la perspectiva idealista que Norteamérica tenía de sí misma. Sin embargo, no puede decirse que hubiera un único acontecimiento que sirviera para desencadenar el espíritu de los sesenta; por el contrario, éste surgió de una constante acumulación de sucesos que convergieron entre sí y luego estallaron.

Mapplethorpe, entretanto, se enfrentaba a una tradición educativa basada en el sentido común y el pragmatismo. Pratt había sido fundado en 1887 por el industrial Charles Pratt, quien había proyectado el instituto como fábrica de zapatos en caso de que fracasaran sus esfuerzos por crear una institución vocacional y técnica. Partiendo de sus cursos iniciales de sombrerería femenina, forja y curtido, Pratt fue ampliando su currículo hasta incluir arquitectura, ingeniería, biblioteconomía y arte y diseño. Pese a todo, el objetivo de la escuela continuó siendo el de proporcionar a sus alumnos una educación apropiada, y su enfoque pragmático se convirtió en un reclamo para las familias de clases bajas y medias que deseaban que sus hijos aprendieran un oficio lucrativo.

A Harry no le complacía en lo más mínimo la decisión de su hijo de ingresar en la escuela de arte (deseaba que estudiara ingeniería), y le presionó para que se especializara en diseño publicitario, lo que le permitiría aprender ilustración y tipografía. Robert había entregado su corazón a las Bellas Artes, o a lo que el Pratt denominaba Artes Gráficas y Diseño, pero temía que su padre dejara de costear sus estudios si se dedicaba a la pintura, la escultura y el dibujo, disciplinas que Harry consideraba frívolas.

La influencia de Harry sobre su hijo resultó tan persuasiva que Robert llegó al extremo de solicitar su ingreso en los Pershing Rifles, sociedad militar honorífica de la ROTC a la que pertenecía su hermano Richard. La sociedad ha4bía sido bautizada en honor del general John «Black Jack» Pershing, quien había mandado la Fuerza Expedicionaria Norteamericana contra los alemanes durante la Primera Guerra Mundial, y sus miembros eran célebres por sus ejercicios coreográficos de habilidad con la bayoneta. Los «PRs», nombre con el que eran generalmente conocidos, eran los alumnos más alborotadores y derechistas del Pratt. «Éramos los tipos duros, los fascistas, los que más posibilidades teníamos de llegar a ser Boinas Verdes», explica Tom Logan, por entonces jefe de adiestramiento de la compañía. Cada año, solicitaban el ingreso en la sociedad veinticinco nuevos cadetes de la ROTC, pero no llegaba a la mitad los que lograban superar las seis semanas de novatadas que culminaban por fin con el suplicio de la «Noche Infernal». Robert estaba decidido a convertirse en Pershing Rifle por el mismo motivo por el que se había unido a los Columbian Squires.

Ambos grupos ofrecían una imagen de masculinidad en estado puro, y sus uniformes funcionaban a modo de enseña ambulante de su heterosexualidad. «Los Pershing Rifles gozaban de los mejores galones y distintivos –decía Mapplethorpe–, y yo estaba obsesionado con la idea de mezclarme con gente especial.»

Tom Logan era el encargado de supervisar el proceso de adaptación de los novatos, y nada más ver a Mapplethorpe lo descartó, pensando que «se echaría a llorar la primera vez que se me ocurriera gritarle». Mapplethorpe contaba dieciséis años de edad, y su cuerpo aún no se hallaba robustecido, por lo que el uniforme de la ROTC le proporcionaba un aspecto desgarbado que recordaba al pilluelo de Charlie Chaplin. Comparado con él, Logan era un fornido coloso. Hijo de un policía irlandés, se había criado en uno de los barrios más duros de Brooklyn. Su pertenencia a una de las bandas callejeras locales había representado para él un cursillo relámpago en todo lo referido a intimidación física y mental, y disfrutaba intensamente de su papel como atormentador principal de los Pershing Rifles. A Mapplethorpe le aterrorizaba su presencia, y solía pasear por el campus con los dedos fuertemente apretados en torno a la bala pulimentada que se le había encargado llevar siempre consigo. Invariablemente aparecía Logan, como materializado del aire, y obligaba a Mapplethorpe a apoyarse contra la pared; a continuación, aproximaba su rostro a un centímetro del semblante del joven y le gritaba: «¡Eres un inútil! ¡No eres más que una mierda!» En otras ocasiones, le obligaba a tenderse en el suelo y realizar una serie completa de flexiones, contorsiones y ejercicios.

Ya en diciembre, Logan se las había arreglado para espantar a más de la mitad de los posibles reclutas, pero para su gran asombro Robert Mapplethorpe no se hallaba entre ellos. Así y todo, aquel cadete novato tenía que enfrentarse aún a la Noche Infernal, que solía tener lugar en un cuartel del destacamento local del Ejército durante las vacaciones semestrales de invierno.

Mientras el resto de las fraternidades se hallaban ocupadas en transformar la cafetería del instituto en un Palacio de Hielo con vistas a las Fiestas de Invierno, Mapplethorpe preparó su macuto y se trasladó a Fort Dix, Nueva Jersey. Desde el instante en que llegó, se vio sumido en tal estado de ansiedad nerviosa que cuando una mañana Logan depositó una pera mordisqueada sobre su almohada, interpretó erróneamente el suceso como una indicación de que había sido rechazado. A un paso de la histeria, abordó a uno de los miembros de los Pershing Rifles llamado Peter Hetzel y exigió saber qué era lo que había hecho mal. «Tienes que decírmelo –suplicó al cadete veterano–. ¿En qué he fallado?» Mapplethorpe sufrió un ataque de ansiedad aún mayor la tarde siguiente, mientras aguardaba a que Logan y el resto de los Pershing Rifles dieran inicio a la Noche Infernal. «No puedo hacerlo», le confió a Victor Pope, uno de los siete reclutas que aún resistían. «Me marcho de aquí.» Echó mano de su ropa y a punto estuvo de abandonar su litera a la carrera; sin embargo, la perspectiva de enfrentarse a su padre con la noticia de que no había sido lo bastante hombre como para soportar la Noche Infernal le hizo mantener su puesto.

Pocos minutos después, llegó a sus oídos el rítmico taconeo de un desfile de botas sobre el suelo de hormigón, y los Pershing Rifles irrumpieron en el pabellón. Condujeron a los trastornados reclutas a otra habitación, y allí les sometieron a las variopintas pruebas que habían concebido, muchas de las cuales evocaban distintos rituales homosexuales sadomasoquistas. Los Pershing Rifles estaban considerados como una unidad militar de elite, y sus elegantes uniformes encajaban a la perfección con las fantasías inspiradas en la relación entre amo y esclavo. En aquella ocasión, los «amos» desnudaron a los reclutas sin contemplaciones, les taparon los ojos con compresas higiénicas y les ordenaron realizar ejercicios de instrucción con las bayonetas. Acto seguido, les ataron el pene al extremo de una cuerda previamente trenzada en torno a un ladrillo y les conminaron a lanzar el mismo hasta el otro extremo de la estancia. Por fin, fueron obligados a entrar a gatas en el servicio, donde se les ordenó comer los excrementos que yacían en los retretes, y que luego resultaron consistir en plátanos machacados y mantequilla de cacahuete. Posteriormente, Mapplethorpe revelaría a Patti Smith que alguien había llegado a insertarle la punta de un rifle en el recto.

Las diversas pruebas se prolongaron hasta el amanecer, momento en el que finalmente se comunicó a los reclutas su aceptación en el seno de la sociedad militar. Mapplethorpe se mostró emocionado ante la noticia, ya que contemplaba su pertenencia a los Pershing Rifles como prueba inequívoca de que había ingresado en el círculo mágico de la «Gente Especial».

Mapplethorpe había consumido tanta energía con su ingreso en los Pershing Rifles que había desatendido sus estudios, y sus calificaciones no pasaron de mediocres. Intentó justificar sus notas diciendo a sus padres que los profesores albergaban prejuicios contra los alumnos no internos. Resulta más probable que no se sintieran demasiado impresionados con Mapplethorpe, de mediano talento en comparación con otros alumnos del Pratt. Por si fuera poco, había gran cantidad de maestros y estudiantes aficionados al expresionismo abstracto, y Robert ni se sentía cómodo empleando el lienzo y la pintura como vehículos creativos ni osaba rastrear su espíritu en busca de emociones inhibidas. Prefería el arte de la autopresentación al del autoanálisis, y en este sentido se encontraba perfectamente sincronizado con el emergente movimiento pop. Allí donde los expresionistas abstractos buscaban la inspiración en sí mismos, los artistas pop se apropiaban imágenes procedentes de las carteleras, los tebeos y las revistas de cine. En 1962 –año del «nacimiento» del pop–, por ejemplo, James Rosenquist expuso sus pinturas de cartelera en la Galería Green; Roy Lichtenstein organizó una muestra de extractos de tebeos y utensilios domésticos en la Galería Leo Castelli, y Andy Warhol inauguró su primera exposición en la Galería Stable, donde presentó sus pinturas de botellas de Coca-Cola e imágenes de Marilyn Monroe y Elvis Presley. El crítico Irving Sandler definió el arte pop como «arte frío», y nadie se mostraba más frío que Warhol, cuyo desapasionamiento emotivo atraía intensamente a Mapplethorpe.

Durante el verano de 1964, Mapplethorpe trabajó en la Feria Mundial de Flushing, Queens, como encargado de los juegos de azar del pabellón belga. Durante aquella misma época, Warhol había recibido el encargo de realizar la decoración artística del pabellón del estado de Nueva York. Cuando hizo entrega de sus *Trece hombres más buscados*, obra de intensa carga política basada en fotografías policiales de diversos delincuentes, los responsables de la Feria ordenaron que fuera retirada, pues pensaban que podría resultar ofensiva para la comunidad italiana (la mayoría de los «hombres más buscados» eran italianos). Mapplethorpe era consciente de la creciente fama de Warhol como provocador pop, y consideraba ya al elusivo artista como a «alguien que sabe lo que se hace». La doble atracción que experimentaba hacia Warhol y hacia los Pershing Rifles representaba un incipiente síntoma de la «fría» aproximación que habría de adoptar posteriormente frente a su imaginería militarista y sadomasoquista. No obstante, durante su estancia en Pratt se sentía aún demasiado intimidado por sus propios instintos como para dar rienda suelta a su creatividad.

El hecho de vivir en casa de sus padres limitaba aún más la libertad de Robert, y por más que procuraba hacer cuanto estaba en su mano para complacer a su padre, nada de ello resultaba suficiente en comparación con Richard. Éste se sentía igualmente presionado por Harry, y su constante ansia por complacerle le había tornado débil e inútil a los ojos de Marylynn Celano. La joven deseaba poner fin a sus relaciones, pero cada vez que sacaba el tema a colación, Richard adoptaba una actitud histérica y amenazaba con abandonar la Academia de Marina. «¡Y si lo hago –la prevenía–, será la muerte de mi padre!» El hecho de que Richard empleara tal argumento como amenaza definitiva sirvió para afianzar la convicción de Marylynn de que su padre ejercía demasiada influencia sobre él. Por otra parte, que Richard creyera que una ruptura relativamente desprovista de importancia podría «matar» al progenitor ayuda a comprender los denodados esfuerzos de Robert por mantener en secreto su homosexualidad.

En septiembre de 1964, Mapplethorpe logró escapar del ámbito de su hogar alquilando un apartamento de cinco habitaciones en las cercanías del campus del Pratt, en el número 160 de la avenida Willoughby. Se las ingenió, no obstante, para recrear la tensa atmósfera de su vida familiar eligiendo como compañeros de piso a dos hombres que representaban dobles prácticamente idénticos de Richard y Harry: Tom Logan, su némesis en los Pershing Rifles, y un sargento del Ejército ya por la cuarentena que despreciaba a sus compañeros de vivienda por considerarlos unos mariquitas de colegio. Mapplethorpe y Logan compartían una de las habitaciones y, una vez más, Mapplethorpe se vio enfrentado a un «hermano» mayor de irreprochable masculinidad. «Todos envidiábamos a Tom», recordaba Stan Mitchell, miembro de los Pershing Rifles del Pratt. «Era guapo y fuerte, y poseía una voz potente y hermosa. Las mujeres le adoraban. Claro está que vivíamos en una época en la que a las mujeres les encantaban los uniformes, pero Tom les gustaba con o sin él.»

A Mapplethorpe comenzaba a agobiarle el peso de su virginidad; acaso había confiado en aprender algo de Logan, quien solía documentar sus numerosas conquistas estampando la imagen de una cereza sobre el calendario de la cocina. Varias veces a la semana, los Pershing Rifles se reunían en un bar del campus llamado Erik's, donde a menudo señalaban a Mapplethorpe como blanco de sus bromas. Le llamaban «Maypo» y se mofaban acerca de su inexistente vida amorosa. Años más tarde, Tom Logan y otros muchos Pershing Rifles se justificaron afirmando que se trataba de chanzas sin importancia, pero varias mujeres que entonces se hallaban presentes han descrito su comportamiento como sádico. «El pobre Bob se esforzaba cuanto podía por encajar con ellos... pero, sencillamente, no tenía nada que ver con aquel manojo de ingenieros bravucones», recuerda una estudiante del Pratt llamada Bonnie Lester. «Es posible que el hecho de meterse con él les hiciera sentirse mejor y más masculinos, pero recuerdo haber pensado lo dolido que debía de sentirse Robert por dentro.»

El día del decimoctavo cumpleaños de Mapplethorpe, Logan decidió que ya era hora de poner fin a la virginidad de su compañero de habitación y le sorprendió con una prostituta negra que prestaba sus servicios en la avenida Flatbush. «Aquellas mujeres formaban un grupo numeroso, y la mayor parte eran drogadictas», explica Logan. «La situación no podía ser más sórdida.» Así y todo, Logan entregó veinte dólares a la mujer, se acostó en primer lugar con ella y a continuación se la pasó a Mapplethorpe, cuya incapacidad para cumplir con su cometido constituyó un humillante remate de su festejo de cumpleaños. La anécdota no tardó en circular por Erik's, cuyos parroquianos la celebraron como una nueva muestra de la ineptitud sexual de «Maypo».

Hiciera lo que hiciese, Mapplethorpe seguía siendo un intruso. Consciente de su condición de extraño al grupo, comenzó a frecuentar la compañía de tres mujeres negras que formaban parte de la pequeña minoría racial de estudiantes del Pratt. «Bob solía contarme que sus padres le rechazaban porque era diferente», explicaba Rosita Cruz, una de las principales aliadas de Robert junto con su hermana gemela, Violetta, y Fern Urquhart. «Pero ¿hasta qué punto podía ser diferente? Para mí, era un muchacho normal y de gran talento. Bob, sin embargo, no lograba quitarse de la cabeza la idea de su "diferencia". Creo que se sentía cómodo con nosotras porque comprendíamos lo que significa que los demás no te acepten.» A menudo, acudía a las fiestas universitarias como acompañante de Rosita, y aunque no se sentía afectivamente interesado por la joven, le gustaba fingir que era su novia. Rosita no llegó a comprender hasta qué punto se engañaba a sí mismo hasta el día en que Robert oyó casualmente a otro hombre ofreciéndose a salir con ella. «Bob montó una pataleta infantil en medio de la fiesta –afirma Rosita– y comenzó a chillar: "¿Qué pretendes hacer conmigo? ¿Quieres que piensen que soy un idiota? Me has buscado la ruina. ¡Me siento anulado!"»

Mapplethorpe volvió a ponerse en evidencia en presencia de Fern Urquhart, quien había sido elegida reina de los Pershing Rifles y que, además, era novia de Tom Logan, con el que luego contraería matrimonio. Del mismo modo que en otro tiempo se había sentido obnubilado por la novia de su hermano, Robert se había enamorado ahora de Fern, a quien telefoneaba con tal frecuencia que la joven se quejó a las hermanas Cruz de que comenzaba a resultar insoportable. Siempre estaba preguntándole a Fern: «¿Por qué continúo siendo virgen?» Una noche en que había consumido demasiadas cervezas, se negó a abandonar el apartamento de la muchacha hasta que ésta no aceptara hacer el amor con él. Fern le empujó a través del umbral de la puerta y le aconsejó que «se marchara a casa y durmiera un rato», pero Robert insistía en que sólo quería dormir con ella. Cuando resultó evidente que Fern no iba a dejarle entrar de nuevo, comenzó a aporrear la puerta con los puños, gritando: «¡¿Por qué no puedo acostarme contigo?! Dímelo... *¿por qué?*» Continuó con sus embestidas hasta desplomarse finalmente de agotamiento en el umbral, donde pasó acurrucado el resto de la noche.

Al día siguiente, Mapplethorpe se tropezó con Rosita Cruz, quien le preguntó inocentemente: «Cuéntame, Bob, ¿qué hiciste anoche?» Él, impertérrito, le contó que había intentado acostarse con Fern pero que ella se había negado a abrirle la puerta. Rosita se le quedó mirando, estupefacta: «¿Quieres decir que pasaste la noche durmiendo en su *umbral?*», exclamó. «Pero ¿qué eres tú? ¿Un perrito faldero?»

Mapplethorpe encontraba exóticas a las mujeres de raza negra, y es posible que, incluso entonces, fuera el aspecto prohibido del sexo interracial lo que más le excitara. Curiosamente, su incontrolado comportamiento frente a Fern Urquhart y Rosita Cruz contrastaba abiertamente con la personalidad apacible y pasiva que mostraba frente a las mujeres de raza caucásica. Linda Lee, una estudiante de primer año del Pratt con la que salió durante seis meses, le consideraba un modelo de caballerosidad. Siempre que salían juntos Robert acudía con una chaqueta azul y unos pantalones perfectamente planchados y se contentaba con cogerla de la mano mientras veían las *Televentas* en la sala contigua a los dormitorios. «Bob era una de las personas más agradables que había conocido nunca», recordaba Lee. «Era sumamente dulce y nada egoísta, aunque sí demasiado sumiso. Si me hubiera pedido que me casara con él, creo que habría aceptado.» A Mapplethorpe no parecía importarle que Lee saliera con otros hombres, y en cierta ocasión en que se encontró con ella en el campus en compañía de un rival, se mostró cordial hasta el punto de desearles que se divirtieran. Aquel año, al llegar la Navidad, regaló a la joven unos pendientes de oro y una tarjeta ilustrada con uno de sus dibujos de la Virgen María.

Mapplethorpe había subordinado su identidad a su condición de miembro de los Pershing Rifles, pero jamás se le había pasado por la cabeza la posibilidad de tomar parte activa en un conflicto bélico. En febrero de 1965, sin embargo, el presidente Lyndon Johnson autorizó los bombardeos de Vietnam del Norte, y una avalancha de decenas de miles de soldados estadounidenses comenzó a inundar el sur del país. En el seno de los Pershing Rifles, los camaradas de Mapplethorpe se mostraban impacientes por entrar en acción, y cada vez que acudían a Erik's a consumir sus cervezas y emparedados de carne asada, planeaban sin cesar su venganza contra el Vietcong. Mapplethorpe, entretanto, acababa de sobrevivir, apenas, a una marcha de supervivencia de cinco días a Fort Dix en la que a punto había estado de sucumbir a la congelación tras caminar quince kilómetros bajo un frío glacial. Su decepción aumentó tras ser rechazada su solicitud para ingresar en el equipo de elite de los Pershing Rifles. El encargado de evaluar a los candidatos era Bob Jacob quien, por más que admirara la tenacidad de Mapplethorpe, era igualmente consciente de su falta de coordinación. «Sencillamente, no era tan bueno como los demás», recordaba Jacob. «Era flacucho como un cachorrito o un potrillo.» El equipo de elite constituía el grupo más prestigioso de los Pershing Rifles, y la imposibilidad de ingresar en aquel círculo sumió a Mapplethorpe en una profunda depresión.

De haber sido más interesantes las clases, es posible que hubiera prestado mayor atención a los estudios, pero su currículo de primer grado le exigía asistir a cursos relacionados con su aprendizaje del diseño publicitario, tales como composición y tipografía. Mapplethorpe los encontraba aburridos, y reprochaba a su padre el impulsarle en tal dirección. Se apuntó a un curso de fotografía del que terminó igualmente hastiado. Cuando llegaba el momento de elaborar el expediente de presentación de un proyecto final, mentía y aportaba una colección de fotografías de su padre, gesto que reflejaba la naciente conciencia de estar siguiendo en la vida los mismos pasos de su padre. Sin embargo, no descargaba sus sentimientos de frustración sobre Harry Mapplethorpe, sino sobre Tom Logan, a quien por entonces creía odiar por motivos que se mostraba incapaz de razonar.

Una tarde, en el apartamento de las hermanas Cruz, comenzó a despotricar contra Logan, gritando «¡Le odio!» mientras las lágrimas resbalaban por sus mejillas. «Si tanto le odias –le preguntó Rosita Cruz–, ¿por qué vives con él?» Mapplethorpe tan sólo fue capaz de sacudir la cabeza y gemir: «Si tan sólo pudiera verle muerto...» Al mismo tiempo, tenía lugar un drama paralelo: el sargento que vivía con ellos había llegado a detestar igualmente a Logan y, frustrado por la insignificancia de su carrera militar y por el fracaso de su matrimonio, experimentaba un agudo resentimiento hacia la juventud y bravuconería de aquel jovenzuelo. Una noche en que llegó borracho a casa, inmovilizó a Logan contra la pared de la cocina, le puso un cuchillo de cocina en el vientre y comenzó a gritar que iba a matarle. Cuando Mapplethorpe penetró en la cocina, debió de vivir aquella escena terrorífica como la culminación de su propia fiebre asesina. «¡Dios mío! –chilló–. ¡No puedes *matarle*!» Instintivamente, se interpuso entre ambos hombres y trató de convencer al sargento para que soltara el cuchillo. Éste, finalmente, salió enfurecido al pasillo en dirección a su dormitorio y Logan se vio ante la necesidad de agradecer a «Maypo» que hubiera salvado su vida. «Nunca había considerado a Robert como un personaje realmente valeroso –dijo Logan–, pero tras aquella noche hube de admitir que quizá me había equivocado.»

El heroísmo de Mapplethorpe, no obstante, no contribuyó a resolver el problema de encontrar una pareja para el Baile Militar, considerado como el más importante acontecimiento del calendario social de los Pershing Rifles. Había invitado a Linda Lee, pero la joven tenía previsto acudir con otra persona; así pues, se lo propuso a Nancy Nemeth, una universitaria de Floral Park con aspiraciones de modelo a la que había acompañado en algunas ocasiones a Nuestra Señora de las Nieves. Nancy aceptó ser su pareja, pero a continuación escribió en su diario: «Realmente, no sé si quiero ir.» Consideraba a Mapplethorpe una persona sensible y amable, pero también demasiado pasivo y tímido para ella. «No había nada de él que realmente me llamara la atención», ha dicho Nemeth. «Mostraba un aire casi patético.»

Año tras año, los cadetes de la ROTC debían elegir a la Reina del Baile Militar, y Mapplethorpe, tal y como se exigía, presentó un retrato de 13 x 18 cm de Nancy Nemeth que había tomado personalmente en Floral Park. La joven ganó el concurso y, varias semanas después, fue coronada Decimocuarta Reina del Baile Militar Anual en el Statler-Hilton de Manhattan. Posteriormente, la gaceta escolar se encargó de mencionar el hecho de que había estado acompañada por el sargento Robert Mapplethorpe. «Era una mujer considerablemente guapa», recordaba Bob Jacob. «Después de aquello, Mapplethorpe comenzó a verse más respetado como hombre.»

CAPÍTULO TRES

«La de Robert fue una transformación notable. Acabábamos de verle con su uniforme de la ROTC y al día siguiente andaba ya paseándose por el campus con una zamarra de piel de cordero y cubierto de abalorios.»

Kenny TISA,
Instituto Pratt, Promoción de 1968.

Cuando Mapplethorpe regresó a Pratt, en otoño de 1965, la canción más popular de Norteamérica era *Eve of Destruction*, interpretada por Barry McGuire. Se había convertido en un éxito a pesar de su apocalíptica letra acerca de la «explosión... del mundo occidental» y de aquellos soldados que eran «lo bastante viejos como para matar pero no para votar». A modo de respuesta frente a la filosofía izquierdista de la canción, el sargento Barry Sadler grabó poco después la patriótica *Balada de los Boinas Verdes*. Todd Gitlin escribió en *The Sixties: Years of Hope, Days of Rage* que cierta cadena de radio había llegado a patrocinar una «Batalla entre los Barrys» en la que se pedía a los oyentes que votaran por su canción favorita. Ganó la *Balada de los Boinas Verdes* pero, según Gitlin, *Eve of Destruction* parecía certificar que se cernía sobre la Norteamérica de nuestro tiempo un movimiento juvenil de masas.

En aquella época, Mapplethorpe se hallaba ocupado en librar sus propias batallas, ya que el clima político del campus iba derivando hacia la izquierda, y los estudiantes de artes gráficas, ya célebres por su reputación como bohemios, abrazaban sin reservas aquella corriente contracultural. «Éramos los excéntricos, los drogadictos», solía decir Kenny Tisa, alumna del Pratt. «Robert, empeñado en formar parte de la élite, se veía en la necesidad de cambiar de bando si no quería convertirse en un absoluto proscrito.»

Mapplethorpe comprendió que el hecho de pertenecer a la ROTC había dejado de representar una ventaja desde el punto de vista social, pero difícilmente podía renunciar a su condición sin sacrificar su honor y los cuarenta dólares mensuales que le pagaba el Ejército. Sí cambió, no obstante, sus estudios de diseño publicitario por los de artes gráficas, pero lo mantuvo en secreto ante su padre hasta mediado el semestre. «¿Y has sido capaz de hacer semejante cosa sin decírmelo?», exclamó Harry durante una de las cenas dominicales de Floral Park. «¿Quién crees que está pagando tus estudios?» Robert intentó explicar los motivos que le habían impulsado a cambiar de disciplina. «Papá –imploró–, quiero ser un verdadero artista, no un ilustrador ni un tipógrafo.» Harry, sin embargo, se hallaba tan enfurecido que se ensañó aún más con su hijo. «Un *artista* –se burló–. ¿Y cómo piensas ganarte la vida siendo artista?» Robert, ahogada su respuesta bajo los reiterados gritos de su padre, se deshizo en lágrimas. Avergonzado, huyó de la casa y echó a correr, dejando atrás, uno tras otro, los blancos chalés de la calle Doscientos cincuenta y nueve y los idénticos parches de césped que los separaban de la acera. Ignoraba adónde se dirigía, pero siguió corriendo hasta oír la atronadora voz de su padre: «¡Vuelve aquí! –gritaba Harry–. Has hecho llorar a tu madre.» Robert regresó a casa, pero el incidente jamás llegó a olvidarse. Harry continuó pagando los estudios de su hijo, pero al cabo de varios años aún seguía albergando rencor.

En su esfuerzo por radicalizarse, Mapplethorpe dejó de frecuentar la compañía de los Pershing Rifles y trabó amistad con otro estudiante de artes gráficas llamado Harry McCue, quien supo introducir a Mapplethorpe en la contracultura del mismo modo que Jim Cassidy le había guiado en otro tiempo a través de los entresijos de Manhattan. Harry McCue resultaba perfecto como personaje de transición ya que, si bien albergaba un espíritu pictórico liberado, poseía también una vena prudente y conservadora que ayudaba a mantener bajo control sus intrépidos instintos. Al igual que Mapplethorpe, McCue se había criado en un hogar católico de clase media bajo la tutela de unos padres que habían intentado apartarle del camino del arte. Su padre, jefe de taller de la compañía Mack Trucks, había arrojado a la papelera la solicitud de ingreso en Pratt cumplimentada por su hijo. Así y todo, McCue había insistido en su empeño, e incluso había logrado mantener una relación positiva con sus progenitores, a cuyo modesto hogar de Bedford, Nueva York, acudía regularmente de visita. Mapplethorpe solía mortificarle por «vivir en el quinto pino», pero jamás rechazó una invitación para acudir a casa de los McCue. Envidiaba a Harry por ser capaz de mantener intactos los lazos con sus padres sin sacrificar su identidad, y constantemente se lamentaba de su propia situación frente a su familia. «Mi padre está empeñado en que sea como mi hermano –se quejaba–, pero no puedo serlo.»

A Harry McCue le gustaba alardear de su excentricidad hasta el punto de deambular ataviado con un uniforme del Ejército confederado, y Mapplethorpe no tardó en comenzar a pasearse por el campus cubierto con una capa de mago y un sombrero hongo. Uno de los profesores los bautizó sarcásticamente con el nombre de ciertos personajes literarios, «los gemelos Bobbsey», y acusó a Mapplethorpe de perder más tiempo con sus disfraces que con sus estudios. Efectivamente, aún no gozaba en el campus de consideración alguna como artista de mérito, y la posibilidad de quedarse en la mediocridad le deprimía. «¿Tú no crees que lo que hago sea bueno, verdad?», preguntó a McCue, desairado ante la negativa de su amigo a intercambiar cuadros. «Robert era un delineante magnífico», explica McCue. «Poseía auténtico sentido de la línea, pero era incapaz de pintar. El color era algo que se le escapaba por completo.»

Ambos amigos eran de la misma edad, pero McCue consideraba a Mapplethorpe como un personaje inmaduro y desorganizado: «un completo mentecato». Robert se mostraba incapaz de enfrentarse a las tareas más sencillas, desde hacer la compra o ir al banco, y a menudo enviaba camisas a la lavandería con billetes de un dólar asomando por los bolsillos. Ambos, sin embargo, compartían el más absoluto fracaso con las mujeres, por lo que cabe la posibilidad de que, habituado a los alardes sexuales de Tom Logan, Mapplethorpe se sintiera algo más cómodo con alguien incapaz de superarle en ese terreno. Había logrado perder por fin la virginidad, pero el episodio no había resultado memorable y, si bien siguió acostándose con varias jóvenes del Pratt, sus experiencias sexuales nunca resultaron tan eufóricas como había esperado. Con todo, había resuelto asfixiar sus propensiones homosexuales, y a pesar de su estrecha relación con Harry McCue —posteriormente llegarían a compartir el mismo dormitorio—, nunca mostró el menor indicio de sentirse atraído por los hombres. «Que yo supiera —afirma McCue—, no era gay en absoluto.» Las tendencias de Mapplethorpe, sin embargo, fueron advertidas al menos por uno de los alumnos del Pratt: David Palladini describía el rostro de Robert como una imagen extrañamente dividida. «Desde un ángulo resultaba francamente femenina —aseguraba—, mientras que desde el contrario mostraba un aspecto masculino y atemorizado.»

Al comienzo del semestre, Mapplethorpe se había mudado del apartamento de la avenida Willoughby a un estudio de planta baja de la avenida DeKalb que compartía con un mono domesticado llamado *Scratch*. De todas las anécdotas relacionadas con el fotógrafo, la saga de aquel mono continúa siendo una de las más insólitas. Lo había comprado en una tienda de animales de Brooklyn aprovechando el descuento que le hacía el dueño por tratarse ya de un mono adulto. Éste, sin embargo, evitó mencionar que *Scratch* no estaba habituado a norma alguna de higiene, y Mapplethorpe, tras vagos intentos por adiestrarle, declaró al animal incontrolable y le permitió campar a sus anchas por el apartamento. El estudio no tardó en verse cubierto de orina y heces, y los amigos que acudían a visitar a Mapplethorpe solían quedarse estupefactos tanto por el hedor como por la costumbre de *Scratch* de masturbarse frente a su dueño. Algunos de los miembros de los Pershing Rifles se hallaban convencidos de que Mapplethorpe era víctima de algún desorden psicológico, ya que no sólo se paseaba ataviado con vestiduras disparatadas y fumando marihuana, sino que había comenzado a llevar consigo al animal adondequiera que fuese. «Cada vez que le veía, se me caía el alma a los pies», solía decir Stan Mitchell. «Pensé que había caído en un pozo sin fondo.»

Si la bestia negra de Mapplethorpe era su propia sexualidad, *Scratch* representaba la encarnación viviente de sus temores en torno a las desviaciones sexuales y la pérdida de control. Medio en broma, afirmaba del animal que se hallaba poseído por el demonio –«*Scratch* es un apodo de Satanás»–, pero en lugar de devolverlo a la tienda, continuó conservándolo y «olvidándose» de darle de comer. Un día regresó al apartamento tras una semana de ausencia y se encontró con el cuerpo de *Scratch* tendido en el suelo. «¡*Scratch* está muerto!», gritó histérico por teléfono a Harry McCue quien, tras algunas palabras de consuelo, preguntó si Mapplethorpe había completado el proyecto que debía presentar al día siguiente en clase de Estructuras Naturales.

La tarea consistía en crear un instrumento musical a partir de un hueso, pero era domingo por la noche, y las carnicerías estaban cerradas. «¿De dónde voy a sacar un hueso a estas horas?», le preguntó Mapplethorpe. A las dos de la madrugada, volvió a llamar a McCue y le informó de que no podía regresar a su apartamento porque el hedor era insoportable. «Tengo a *Scratch* cociendo en un puchero», dijo. Mapplethorpe había decapitado al simio con un cuchillo de cocina y, tras hervirlo para separar la carne, había transformado el cráneo en un instrumento musical de tal belleza que aquélla fue una de las pocas ocasiones durante su estancia en Pratt en que recibió un sobresaliente por su trabajo. Sus demonios internos habían servido por fin para algo, pero la historia de *Scratch* no tardó en adquirir vida propia. Algunos de los alumnos de Pratt creían que había decapitado al mono mientras éste aún vivía, y otros sugerían que había devorado su carne a lo largo de un ritual vudú. El propio Mapplethorpe alentaba tales rumores, ya que se paseaba con la calavera de *Scratch* en el bolsillo y de cuando en cuando la alzaba dramáticamente en el aire, como si se tratara de Hamlet contemplando a Yorick. Aquella anécdota llegó a formar parte integral del historial universitario de Mapplethorpe hasta el punto de que numerosos alumnos de Pratt se mostraban convencidos de que sus posteriores fotografías de cráneos no eran sino imágenes de *Scratch*.

La breve y estrafalaria historia de *Scratch* influyó en varias de las inquietudes principales de la vida adulta de Mapplethorpe: su interés por las imágenes de muerte y violencia; su fascinación por el demonio; su ansia por transformar lo feo y lo deforme en obras de arte. Asimismo, se hallaba relacionada con un aspecto tenebroso de su naturaleza que emergería posteriormente a lo largo de sus relaciones sexuales con otros hombres: la necesidad de quebrar todas las normas y transgredir todos los tabúes.

Mapplethorpe experimentó su primer viaje de LSD durante el verano de 1966, época en la que trabajaba como asesor para el Campamento Juvenil Masculino de St. Vincent's, en Delaware. A su regreso a Pratt, en septiembre, comentó excitado los efectos de la droga con Rosita Cruz, quien escuchó su descripción acerca del modo en que las flores más corrientes se habían visto transformadas en «adorables figuras de dibujos animados dotadas de rostros encantadores y mejillas regordetas». A diferencia de los decadentes estudios florales que realizaría posteriormente, las flores lisérgicas de Mapplethorpe muestran más elementos en común con la *Fantasía* de Walt Disney; sin embargo, su perspectiva de la naturaleza, benigna y frívola, era acaso el reflejo de su propio convencimiento de que el LSD le había proporcionado la capacidad de aislarse en una experiencia sensorial desprovista de sentimientos de culpa. Y, dado que existían tantos aspectos de su vida de los que se sentía culpable, es cierto que las drogas sirvieron para resolver temporalmente su dilema.

Durante los veinte años siguientes, Mapplethorpe habría de consumir drogas casi diariamente: marihuana, anfetaminas, metadona, ácidos varios, cocaína y nitrito de amilo. Se convirtieron en parte integral de su experimentación sexual, ya que le ayudaban a difuminar la frontera que separa el placer del dolor, a la vez que a sofocar su autocensura interna. Descubrió que las drogas estimulaban asimismo su creatividad y, a partir de entonces, no volvió a coger lápiz y papel ni, posteriormente, a tomar una fotografía, sin «colocarse» previamente.

El *Lector Psicodélico* de Timothy Leary se convirtió en la nueva biblia de Mapplethorpe y, en lugar de acudir a la iglesia, comenzó a asistir a las «Celebraciones» que realizaban Leary y su Liga para el Descubrimiento Espiritual (*League for Spiritual Discovery* o LSD) en el Village Theater de la Segunda Avenida de Manhattan, amenizadas por espectáculos luminosos *multimedia* y conferenciantes invitados tales como LeRoi Jones y Allen Ginsberg.

Tras vivir en casa de sus padres, compartir un apartamento con dos militares y un estudio con un mono, Mapplethorpe pasó a instalarse en un viejo edificio de arenisca de St. James Place que uno de sus ocupantes había descrito como una «Granja Animal Psicodélica». Los suelos de parqué se hallaban salpicados de colchones y elementos relacionados con el mundo de las drogas, y de la parte superior de la escalinata de caoba colgaba boca abajo un árbol de Navidad decorado con pollitos de plástico. «Tomábamos todos tantas drogas que el lugar parecía poseer un carácter alucinatorio propio», decía Claude Alverson, un diseñador de interiores que habitaba en la planta superior. Los inquilinos idearon un juego grotesco llamado «Exterminio Creativo» por el que se comprometían a detallar sobre un bloc de cocina las fechas y los métodos «creativos» empleados para eliminar a las cucarachas que poblaban el edificio. Los visitantes de entonces recuerdan haber visto a los bichos en cuestión empalados en alfileres y colgados de diminutos lazos realizados con trozos de seda dental.

El arte inspirado por el ácido se estaba volviendo tan corriente en Pratt que los profesores eran a menudo capaces de determinar en qué momento preciso había descubierto un alumno las drogas. Los dibujos de Mapplethorpe, por ejemplo, se tornaron más obsesivos y detallados: tras consumir LSD solía retirarse al jardín del edificio, donde podía pasarse cinco o seis horas dibujando una sola hoja, o cubriendo una página con ejemplos de su firma o miles de puntos de colores. Compartía el dormitorio con Harry McCue y, si bien este último rehusaba consumir droga, sí compartía el entusiasmo de su compañero por convertirse en un «artista psicodélico». Ambos perseguían su inspiración en el erotismo onírico de Hieronymus Bosch y Egon Schiele, así como en las fotografías del surrealista alemán Hans Bellmer, célebre por sus inquietantes imágenes de muñecas descuartizadas. Ambos, también, llegaron a la conclusión de que nunca llegarían a producir una obra tan desasosegante desde el punto de vista emocional hasta que lograran liberarse de su moral tradicional católica y abrazar la vida con todas sus consecuencias.

Mapplethorpe escogió a Andy Warhol como modelo principal; el artista en cuestión había creado una antiiglesia en la Factory, su estudio de paredes plateadas de la calle Cuarenta y siete Oeste, lugar al que sus seguidores —muchos de los cuales, como el propio Warhol, habían recibido una educación católica— acudían para poner en práctica juegos sexuales sadomasoquistas basados en la necesidad de confesar sus pecados y obtener la absolución de los mismos. Sus extravagantes y patéticas travesuras habían aparecido recientemente documentadas en la película de Warhol *Chelsea Girls* (Chicas de Chelsea), que Mapplethorpe había encontrado «terrorífica» por el modo en que sus protagonistas habían aceptado voluntariamente descender a una paranoia y autoaborrecimiento inducidos por las drogas. Claramente, Warhol representaba más la figura de un diablo que la de un dios y, tras ver la película, Mapplethorpe se sintió aún más convencido de que la exploración de aquellas regiones oscuras habría de estimular su imaginación. Resolvió que tan pronto como se mudara a Manhattan tras graduarse iría al encuentro de Warhol y, con suerte, se haría amigo de él.

«Anhelábamos el poder de Satanás –explica McCue–, y, por ello, intentábamos relacionarnos con aquellas personas y situaciones a través de las cuales podríamos ponernos en contacto con él.» Algunos de sus esfuerzos resultaban casi grotescamente infantiles, como es el caso de cierta ocasión en la que compraron una cabeza de cabra en una carnicería para luego rodearla de cirios encendidos en un intento de invocar al mismísimo diablo. Decidieron que los negros y los homosexuales constituían dos grupos íntimamente ligados a Satanás, y realizaron un esfuerzo conjunto por trabar relación con Violetta y Rosita Cruz, a quien Mapplethorpe atribuía sin vacilación alguna la capacidad de llevar a cabo rituales de vudú. Asimismo, visitaban el barrio de Greenwich Village para deleitarse en la contemplación de los homosexuales y disfrutar de su aura malévola.

En otra ocasión, McCue adquirió una camiseta de pirata en una tienda para homosexuales. Mapplethorpe le mortificaba, acusándole de parecer afeminado, pero a la semana siguiente se compró otra igual para sí mismo. Todo aquello, en palabras de McCue, eran otras tantas formas de «explorar lo raro» pero, dada la atracción de Mapplethorpe hacia los hombres, sus motivaciones se nos antojan hoy considerablemente más complejas. Como ya había sucedido antes con la chaqueta de los Columbian Squires y el uniforme de los Pershing Rifles, empleaba el atuendo como medio para forjar su propia identidad, y la camiseta de pirata le permitía jugar a ser gay... por amor al arte.

Por aquella época, el ropero de Mapplethorpe revelaba la existencia de un hombre psicológicamente dividido: a caballo entre su capa de mago, su camiseta «homosexual» y su uniforme de la ROTC, continuaba batallando consigo mismo. Aquella primavera, la creciente tensión entre los alumnos de arte del Pratt y los ingenieros –Prattnam del Norte contra Prattnam del Sur, como los describiera la gaceta de la institución– obligó a Mapplethorpe a escoger entre una y otra forma de atavío.

Los estudiantes de ingeniería eran en su mayor parte miembros del ROTC, y a medida que en Pratt crecía la atmósfera antibelicista, el Ejército y los propios ingenieros fueron adoptando de modo creciente el papel de «enemigo». El 15 de abril de 1967, cincuenta alumnos del «Movimiento Pacifista de Pratt» se unieron a otros ciento veinticinco mil manifestantes en Central Park y, estimulados por su acción, organizaron una sentada cuatro días después para protestar contra la visita al campus de un coronel del Ejército. El oficial, atrapado en el gimnasio junto con los cadetes del ROTC, logró por fin huir por la puerta trasera, dejando a Robert y a su regimiento frente a ciento cincuenta manifestantes que blandían pancartas inscritas con los lemas LA GUERRA ES EL INFIERNO y UTILIZAD LA MENTE, NO LAS ARMAS. Mapplethorpe hubo de soportar el abucheo de miembros de su propio departamento de arte y, poco después, comenzó a pedir consejo a sus amigos acerca del mejor modo de suspender las inminentes pruebas físicas para su ingreso en el Ejército. Recibió las más diversas sugerencias, desde perforarse un tímpano hasta romperse una pierna, pero Mapplethorpe optó finalmente por tragarse una pastilla de ácido antes de acudir al centro de incorporación del Ejército, emplazado en la calle Whitehall. Llegado el momento de su examen, su aspecto era tan psicótico que los médicos le declararon no apto para el servicio.

La huida del Ejército representaba el último obstáculo que separaba a Mapplethorpe de su libertad. Exento por fin de la obligación de llevar el cabello cortado al rape, se lo dejó crecer hasta los hombros. Hasta entonces, había procurado moderar su indumentaria previamente a sus visitas a Floral Park, pero no tenía modo de ocultar la longitud de su cabello, y su padre, al verlo, sufrió un acceso de cólera. Norteamérica se hallaba inundada de padres enzarzados en batallas similares, todas ellas suscitadas por el mismo motivo, pero, en aquel caso, la ira de Harry se veía acrecentada ante la sospecha, cada vez más certera, de que Robert era homosexual. ¿Por qué otro motivo, si no –se preguntaba Harry–, habrían de haber rechazado a su hijo en el Ejército? «¡Pareces una mujer! –gritó–. ¡Me das asco!»

Por si ello fuera poco, a Harry le enfurecía la última revelación de Robert, según la cual no habría de licenciarse con el resto de los miembros de la promoción del sesenta y siete ya que, al haber cambiado de especialidad, iba con un semestre de retraso. Harry había prevenido a su hijo de que tan sólo le costearía cuatro años de universidad y, fiel a su palabra, se negó a proporcionar a Robert un centavo más. Su postura no era del todo irrazonable, ya que aún tenía otros tres hijos que educar con su modesto salario. Robert, sin embargo, no había sabido prever plan alguno de emergencia, por lo que pasó el resto del semestre en un estado de obnubilación oscurecida por las drogas. Sam Alexander, que años atrás le había enseñado diseño tipográfico, recuerda que, un día, Mapplethorpe entró tambaleándose en una de sus clases de prácticas y cayó desvanecido sobre el suelo. «Ni siquiera se había apuntado a aquella clase –dijo Alexander–, pero apareció en el umbral y luego, simplemente, se desplomó. Le recogí y le ayudé a sentarse en una silla. Estaba completamente sonado.»

Harry McCue se mostraba cada vez más preocupado por el abuso que Mapplethorpe hacía de las drogas, y aunque en otro tiempo había animado a su amigo a hacer el loco, esta vez decidió aconsejarle que modificara su conducta. «Bob era un tipo sensible y bondadoso –afirma McCue–, y yo veía entonces que se estaba convirtiendo en un zombi.» Ebrio de anfetaminas, Mapplethorpe era capaz de permanecer despierto cinco días seguidos, tras lo cual se pasaba una semana durmiendo. Comenzó a confesarle a McCue proyectos disparatados según los cuales iba a vender su alma al diablo a cambio del éxito artístico; tras ello «destruiría a toda esa gente gilipollas» que nunca había creído en su talento. McCue aún ignoraba el hecho de que su mejor amigo continuaba debatiéndose con su identidad sexual, pero existe un dibujo de la época que parece sugerir la confusión que padecía: muestra a un joven dotado de pechos femeninos y de un corazón que florece hasta convertirse en una vagina.

Mapplethorpe y McCue continuaron compartiendo la misma habitación, pero su estrecha amistad había terminado. El golpe de gracia tuvo lugar el día en que Mapplethorpe convenció a McCue para fumarse juntos un cigarrillo de marihuana que, para desconocimiento de ambos, había sido aderezado con alguna droga psicodélica. «Harry pareció volverse loco», recordaba Pat Kennedy, otro de los inquilinos del edificio de St. James Place. «Salió corriendo de la casa y no regresó jamás.»

Antes de partir hacia Colorado para ingresar en un colegio universitario, McCue volvió a toparse con Mapplethorpe en el campus del Pratt. «Me obsequió con el más absoluto desprecio», recuerda McCue. «Era como si no hubiera estado a su altura. Me dijo: "Vete a Colorado. De todas maneras, no eres más que un paleto." Aquél fue el fin de nuestra amistad. Yo conseguí detenerme al borde del abismo, pero me temo que Bob andaba buscando a alguien que le acompañara hasta el infierno.»

CAPÍTULO CUATRO

«Fue la primera persona que me abrió los ojos.»

Robert MAPPLETHORPE,
en referencia a Patti Smith.

Robert Mapplethorpe conoció a Patti Smith hacia finales del semestre de la primavera de 1967, cuando aún vivía en St. James Place. Patti andaba por entonces en busca de Kenny Tisa, una vieja amiga de Nueva Jersey, y alguien le había dado erróneamente la dirección de Mapplethorpe. Al llegar, se internó en el edificio y descubrió a Mapplethorpe durmiendo en la cama. «Estoy buscando a alguien», dijo con su fuerte acento de Nueva Jersey. Sobresaltado, Mapplethorpe se preguntó si no estaría soñando, pues aquella intrusa era una de las personas más peculiares que había visto nunca. Su rostro era pálido y alargado como los de las pinturas de Modigliani, y poseía unos ojos penetrantes, una cabellera negra y enmarañada y un cuerpecillo de apenas cuarenta kilos de peso, tan huesudo y anguloso que Salvador Dalí habría de describirla posteriormente como un «cuervo gótico». El propio Mapplethorpe pensó que parecía una «criatura procedente de otro planeta» y, mudo y soñoliento, la acompañó hasta el apartamento de Tisa sin pronunciar palabra.

A aquel primer encuentro de cuento de hadas siguió, varios meses después, otro igualmente extravagante en Greenwich Village, en pleno apogeo del «Verano del Amor». Patti Smith había quedado citada para cenar con un desconocido, y se encontraba en la embarazosa situación de tener que rechazar sus insinuaciones sexuales. En los periódicos, eran cada vez más frecuentes las historias de jóvenes violadas o asesinadas en el East Village, barrio que, al igual que el Haight-Ashbury de San Francisco, se había visto recientemente transformado en una meca de hippies, drogadictos y adolescentes huidos de casa. Contaba con la primera «tienda mental» del mundo —la Psychedelicatessen—, así como con innumerables comercios repletos de velas, cuentas de colores, inciensos y libros de astrología. Patti no quería acabar sus días como una víctima más sin identificar, por lo que se mostró encantada de divisar el rostro familiar de Mapplethorpe entre aquella turba de hippies que fumaban marihuana en Tompkins Square Park. Robert había estado tomando LSD. Ataviado con su chaqueta de piel de cordero y sus cuentas de colores, a Patti se le antojó en aquel momento como el hippie modelo. Ansiosa de librarse de su acompañante, echó a correr hacia Mapplethorpe y le susurró al oído: «Haz como si fueras mi novio.» A continuación, dirigió al otro un ademán de despedida y dijo: «Gracias por la cena, pero acabo de encontrar a la persona que andaba buscando.»

Mapplethorpe halló en Patti Smith una *doppelgänger*,* alguien que, con su amor y comprensión intuitiva, le hizo experimentar una sensación de plenitud por primera vez en su vida. Ambos tenían exactamente la misma edad —veinte años— y compartían numerosos problemas comunes relativos a la relación con sus padres y a su identidad sexual. En comparación con la de Mapplethorpe, Patti había llevado una vida pintoresca y extravagante; había nacido en Chicago, pero había pasado los primeros años de su niñez en Filadelfia, ciudad en la que su padre, Grant, trabajaba como técnico para la Honeywell Corporation durante el turno de noche mientras su madre, Beverly, se ocupaba de Patti y de sus tres hermanos pequeños. A los siete años de edad, Patti padeció la escarlatina; sentada frente a la estufa de carbón de la cocina, le asaltaban visiones terroríficas que siguieron asediándola en los años venideros. Sufría alucinaciones periódicamente, mas, dado que a sus padres no parecía preocuparles demasiado, terminó por emplear aquellos episodios recurrentes en beneficio de su creatividad, concibiendo historias imaginativas que luego contaba a sus hermanos. Patti no tenía muchos amigos, ya que la mayoría de sus compañeros de clase no soportaba ni su peculiar comportamiento ni su aspecto físico. Había nacido con un ojo desviado, por lo que se veía obligada a llevarlo tapado con un parche negro y, por si fuera poco, se le había caído el pelo como resultado de la escarlatina y lucía una calva parcial.

Cuando cumplió ocho años, la familia Smith se mudó de nuevo, esta vez a Woodbury Gardens, Nueva Jersey, donde compraron una sencilla casa rural construida cerca de un pantano rodeado por varias granjas de cerdos. Al otro lado de la calle había un granero encalado llamado Hoedown Hall al que los vecinos de la localidad acudían a bailar los domingos por la noche. Patti adqui-

* *Doppelgänger: Doubleganger*, de *doppel* (doble) y *gänger* (caminante). Dícese del supuesto fantasma o espectro de una persona viva. *(N. del T.)*

rió la costumbre de pasar largos ratos contemplando el jardín que se extendía frente al granero, conjurando los fantasmas de su espesa maleza.

Los mundos imaginarios proporcionaron a Patti una forma de defensa frente a la excentricidad de su familia. Adoraba a su padre, pero éste, cuando no estaba trabajando, se sumergía en la Biblia o en interminables lecturas de libros de OVNIS. A los pequeños Smith –especialmente a Patti– les resultaba prácticamente imposible atraer la atención de Grant, ya que nada de lo que hicieran podía competir en modo alguno con los sensacionales acontecimientos que tanto le interesaban. Cuanto más se enclaustraba Grant, más le contemplaba Patti como una figura deífica e inalcanzable con la que ansiaba comunicarse. El tema del padre omnisapiente y mudo habría de reaparecer en la obra de Patti a medida que la joven ampliaba su propia experiencia con Grant hasta abarcar el dilema existencial de quien ora a un Dios silente.

Beverly Smith era una figura más accesible que su esposo pero, al igual que Patti, se mostraba propensa a accesos de fantasía, y los niños nunca sabían con seguridad hasta qué punto las historias que relataba eran ciertas. Profundamente religiosa, educó a sus hijos en la fe de los Testigos de Jehová. Patti solía distribuir ejemplares de *Awake* (Despertad) a los vecinos, convencida de lo pecaminoso de las religiones organizadas. A diferencia de la rígida educación de Mapplethorpe, la niñez y la adolescencia de Patti representaron la desconcertante introducción a un universo volátil dominado por milagros, fantasmas, OVNIS, sacerdotes, incienso y el ominoso milenio de los Testigos. Adicionalmente, Patti no se sentía cómoda con su feminidad, y habría deseado ser un muchacho, problema que acometió en su poema «Female» (Hembra), fechado en 1967:

female. feel male. Ever since I felt the need to
choose I'd choose male. I felt boy ryhthums when I
was in knee pants. So I stayed in pants.
I sobbed when I had to use the public ladies
room. My undergarments made me blush.
Every feminine gesture I affected from my mother
*humiliated me.**

Su misma personalidad se hallaba tan confusa que constantemente buscaba modelos típicos de los que extraer un estilo individual. Se trataba de algo similar a la obsesión del propio Mapplethorpe por los disfraces, con la diferen-

* hembra. sentirse varón. Desde que experimenté la necesidad de / escoger, escogía varón. Experimentaba ritmos masculinos cuando / vestía pantalones cortos. Así que conservé los pantalones. / Sollozaba cuando tenía que utilizar los lavabos / públicos de señoras. Mi ropa interior me hacía sonrojar. / Cada gesto femenino heredado de mi madre / me humillaba. *(N. del T.)*

cia de que Smith no iba desplazándose de modo secuencial de una identidad a otra, sino que tendía a convertirse a sí misma en una mezcla de héroes culturales, desde Bob Dylan, Mick Jagger, Anna Magnani, Yves Montand y Jean-Paul Belmondo hasta la actriz Maria Falconetti, protagonista de la *Pasión de Juana de Arco*, de Carl Dreyer. Fue, no obstante, el poeta francés Arthur Rimbaud quien más influyó en ella, hasta el punto de que desarrolló una obsesión póstuma por él tras contemplar su retrato en la portada de *Illuminations*, momento a partir del cual dio en referirse a él como su «amor mentálico». A Smith le interesaba mucho más el drama mítico de la perversa existencia de Rimbaud que la poesía que había escrito, y procuraba identificarse con su búsqueda de la iluminación a base de alterar sistemáticamente los sentidos (cosa que, en el caso de Rimbaud, se había logrado gracias a copiosas cantidades de absenta y hachís). La doctrina del poeta acerca del *voyant* proporcionó a Smith un racionalismo creativo aplicable a sus propias alucinaciones, que en ocasiones la envolvían como un enjambre de luciérnagas, sin necesidad de productos químicos. Sentía que no le quedaba otra elección que convertirse ella misma en artista, ya que, ¿qué otro papel podía desempeñar una mujer con sus «visiones»?

Smith inició la especialidad de educación artística en el Glassboro State College de Nueva Jersey, pero se quedó embarazada durante el primer año de estudios e, incapaz de hallar un médico dispuesto a practicarle un aborto, abandonó el instituto y optó por recluirse en casa de unos amigos que vivían en una remota zona del estado a la espera de la llegada del niño. Para alguien que ya se sentía incómoda en su condición de mujer, el embarazo constituyó un golpe demoledor. Patti aborrecía su abultado vientre y la hinchazón de sus pechos y, tal y como escribiera en «Female», se sentía «como un perro cojo... como una perra en celo».* Desconsolada, cedió a su hija recién nacida para adopción y decidió mudarse a Nueva York aquella misma primavera. Desprovista de dinero, pasó sus dos primeras semanas en la ciudad durmiendo en el metro y en los portales de los edificios. Por fin, consiguió un empleo en la librería Brentano de la Quinta Avenida (dábase la coincidencia de que Mapplethorpe trabajaba a la sazón en el Brentano del Village), y fue entonces, aquella bochornosa tarde de verano, cuando volvió a encontrarse con Mapplethorpe en Tompkins Square.

Entre ambos surgió una atracción instantánea. Dado que Patti no tenía sitio donde vivir, siguió a Mapplethorpe hasta Brooklyn, donde el fotógrafo compartía por entonces un apartamento en la avenida Waverly con Pat Kennedy y la que sería su mujer próximamente, Margaret Kennedy. Pat conoció a la nueva acompañante de Robert a la mañana siguiente, sentado en el salón en

* *«Like a lame dog... like a bitch». Bitch*, en inglés, posee el doble sentido de perra (en celo) y de «zorra». *(N. del T.)*

compañía de sus padres, que acababan de llegar de Wisconsin. Oyó crujir una puerta y, al alzar la mirada, divisó la figura espectral de una mujer desnuda entrando en el salón. «Se trataba de un apartamento alargado, como un vagón de tren —recordaba Pat Kennedy—, por lo que tuvimos ocasión de contemplarla durante lo que se nos antojó una eternidad. Parecía una rata de agua, y yo no cesaba de implorar mentalmente para que desapareciera por la cocina, pero ella entró en el salón y exclamó: "¡Hola!" Mis padres son gente típica del medio oeste, y para mi madre aquella aparición supuso una verdadera conmoción. "¡Dios mío! —dijo—. Ya me temía que Nueva York iba a ser algo así."»

Curiosamente, para alguien que manifestaba odiar su propio cuerpo, Patti no sentía inhibición alguna respecto a él, y no vacilaba lo más mínimo en desnudarse en presencia de extraños. Sus perspectivas y visiones eran igualmente espontáneas, y periódicamente se recluía en su propio santuario privado de voces e imágenes. «Patti no se parecía a nadie que hubiera conocido hasta entonces», dijo Mapplethorpe. «Se hallaba al límite de la psicosis esquizofrénica. Me contaba historias, y yo no podía discernir hasta qué punto eran ciertas o ficticias. De no haber descubierto el arte, habría acabado recluida en una institución psiquiátrica. Pero poseía una enorme magia.» Mapplethorpe se mostraba fascinado por la vitalidad de su mente y por su poderosa creatividad; Patti poseía un don para el lenguaje que le permitía trocar en poesía hasta los disparates más enrevesados, y contaba además con dotes para el dibujo. Mapplethorpe, convencido de que se había tropezado con un auténtico genio, asumió la responsabilidad de proteger su talento. Invariablemente, procuraba asegurarse de que no le faltara papel de dibujo, y cuando Patti sufría algún acceso demasiado agudo, la ayudaba a reenfocar su energía sobre el trabajo. «No empecé a creer en mí misma hasta que conocí a Robert», explicaba Patti. «Me proporcionó autoconfianza como artista.»

Ella, a su vez, le ayudó a reforzar la pobre imagen que tenía de sí mismo, y Mapplethorpe, tras años de sentirse peculiar y poco atractivo, logró por fin contemplarse con satisfacción en el espejo. Decididamente, su aspecto había mejorado mucho desde su primera época del Pratt, y el estilo andrógino de los hippies encajaba perfectamente con él. Mapplethorpe no era bello desde un punto de vista clásico, pero su cabello rizado y castaño y sus llamativos ojos verdes le conferían una cualidad sensual que le hacía atractivo a los ojos tanto de los hombres como de las mujeres. Así y todo, interpretó su atracción hacia Patti Smith como prueba de que no era homosexual, y atribuyó su anterior confusión sexual a no haber encontrado la mujer adecuada. Patti, sin embargo, accedió a la relación arrastrando sus propios problemas de género, y acaso el motivo de que sus lazos se establecieran tan rápidamente fue que cada uno de ellos contemplaba al otro como la otra mitad que le había faltado hasta entonces. Comenzaron a intercambiarse la ropa, y sus amigos se mostraban asombrados de la similaridad física entre uno y otro. «Resultaba difícil determinar dónde acababa Robert y dónde comenzaba Patti», afirma Judy Linn, fotógrafa y alumna del Pratt. «Juntos, transmitían toda clase de posibilidades sexuales.»

Durante los meses que siguieron, Mapplethorpe y Patti vivieron en el apartamento de la avenida Waverly, pero Margaret Kennedy consideraba a la muchacha una compañera de piso intolerable y no cesaba de buscar el modo de desembarazarse de ella. Indudablemente, la personalidad de Smith poseía dos aspectos distintos que le permitían mostrarse en ocasiones dulce y amable para luego tornarse cruel y despiadada. «Patti detestaba a las mujeres, y especialmente a las mujeres atractivas», decía Margaret Kennedy. «Le gustaban el poder y la manipulación de las personas, e intentaba intimidarme de todos los modos posibles. Había veces en que me encargaba de cocinar para todos y ella se dedicaba a protestar contra la comida. Robert se pasaba la vida disculpándose por su comportamiento. "Sé que es una persona difícil, pero me hace muy feliz", solía decir. Estaba totalmente fascinado por ella, pero yo siempre pensé que Patti iba por libre.»

En noviembre, Mapplethorpe y Patti se mudaron a un edificio de Hall Street en el que procedieron a transformar su destartalado apartamento en una versión «años sesenta» de *La Bohème*. Mapplethorpe cubrió las ventanas con sartas de cuentas y tapizó las paredes con colchas de batik. Aquél fue el período más feliz de su vida. Se sentía apasionadamente enamorado de Patti, y ambos se hallaban dedicados el uno al otro y a su arte. Habían dejado Brentano y trabajaban por entonces en F. A. O. Schwartz, una tienda de juguetes de la Quinta Avenida, ella como cajera y él como escaparatista. Cuando regresaban a Brooklyn por la noche, Patti preparaba platos de pasta o emparedados de queso al horno para cenar y, a continuación, ambos dedicaban el resto de la velada a sus diversos proyectos artísticos. Patti no consumía drogas, pero Mapplethorpe era incapaz de trabajar sin el estímulo de marihuana, anfetaminas o LSD. Su aproximación al arte era de una intensidad casi sacerdotal, y a veces se ataviaba con un hábito de monje para alcanzar el estado de ánimo apropiado. «Cuando trabajo en mi arte, mis manos están estrechando las de Dios», garabateó en cierta ocasión en la libreta de notas de Patti. Ella procuraba estimular su interés por el ocultismo, y Mapplethorpe la acompañaba a menudo a la librería de Samuel Weiser en Astor Place para comprar manuales de brujería y astrología. Mientras la joven leía los libros, él estudiaba las ilustraciones, y comenzó a desarrollar una estética en la que se combinaban el catolicismo con los símbolos ocultos. Su tema favorito era el pentagrama, una estrella «mágica» de cinco puntas que reaparecía una y otra vez en esculturas y fotografías.

Mapplethorpe estaba convencido de que su propia creatividad era cosa de magia y de que, por quién sabe qué hechicería, era capaz de fundir imágenes y objetos antitéticos entre sí para crear piezas de arte. De la pared de su dormitorio de Hall Street colgó un enorme pentagrama dibujado, y cubrió una mesa con un trozo de tela negra para construir un altar que luego decoró con objetos que había adquirido en una tienda religiosa del Lower East Side regentada por hispanos: estatuas de la Virgen María e imágenes de Jesucristo que brillaban en la oscuridad. A continuación, añadió un grupo de demonios de bronce dispuestos en círculo alrededor de la siniestra calavera de *Scratch*. Kenny Tisa, una muchacha que tenía fama de ser una de las artistas con más talento del Pratt, no se mostró demasiado entusiasmada con los esfuerzos de Robert. «Siempre pensé que poseía un sentido estético increíblemente refinado mediante el que lograba que todo cuanto hacía resultara bello», explicaba Tisa. «Pero en aquel caso pensé que estaba perdiendo el tiempo con aquellas piezas de arte cripto-religioso.» Así y todo, Mapplethorpe no dejaba de invitar a gente al apartamento para que vieran el altar, y era capaz de pasarse varias horas seguidas redistribuyendo los objetos.

Patti se refería a su apartamento como «nuestra pequeña fábrica de arte», pero Mapplethorpe no era tan prolífico como él mismo habría deseado. Solía protestar de que su trabajo en F. A. O. Schwartz acababa con sus fuerzas, por lo que Patti, dotada de una ilimitada y frenética energía, se avino a mantenerle. Podía permitirse ser generosa, ya que había sido recientemente contratada por la librería Scribner's de la Quinta Avenida, y procuraba redondear sus ingresos omitiendo algunas ventas en la cuenta diaria y quedándose con el dinero. Mapplethorpe se había visto envuelto en una estafa similar durante su estancia en Brentano, pero no poseía la astucia de Patti, y en cierta ocasión en que hurtó varias litografías de valor del departamento de grabado del establecimiento, se asustó tanto por la posibilidad de verse descubierto que optó por arrojarlas al retrete.

Con Patti como mecenas, la vida de Mapplethorpe era aún más perfecta que antes. Encerrados ambos en su «fábrica de arte», ocupaba su tiempo en dibujar, con la música de Motown como fondo sonoro, mientras ella permanecía sentada junto a él con un cuaderno de dibujo en el regazo, creando series de singulares personajillos que describía como «niños de la mala semilla». Aquellas «malas semillas» eran por lo general niñas desnudas con los genitales expuestos y casi dolorosamente realzados. A veces, dibujaba también la figura de un niño llamado Pan, concebido como *alter ego* de Mapplethorpe y bautizado simultáneamente a partir de Peter Pan y del dios pastoril de los griegos. Con el tiempo, comenzó a garabatear poemas en los bordes de sus dibujos, que por entonces denominaba «drawlings».*

* *Drawlings:* de «draw» (dibujar) y la terminación «lings», común en inglés a la denominación de los retoños de diversas especies animales. Podría traducirse libremente como «dibuhijos». *(N. del T.)*

Cuando hacía buen tiempo, solían trasladarse en metro hasta Coney Island donde, una tarde, se fotografiaron en un puesto callejero situado en mitad de la acera. Más tarde, Patti mejoró la fotografía mediante un dibujo en el que Mapplethorpe está ataviado con pantalones acampanados y una camiseta de malla y ella aparece casi desnuda, al estilo de las «malas semillas». «Éramos como dos niños jugando el uno con el otro –recordaba Patti–, como el hermano y la hermana de los *Enfants Terribles* de Cocteau.»

Janet Hamill, que se había mudado a Brooklyn procedente de Nueva Jersey, les recuerda como a personas obsesionadas por la fama. «Se encontraban ambos totalmente fascinados por la idea de ser artistas y vivir ajenos a la sociedad», decía. «Pero también querían ser ricos y famosos. La fama resultaba particularmente importante para Patti debido a que, tras perder el niño, necesitaba un modo de reafirmarse. Robert y Patti se pasaban la vida diciéndose el uno al otro: "¡Vamos a conseguirlo, y lo vamos a hacer juntos!"»

Desde su partida del Pratt, Mapplethorpe apenas había visto a sus padres, pero decidió llevar a Patti a Floral Park para que los conociera. Su hermano James jamás olvidaría la chocante imagen de aquellos dos hippies tocados con blandos sombreros *Day-Glo* y camisetas teñidas que avanzaban a lo largo de la calle Doscientos cincuenta y nueve en dirección a la casa de los Mapplethorpe. «Estaba con otro chico del vecindario –dice James–, y recuerdo que se quedó con la boca abierta, como si hubiera visto la llegada de invasores de otro planeta.» Harry se mostró igualmente conmocionado y se quedó contemplando a Patti con expresión de repugnancia absoluta. «Era un desastre, un asco», dijo. «Daba la impresión de que no se había peinado en un mes.» Apenas pudo disimular su desprecio, ya que el aspecto de Patti constituía un violento desafío a su sistemática existencia.

Harry Mapplethorpe detestaba los años sesenta y todo cuanto la década representaba. Incluso Richard, el buen hijo, había sucumbido a aquella locura; se había casado con una coreana a la que había conocido mientras prestaba servicio como ingeniero en un buque de guerra destacado en Vietnam. Richard no podía haber llevado a cabo un acto de rebelión más poderoso contra Harry, ya que su esposa apenas hablaba unas cuantas palabras de inglés y, como más tarde confesó a Robert, había trabajado en otra época como prostituta. Así pues, Harry se veía frente a una nuera con la que literalmente no podía comunicarse, y hasta sus vecinos hubieron de experimentar lástima por él.

A Robert le preocupaba tanto que Harry pudiera descubrir que él y Patti vivían en pecado que poco después envió a sus padres un mensaje a destiempo en el que les comunicaba su «boda», que supuestamente había tenido lugar en un campo de fresas de California. «No creo que se haya casado realmente», dijo Harry tras leer la carta, pero Joan se marchó inmediatamente de compras en busca de un salto de cama para el ajuar de Patti.

Robert celebró su unión extraoficial regalando a Patti un pequeño anillo de compromiso de zafiro y un anillo de boda de oro. Patti era todo para él: esposa, madre, hermana, mecenas y mejor amiga. Ambos, incluso se referían a su arte como «nuestros hijos». «En cierto modo –insistía Mapplethorpe–, *estábamos* casados.»

CAPÍTULO CINCO

«Por favor, no te vayas. Si te vas, me haré gay.»

Robert MAPPLETHORPE,
a Patti SMITH.

«El año de 1968 produjo las mismas vibraciones que un terremoto», llegó a declarar la revista *Time*. «Norteamérica se estremeció. La historia se resquebrajó y de sus grietas comenzaron a surgir oscuras sorpresas revoloteando como murciélagos.» A comienzos de abril, Martin Luther King murió asesinado y, dos meses después, Robert Kennedy corrió la misma suerte en un hotel de Los Ángeles. Dos días antes del asesinato de Kennedy, Valerie Solanas, fundadora de S. C. U. M. (*Society for Cutting Up Men*),* había disparado una pistola automática contra Andy Warhol, quien escapó a la muerte de milagro. Incluso la pequeña «fábrica de arte» de Mapplethorpe en Hall Street se había visto sacudida por agitaciones imprevistas, ya que su «matrimonio» con Patti Smith no parecía ser tan sólido como había creído.

El mundo que se habían creado era en cierto modo semejante al de *David y Lisa*, una película acerca de dos adolescentes emocionalmente alterados que se ayudaban mutuamente a enfrentarse a la realidad. Patti, sin embargo, se sentía ahora más fuerte, y su vida con Mapplethorpe resultaba demasiado limitada. «Para Patti, el hecho de tener un compañero sentimental era tan importante como el arte», explicaba Janet Hamill. «En lo que se refería a los hombres, buscaba una relación fundamentalmente convencional. Tenía a

* En inglés, las siglas S. C. U. M. forman la palabra «escoria». *Society for Cutting Up Men*: literalmente, *Sociedad para Rajar a los Hombres. (N. del T.)*

Jeanne Moreau como modelo debido a que Moreau era a la vez artista y personaje sexual.»

Mapplethorpe jamás le había dicho una sola palabra a Patti acerca de sus inclinaciones homosexuales, y ésta le tenía aceptado como heterosexual. Las relaciones íntimas que mantenían, sin embargo, distaban de resultar satisfactorias, y aunque ella aún le amaba, no sentía pasión por él. A pesar de los antiguos planes de la pareja de trasladarse juntos a Manhattan, Patti había estado cortejando en secreto a otro hombre, un pintor abstracto de cabellos rubios llamado Howie Michels que compartía un apartamento con Kenny Tisa. «Howie era dulce y guapo», recuerda Janet Hamill. «Todo el mundo le adoraba.» Patti bombardeaba a Michels con dibujos y poemas destinados a halagar su ego. A veces, se deslizaba en su apartamento para contemplarle mientras dormía, y cuando el joven despertaba se la encontraba junto a él, contemplándole con expresión de fascinado arrobo. «A Patti se le daban bien los chicos», dijo Howie Michels. «No poseía un atractivo que pudiéramos llamar clásico, pero sí un carisma increíble.» No obstante, su extraño comportamiento siempre había intimidado a Michels, ya que, independientemente de las locuras que pudieran llevar a cabo sus amigos bajo el efecto de las drogas psicodélicas, encontraba que Patti resultaba mucho más «excéntrica incluso sin ellas». Sin embargo, y a pesar de sus reticencias, Patti y él tomaron la decisión de compartir un apartamento.

Cuando Patti comunicó a Mapplethorpe que iba a dejarle, éste reaccionó como si la tierra se hubiera hundido realmente bajo sus pies. «Por favor, no te vayas —imploró—. ¡*Por favor*! Si te vas, me haré gay.» Patti no se tomó en serio la amenaza, pero cuando regresó al apartamento a recoger su ropa, le halló rodeado de fotografías de hombres desnudos que había recortado de diversas revistas pornográficas para homosexuales. Su propio y oscuro secreto había salido finalmente a la luz, y estaba revolcándose literalmente en él.

«Me sentía desquiciado, verdaderamente desquiciado, porque en aquel momento dependía de ella», confesó Mapplethorpe a la crítica de fotografía Carol Squiers. El antiguo Pershing Rifle, Bob Barrett, fue testigo de una escena traumática frente al apartamento de Hall Street. «Jamás lo olvidaré —dijo—. Mapplethorpe gemía: "¡Por favor, no me dejes solo!... ¡Por favor, no me dejes solo!" Resultaba realmente conmovedor, porque era como si estuviera perdiendo una parte de sí mismo.»

Lo que Mapplethorpe había perdido era la última defensa que poseía ante su homosexualidad. Sin Patti actuando a modo de «esposa», se veía finalmente obligado a enfrentarse a la verdadera naturaleza de sus impulsos sexuales. Así y todo, aún se sentía confuso con respecto a ellos, y aunque no hizo el menor esfuerzo por buscar otras mujeres, tampoco se mostraba dispuesto a perseguir la compañía de los hombres.

En septiembre, regresó a Pratt. Tenía dinero, procedente de un préstamo universitario, y volvió a instalarse en casa de Pat y Margaret Kennedy, en la avenida Waverly. Durante las vacaciones semestrales de invierno se marchó a San Francisco. «Tengo que descubrir de una vez por todas si soy homosexual o no», dijo a su amiga Judy Linn al partir. San Francisco había atraído a gran número de homosexuales desde la Segunda Guerra Mundial, época en la que, según el escritor Randy Shilts, las masivas purgas de homosexuales realizadas en el Ejército habían hecho aumentar el número de refugiados de Bay Area, por entonces el principal punto de embarque con destino al Pacífico. La estigmatización de la homosexualidad era tan intensa que, si bien se permitían las reuniones masculinas en bares gay, los clientes no podían bailar juntos o siquiera tocarse sin que la policía amenazara con cerrar el local. La psiquiatría contemplaba la homosexualidad como una alteración mental, y los gays vivían en el temor de que su conducta «desviada» se viera expuesta a sus familias y empleados. Sus vidas dependían de la clandestinidad y de la necesidad de «pasar» por normales.

A lo largo de los años sesenta, sin embargo, la población gay de San Francisco fue tornándose gradualmente visible a medida que los homosexuales iban rehabilitando las ruinosas mansiones victorianas del distrito Castro e inaugurando tiendas de fotografía, librerías, restaurantes y bares. Entretanto, miles de hippies llegaban al barrio de Haight-Ashbury, atraídos a la ciudad por las drogas, los *happenings* y los conciertos de rock de las salas de Fillmore y Avalon. San Francisco pasó a ser conocida como la ciudad norteamericana más tolerante en el terreno sexual, y acaso Mapplethorpe sintió que allí podría liberarse finalmente de sus inhibiciones. Como dijo al escritor Victor Bockris: «Despegué hacia San Francisco sin conocer a nadie allí y en el avión conocí a una especie de hippie que acudía para instalarse en una comuna, así que me fui con él. Estaba situada en medio de una zona suburbana, y un montón de chiquillos habían ocupado una casa... algo verdaderamente asombroso. Eran todos sumamente amables, cocinaban para todo el mundo y si alguien no disponía de dinero, no sé... en aquella época, funcionaba... Todo el mundo consumía toda clase de drogas. Me pregunto qué habrá sido de todos ellos. Lo más probable es que la mitad hayan muerto.»

El viaje a San Francisco representó un período crucial en la vida de Mapplethorpe, y apenas regresó a casa inició una relación con un joven llamado Terry al que había conocido a través de Judy Linn. Por entonces, había numerosos alumnos del Pratt que se declaraban «bisexuales», y la aventura con Terry no habría tenido mayor importancia de no haber sido por la súbita y dramática aceptación por parte de Mapplethorpe de todo lo relacionado con la homosexualidad. «Fue como si sucediera de la noche a la mañana», explicaba Patti Smith quien, a pesar de vivir con Howie Michels, continuaba viendo a Robert prácticamente a diario. «Su aspecto gay no había estado allí nunca y ahora, de repente, estaba.» La fascinación que sentía por la pornografía gay le llevó a realizar colages construidos a partir de las fotografías que obtenía de las revistas. Otro alumno del Pratt, Tony Jannetti, recordaba haber visto uno en el que Mapplethorpe había dibujado un corazón en torno a la imagen de dos hombres que realizaban una felación. «Resultaba demasiado osado incluso para las costumbres imperantes en los sesenta», recuerda Jannetti. Por entonces, la pieza más comentada de Mapplethorpe era una escultura que había creado rellenando la entrepierna de unos pantalones vaqueros con calcetines e instalando un sistema eléctrico que producía un latido rítmico en la zona.

El propio Mapplethorpe era una obra en pleno proceso, y comenzó a labrarse una nueva identidad. El péndulo de su personalidad había oscilado hasta tal extremo que Judy Linn, en cierta ocasión en que le acompañó a la playa de Fire Island, se quedó atónita al verle despojarse de los pantalones vaqueros y revelar la presencia de un bañador de cuero negro con tachuelas. «Nada más llegar, desapareció —relataba Linn—, y, más tarde, me dijo: "Volví a casa en limusina, pero el dueño era un pervertido." Era como si de repente Robert hubiera desarrollado una vida clandestina en la que yo no había de tomar parte.»

Sorprendentemente, aquella vida clandestina incluía la prestación, por parte de Robert, de servicios sexuales a domicilio. Se había sentido profundamente impresionado por la película *Cowboy de medianoche*, galardonada con el Oscar a la mejor película del año, y se identificaba con Joe Buck, el personaje de Jon Voight, un *cowboy* idealista que sueña en convertirse en el gigoló de moda de las damas acaudaladas de Park Avenue. Al final, Buck termina buscándose la vida con homosexuales que encuentra en salas de cine y sórdidas habitaciones de hotel, y llega al punto de maltratar físicamente a un cliente católico de edad avanzada que no deja de gemir patéticamente: «Me merezco lo que me pasa... yo mismo me lo he buscado.» No puede decirse que Joe Buck fuera precisamente un modelo en el que inspirarse, pero Mapplethorpe, a pesar de todo, comenzó a vestirse de cowboy y se puso en contacto con una organización especializada en servicios a domicilio. Consiguió citas con cinco hombres diferentes, en su mayoría casados y residentes en las afueras y, si bien describió la experiencia como algo «interesante», lo cierto es que llegó al extremo de encontrarse mal físicamente después de cada uno de aquellos encuentros. Era casi como si no pudiera aceptar su propia homosexualidad sin asociarla con la degradación, con algo que él mismo «se buscaba».

Mapplethorpe debería haber obtenido su licenciatura del Pratt en junio de 1969, pero suspendió el examen final de psicología, y tras adjudicarle el profesor una «F» como calificación semestral se vio a falta de un curso para conseguirla. A pesar de haber estudiado en el Pratt durante cinco años, se despidió de la institución sin diploma alguno y se instaló en un ático de Delancey Street, en el Lower East Side de Manhattan. Su llegada a la ciudad coincidió con las revueltas de Stonewall, un acontecimiento crucial de la historia gay que ayudó a galvanizar lo que previamente había sido un movimiento en pequeña escala para convertirlo en una campaña en toda regla en pos del cambio social.

A lo largo de los años sesenta, los gays se habían visto detenidos con frecuencia en los bares del Greenwich Village por el mero hecho de ser homosexuales, pero el 28 de junio, con motivo de una redada de la policía en Stonewall Inn, la expulsión de doscientos parroquianos del local desencadenó una revuelta ciudadana. Enardecidos por el estímulo de un puñado de *drag queens* travestidos, los enfurecidos clientes repelieron el ataque arrojando ladrillos, botellas, cubos de basura y fragmentos de vidrio. Los disturbios se alargaron durante varios días, y a las pocas semanas del suceso comenzó a arraigar en Norteamérica un movimiento social de considerables dimensiones. Gays y lesbianas radicalizados se lanzaron a la eliminación del estigma de desviacionismo sexual que pesaba sobre la homosexualidad para sustituirlo por el concepto de que el amor entre personas del mismo sexo era algo tan saludable como natural. Unos a otros se animaban a «salir al exterior» como medio de demostrar su orgullo y autoafirmación, pero la atmósfera libertaria de los sesenta y los setenta hizo que los activistas gays asociaran con frecuencia el concepto de «salir al exterior» con la promiscuidad sexual. La identidad gay de Mapplethorpe se hallaba casi exclusivamente enfocada sobre la práctica del sexo, y tras acudir a un bar gay por primera vez de la mano de su amigo Terry, regresó inmediatamente a casa para construir un colage titulado *Tight Fucking Pants* (Putos pantalones ajustados).

A medida que la vida de Mapplethorpe experimentaba aquellos cambios dramáticos, Patti Smith se enfrentaba a sus propios dolores de crecimiento. Aún estaba enamorada de Howie Michels, pero éste tenía dificultades para adaptarse a la personalidad de la joven, que calificaba de «extraña y "pasada"». Patti se había aficionado hacía poco a una piel de lobo de la que aseguraba que poseía propiedades mágicas, y se negaba a acudir a ningún sitio sin ella, hasta el punto de llevarla consigo cuando visitaba el hogar de los padres de Michels, en Long Island. Asimismo, se mostraba igualmente ligada a Mapplethorpe, a quien Michels calificaba de «artista sin talento rodeado de una oscura aureola». No le agradaba en absoluto la compañía de Mapplethorpe, y le irritaba que Patti no lograra olvidarle. En abril, Patti y Michels tomaron la decisión de vivir separados, y la muchacha se trasladó de Brooklyn a un apartamento de West Twelfth Street, en Greenwich Village. Una tarde, Michels se cruzó con un ceñudo Mapplethorpe mientras subía la escalera del edificio de Patti, y al entrar en el salón vio la piel de lobo colgando del techo con un nudo. «Robert y Patti habían tenido una pelea –explicaba Michels–, y Robert había "ahorcado" al lobo.» La siguiente vez que la visitó, Michels encontró a Patti sentada en un rincón, murmurando un hechizo; a medida que iba alzando la voz y sus palabras se entremezclaban, un extraño gato negro saltó sobre el alféizar de la ventana y penetró en la estancia. «Era como un gato de la muerte procedente del infierno», dijo Michels. «Me sentí completamente aterrorizado.» Michels se despegó apresuradamente de Patti, y su relación concluyó con aquel peculiar episodio.

Patti Smith volvió a caer en una crisis nerviosa, pero aquella vez no tenía a Mapplethorpe para ayudarla. Éste, por el contrario, optó por hacer cruel alarde de su relación con Terry, como si quisiera castigarla por haberle abandonado. «Si hubiera estado saliendo con otra mujer, habría sido distinto», explicaba Mapplethorpe. «Pero Patti no podía competir con un hombre. Era algo completamente diferente, y pareció volverse loca.» Patti describía aquel período de su vida como «increíblemente doloroso» y, según Janet Hamill, a la sazón su compañera de piso, sufrió una crisis nerviosa e intentó suicidarse. «Patti tenía tendencias suicidas –afirmaba Hamill–. Seriamente suicidas.» Patti, sin embargo, no siguió el proceso habitual, consistente en hospitalización y tratamiento psiquiátrico. Por el contrario, obtuvo un permiso de Scribner's y voló a París para reunirse con su hermana pequeña, Linda, y perseguir al fantasma de Rimbaud a lo largo de las calles adoquinadas de Montparnasse.

Ella y Linda pasaron casi tres meses en París, donde se unieron a una compañía de músicos callejeros y tragafuegos. Patti se hizo experta en el manejo de un piano de juguete y en aliviar los bolsillos de los viandantes. Posteriormente, siguieron a la *troupe* hasta una granja situada en las afueras de París, donde alguien le quemó accidentalmente con agua hirviendo, motivo por el cual hubo de administrársele morfina y belladona para aliviar el dolor. Las drogas excitaron sus alucinaciones, y durante varios días experimentó extrañas visiones en las que se entremezclaban una imaginería al estilo de Kenneth Anger –repleta de homosexuales y navajas– y sueños acerca de Brian Jones, el guitarrista de los Rolling Stones, quien murió ahogado en una piscina varios días después. Patti describió sus visiones a *Rolling Stone*: «Me arrastraba por la hierba. De repente, había un remolino, rocas, un río, un océano y un remolino... resbalábamos, Brian y yo, y él se aferraba a mi tobillo mientras yo me sujetaba para no hundirme.»

Regresó a Nueva York el 21 de julio, un día después del paseo lunar de Neil Armstrong, y, asustada y confusa, se presentó en el umbral de Mapplethorpe. El propio Mapplethorpe no se encontraba en mejor forma que ella, ya que hacía tiempo que llevaba desatendiendo su higiene dental y padecía en las encías una infección de llagas ulcerosas que se había extendido a sus nódulos linfáticos. Se necesitaban terriblemente el uno al otro, y Mapplethorpe abandonó su relación con Terry para complacer a Patti. «Sexualmente, nos iba bien», explicó luego. «Pero así no íbamos a ninguna parte. Terry no podía sustituir a Patti.» La joven se trasladó a vivir al apartamento de Delancey Street, donde Mapplethorpe se había instalado temporalmente como «cuida-hogar». Los acontecimientos posteriores resultaron tan grotescos como los sueños de Patti.

Uno de los vecinos del otro lado del pasillo apareció asesinado, y cuando Mapplethorpe y Patti vieron la silueta de tiza blanca que señalaba el lugar en el que había sido descubierto el cuerpo, ambos se imaginaron al asesino regresando para matarles también a ellos. Presas del pánico, huyeron del apartamento sin llevarse consigo otras posesiones que sus carpetas. Se inscribieron en el Allerton, un destartalado hotel de la calle Veintidós Oeste que atraía principalmente a vagabundos y drogadictos. La infección de Mapplethorpe había empeorado, y la fiebre había subido hasta casi los cuarenta y un grados. Patti le bañaba con una esponja mientras él permanecía tendido, sudando y tiritando, sobre el pequeño camastro oxidado que amueblaba su sórdida habitación. Su temperatura continuó siendo peligrosamente elevada durante varios días, pero ninguno de los dos disponía del dinero necesario para llamar a un médico, y Patti no podía llevarle a un dispensario de urgencias porque abandonar el hotel suponía el riesgo de que no les aceptaran de nuevo, ya que carecían de medios para pagar la factura. Atrapados, ella se dedicó a ver pasar las horas sentada en la escalera de incendios que bordeaba la ventana de la habitación, escuchando el paso de las ambulancias que recorrían la Séptima Avenida en dirección al hospital St. Vincent's. Posteriormente, escribió acerca de aquel incidente en un poema titulado «Sister Morphine» (Hermana Morfina): «imaginaba a mi amigo muriéndose. vierto sangre por todas partes».

Finalmente, tras pasar cinco días en el hotel, Patti ideó un plan de fuga. No podía sacar a Mapplethorpe por la puerta principal sin toparse con el encargado, por lo que lo cogió en brazos y lo sacó a la calle por la escalera de incendios. Paró un taxi y, cuando el conductor le preguntó por su destino, mencionó el nombre del único lugar en que sabía que podría hallar hospitalidad para una pareja de artistas sin medios económicos. «El Hotel Chelsea», dijo.

El Chelsea se encontraba a tan sólo una manzana de distancia y, cuando llegaron, Patti ayudó a Mapplethorpe a franquear el umbral y lo depositó sobre una de las butacas del vestíbulo. A continuación, irrumpió en el despacho del director, Stanley Bard, un hombre de constitución mediana y expresión entristecida, dotado de la frágil personalidad de un simple contable. No parecía la persona adecuada para dirigir un hotel lleno de artistas, pero a lo largo de los años había reunido una nutrida colección de arte en concepto de alquiler y Patti confiaba en poder convencerle para que les proporcionara una habitación gratis. Lo halló sentado frente a una enorme mesa de caoba bajo un techo rematado por un friso de querubines danzantes. «Hola –dijo–, me llamo

Patti Smith y tengo ahí fuera a Robert Mapplethorpe. Usted no nos conoce, pero algún día vamos a ser grandes estrellas, aunque ahora no tenemos dinero... Robert está enfermo... nada serio, simplemente una infección bucal.» A continuación, mostró su carpeta a Bard, animándole a conservarla como «fianza». Se hallaba decidida a continuar con su monólogo hasta que Bard les proporcionara una habitación o les echara a la calle. «De acuerdo, de acuerdo», dijo él por fin mientras le alargaba la llave de una de las habitaciones más reducidas del hotel.

Patti se sentía triunfante. «Señor Bard —exclamó—, no se arrepentirá de esto.» Ayudó a Mapplethorpe a entrar en el ascensor y le subió hasta la habitación 1017, donde ambos se derrumbaron sobre la única y diminuta cama existente. La estancia mostraba un estado de deterioro casi igual al de la que acababan de abandonar, pero se sentían tan aliviados de haber logrado escapar de la pesadilla que había representado aquella última semana que el Chelsea se les antojó un paraíso. Abrazados sobre la cama, y mientras contemplaban las cucarachas que se paseaban sobre la superficie del techo, acordaron el solemne pacto de permanecer juntos hasta que ambos se encontraran lo bastante fuertes para desenvolverse solos.

SEGUNDA PARTE

SANTOS PATRONOS

CAPÍTULO SEIS

«Mi vida comenzó en el verano de 1969.
Hasta entonces, no existía.»

Robert MAPPLETHORPE

Mapplethorpe no podía haber imaginado mejor escenario para su renacimiento que el Hotel Chelsea, una especie de Coney Island psicodélica para personajes grotescos y genios creativos. El exterior del hotel proyectaba una imagen de esplendor decadente más apropiado para Nueva Orleans que para la calle Veintitrés Oeste. Su fachada de ladrillo rojo, salpicada por floridos balcones de hierro forjado, animaba aquel lúgubre barrio, con sus bares irlandeses, sus *delicatessens* griegos, su lavandería automática y la Asociación Cristiana de Jóvenes de McBurney. Al igual que Mapplethorpe, el Chelsea se había visto sometido a numerosas transformaciones y, a lo largo de los años, su interior había ido rediseñándose gradualmente para adaptarlo a los nuevos tiempos. Había sido construido en 1882 como elegante hotel residencial para artistas. Entonces, en plena Edad Dorada, había contado con enormes apartamentos de diez habitaciones, techos de casi cuatro metros de altura, chimeneas, elegantes alacenas de caoba y ventanas con vidrieras. Posteriormente, sin embargo, durante la Depresión, se había visto despojado de muchos de sus opulentos detalles victorianos, y las grandes *suites* habían sido eliminadas para construir habitaciones más pequeñas para el cliente de paso, que más tarde habían sido ocupadas por refugiados de la Segunda Guerra Mundial huidos de Europa. A mediados de los sesenta, Andy Warhol había tomado allí algunas de las fotografías de su *Chelsea Girls*, confirmando con ello la reputación del establecimiento como pozo de depravación. Por sus pasillos deambulaban proxenetas en dorados trajes de lamé, travestidos ataviados con lencería transparente y drogadictos; el vestíbulo principal, por su parte, aparecía frecuentado por músicos de rock tales como Jimi Hendrix, Janis Joplin, los Allman Brothers y Jefferson Airplane. Para cuando Mapplethorpe y Patti Smith llegaron al Chelsea, en julio de 1969, reinaba por doquier el caos creativo. Si bien no todos sus ocupantes eran tan célebres como el compositor Virgil Thomson, ni tan excéntricos como George Kleinsinger —quien daba cobijo en su habitación a varios monos y a una serpiente pitón de cuatro metros—, la mayoría vivían dedicados a una vida artística real o imaginaria.

Tan pronto como Mapplethorpe se recuperó de su infección, él y Patti Smith comenzaron a rastrear frenéticamente el vestíbulo. «Obtener contactos» se convirtió en su objetivo principal. Patti había vuelto a su empleo en Scribner's y, una vez más, mantenía a Mapplethorpe a base de hurtar dinero de la caja. La pareja no tardó en ser conocida por sus llamativos atuendos, lo que, en el Chelsea, no dejaba de tener un mérito considerable. Mapplethorpe acababa de adquirir un uniforme de marino en una tienda del Village especializada en ropa del Ejército y la Marina, y se paseaba por el hotel vestido con ajustados pantalones acampanados y una gorra blanca seductoramente inclinada sobre la frente. Patti se había enamorado de las bailarinas de cancán de los cuadros de Toulouse-Lautrec y solía ponerse una falda púrpura y unas medias de color verde brillante. Añadió luego un toque personal, consistente en arrollar delicados lazos de seda y trozos de encaje antiguo en torno a sus muñecas y tobillos. «Tanto Robert como Patti tenían fama de personajes elegantes y de gran estilo», recuerda Stanley Amos, quien había formado parte de la vida bohemia de Nueva York durante años y regentaba por entonces una galería de arte instalada en su vivienda de Chelsea. «Claro está que Patti podía llegar a resultar descortés hasta grados surrealistas, pero la arrogancia formaba parte del estilo de la época, y Patti y Robert eran personajes que estaban terriblemente "a la última". Hubo muchos de nosotros que nos enamoramos perdidamente de ellos.»

Entre los residentes del Chelsea, el que más apasionadamente se prendó de la pareja fue una cineasta y fotógrafa llamada Sandy Daley que ocupaba la misma habitación del décimo piso en que antaño viviera Jackson Pollock. «Supe que Robert y Patti eran brillantes nada más verles —afirma Daley—, y pensé que sería una auténtica tragedia que nadie les ayudara. A Patti le asustaba la idea de ser una esquizofrénica, lo cual establecía un vínculo magnífico entre nosotras. Ambas éramos psicóticas, ambas teníamos tendencias suicidas, pero disfrutábamos de las más brillantes conversaciones que se puedan imaginar.» Sin embargo, dado que Patti dedicaba la jornada completa a su empleo en Scribner's, fue Mapplethorpe quien más se benefició de la protección de

Daley, quien se convirtió en su guía tanto dentro del Chelsea como a través del centro de Nueva York.

Daley, una elegante mujer que por entonces mediaba la treintena, tenía una larga melena dorada y mostraba propensión a ataviarse con largos vestidos de gasa adornados con imágenes de medias lunas y estrellas. Poseía una personalidad igualmente etérea y, tras graduarse en el Oberlin College, ella y su amante Nicholas Quennell se habían trasladado a un molino de viento de Oakland, California, para trabajar en una serie de «pinturas» fotográficas de tamaño natural. En aquella época, la emulsión fotográfica líquida no se hallaba disponible para el público en general, por lo que Daley hubo de experimentar con diversas fórmulas propias que preparaba en amplias cubas puestas a hervir sobre la estufa. Posteriormente, ella y Quennell proyectaban negativos sobre los lienzos empapados de emulsión durante períodos de dieciocho horas seguidas, pero las imágenes resultantes no tardaban en desvanecerse. Después de tantos años de trabajo, Daley contaba únicamente con dos fotografías como testimonio de su esfuerzo, si bien éstas fueron expuestas posteriormente en la Galería Dwan de Los Ángeles junto al díptico warholiano de los labios de Marilyn Monroe. Daley atravesaba el cenit de su carrera: se mudó a Nueva York con la esperanza de poder hacer cine, pero dado que sólo contaba con el dinero necesario para rodar cortos de ocho milímetros, terminó empleando la mayor parte de su tiempo en concebir proyectos que nunca llegaban a materializarse.

La llegada de Mapplethorpe al Chelsea proporcionó a Daley un objetivo sobre el que concentrar su energía creativa. Advirtió en él la determinación que a ella le faltaba, y lo convirtió en uno más de sus proyectos. No podía haber hallado a nadie más receptivo a disfrutar del mecenazgo que Mapplethorpe. Todas las mañanas, a las once y media, él y Daley desayunaban en la habitación de ella y, tras fumar un poco de hachís, se dedicaban a repasar los libros de fotografía de la joven. Mapplethorpe sostenía la popular creencia de que la fotografía no constituía una auténtica forma de arte, y no mostraba interés alguno en practicarla seriamente, pero Daley era una maestra persuasiva. Su tesis universitaria había versado sobre la fotógrafa victoriana Julia Margaret Cameron, y sus anteriores esfuerzos por crear imágenes permanentes de tamaño natural sobre lienzo la habían llevado a estudiar los procesos técnicos inventados por William Henry Fox Talbot y Louis Daguerre. «Coméntabamos todos los aspectos de aquellas fotografías», dice Daley. «Yo señalaba las diferencias de iluminación y el empleo del espacio negativo y el positivo.» Asimismo, le hizo partícipe de su propia filosofía de la belleza, basada en la austeridad y el minimalismo. Su habitación, pintada de blanco de arriba abajo, se hallaba amueblada únicamente por un colchón, unos cuantos de los cojines de helio de Warhol y un jarrón de lirios o tulipanes de alargados tallos. Un año antes, en Londres, había regalado impulsivamente su cámara Hasselblad a «una monada de chico de King's Road», pero aún conservaba una Polaroid que empleaba para fotografiar sus flores. Animó a Mapplethorpe a experimentar con la cámara y él, influido por su refinada estética, realizó sus primeras fotografías de flores en la desnuda blancura de aquella habitación.

Daley era una asidua del Max's Kansas City, y Mapplethorpe y Patti no tardaron en acudir al célebre bar-restaurante de Mickey Ruskin, situado en la esquina de Park Avenue con la calle Diecisiete. «Max's era el lugar de encuentro del arte pop y la vida pop [...] Todo el mundo acudía a Max's y, una vez allí, todo se convertía en una masa homogénea», escribió Andy Warhol en *POPism*. En efecto, el emplazamiento del local, situado entre el centro de la ciudad y sus barrios periféricos, contribuía a atraer una clientela sorprendentemente diversa en la que se incluían celebridades tales como Mick Jagger, Jane Fonda, Bob Dylan, Jim Morrison y Warren Beatty, así como políticos, figuras de la alta sociedad de Park Avenue, fotógrafos, modelos, peluqueros, Ángeles del Infierno, travestidos y drogadictos. Con todo, los artistas constituían la clientela más fiel de Max's: desde que Ruskin inagurara el bar, en 1965, había contado entre sus parroquianos con personajes como John Chamberlain, Robert Rauschenberg, Neil Williams, Larry Rivers y Frosty Meyers. Ruskin les dejaba pagar sus consumiciones y bebidas con obra, y era el único restaurante de la ciudad que exponía los cuadros y esculturas realizados por la misma clientela que tan astronómicas cifras gastaba en el local. Al igual que Cedar Tavern, viril abrevadero de los expresionistas abstractos, Max's era escenario de numerosas reyertas entre borrachos. A diferencia de los cincuenta, sin embargo, en los que había dominado un único estilo artístico, los sesenta habían presenciado una auténtica proliferación de nuevos movimientos radicales —arte pop, *op art*, minimalismo, *process art*, *color-field painting*, arte conceptual, *earth art*...—, y los artistas que acudían a Max's se dedicaban con frecuencia a destrozar, ya verbal o físicamente, los esfuerzos ajenos.

No obstante lo anterior, casi todos ellos se hallaban unidos por un desprecio común hacia los asiduos de la trastienda de Max's, donde reinaba un comportamiento social completamente opuesto a su agresiva actitud heterosexual. En otro tiempo, se había visto dominada por Andy Warhol y su séquito, pero desde 1968, año del intento de asesinato del artista a manos de Valerie Solanas, éste había comenzado a despegarse de «la basura espacial del arte», como el crítico Robert Hughes describiera en cierta ocasión a sus seguidores. Para disgusto de Mapplethorpe, que aún confiaba en trabar amistad con Warhol, el pintor dejó de frecuentar Max's casi por completo. Incluso sin él, no obstante, la atmósfera resultaba inequívocamente warholiana. Dominados por el satánico resplandor rojizo de la escultura de luz de Dan Flavin, los travestidos se deslizaban de mesa en mesa con gotas de maquillaje escurriendo por sus mejillas. Cuando daban las doce, una joven seguidora de Warhol llamada Andrea Feldman saltaba sobre uno de los manteles, se abría la camisa de un tirón y comenzaba a cantar *Give My Regards to Broadway*, danzando y agitando los pechos.

En algunas ocasiones, Mapplethorpe y Patti acompañaban a Daley a Max's, pero era más frecuente verles acudir por sí solos después de haber pasado varias horas adquiriendo un aspecto que les permitiera sortear el control de entrada. Tanto Ruskin como su imponente gorila, Dorothy Dean, una negra licenciada por Harvard que se hacía llamar la «Pica de Reinas», eran sumamente escrupulosos en lo que se refería a mantener el local libre de indeseables, y rechazaban a cualquiera que mostrara una apariencia demasiado ortodoxa o de clase media. Patti y Robert no solían tener problemas en la puerta, pero sí encontraban resistencia cada vez que intentaban invadir el círculo de músicos de rock y acólitos de Warhol que poblaban la trastienda. Noche tras noche, semana tras semana, ocupaban una mesa en solitario y compartían una ensalada mixta y una Coca-Cola. Luego, cuando regresaban al Chelsea de madrugada, analizaban sus progresos en la «obtención de contactos».

Un paso importante tuvo lugar el día en que el escritor y promotor de rock Danny Fields les invitó a sentarse a su mesa, y aunque con el tiempo Mapplethorpe apenas recordaba el incidente, tanto él como Patti lo consideraron como un triunfo de sus esfuerzos. Fields, un personaje considerablemente popular en Max's, era representante de Iggy Pop y de los MC5 de Detroit, cuyo guitarrista Fred (Sonic) Smith habría de contraer matrimonio posteriormente con Patti. Fields comparó a Robert y a Patti con una «versión en cuero de Sigmunde y Sieglinde», los incestuosos mellizos del ciclo del *Anillo* de Wagner. Nadie lograba determinar si eran amantes, hermanos o amigos íntimos y, dado el espíritu de la época, a nadie le importaba si eran heterosexuales, gays o bisexuales. «La revolución sexual era uno de los ingredientes esenciales de Max's», escribió Ronald Sukenick en *Down and In*. «Había gente que presumía de conseguir tres polvos diarios en Max's, y algunos de los más íntimos utilizaban el despacho que tenía Mickey en la planta superior. Algunos incluso se servían de las cabinas telefónicas. Habían llegado a producirse episodios de sexo duro hasta en el propio bar. [...] Era como una especie de Wilhelm Reich *à-go-go*.» La trastienda era un foco de atracción para la población gay, y Mapplethorpe, enfundado en su blanco uniforme de marinero, exudaba atractivo sexual. «Todo el mundo quería saber quién era aquel chico tan mono acompañado de una muchacha tan parecida a él», recuerda Fields. «¿Acaso piensan que alguien se sentía interesado en Robert como artista? Querían irse a la cama con él. Lo único que importaba era el sexo.»

Sin embargo, Mapplethorpe no se hallaba dispuesto a arriesgar su relación con Patti involucrándose nuevamente con un hombre. El pequeño lecho que compartían en el Chelsea hacía que le resultara más fácil refugiarse en su infantil «matrimonio». Había logrado recuperar un tocadiscos de juguete de los cubos de basura que se alineaban frente al local y no dejaba de tocar *Hang On to a Dream* (Aférrate a un sueño), de Tim Hardin. Mapplethorpe soñaba en ser rico y famoso, y en conservar de algún modo a Patti sin sacrificar su sexualidad. Se adoraban mutuamente tanto como pudiera hacerlo cualquier pareja casada, y compartían todo al cincuenta por ciento. Para aprovechar al máximo el sueldo de Patti, idearon un sistema al que denominaron «Un día, dos días»: si, por ejemplo, ella decidía visitar el museo Guggenheim un día, él podía acudir al día siguiente; si él gastaba papel y pintura un día, ella podía hacer lo propio un día después. Tal estrategia abarcaba, incluso, el consumo de alcohol y de drogas, por lo que si Robert se hallaba en medio de un «viaje» de ácido, Patti tenía que mantenerse lo bastante sobria para cuidar de él. Por Navidad, Patti le regaló cuatro calaveras de bronce que había comprado en un rastrillo, y él fabricó un collar ensartándolas en un cordón de cuero. Por su parte, regaló a Patti un libro que había diseñado basándose en uno de esos calendarios de Adviento infantiles en los que día a día hay que abrir una pestaña bajo la que se oculta una sorpresa, ya sea ésta una campana, un ángel o una estrella fugaz. Bajo las puertecitas de su calendario había dispuesto pequeñas fotografías de Patti.

Su contacto con la atmósfera dionisíaca de Max's le había impulsado aún más a emplear pornografía gay en su arte, y comenzó a investigar en las librerías de Times Square en busca de viejos ejemplares de revistas del género que le ayudaran a comprender las líneas generales del erotismo homosexual. A finales de los cuarenta, publicaciones de deporte y culturismo tales como *Grecian Guild Pictorial* y *Physique Pictorial* habían comenzado a incluir fotografías y dibujos destinados a un sector homosexual de público cada vez más amplio, y sus modelos aparecían posando en bañadores y taparrabos como otras tantas personificaciones idealizadas del hombre. El pintor e ilustrador norteamericano George Quaintance era uno de los colaboradores de *Physique Pictorial* y, antes de su muerte, acaecida en 1957, produjo una serie de imágenes de vaqueros y marineros desnudos que reflejaban la imagen atlética, típicamente norteamericana, de Johnny Weissmuller. Fue, sin embargo, el artista de origen finlandés Tom of Finland quien finalmente ideó un nuevo homoerotismo más abiertamente sexual. Estimulado por sus recuerdos de soldados alemanes durante la Segunda Guerra Mundial, realizó dibujos de hombres que, ataviados con guerreras de cuero negro, gorras de motociclista y botas de cuero hasta la rodilla, se centraban en la imagen del varón «macho». Se trataba de imágenes que habían de resultar cada vez más habituales a medida que la expansión del movimiento por los derechos de los homosexuales iba contribuyendo a borrar el estilo de comportamiento *camp* que había reinado hasta entonces, basado en

Harry y Joan Mapplethorpe
el día de su boda, en 1942.

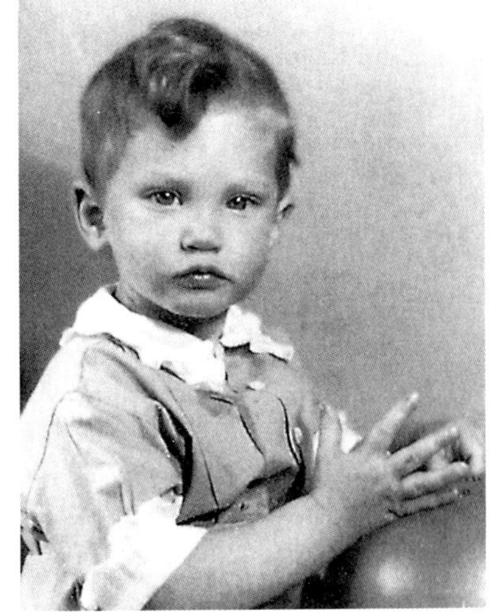

Robert posando
frente a la cámara
de su padre.

Nancy, Richard y Robert,
los tres hermanos Mapplethorpe.

Con su madre
el día de su Primera Comunión.

Mapplethorpe *(arrodillado, a la der.)*
con su hermano Richard *(de pie, a la izq.)*
y varios amigos de Floral Park.

Robert *(segundo por la izq.)* disfrazado de Pinocho
para la fiesta de Halloween.

Robert en Navidad con Papá Noel.

Fotografiado tendido frente a la lápida
de los Maxey.

De *izquierda a derecha:* Robert, Nancy con el pequeño James en brazos, Susan, Richard y Edward.

Robert en Floral Park.

Robert y Richard.

Robert en el Instituto Pratt.

Richard, con sus padres, en la
Academia Estatal de Marina de Fort Schuyler.

Mapplethorpe en plena transición durante su estancia en Pratt. *Abajo* varios años después, en el Hotel Chelsea.

Robert posa adornado con sus collares fetichistas.

Patti Smith y Mapplethorpe en el Hotel Chelsea donde vivieron juntos.

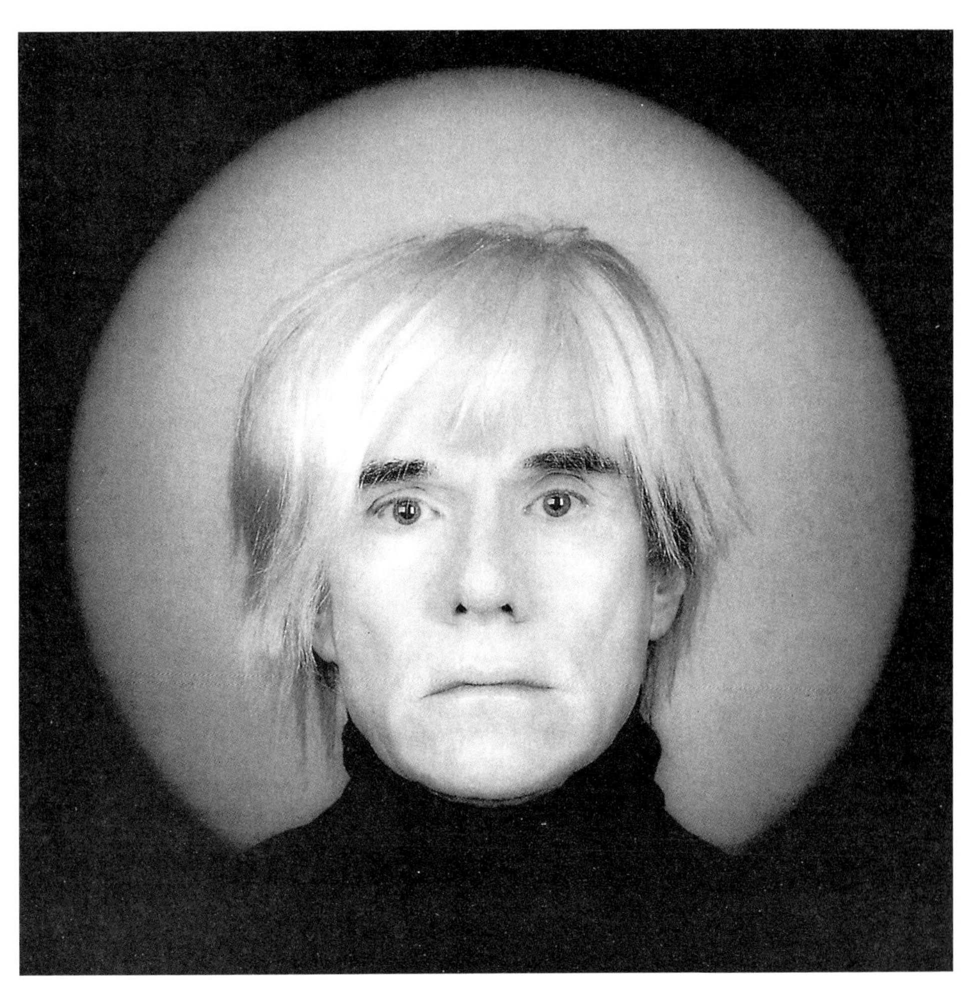

Warhol, mitad santo, mitad mago de Oz,
en el retrato realizado por Mapplethorpe.

De arriba a abajo y de izq. a der.: Mickey Ruskin, Tally Brown, Fran Lebowitz, Donald Lyons, Danny Fields, Robert Mapplethorpe, Candy Darling, Mick Jagger, Andrea Feldman; *foto inferior:* Taylor Mead divierte a los asistentes en la trastienda del famoso Max's Kansas City.

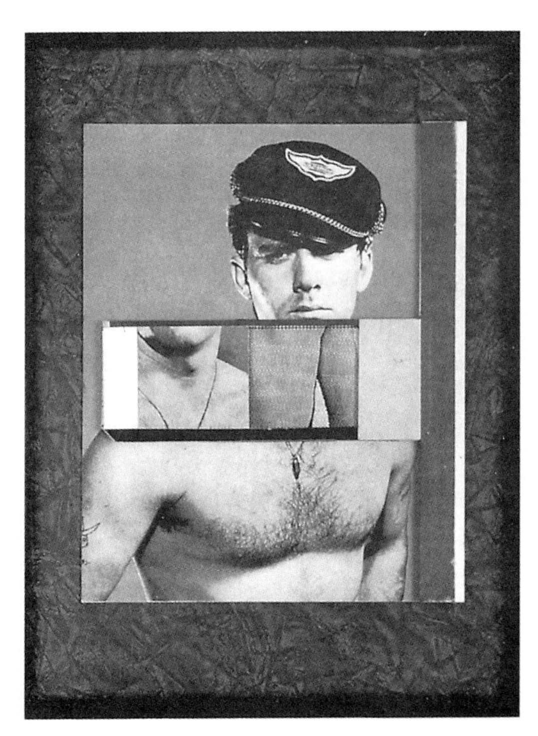

Uno de los primeros colages
de Mapplethorpe.

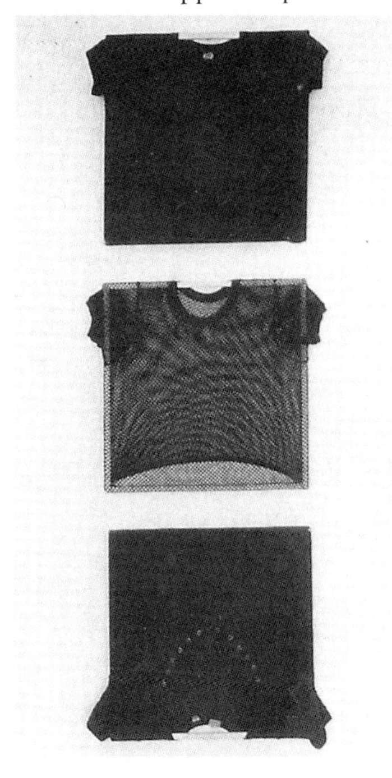

Untitled (3T-Shirts), 1970.

Sandy Daley, en su habitación del Chelsea.

Robert y David Croland.

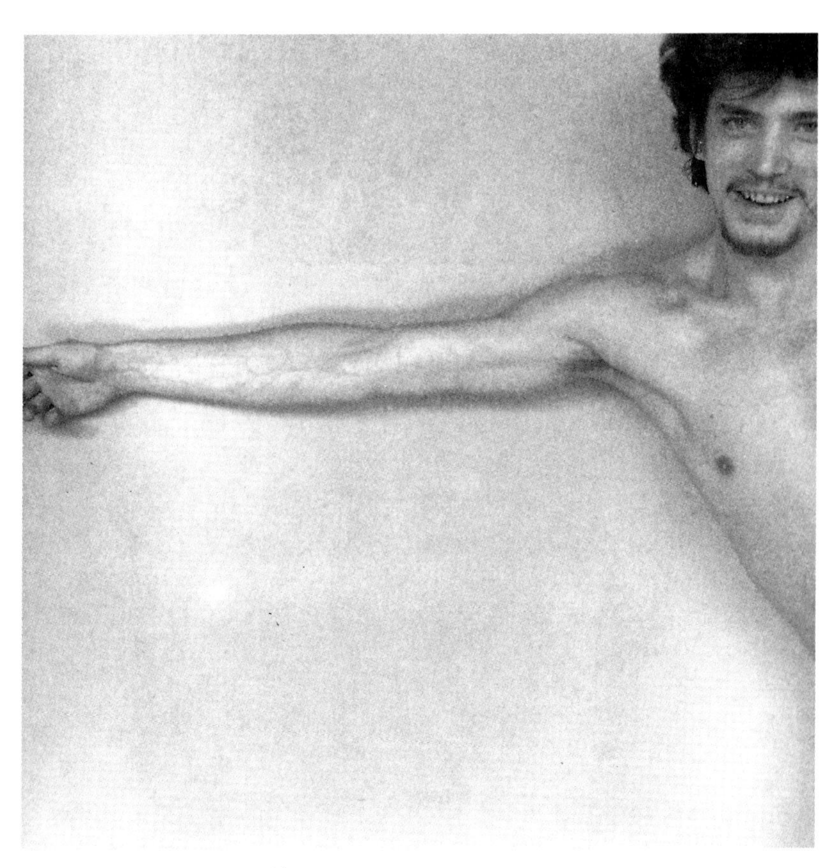

Self Portrait (Autorretrato), 1975.

El famoso poeta Jim Carroll.

Patti Smith y Sam Shepard
escribieron conjuntamente la obra *Cowboy Mouth* (Boca de *cowboy*).

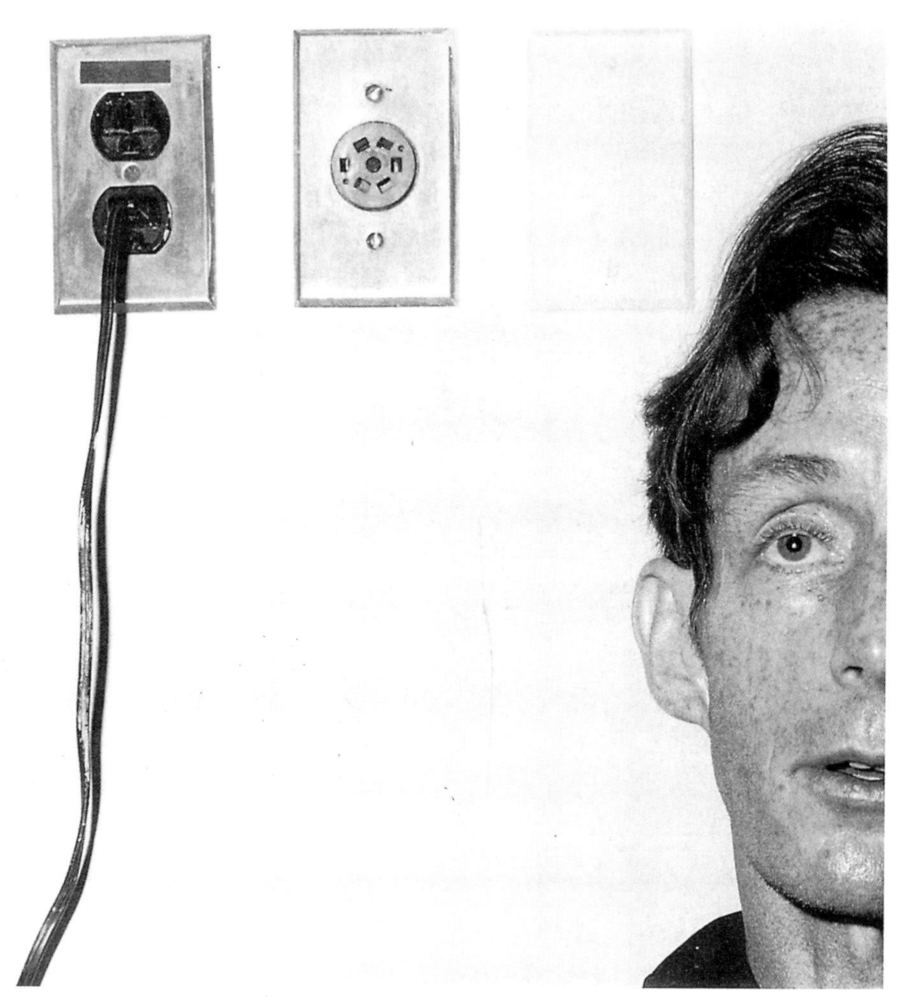

John McKendry, conservador del Metropolitan Museum of Art, a quien Robert retrató pocos días antes de su muerte, en 1975.

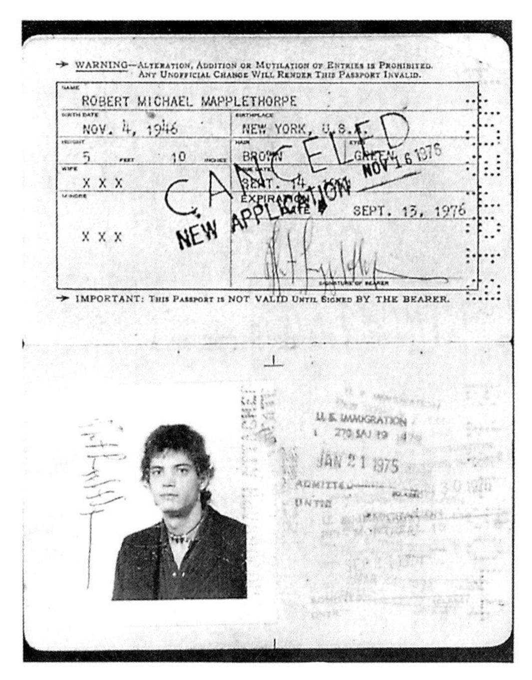
WARNING—ALTERATION, ADDITION OR MUTILATION OF ENTRIES IS PROHIBITED.
ANY UNOFFICIAL CHANGE WILL RENDER THIS PASSPORT INVALID.

ROBERT MICHAEL MAPPLETHORPE

NOV. 4, 1946 | NEW YORK, U.S.A.

5 FEET 10 INCHES | BROWN | GREEN

X X X | SEPT. 14,

X X X | EXPIRATION DATE SEPT. 13, 1976

CANCELED

NEW APPLICATION NOV 16 1976

SIGNATURE OF BEARER

IMPORTANT: THIS PASSPORT IS NOT VALID UNTIL SIGNED BY THE BEARER.

U.S. IMMIGRATION

JAN 21 1975

ADMITTED

UNTIL

Pasaporte de Robert Mapplethorpe.

Mapplethorpe fotografió a la princesa Margarita y a Reinaldo Herrera durante el viaje que realizó en 1977 a Mustique.

la adopción de actitudes afeminadas por parte de ciertos hombres. Por el contrario, los activistas gays introdujeron un concepto según el cual el hombre podía ser, a la vez, gay y viril, lo que ayudó a concentrar la atención sobre una subcultura sadomasoquista, que hasta entonces había permanecido oculta, en la que los hombres que frecuentaban los bares «de cueros» escenificaban complicados cuadros sadomasoquistas destinados a poner a prueba su masculinidad.

Al igual que las figuras que aparecían en los dibujos de Tom of Finland, los devotos del culto al cuero mostraban predilección por las botas, las gorras de motociclista, las esposas de metal y, en ocasiones, la simbología nazi. Todo ello formaba parte de lo último en moda «dura», y para alguien como Mapplethorpe, que se había pasado la adolescencia frecuentando fraternidades de «tipos duros» en un intento por huir de los estereotipos afeminados, los signos de identidad externos de la subcultura sadomasoquista ejercían una enorme atracción. No obstante, era aún demasiado tímido para acudir solo a aquella clase de bares, por lo que invitó a Sandy Daley, quien se disfrazó de hombre ataviándose con una cazadora de cuero y ocultando su cabellera bajo una gorra de motociclista. Juntos, acudieron a uno de los bares del West Village, se sentaron a una mesa y observaron el maltrato físico y verbal a que eran sometidos diversos hombres. «Era como cuando quedas para salir con un chico», recordaba Daley. «Robert no hacía más que preguntarme: "¿Estás cómoda... te apetece tomar algo?" Se mostraba tan cortés y tan atento que resultaba difícil creer que pudiera haber tipos con collares y correas de perro arrastrándose a nuestros pies.»

Se ignora cuántas veces regresó Mapplethorpe a aquel bar, o si llegó a tomar parte en actividades sadomasoquistas durante aquella época, pero si hemos de juzgar por su comportamiento hasta entonces, lo más probable es que enfocara la situación como un «reportero en busca de rarezas». Lo que sí resulta indudable, sin embargo, es que el ambiente sadomasoquista se adueñó inmediatamente de su imaginación, encajando con sus impulsos sexuales más oscuros. La identidad sexual de Mapplethorpe se hallaba ya tan entremezclada con sus sentimientos de culpa y castigo que el papel de sádico le permitía convertirse en una suerte de sacerdote –o progenitor– punitivo en cualquier relación «prohibida» con otros hombres. «No había vuelta atrás –dijo–. Había hallado mi trayectoria sexual.» También había hallado su tema fundamental. Los uniformes y la parafernalia homosexual le proporcionaban todo un nuevo campo de imágenes que podía emplear en su arte. Sus colages comenzaron a mostrar imágenes de hombres vestidos con gorras Harley-Davidson y pantalones de cuero, como si Mapplethorpe necesitara «jugar» inicialmente con ellos tal y como había hecho con los recortes de revistas masculinas durante su estancia en Pratt, dos años antes. No había de transcurrir mucho tiempo hasta que su sexualidad y su arte se encontraran lo bastante interrelacionados como para que nadie, y mucho menos él, pudiera desenlazar aquel nudo gordiano.

La habitación que Mapplethorpe y Patti compartían en el Chelsea era tan pequeña que apenas servía de otra cosa que de refugio para dormir, por lo que alquilaron la parte frontal del local de un edificio situado a varias manzanas del hotel. Al principio, dormían en el Chelsea y trabajaban en su nueva «fábrica de arte», pero en 1970 pudieron disponer del resto del local y pasaron a utilizarlo como vivienda permanente. Se encontraba situado en el número 206 de la calle Veintitrés Oeste, en el mismo edificio de cinco pisos que albergaba el bar Oasis y, por la noche, sus ventanas se iluminaban con las letras O-A-S-I-S de un letrero de neón instalado sobre ellas. Para Mapplethorpe, el local funcionaba a modo de santuario, hasta el punto de que pintó de negro las ventanas para obstaculizar el paso de la luz del sol. El anterior inquilino había construido una delgada partición de escayola destinada a dividir el espacio en dos partes diferenciadas, por lo que Mapplethorpe ocupó la parte trasera y Patti se instaló en la delantera. Cuando no estaban «estableciendo contactos» en Max's se concentraban en su arte de un modo que a menudo resultaba tan frenético como caótico. Mapplethorpe tenía que hallar aún el medio idóneo para autoexpresarse, y sus obras aparecían literalmente esparcidas por doquier. Además de los colages, comenzó a crear piezas más ambiciosas en las que se advertía el tributo a Marcel Duchamp, quien, en 1917, había firmado un orinal con su nombre y lo había presentado como una obra de arte *ready-made* («ya hecho»). Rebuscando sin cesar en la basura a la caza de objetos utilizables, Mapplethorpe construyó estructuras en gran escala fabricándolas con mesillas de noche abandonadas, rollos de tela metálica, pantallas de lámpara y piezas de repuesto para motocicletas. En Pratt, había transformado su dormitorio en una iglesia psicodélica; ahora, acumulaba tótems sadomasoquistas junto a otros religiosos, y el efecto que ello producía resultaba tan siniestro e inquietante como el gabinete del doctor Caligari. De una barra de ejercicios colgaban numerosos suspensorios como una tela de araña; de la entrepierna de unos vaqueros asomaba una cabeza de demonio; y de una percha de ropa aparecían suspendidas varias fotografías de hombres desnudos. Incluso había convertido su cama en una obra de arte, cubriendo el colchón con tela negra y dibujando con remaches la silueta de un cuerpo masculino.

Mapplethorpe llevaba una temporada sobreviviendo a base de una dieta de anfetaminas, a las que había que añadir las diez tazas de café que consumía cada día, y poseía tal cantidad de energía nerviosa que apenas era capaz de contenerse. Incapaz de decidir cuándo una pieza estaba terminada, seguía añadiendo más y más elementos a sus obras: una estatua por aquí, un rollo de hilo negro por allá. Firmemente convencido de la veracidad del dicho según el cual «la ropa hace al hombre», no veía por qué motivo las prendas de vestir no habían de servir igualmente para crear arte, por lo que se despojaba de sus camisetas y las colgaba, unas encima de otras, sobre marcos de madera que hacían las veces de estructuras minimalistas. Empleaba una técnica similar con su ropa interior. En cierta ocasión, se limitó a extender unos calzoncillos de color azul pálido sobre una estructura blanca. Posteriormente, elaboró una versión más complicada, para lo cual dispuso en primer lugar una revista pornográfica entre un amasijo de calzoncillos que, a continuación, enmarcó con madera y celofán. Se veía alternativamente obligado a saquear su guardarropa en busca de arte y su arte en busca de ropa, y sus camisetas negras, raramente limpias, eran descolgadas una y otra vez para acudir al local de Max's. Ni siquiera la ropa de Patti se libraba de los asaltos de Mapplethorpe. Cada vez que se vestía para acudir a Scribner's, la muchacha descubría que sus camisas, pantalones y zapatos habían sucumbido al torbellino de las creaciones de su compañero. Frustrada por sus constantes invasiones, comenzó a preguntarle en tono sarcástico: «¿Puedo ponerme esto o es arte?»

Aquella primavera, una de las cazadoras vaqueras de Robert, adornada con una calavera y un par de dados, entró a formar parte de una muestra colectiva titulada «La ropa como forma de arte» organizada por Stanley Amos en su habitación del Chelsea. La exposición se hallaba dirigida fundamentalmente a los huéspedes del hotel, y aunque no resultó significativa para la carrera de Mapplethorpe, sí ayudó a trasladarle, dentro del ámbito del hotel, de la posición de intruso a la de veterano. Sus apariciones nocturnas en Max's comenzaban asimismo a arrojar dividendos, y cierto día en que lucía una pieza de joyería diseñada por él mismo (un collar fetichista formado por dados, calaveras, patas de conejo, plumas, cuentas de colores y garras de marfil), uno de los asistentes se lo compró allí mismo. Los collares fetichistas se pusieron instantáneamente de moda entre la selecta clientela de Max's, y Mapplethorpe comenzó a vender tantas piezas que un rico promotor llegó a ofrecerle dinero para montar un negocio de joyería propio. Él, sin embargo, rechazó la propuesta, ya que no deseaba ser conocido como diseñador de joyería debido a sus negativas connotaciones artesanales. La labor de unir cuentas y abalorios de colores constituía para él una forma de meditación, su manera de relajar los nervios tras un acelarado día de creación artística. Detestaba la idea de convertirlo en un negocio.

Por el contrario, se empeñó en persuadir a todas las personas influyentes que conocía para que acudieran a su taller a contemplar sus obras. Obsesionado por crear una atmósfera adecuada, coreografiaba cuidadosamente aquellas visitas hasta el punto de cuidar incluso de la música de fondo adecuada (por lo general, un disco de blues). Pese a su determinación, se mostraba tímido con los extraños e intentaba asegurarse de que Patti estuviera presente para desempeñar el papel de anfitriona. Ésta, a diferencia de Mapplethorpe, nunca se mostraba falta de conversación, pero los usos sociales no constituían su punto fuerte, y a veces ni se molestaba en alzar la mirada del libro que estaba leyendo, sino que espetaba al intruso: «No me molestes ahora; estoy intentando aprender otras lenguas», o bien: «Lo siento, estoy estudiando alquimia.» La actriz Sylvia Miles recordaba haber oído gritos escalofriantes que provenían de la zona que ocupaba Patti, hasta el punto de que interrumpió el discurso de un Mapplethorpe que continuaba mostrando su obra a los presentes como si no ocurriera nada. «Tengo la impresión de que están asesinando a alguien», dijo e, inmediatamente, oyó la voz de Patti proveniente del otro extremo de la partición: «¡Cállate! ¡Estoy ensayando mi terapia de gritos!»

Ninguno de los visitantes del apartamento salía indemne de la experiencia, y la palabra más utilizada para describirla era «conmocionante». Sam Green, antiguo conservador de la retrospectiva de Warhol celebrada en el Instituto de Arte Contemporáneo de Filadelfia en 1966, llegó a experimentar repulsión ante lo «siniestro» del ambiente. «Robert y Patti intercambiaban ingenio conversativo como un George Burns y una Gracie Allen siniestros», afirmaba. «Ni que decir tiene que me habría resultado imposible llevar allí a coleccionistas importantes tales como los Tremaines o los Sculls.» Fredericka Hunter, quien posteriormente habría de exponer las fotografías de Mapplethorpe en la Galería Texas, trabajaba como ayudante en la Galería Richard Feigen cuando visitó por vez primera el apartamento, y no pudo por menos de sentirse aturdida por lo explícito de los colages pornográficos de Mapplethorpe. «Supongo que debí de decir un montón de tonterías, —confiesa Hunter—, porque me pasé todo el rato con la boca abierta de par en par.» Claramente, no se hallaban ante un tipo de obra fácilmente vendible, y cada vez que alguien adquiría una pieza, ello era motivo de celebración. Durante la primavera de 1970, el crítico y conservador Mario Amaya, que en 1976 ya había organizado una muestra de fotografías de Mapplethorpe en el Museo Chrysler, compró una maleta de cuero que contenía una ardilla disecada y envuelta posteriormente en vendas y redes. Sin embargo, la *pièce de résistance* de Mapplethorpe fue adquirida por Charles Cowles, quien por entonces era editor de *Artforum* y afirmaba haberse sentido «fascinado» por su visita al apartamento. «Yo procedía de una escuela secundaria privada y me codeaba con gente de Park Avenue y de la Quinta Avenida», explicaba. «Y allí estaba Robert, aquel merodeador nocturno, rodeado de sus esculturas demoníacas.» Una de ellas captó especialmente su atención: se trataba de un montaje basado en los temas fundamentales de Mapplethorpe: religión, homosexualidad y culpabilidad. Consistía en un retablo construido a partir de una mesilla de noche instalada sobre la piel de lobo mágica de Patti. El altar contenía una estatua del Sagrado Corazón con los ojos tapados por un trozo de cinta aislante de color negro y emplazado entre dos lamparillas de aceite. A la derecha del altar podía verse un retrato del Sagrado Corazón igualmente cegado, y del techo pendía una lámpara con cenefa que alumbraba la imagen central: del cajón de la mesilla emergía un martillo envuelto por un cordón de color rojo sangre. Mapplethorpe, en aquella etapa de su carrera, sustituía ocasionalmente herramientas reales por genitales masculinos, y en otra obra, fechada en 1970, construyó el presagio de una de sus fotografías más inquietantes –un pene mutilado y ensangrentado– arrollando un cordel rojo en torno a un sacacorchos y sujetándolo a un trozo de lienzo salpicado de pintura roja. Aquellos ojos «ciegos», aquellos genitales atenazados y el contraste entre luz y oscuridad habrían de convertirse, unos y otros, en temas habituales de las fotografías de Mapplethorpe. Charles Cowles, sin embargo, no sabía qué hacer con tan embarazoso conjunto. No le apetecía exponerlo en su casa, por lo que lo almacenó, relegando así a la mesilla/altar a veinte años de oscuridad.

Mapplethorpe se mostraba descorazonado cada vez que alguien no comprendía su arte, pero nunca dudó de su propio talento. Aquella actitud positiva que había mostrado de niño –aquella «cierta magia» que parecía fluir de sus dedos– le sirvió de sustento en la vida adulta. «Siempre pensé que era bueno», decía. «Por eso me resulta tan frustrante que otras personas no opinen igual.» Ciertos destacados comerciantes del arte, como Leo Castelli, solían conceder a sus artistas salarios mensuales que luego se deducían de las ventas de sus obras, y Mapplethorpe comentaba frecuentemente con Patti el deseo de buscar un «mecenazgo». En compañía de Sandy Daley, recorrió los despachos de todos los galeristas de la calle Cincuenta y siete, por entonces corazón del mercado del arte, para enfrentarse casi siempre con una bienvenida más bien fría. «Por lo general, siempre había algún recepcionista que se quedaba con sus diapositivas y nunca se molestaba en devolverlas», recuerda Daley. «Los tratantes fijaban citas para visitar su taller y luego no se presentaban.» Mapplethorpe se quejaba a Patti, protestando de que los galeristas rehuían la exposición de sus obras debido a su contenido homosexual, y de que varios de ellos le habían aconsejado en privado que si quería alcanzar el éxito tendría que suavizar el aspecto gay de sus temas. La propia Patti mantuvo conversaciones similares con galeristas homosexuales, quienes le confesaron su reticencia a apoyar a Mapplethorpe por miedo a atraer demasiada atención sobre su propia condición. «Muchos de ellos –relataba Patti– me dijeron: "Su obra me parece realmente interesante, pero ¿cómo puedo exponerla sin manifestar cómo soy yo realmente?" Ante aquello, Robert se sentía realmente herido.»

En *The Sexual Perspective* (La perspectiva sexual), Emmanuel Cooper describe las dificultades a las que han debido enfrentarse los homosexuales durante los últimos cien años y el modo en que su autoexpresión se ha visto reprimida por la ley, la Iglesia y la sociedad. Los artistas gay se veían obligados a suavizar sus obras para que éstas no resultaran tan amenazadoras ante el *status quo*, así como a elaborar un complejo código que les ayudara a expresar sus sentimientos homosexuales. A menudo, situaban el desnudo masculino en contextos aceptables tales como gimnasios, cuadriláteros de boxeo y piscinas, o bien lo elevaban por encima de la moralidad contemporánea mediante el uso de temas clásicos y religiosos. «La desnudez de San Sebastián, por ejemplo –ha escrito Cooper–, se empleaba, más que para mostrar la humillación del santo, como excusa para exhibir el cuerpo masculino desnudo.» Los cambios sociales de los sesenta permitieron a los gays y lesbianas del mundo del arte una mayor libertad de expresión. David Hockney creó una serie de aguafuertes destinados a ilustrar los escritos del poeta griego homosexual Constantino Cavafis y la prolongó realizando pinturas autobiográficas de sus amigos y amantes. El hermoso mundo de Hockney, repleto de hermosos hombres gays remoloneando en torno a elegantes piscinas, se hallaba sin embargo drásticamente distanciado de los colages de Mapplethorpe, basados en sexo oral y hombres vestidos de cuero con el rostro oculto por gasas sanguinolentas. «Me resultaba intersante mi propia sexualidad –explicaba Mapplethorpe–. Me apetecía explorarla.» No obstante, acaso precisamente porque su sexualidad aún le resultaba incomprensible, lo cierto era que su arte solía verse tildado de incompleto y desenfocado. Fredericka Hunter definió lo que, según ella, constituía su problema más grave: «Estaba cenando con Charlie Cowles y Klaus Kertess (por entonces, los dueños de la Galería Bykert). Acabábamos de ver la obra de Robert, quien por entonces se dedicaba a presionar con insistencia para que alguien le expusiera. Pero todos nos preguntábamos: "¿Qué hay que se pueda exponer?" Lo verdaderamente único era la atmósfera de su apartamento. O conseguías trasladarla por entero al espacio de la galería o no encontrabas nada realmente tangible.»

La vida de Robert no podía ser más diferente de la de Harry Mapplethorpe pero, así y todo, su casa encerraba mucho de la fanática rigidez de su padre. También Robert detestaba la suciedad y el descuido y, a pesar de que era capaz de pasar varios días sin bañarse (el apartamento contaba únicamente con un retrete y una pila), procuraba asegurarse de que cada uno de los objetos de su oscuro desván contara con un lugar propio. Por más que su estilo de decoración pudiera impresionar a los visitantes como un desorden demencial, Robert sabía dónde estaba cada cosa y por qué la había puesto allí. La habitación de Patti, por el contrario, no sólo mostraba un aspecto caótico sino que carecía asimismo de cualquier posible lógica subyacente de pulcritud. Por el suelo podían verse diseminados *donuts* pasados hacía un mes, prendas de ropa sucia, latas, palillos chinos, carboncillos y cintas de satén. A diferencia de Robert, quien siempre protegía cuidadosamente sus obras, Patti parecía perseguir la destrucción de su propio arte con su costumbre de arrojar los «drawlings» que realizaba de un lado a otro de la estancia, hasta el punto de que a menudo los visitantes los pisaban, confundiéndolos con recortes de papel sin valor. El día en que perdió un cuaderno en el que conservaba los esbozos de casi un año entero, Mapplethorpe estuvo a punto de sufrir un ataque de apoplejía. «¿Cómo has podido permitir que ocurriera una cosa así?», la sermoneó. Ann Powell, a la sazón compañera de trabajo de Patti en Scribner's y para entonces ya gran amiga de ella, encontraba «extraordinario» el infatigable apoyo que Mapplethorpe prestaba a la carrera de su compañera. «No cabe duda de que Patti era mucho más lista que Robert –decía–, pero nunca les vi actuar de un modo competitivo. De hecho, opino que Robert fue el único hombre en la vida de Patti que jamás intentó sofocar su creatividad.»

A pesar del estímulo de Mapplethorpe, Patti poseía una imaginación incansable que constantemente la impulsaba en distintas direcciones. Tenía talento para el dibujo y la escritura, pero cualquiera que la oyera disertar acerca de temas tan diversos como la masturbación, las hemorroides y Dios, era consciente de que su personalidad constituía el mayor valor que poseía. Aun en pleno debate con su propia identidad sexual, era capaz de vestirse de chico –pantalones largos, camisa blanca y chaqueta negra (su *look* a lo Charles Baudelaire)– y a continuación aparecer imitando el estilo de la más sexy Jeanne Moreau, con tacones altos, ligas y medias de seda. Tras manifestarse «agobiada» por sus lápices y cuadernos de apuntes, había renunciado recientemente al dibujo para concentrarse en la poesía, y la cuestión de la identidad sexual rezumaba en gran parte de sus escritos. Comenzó a acudir a la hora de comer al mercado de libros de Gotham, situado en la calle Cuarenta y siete, adonde llevaban acudiendo los miembros de la vanguardia literaria desde 1923 para comprar libros o pronunciar conferencias. Rodeada de fotografías de Gertrude Stein, Dylan Thomas, Jean Cocteau y Marianne Moore, Patti solía sentarse con las piernas cruzadas, enfrascada en el estudio de la poesía de los simbolistas franceses. «Mostraba siempre un aspecto tan peculiar como demacrado», recuerda Andreas Brown, por entonces dueño de Gotham. «Cada vez que la veía, me inspiraba lástima.» Por la noche, cuando regresaba a casa, utilizaba para pasar a limpio sus impulsos creativos una técnica adoptada del escritor francés Jean Genet. «Me sentaba ante la máquina de escribir y me ponía a mecanografiar hasta que me sentía sexy», confesó posteriormente en una entrevista para el *New York Times Magazime*. «Luego, me masturbaba para ponerme en situación y, a continuación, ya en aquel estado superior, me sentaba y escribía un rato más.» En aquel «estado superior», produjo una serie de vívidos poemas que luego formaron la espina dorsal de su primer libro, *Seventh Heaven* (El séptimo cielo), publicado en 1972.

Los escritos de Patti se caracterizaban por su chapucería –empleaba únicamente minúsculas y un estilo de puntuación grosero–, pero poseían cierta energía básica derivada de sus inquietantes temas. Muchos de sus poemas versaban acerca de mujeres seducidas, violadas y agredidas en general por los hombres, y a menudo la propia Patti adoptaba el discurso del varón. Con frecuencia, sus personajes masculinos eran de carácter bárbaro, pero sus mujeres aparecían por lo general retratadas como patéticas esclavas de la biología, destinadas a convertirse en zorras «hinchadas» o «gatitas rescatadas como Brigette [*sic*] Bardot». Culpaba a Eva del pecado original por haber permitido a Satanás, «el semental», deslizarse entre sus piernas. Despojaba de toda dignidad incluso a heroínas de la talla de Juana de Arco quien, a la espera de ser quemada en la hoguera, fantaseaba acerca de un posible y brutal encuentro con uno de sus guardianes:

I dont want to die
I feel like a freak
dont let me cut out
I wasnt cut out
to go out virgin
I want my cherry
squashed man
*hammer amour**

Tanto la violencia de esta escena como la de otras muchas aparece claramente relacionada con los dibujos de Patti, en los que, consciente o inconscientemente, la joven evoca el terror de los abusos sexuales por medio de sus imágenes de niñas desnudas. De hecho, ilustró su poema titulado «A Useless Death» (Una muerte inútil) con el espeluznante dibujo de una figura femenina lanzada hacia un desatascador casero con forma de falo que apunta directamente a sus genitales.

Con todo, Patti se sentía sumamente cómoda entre los hombres, a través de los cuales se nutría de apoyo y de inspiración. Uno de sus primeros contactos del Chelsea fue Bob Neuwirth, una destacada figura del ambiente urbano que mantenía cierta amistad con Bob Dylan, uno de los ídolos de Patti. Bob la presentó a Janis Joplin y al pintor minimalista Brice Marden, con quien la joven disfrutó de un breve romance. Asimismo, le dedicó un cuadro titulado *Patti Smith, Star*.

Poco después conoció al poeta Jim Carroll quien, ya a los dieciséis años de

* Pese a la dificultad de trasladar la espontaneidad de los versos a otro idioma, una traducción aproximada podría ser: No quiero morir / me siento anormal / no me dejes desaparecer / no fui hecha / para desaparecer virgen / quiero, hombre, que aplastes / mi fruto / embiste amor. *(N. del T.)*

edad, se había convertido en una figura de culto poco después de que *The Paris Review* publicara un extracto de su libro *The Basketball Diaries* (Diarios baloncestísticos). La obra era una crónica de sus días de instituto en el elegante Trinity School de Nueva York, época en la que había jugado al baloncesto y se había prostituido con homosexuales para financiar su adicción a la heroína. Él lo denominaba «perversión a cambio de beneficio». Posteriormente, hubo de cumplir condena en el reformatorio juvenil de Riker's Island por posesión de heroína y, tras su puesta en libertad, se trasladó a vivir al Chelsea para escribir los poemas que luego integrarían *Living at the Movies* (Viviendo en el cine), obra nominada para el premio Pulitzer. Carroll, quien por entonces contaba diecinueve años, poseía una belleza etérea y bañada por las drogas, y Patti no tardó mucho en advertir que representaba el personaje rimbaudiano arquetípico. Le conoció en una sesión de poesía celebrada a comienzos de la primavera de 1970, y aunque por entonces salía con un modelo, le sometió a un agresivo estilo de cortejo idéntico al que había empleado para conquistar a Howie Michaels. Todas las mañanas, antes de acudir a Scribner's, pasaba primero por el Chelsea para llevarle a Carroll su desayuno favorito, consistente en dos cafés ligeros con azúcar, varios *donuts* de chocolate y medio litro de helado italiano de chocolate de una de las pizzerías locales. Aún más importante, le proporcionaba dinero para adquirir heroína. «Patti fue una de las pocas mujeres que conocí que estimularon activamente mi adicción», manifestó luego Carroll. «Creo que le habría disgustado verme *abandonarla*.» La estrategia de Patti terminó por funcionar, y Carroll trasladó sus pertenencias a la parte delantera del apartamento. «Robert vivía en el sitio más extraño que había visto en mi vida», recordaba Carroll. «Era como si los Ángeles del Infierno hubieran irrumpido en las habitaciones de Miss Havisham* para recalar en su dormitorio nupcial. Lo único que faltaba era el pastel de bodas lleno de telarañas.»

Mapplethorpe reaccionó con sorprendente ecuanimidad a la invasión de su intimidad por parte de Carroll, y no mostró signo externo alguno de celos. Él y Patti se habían habituado a llevar vidas sexuales separadas, y no percibía a Carroll como amenaza. De hecho, disfrutaba de su compañía, y los tres pasaron numerosas tardes de primavera paseando por Times Square y divirtiéndose con los silbidos y piropos de numerosos hombres que los confundían con buscones. Durante una de aquellas salidas, Mapplethorpe desapareció súbitamente en el interior de un edificio semiderruido de la calle Cuarenta y dos, y Patti y Carroll le siguieron a desgana a lo largo de un estrecho tramo de escaleras. Al llegar al rellano, vieron a un corpulento individuo ataviado con una

* Referencia a uno de los personajes principales de *Grandes esperanzas*, de Charles Dickens: Miss Havisham, una mujer que vive semienloquecida y ansiosa de venganza tras verse abandonada por su esposo en plena noche de bodas. *(N. del T.)*

chaqueta de rayas que les preguntó: «¿Habéis venido por lo de la exposición?» Patti y Carroll pagaron el importe de la entrada y penetraron en una lóbrega estancia en la que se encontraron frente a dos docenas de maniquíes de tamaño natural similares a los que pueden verse en cualquier universidad de medicina. Sus órganos internos, en este caso supuestamente devastados por el cáncer, aparecían expuestos a la vista, y Carroll comentó posteriormente el incidente en *Forced Entries* (Allanamientos): «El hombrón se encargó de enseñárnoslo todo; deslizando la mano por las imágenes de fibra de vidrio; destapando, incluso, con un chasquido escalofriante, las diversas secciones enfermas, que luego acariciaba como si fueran canarios...» El espectáculo asqueó tanto a Patti y a Carroll que ambos se precipitaron hacia la puerta; pero Mapplethorpe, fascinado por aquel siniestro despliegue, prefirió quedarse.

Durante las semanas siguientes, Mapplethorpe regresó una y otra vez a la «Galería de Cánceres Célebres», como Carroll había dado en denominarla, y su arte comenzó a reflejar un renovado interés por la monstruosidad como tema. Además de pornografía gay, había comenzado a realizar colages basados en imágenes de siameses, mujeres barbudas y hombres encefalíticos. Siempre le había atraído lo inusual, pero la fascinación que le producían los órganos cancerosos resultaba exagerada incluso para él. ¿Qué podía impulsar a alguien a contemplar, día tras día, recreaciones de tumores espeluznantes? Patti bautizó aquella fase de la vida de Mapplethorpe como el «Período Monstruoso», y quitó importancia a sus visitas a la «Galería de Cánceres Célebres» como «una etapa que cualquier joven artista debe superar».

Mapplethorpe, no obstante, vivía en una cultura en la que los homosexuales seguían contemplados como curiosidades sexuales, hasta el punto de que sus familias contaban con el derecho legal de confinarles en instituciones psiquiátricas. En *The Celluloid Closet* (El armario de celuloide), Vito Russo refleja la reticencia que mostraba Hollywood a retratar a los homosexuales si no era como sádicos, afeminados despreciables o psicópatas asesinos. En 1970 se estrenó la película *The Boys in the Band* (Los chicos de la banda), de Mart Crowley y, si bien todos consideraron que para Hollywood resultaba revolucionario incluso el concepto de llevar la homosexualidad a la pantalla, sus hombres –los «chicos»– no hacían sino reforzar la opinión generalizada de que los gays eran criaturas tristes y patéticas. El personaje de Michael, un católico agobiado por sus propios complejos de culpabilidad, expresaba el autoaborrecimiento que internalizaban tantos homosexuales de la sociedad norteamericana cuando pronunciaba la frase más célebre de la película: «Enséñame un homosexual feliz y yo te enseñaré el cadáver de un gay.»

A Mapplethorpe aún le inquietaba la cuestión de si era homosexual, bisexual o heterosexual. Sus visitas a los bares sadomasoquistas en compañía de Sandy Daley le habían abierto los ojos a los misterios de la sexualidad humana, pero la experiencia no le había servido para clasificarse a sí mismo en categoría alguna. Aunque Jim Carroll era cuatro años más joven que él, Mapplethorpe le contemplaba como un personaje más sofisticado, y no dejaba de pedirle consejo acerca de cuestiones sexuales y sociales. Carroll, desde su peculiar perspectiva simultánea de alumno del Trinity y prostituto callejero, se sentía tan cómodo con los drogadictos como en compañía de los elegantes jóvenes del Upper East Side. «No me costaba trabajo establecer transiciones entre las distintas clases –afirmaba Carroll–, y Robert quería que le enseñara cómo desplazarse de un segmento a otro de la sociedad. Lo mismo podía advertirse en su obra: la misma tensión entre dos extremos opuestos. Siempre tuvo una perspicacia intuitiva en lo que se refiere al contrapunto.» Una noche, Carroll acudió con Mapplethorpe a un bar gay y, más tarde, Mapplethorpe le preguntó si alguna vez se había cuestionado la posible existencia de su propia homosexualidad (ya que durante una época había vendido su cuerpo a los hombres). «Siempre he reclamado mi dinero independientemente de lo guapo que fuera el tipo en cuestión», le respondió Carroll. «Así es como siempre he sabido que era heterosexual.»

«Ojalá, –repuso Mapplethorpe– pudiera estar yo tan seguro.»

CAPÍTULO SIETE

«Si no te pone cachondo, no es arte.»

Lema de los Holy Modal Rounders.

«Cuando Robert se ponía a fotografiar, era como si el modelo le perteneciera. Lo dominaba por completo. No te contemplaba como una persona, sino como un objeto artístico.»

David CROLAND,
en referencia a Robert MAPPLETHORPE.

La «eclosión» de Mapplethorpe consistió en un proceso gradual de avances dramáticos y confusas retiradas. Al cabo de un año, había tenido una aventura con Terry, se había vendido sexualmente a otros, había reanudado su relación con Patti y había abrazado —al menos visualmente— la cultura de los bares sadomasoquistas.

Mapplethorpe creía que jamás podría explorar libremente su sexualidad si permanecía en contacto con su familia, por lo que se había mantenido apartado de todos ellos desde su traslado a Manhattan. Durante las décadas siguientes, apenas había de ver a sus padres. «Nunca habría hecho lo que he hecho —explicaba— de haber considerado a mi padre como a alguien a quien quería complacer.» Trató asimismo de mantener en secreto frente a Patti sus visitas a los bares sadomasoquistas, pues la joven, a pesar de su amplitud de miras, mantenía fuertes reservas ante la homosexualidad. «Mapplethorpe y Patti habían vivido juntos épocas increíbles —explica Jim Carroll—, pero a ella le desconsolaba la idea de que Robert pudiera ser homosexual. Poseía una fuerte vena puritana.»

Ciertos aspectos de la vida de Mapplethorpe tenían mucho en común con Peter Pan, el personaje de J. M. Barrie. Patti, de hecho, le llamaba «Pan» y, sin duda, procuraba desempeñar ella misma el papel de Wendy ya que al proveerle de una imagen propia más positiva se convertía también en parte integrante de su identidad: en su sombra, por así decirlo. Juntos, habían creado un País de Nunca Jamás en diversas «fábricas de arte» en las que Robert había confesado a Patti el terror que le producía envejecer junto a una madre condescendiente que pasara por alto sus fantasías homosexuales siempre y cuando no entraran a formar parte de la vida real. Patti insistía en que nunca había pensado en Mapplethorpe como gay ni como heterosexual, sino más bien «como artista». Los artistas, como a menudo señalaba, se hallaban «por encima de la cuestión del género», algo que a ella misma le permitía compartir la vida con Mapplethorpe en un reino de sexualidad polimórfica. No es de extrañar, pues, que de todos aquellos que ejercieron cierto impacto sobre Mapplethorpe, la persona que más decididamente contribuyó a su «eclosión» respondiera al nombre de Tinkerbelle (Campanilla).

Tinkerbelle representaba el personaje definitivo de los años setenta: el hermoso elfo cuyo cáustico ingenio la llevó a convertirse en una estrella del mundo del disco para posteriormente suicidarse saltando por una ventana. Tinkerbelle, propensa a cometer mezquinos actos de crueldad, se sentía celosa de Patti, y resolvió presentar a Robert a un joven modelo llamado David Croland, que acababa de regresar a Nueva York procedente de Londres y a la sazón compartía su habitación en el Chelsea. Croland medía más de un metro ochenta y poseía una espesa cabellera de color castaño, ojos oscuros y una nariz aguileña que proporcionaba a su rostro cierto aire arrogante. Hijo de un ejecutivo de la industria textil, se había criado en Nueva Jersey y, ya de adolescente, se había convertido en elemento habitual entre los parroquianos de los clubes neoyorquinos, en los que su fama de «belleza» no tardó en proporcionarle fácil acceso al círculo de íntimos de Warhol. Había salido con Susan Bottomly, una *superstar* de la Factory conocida con el nombre de *International Velvet*, con quien había pasado numerosas veladas en clubes tales como el Ondine, Il Mio, Arthur y el Scene. A finales de los años sesenta, Croland se trasladó a Londres para trabajar como modelo publicitario, profesión para la que se hallaba especialmente dotado, ya que le encantaba posar incluso cuando no había cámaras presentes. «David era una persona obsesionada por su propia imagen», recuerda Richard Bernstein, diseñador de las portadas del *Interview* de Warhol. «Tenía que sentirse siempre rodeado de los modelos más atractivos. Opino que estaba enamorado no sólo de Robert, sino de la idea de que le vieran con él.» El aspecto de Mapplethorpe actuaba a modo de contrapunto de la belleza aristocrática de Croland. «Robert era la clásica belleza de Cocteau», recordaba Croland. «Su cabello era agreste y rizado, y poseía un rostro amplio y sensual y unos ojos verdes y acerados. Pero sus facciones no eran refinadas. Había en ellas un matiz de sordidez.»

Croland había estado planeando regresar a Londres, pero cuando conoció a Mapplethorpe, el Día de la Conmemoración de los Caídos, en 1970, cambió abruptamente de planes y se trasladó del Chelsea a un apartamento de la calle Quince Este. «Nuestra relación despegó como un cohete», explicaba. Comenzaron a verse a diario, pero Mapplethorpe se las arregló para mantener el romance en secreto frente a Patti por temor a que pudiera desencadenar una ruptura o un intento de suicidio. Aún tenía fresco en la memoria el recuerdo de lo mal que había reaccionado la joven al enterarse de la existencia de Terry. Tinkerbelle, sin embargo, telefoneó a Patti a casa de sus padres y, con voz de sonsonete, anunció: «Robert tiene un novio.» Patti sufrió un ataque de histeria y desafió a Mapplethorpe a un amargo duelo verbal acusándole de haberla traicionado. Durante los días siguientes, no se dirigieron la palabra. Superada la conmoción inicial, sin embargo, aceptó la relación a regañadientes, considerándola el resultado de la atracción entre dos hombres enamorados de su propia imagen en el espejo. «La contemplaba como algo mutuamente narcisista», afirmaba. «David no tenía nada que ver con mi relación con Robert.» Fue Mapplethorpe, de hecho, quien más se enfadó con Tinkerbelle, a quien no dejó de reprochar aquella indiscreción durante el resto de sus días. «Tinkerbelle –se lamentaba– tuvo que descubrir el pastel.»

Sea como fuere, Mapplethorpe decidió señalar la ocasión mediante un rito personalizado, y propuso a Sandy Daley que filmara una película titulada *Robert Having His Nipple Pierced* (Robert anillándose el pezón). A continuación, solicitó la colaboración del doctor Herb Krohn, médico residente del Chelsea, quien, tras advertirle que no le agradaba la idea de perforar tejidos «propensos al cáncer», accedió de mala gana a llevar a cabo la operación. «Se trataba de una petición inusual –dijo Krohn–, pero llevaba viviendo en el Chelsea el tiempo suficiente como para no sorprenderme ya de nada.» Daley, que había concebido el acontecimiento como un happening, invitó a diversos amigos del Chelsea para que la vieran rodar la película. No había guión, y el rudimentario atrezo consistía en varias rosas, una fuente de fresas, una única pluma negra y un jarrón de claveles. Daley no quería que nada pudiera distraer la atención de la «obra de arte» central, el propio Mapplethorpe, quien había ingerido una droga alucinógena y se balanceaba en brazos de Croland con el pecho desnudo y los ojos vidriosos como si se tratara del «esclavo agonizante» de Miguel Ángel. El doctor Krohn le desinfectó el pecho, que llevaba cubierto de pétalos de rosa, con un antiséptico de color rojo sangre; luego, tras perforarle la piel, cubrió la herida con una pieza de gasa y un trozo de cinta adhesiva negra en forma de cruz. El resto de aquella película de treinta y tres minutos consiste en Mapplethorpe y Croland revolcándose con sus pantalones de cuero sobre el blanco suelo de Daley. Posteriormente, al despojarse de la venda, Mapplethorpe descubrió que el pendiente de oro no colgaba de su pezón, después de todo, sino de la piel circundante. «¡Ha fallado por más de dos centímetros!», reprochó a Krohn, quien le aseguró que de aquel modo resultaba menos peligroso para la salud. Sin embargo, Mapplethorpe podía no tener demasiada experiencia en prácticas sadomasoquistas, pero sabía que para un «anillo pectoral» tan sólo había un lugar lógico, y no volvió a ponérselo.

Sin embargo, más importante que el ritual en sí fue el efecto liberador que la indiscreción de Tinkerbelle ejerció sobre la obra de Mapplethorpe. Tras largos años sirviéndose de imágenes obtenidas de revistas pornográficas gay, le pidió prestada la Polaroid a Daley y comenzó a tomar él mismo sus propias fotografías. «De algún modo, resultaba más honesto», solía decir.

Aquel nuevo espíritu de franqueza le llevó en primer lugar a fotografiarse a sí mismo, como si se hubiera convertido en una representación literal de los modelos de las revistas pornográficas. Se adornó con un anillo peniano, unas pinzas en los pezones y un arnés de cuero y decidió averiguar qué sensaciones le resultaban más placenteras, por lo que aquellas *polaroids* nos sirven hoy de documento gráfico de su educación sexual. David Croland se convirtió en el primer modelo masculino de Mapplethorpe, y Robert le fotografió vestido con pantalones y cazadora de cuero, tapados los ojos por un pañuelo. Durante el resto de su vida, Mapplethorpe había de conservar la afición de fotografiar a los hombres que deseaba, y sus fotografías constituyen un diario gráfico de sus aventuras sexuales.

Al principio, Croland disfrutaba posando para Mapplethorpe, pero no tardó en cansarse de las tácticas coactivas de su amigo. Robert le presionaba constantemente para que recurriera a atuendos más sugerentes o para que adoptara posturas comprometedoras. «Cuando Robert se ponía a fotografiar, –explica Croland–, era como si el modelo le perteneciera. Lo dominaba por completo. No te contemplaba como una persona, sino como un objeto artístico.»

Mapplethorpe apenas ejercía poder alguno sobre Patti, por lo que entre todas las personas que fotografió a lo largo de aquellos años, ella fue la única que consiguió eludir sus atenazadoras manipulaciones. Si comparamos sus *polaroids* de Croland con las que tomó de Patti, advertimos un enfoque sorprendentemente distinto de ambos modelos: Croland aparece como un maniquí inerte, mientras que la descarada personalidad de Patti domina todas sus imágenes, ya sea posando en ropa interior negra o arropada con una toalla del Chelsea. A diferencia de la culturista Lisa Lyon –quien posteriormente epitomizaría el concepto de «hembra mapplethorpiana»–, Patti no contaba con un físico de proporciones olímpicas. Menuda y estrecha de caderas, sus voluminosos senos le colgaban tanto sobre el pecho que a veces daba la impresión de tenerlo plano. Su vientre aparecía atravesado por la cicatriz de una cesárea, y su pálida piel se hallaba salpicada de plateadas marcas producidas por la distensión del abdomen. Poseía un cuerpo básicamente humano, pero Robert lo encontraba bello a pesar de todo, y solía observar que algo mágico le sucedía cada vez que la contemplaba a través del objetivo. «Con ella, sencillamente, me resultaba imposible fallar», decía. Del mismo modo que en otro tiempo había saqueado el guardarropa de la joven en busca de «ropa artística», ahora la perseguía cámara en mano. La fotografiaba en el baño, leyendo un libro, acostándose por la noche y vistiéndose para acudir al trabajo. Llegó a un punto en el que Patti comenzó a sentir que no podía realizar un solo movimiento sin hallarse pocos minutos después ante la recreación inmóvil del mismo.

Durante aquel verano, unos y otros dieron en acecharse mutuamente como vampiros, y nada quedó a salvo del arte. Sandy Daley llegó al punto de filmar una película acerca del período menstrual de Patti en la que aparecía Mapplethorpe cambiándole la compresa. Patti atormentaba incesamente a Carroll en busca de consejo sobre su poesía, pero tan pronto comenzó a desarrollar cierta reputación propia como poetisa abandonó su relación con él. Carroll, por su parte, relató en *Forced Entries* una crónica levemente difusa de su vida con Patti en la que incluía detalles de los problemas de la joven con las ladillas, así como su costumbre de coleccionar los diminutos parásitos en frascos de vidrio. Mapplethorpe y Patti se habían labrado tal fama de creadores estrambóticos que cuando Jesse Michael Turner, un chapero de quince años de edad, se trasladó a vivir al apartamento de la pareja, Stanley Amos –uno de los huéspedes permanentes del Chelsea– comenzó a preguntarse si aquel joven no sería una simple «invención producto de su enloquecimiento». Turner –quien a la hora de escribir estas líneas cumple condena por robo– llevaba cinco años viviendo en plena calle cuando un día apareció en el apartamento en compañía de un marchante de arte. Robert y Patti decidieron «adoptarle» temporalmente, y el muchacho se trasladó al apartamento más o menos en la misma época que la hermana de Patti, Linda, quien se sentía tan atemorizada por los siniestros montajes de Mapplethorpe que cada vez que tenía que entrar en el dormitorio de su anfitrión se dibujaba previamente una hilera de cruces en la frente con lápiz de ojos. Al principio, Turner se mostró igualmente cohibido por las calaveras y las cabezas demoníacas de Mapplethorpe, pero terminó por contemplarle como una «persona verdaderamente bondadosa que no buscaba aprovecharse de nadie». Mapplethorpe, en su esfuerzo por convencer a Turner de que incluso él podía llegar a transformar su vida en arte, le cedió un espacio mural del apartamento para que el joven buscón pudiera crear algo especial sobre él. El muchacho, inspirado por los colages de Mapplethorpe, cubrió la pared de papel de aluminio y de miles de fotografías de los Rolling Stones. Posteriormente –ya durante su estancia en la penitenciaría estatal de Lewisburg, Pensilvania–, comenzó a escribir poemas «acerca del placer de delinquir contra el sistema».

Turner abandonó el apartamento a finales del verano, pero antes de partir tuvo ocasión de ser testigo de un curioso incidente. Mapplethorpe había estado tomando LSD. De repente, comenzó a vociferar: «¡Soy el diablo! ¡Soy el diablo!» Turner huyó corriendo al Chelsea en busca de un tipo llamado Crazy Matthew (Matthew *el Loco*) para que le «proporcionara un poco de Thorazine que ayudara a Mapplethorpe a colocarse». Pero Mapplethorpe, entretanto, se había arrancado la ropa y había echado a correr por la calle Veintitrés sin dejar de gritar: «¡Soy el diablo!» Croland, presente a la sazón, le había obligado a regresar a casa, pero cuando intentó calmarle Mapplethorpe comenzó a afirmar con insistencia que también él, Croland, era el diablo. «¿Cómo puedo ser el diablo?», inquirió su amigo, a lo que Mapplethorpe repuso: «Eres bello, y la belleza y el diablo son una misma cosa.»

Con todo, Mapplethorpe no se mostraba dispuesto a volverle la espalda a Croland, quien, de algún modo, hacía para él las veces de joven mecenas. Croland no nadaba en dinero, pero él y Mapplethorpe acudían a menudo a los almacenes Bloomingdale's en el Corvair descapotable del primero para deleitarse con almuerzos a base de emparedados de atún y batido de chocolate. A continuación, Croland se encargaba invariablemente de abonar la cuenta con la tarjeta de crédito de su madre. No había ocasión en que la presencia de la pareja no causara revuelo en Bloomingdale's ya que, si bien Croland procuraba vestir con discreción para no distraer la atención de su propia belleza, Mapplethorpe aparecía ataviado como un pavo real de plumas de cuero. La «moda sadomasoquista» no era por entonces frecuente en las calles de Nueva York, y mucho menos en pleno mediodía del Upper East Side, pero Mapplethorpe, independientemente del tiempo que hiciera, solía vestir camiseta negra de malla, chaqueta de cuero igualmente negra y pantalones de cuero negro rematados por una alforja. A ello añadía sus muñequeras de cuero con tachuelas, el collar de calaveras de Patti, varias sortijas inspiradas en el mismo motivo, aparatosos pendientes y varias capas de collares fetichistas. Un día, observando a Croland mientras éste se ponía su jersey negro de cuello vuelto y su chaqueta negra, comentó: «Me gustaría poder ser tan elegante como tú.» «Tú nunca serás elegante –repuso Croland–, pero tienes otras cualidades.»

Uno de los residentes habituales del Chelsea, Arnon Vered, describió a Mapplethorpe como a alguien que «sabía moverse en público de modo intuitivo». Muy especialmente, sabía cómo trabar conocimiento con las personas que mejor podían ayudarle a desenvolverse en aquel mundo. Croland le llevaba con frecuencia al apartamento de Halston en el East Side, donde el diseñador de modas solía rodearse de algunas de las mujeres más elegantes del mundo, entre ellas Marisa y Berry Berenson, la modelo Verushka, la diseñadora de joyas Elsa Peretti y Loulou de La Falaise, quien trabajaba para Yves Saint Laurent. Loulou de La Falaise y Berry Berenson compartían por entonces el mismo apartamento, y a veces organizaban dobles citas con Mapplethorpe y Croland. «Robert me parecía un personaje divino», solía exclamar Berry, viuda del actor Anthony Perkins, fallecido a causa del sida. «Claro está que poseía un lado oscuro. Por entonces, yo no sabía que fuera gay e ignoraba en qué clase de actividades se hallaba mezclado. Tengamos en cuenta que, en aquella época, la gente no se pasaba las horas analizando las cosas. Nos limitábamos a hacer lo posible por pasárnoslo bien.» Una noche, tras regresar a casa después de una de sus salidas con Berenson y La Falaise, Mapplethorpe, que por entonces se hallaba igualmente fascinado por ambas, le dijo a Patti con tono emocionado: «Creo que el mundillo de la moda está comenzando a aceptarme.» A Patti, la camarilla social de Croland no le agradaba en absoluto, y desdeñaba a sus miembros, a los que tachaba de mezquinos y «despreciables». Afirmaba sentirse preocupada por el aspecto superficial que había adoptado la educación de Mapplethorpe, quien parecía juzgar a la gente basándose en su «capacidad de asemejarse a los personajes de la revista *Vogue*».

Patti había pasado el verano pronunciando conferencias improvisadas de poesía en el Chelsea, y su voz desgarrada, de la que se servía para acentuar el ritmo de las palabras, la hacía inclinarse de un modo inconsciente hacia la carrera musical. Necesariamente, debió de advertir el súbito auge del rock and roll en el Max's Kansas City, en cuyo local actuaba la Velvet Underground cinco noches a la semana, en las que sus miembros iban cimentando el nacimiento del panorama de los futuros grupos neoyorquinos. Animado por el éxito de la Velvet Underground, Mickey Ruskin abrió en el segundo piso del edificio un cabaret que contribuyó al lanzamiento de Billy Joel y Bruce Springsteen. Poco a poco, y a medida que Max's se transformaba de foro artístico en escenario musical, los músicos comenzaron a eclipsar a los artistas.

Los sábados por la noche, Patti solía recalar en Village Oldies, una tienda de discos de Bleecker Street en la que conoció a Lenny Kaye, quien habría de convertirse en uno de los futuros miembros de su grupo. Lenny era por entonces crítico de rock, redondeaba sus ingresos trabajando como vendedor a tiempo parcial y se había encaprichado de Patti desde la primera vez que la vio, en el local de Max's, varios meses atrás. Cada vez que la joven acudía a la tienda, se mostraba encantado de verla, y juntos se iban a beber cerveza y a bailar *oldies* tales como el *Bristol Stomp* de los Douvells. Aquel otoño, Kaye y Patti comenzaron a experimentar con la idea de añadir un acompañamiento musical a las sesiones de poesía de esta última, y aunque Kaye apenas dominaba unos pocos acordes de guitarra, aprendieron a acoplarse en un ritmo que resultaba cómodo para ambos. «Por entonces, no teníamos grandes planes en ningún sentido –afirma Kaye–. Sin embargo, al volver la vista atrás, resulta evidente que el germen de algunas de nuestras canciones anidaba ya en aquellos poemas.»

El 4 de noviembre de 1970, Robert Mapplethorpe celebró su vigésimo cuarto cumpleaños con su primera muestra individual, celebrada en la galería de Stanley Amos, en el Chelsea. Diseñó él mismo las invitaciones, y para ello recurrió a una baraja pornográfica en cuyos naipes tapó los ojos de los modelos para luego inscribir los detalles de la convocatoria sobre el lomo. El plato fuerte de la exposición, sin embargo, no consistía en pornografía gay, sino en doce «colages monstruosos» en los que había estado trabajando durante los últimos meses. Resultaban interesantes por el modo en que Mapplethorpe había emplazado sus imágenes de mujeres gordas, siameses y «hombres de goma» junto a trozos de plástico duro que asemejaban espejos. Posteriormente, regresaría al mismo tema creando piezas de varios paneles en las que un espejo auténtico aparecía yuxtapuesto sobre una fotografía erótica, con lo que, de un modo inconsciente, lograba atraer al espectador distraído al interior de la escena. En el más efectivo de dichos colages puede verse a un maestro de ceremonias que invita al espectador en dirección a un féretro abierto cuya tapa aparece cubierta de plástico. «Bienvenido al cabaret», podría estar diciendo el anfitrión, ya que la imagen sugiere la de Joel Grey en el musical *Cabaret*, invitando a sus clientes a disfrutar de los sórdidos y macabros placeres del Kit Kat Klub de Berlín.

Cabaret se hallaba de algún modo basada en los *Cuentos de Berlín* de Christopher Isherwood, que también habían inspirado la obra de John Van Druten *I Am a Camera* (Soy una cámara), perfecto título para la vida en común de Robert y Patti. El primero continuaba fotografiando todo en nombre del arte, y cuando ella decidió iniciar una relación con Sam Shepard, éste comenzó a funcionar a modo de cámara adicional.

Patti conoció al dramaturgo en el Village Gate cuando él era batería de los Holy Modal Rounders, una legendaria banda procedente de Vermont. Shepard contaba tan sólo veintiséis años, pero había escrito ya veinte obras, incluyendo *La Turista* y *The Unseen Hand* (La mano invisible), y había obtenido seis premios Obie de *The Village Voice*. Físicamente, era una mezcla de Mapplethorpe y Jim Carroll; sus ojos eran azules y estrechos; poseía una melena castaña de cabellos lisos y su constitución era esbelta y ágil. Incluso entonces, poseía el magnetismo de una estrella de cine. En sus primeras obras, Shepard tuvo que enfrentarse a menudo con la dificultad de conseguir el equilibrio adecuado entre la independencia y la esclavitud dentro de las relaciones, y sus personajes solían terminar huyendo para salvar la vida. En la vida real, Shepard inició su propia relación con Patti Smith a pesar de que llevaba tan sólo un año unido a su mujer, O-Lan Johnson, y de que tenían un hijo de seis meses. «Su mujer y yo incluso nos caíamos bien —explicaba Patti—. Quiero decir, que no era una historia de adulterio barriobajera.» Lo cierto es que Shepard y Patti se contemplaban mutuamente como socios delictivos, y cuando acudían a Max's y bebían demasiado solían enzarzarse en peleas. «Todo lo que hayáis podido oír acerca de nosotros durante aquella época es cierto —confesaba Patti—. Bebíamos demasiado ron y nos metíamos en líos. Estábamos desenfrenados.»

Patti se enamoró profundamente de Shepard, y Mapplethorpe, aunque aún seguía involucrado en la relación con Croland, comenzó a sentirse celoso. Shepard constituía una amenaza mayor de lo que habían sido Jim Carroll o cualquiera de los otros hombres con los que Patti había mantenido aventuras, y Mapplethorpe no dejaba escapar la ocasión de criticarle. Aunque jamás había leído una palabra escrita por Shepard —su literatura consistía fundamentalmente en pornografía gay—, le consideraba «sobreestimado». Más aún, prevenía a Patti de que si Shepard había abandonado a su mujer y a su hijo, ¿cuánto tardaría en abandonarla a ella? La joven, sin embargo, se sentía tan fascinada por el dramaturgo que llegó a organizar su propio *rite d'amour* público. Para ello, contrató a un gitano italiano llamado Vali para que les tatuara a ambos (a ella un rayo; a él, una luna nueva) mientras Daley filmaba el proceso. Hasta el propio Mapplethorpe superó temporalmente sus reservas para tomar *polaroids* de Patty y del delicado zigzag dibujado en su rodilla.

En cada etapa de su vida, Patti supo arreglárselas para aproximarse a un hombre cuyos intereses reflejaran los suyos propios. Ahora que intentaba combinar la música con la escritura, Shepard era para ella el compañero ideal, ya que no sólo soñaba con convertirse en una estrella del rock and roll, sino que enfocaba sus obras teatrales como si se tratara de improvisaciones de jazz. No se mostraba tan interesado por el argumento y la caracterización como por sus convulsivas explosiones de imaginería. Animaba a Patti a que escribiera letras destinadas a su obra *The Mad Dog Blues* (El blues del perro rabioso), y ella, a su vez, le proporcionaba estímulo para escribir los poemas en prosa que posteriormente aparecerían en *Hawk Moon* dedicados a ella. «Nunca he conocido a nadie a quien le gustaran mis escritos tanto como a Sam», decía Patti. «No se mostraba tan entusiasmado con otras de mis actividades, como cantar y cosas así, pero me ayudó a valorarme a mí misma como escritora.»

El 12 de febrero de 1971, cuando Patti debutó como poetisa en la iglesia de St. Mark's, Shepard formaba parte del auditorio junto con los otros dos «tipos favoritos» de la muchacha, Robert Mapplethorpe y Brice Marden. St. Mark's in-the-Bowery contaba con una larga tradición como escenario de acontecimientos de vanguardia, y en ella se habían escenificado varias de las obras de Shepard. Fue Mapplethorpe, sin embargo, quien contribuyó indirectamente a situar a Patti bajo las bambalinas a base de presionar al poeta y fotógrafo Gerard Malanga para que presentara su nombre al comité de Proyectos Poéticos de la iglesia. Malanga tenía proyectada una sesión de declamación propia, pero pidió que fuera Patti quien diera comienzo a su acto. «No era nada conocida –recordaba Malanga–, y cuando sugerí su nombre, todo el mundo exclamó: "*¿Quién?*" Más tarde, después de ayudarla, me reprochó que la hiciera aparecer en primer lugar. Patti tenía talento, pero no era demasiado humilde.»

Patti había pedido a Lenny Kaye que la acompañara a la guitarra y, tras dejar escapar unas risitas nerviosas y perder temporalmente el hilo del pensamiento, se lanzó a declamar su propia versión del *Mackie Cuchillo* de Bertolt Brecht. Durante los veinte minutos siguientes, Patti embelesó a los oyentes entonando sus poemas con un acento áspero y proletario de Nueva Jersey que no parecía encajar con su frágil aspecto físico, a lo Edith Piaf. Se deleitó en mostrarse ofensivamente sacrílega, y en uno de los poemas describió a Jesucristo como «el gran maricón de la historia, con doce hombres distintos lamiéndole los pies», a la vez que expresó un desdén generalizado hacia el cristianismo en «Oath» (Juramento), poema incorporado posteriormente a una canción de rock titulada *Gloria*:

So Christ
I'm giving you the good-bye...
I can make my own light shine
and darkness too is equally fine
you got strung up for my brother
but with me I draw the line
you died for somebody's sins
*but not mine.**

Patti se había pasado la vida entreteniendo a la gente con sus monólogos disparatados y divagadores, pero aquella era la primera vez que empleaba sus «poderes especiales» para cautivar a un público amplio. Era como una exuberante y obscena Sally Bowles de los setenta, un auténtico Ángel Azul, y aquellos que asistieron a su primera actuación en St. Mark's fueron conscientes de haber presenciado algo único.

Sin embargo, apenas le dio tiempo a saborear su éxito, ya que la relación

* Así pues, Jesucristo / te digo adiós... / Puedo alumbrar sola mi propia luz / y tampoco me importa la oscuridad / te colgaron por mi hermano / pero conmigo la cosa cambia / moriste por los pecados de otros / pero no por los míos. *(N. del T.)*

con Shepard había alcanzado nuevas cotas de histeria. A veces pernoctaban en la habitación de Sam en el Chelsea, y otras acudían al apartamento; estuvieran donde estuviesen, sin embargo, sus conversaciones adolecían de un frenesí dramático que resultaba demasiado intenso para la vida real. «Opino que Sam se sentía terriblemente celoso del talento de Patti», solía decir Ann Powell, amiga de esta última y compañera de trabajo en Scribner's. «Recuerdo una escena terrible en la que Sam destruyó algunos de los dibujos de Patti, cosa que la sumió en la más completa devastación.» No es de extrañar que la imagen más acertada de su relación se refleje en *Cowboy Mouth* (Boca de *cowboy*), una obra conjunta escrita a lo largo de dos noches en que compartieron a empellones una vieja máquina de escribir. El personaje de Patti, Cavale, es una mujer enloquecida que rapta a Slim de brazos de su esposa y su hijo e intenta convertirlo en un «Jesucristo del rock-n'-roll con boca de *cowboy*». Slim acusa a Cavale de haberle destrozado la vida a base de tentarle continuamente con sus seductores sueños de estrellato. «¡Me estás destrozando!», grita. «¡Me estás despedazando!» Entre discusión y discusión, Slim y Cavale piden que les traigan algo de comer del Lobster Man,* quien, finalmente, se despoja de su caparazón y se convierte en el auténtico mesías del rock- n'-roll. La obra concluye con Cavale sentada sobre el borde del escenario y enfrascada en un nuevo monólogo mientras el Lobster Man apoya el cañón de una pistola sobre su sien y aprieta el gatillo.

El 29 de abril, Patti y Shepard protagonizaron el estreno de *Cowboy Mouth* en el American Place Theater. Apenas un mes antes, Sam había actuado en el mismo teatro con su mujer, O-Lan, en *The Mad Dog Blues*, obra en la que ella había representado a un personaje parcialmente inspirado en Patti. Sin embargo, aquel tiovivo de «imitación del arte por la vida» se estaba convirtiendo en algo difícil de soportar para Shepard, quien abandonó la obra al cabo de unas pocas representaciones para unirse a los Holy Modal Rounders de Vermont. «La cosa no funcionó por la excesiva carga emotiva que arrastraba», reveló a su biógrafo Don Shewey. «Súbitamente, advertí que no quería exhibirme de aquel modo, representando mi propia vida sobre un escenario. Era como sentirse en un acuario.» Poco después, Shepard viajó en compañía de su mujer y de su hijo a Londres, donde consiguió abandonar las drogas y distanciarse felizmente de la caótica existencia que había llevado en Nueva York.

«La partida de Sam destrozó a Patti», afirmaba Ann Powell. «La devastó por completo.» Helen Marden, quien sospechaba que debía de haber habido una aventura entre su propio esposo y Patti Smith, recordaba la noche en que hubo que sacar a la muchacha, completamente ebria, de Max's y llevarla a su

* *The Lobster Man:* literalmente, el «Hombre Langosta», si bien en este contexto podría traducirse como «El rey de la langosta». *(N. del T.)*

casa mientras ella vociferaba sin cesar el nombre de Shepard. Durante sus semanas de luto por la ausencia de Sam, Mapplethorpe se esforzó por dejar de lado sus propias actividades para hacerle compañía, pero no por ello dejó de perseguirla cámara en ristre. Un día, Patti llegó a tal grado de exasperación de aquellas continuas sesiones fotográficas que huyó del apartamento y subió corriendo hasta la azotea del edificio, perseguida por Robert y su cámara. Los transeúntes de la calle Veintitrés pudieron oír una voz femenina que gritaba, como si procediera del firmamento: «¡Odio el arte... odio el arte!»

CAPÍTULO OCHO

«Durante los años setenta, nadie quería ser normal. Queríamos ser todos disparatados y geniales».

Maxime de LA FALAISE MCKENDRY

«No tardé mucho en darme cuenta. Ahora advierto que era algo así como que... Robert sería capaz de cualquier cosa por su carrera.»

David CROLAND

El 3 de julio de 1971, David Croland presentó inocentemente a Robert Mapplethorpe y a quien había de ser su siguiente mecenas. El suceso tuvo lugar en un banquete al estilo medieval que Maxime y John McKendry ofrecieron en su apartamento del 190 de Riverside Drive.

Maxime, redactora-jefe de gastronomía de *Vogue*, se hallaba a la sazón ocupada en redactar un libro titulado *Setecientos años de cocina inglesa*, y había adquirido la costumbre de organizar cenas con carácter regular, en las que aprovechaba para ensayar recetas tan exóticas como pavo real asado, pastel de liebre al estilo del siglo XV, faisán y manos de ternera con gelatina. Los invitados solían bromear acerca de sus peculiaridades culinarias, preguntándose si no aderezaría sus platos con ojos de tritón o dedos de renacuajo, ya que todos recordaban cierta velada de triste recuerdo en la que la totalidad de los comensales se habían quedado simultáneamente dormidos a la mesa. Sin embargo, y pese a aquellos «viajes», tan poco ortodoxos como ocasionalmente hipnóticos, los asiduos del hogar de los McKendry constituían un verdadero imán para personajes tan elegantes como Diana Vreeland –antigua matriarca de *Vogue*–; Mick Jagger; Andy Warhol; Henry Geldzahler, conservador del Metropolitan Museum; John Richardson, historiador de arte; Kenneth Jay Lane, diseñador de joyas, y otras prominentes figuras sociales tales como Dru Heinz, Nan Kempner, D. D. Ryan y Mica Ertegun, a los que había que añadir toda una cohorte de ingleses de sangre azul entre los que se contaban los Tennant, los Lambton, los Guinness y los Ormsby-Gore.

John McKendry presidía aquellas veladas cual Sombrerero Loco de Lewis Carroll. Con su figura menuda, sus cabellos ralos y su cutis cubierto de pecas, parecía un personaje de cuento de hadas, algo que sus amigos atribuían a su propia personalidad, «más ligera que el aire». Con tan sólo treinta y ocho años de edad, ocupaba el prestigioso puesto de conservador de grabado y fotografía del Metropolitan Museum of Art, por más que su vocación básica fuera la de contribuir al mito de su propia persona. Se vestía con camisas de seda, pantalones bombachos y un largo gabán de terciopelo atado a la cintura con un ancho cinturón marroquí adornado con monedas antiguas, y lucía anillos de plata en todos los dedos de sus manos. Llevaba varios años trabajando en un libro acerca de los grabados pirotécnicos de los siglos XVIII y XIX, algo con lo que pretendía prestar su más importante contribución al mundo de las artes gráficas. Como muchos de sus amigos señalaban, los fuegos artificiales eran una «perfecta representación de John».

Mapplethorpe intuyó en McKendry la presencia de un alma gemela, y se apresuró a trabar amistad con él. Al día siguiente, le telefoneó para darle las gracias por la cena, tras lo cual aceptó con entusiasmo la invitación de John para visitarle en su apartamento aquella misma tarde. McKendry se hallaba en situación de baja por enfermedad, y no acudía al museo desde que en febrero le hospitalizaran por una afección que los médicos diagnosticaron posteriormente como cirrosis hepática. Era, además, un maníaco-depresivo, y la reciente partida de Maxime a Europa le había sumido en el más negro estado de humor. Con todo, se mostró encantado de la llegada de Mapplethorpe, a quien invitó a una exhaustiva visita del apartamento, una caprichosa guarida bohemia decorada con desvaídas telas al estilo de Geoffrey Bennison y diversos objetos variopintos típicos de cualquier mercado de antigüedades. Juntos, fumaron hachís y contemplaron la exhibición de fuegos artificiales sobre el río Hudson con motivo del 4 de julio. Dos días después, McKendry se desplazó hasta el centro para ver las últimas obras de Mapplethorpe, entre las que se incluía un autorretrato desnudo cubierto por una bolsa de papel pintada con aerosol. La imagen resultaba visible a través de un orificio cubierto por un trozo de tela metálica que recordaba el enrejado que en los confesionarios separa al sacerdote del penitente. «Me gustaba, pero soy sumamente tímido para expresarme y lo detesto», escribió McKendry en su diario. «Nos colocamos... y luego me marché a casa en taxi y le dejé en la calle Veintitrés. Ojalá mis amistades fueran más íntimas. En este instante, me siento solo.»

A lo largo de la semana siguiente, raro fue el día que Mapplethorpe y McKendry no pasaron juntos; fueron al Palisades de Nueva Jersey y montaron en el Cyclone; almorzaron en el Quo Vadis y cenaron en Elaine's. A menudo, no regresaban a casa hasta las cuatro de la madrugada, tras lo cual dormían hasta bien entrada la mañana y comenzaban el día llamándose por teléfono mutuamente. A mediados de julio, el conservador estaba no sólo temporalmente curado de su soledad, sino también totalmente fascinado por Robert. Apenas concedía importancia al hecho de que Mapplethorpe pudiera no compartir su apasionamiento, ya que era de esa clase de personas que disfrutan intensamente con el concepto del amor no correspondido. Cualquier situación menos romántica encerraba el peligro de hallarse demasiado dominada por una sensación de realidad y, con ello, constituir un doloroso recuerdo de su aciaga niñez canadiense.

John McKendry había pasado su juventud en Calgary, donde cada noche se había dormido con el estruendo de las locomotoras que pasaban junto al diminuto hogar familiar. Le gustaba imaginar la sensación de hallarse sentado en uno de aquellos compartimientos y contemplar el paisaje desfilando por la ventanilla. Su padre, oriundo de Irlanda, era un comunista católico que ganaba un dólar diario trabajando como jardinero. Las paredes del salón de los McKendry se hallaban decoradas con fotografías de Stalin y del Papa y, a la hora de la cena, la conversación solía versar acerca de huelgas y conflictos laborales. John consiguió terminar sus estudios en la Universidad de Alberta, y en 1958 se trasladó a Nueva York para ingresar en el Instituto de Bellas Artes de aquella universidad. Uno de sus compañeros de estudios —hoy director del Museo Princeton— comparaba a McKendry con el personaje principal de *Paul's Case* (El caso de Paul), de Willa Cather, basado en la historia de un joven que, asqueado por la «aridez y falta de color de la existencia cotidiana», llega a Nueva York y se deja deslumbrar por el esplendor de la ciudad. Los ojos de McKendry, al igual que los del Paul de Cather, ardían con «cierto brillo histérico», y también él se dejó emborrachar por el lujo de Nueva York. Pasaba horas frente al Hotel Plaza tan sólo por el placer de contemplar a las mujeres que descendían por su escalinata envueltas en pieles y diamantes. «Mi padre cree en el trabajo y en la Iglesia católica», reveló a la revista *Interview*. «Yo no creo ni en lo uno ni en lo otro. Sólo creo en los millonarios.»

En compañía de un grupo de fogosos estudiantes que se autodenominaban como The Gang (La Banda), McKendry acudía a exposiciones y empleaba las noches en emborracharse hasta el aturdimiento. Allen Rosenbaum recordaba un viaje a Filadelfia durante el cual McKendry se zambulló impulsivamente en un gélido arroyo. «John se puso azul y salió a la superficie completamente rígido», relataba. «Menos mal que alguien se encargó de resucitarle mediante la respiración boca a boca. Siempre estaba persiguiendo el éxtasis.»

En 1961, McKendry se unió al equipo del departamento de grabado y fotografía del Metropolitan Museum, y seis años después, tras la jubilación de quien había sido su mentor, A. Hyatt Mayor, fue nombrado conservador del mismo. Aquel mismo año, contrajo matrimonio con Maxime de La Falaise, hija del retratista inglés sir Oswald Birley y ex esposa del conde Alain de La Falaise, con quien tenía dos hijos ya crecidos, Loulou y Alexis. Maxime, descendiente de antepasados irlandeses, poseía esa clase de belleza espectacular que otrora se atribuyera a Maud Gonne, la musa de William Butler Yeats. El amor de John era capaz, sin duda, de alcanzar cotas poéticas, por lo que, aunque Maxime le aventajaba once años en edad, cayó deslumbrado por la «nobleza de su rostro» y por la alcurnia de sus contactos sociales. «Yo me casé con el Met —solía decir Maxime—, y él se casó con una aristócrata.»

El papel de McKendry en el Met, sin embargo, consistía en trabar contacto con lo grotesco, ya que, si bien era un hombre brillante y dotado de talento —sus colegas alababan su «exquisita» vista—, le aburrían los detalles cotidianos inherentes a la administración de cualquier departamento, y apenas tenía paciencia para labores tales como la investigación y el montaje de exposiciones. Lo que más le agradaba era viajar por todo el mundo adquiriendo libros, fotografías y diseños arquitectónicos para el museo. Cuando estaba en Nueva York, gustaba de presidir elegantes almuerzos en su propio despacho como si en lugar de conservador fuera uno de los consejeros. A la hora de poner la mesa, su ayudante, Andrea Stillman, se servía de la porcelana, la cristalería y la plata de Maxime, y luego lo fregaba todo en el lavabo de señoras. «Era todo demasiado grotesco para expresarlo con palabras», rememoraba Stillman. «Nadie hubiera dado crédito a la enumeración escrita de mis obligaciones. Tenía que hacerme cargo de sus facturas. Era yo la encargada de desembarazarme de los acreedores que contraía por culpa de su generosidad y extravagancia.» McKendry se pasaba tardes enteras devorando catálogos de Christie's y Sotheby's y tomando nota de las próximas subastas de joyería. Aunque su salario de conservador apenas superaba los veinticinco mil dólares anuales, rodeaba con círculos las descripciones de todas las sortijas de zafiro y collares de esmeraldas que proyectaba comprar para Maxime. En ocasiones, se ponía personalmente en contacto con los joyeros y Stillman había de contemplar, horrorizada, cómo las piezas llegaban en depósito a su despacho. Él las sostenía bajo la luz y admiraba su fulgor... para devolverlas pocos días después. «Un día, John se presentó en el Met con un anillo precioso. Creo recordar que se trataba de un zafiro de tonos rosados», recuerda Stillman. «Pensé para mí misma: "Dios mío, ¿cómo va a poder permitirse comprar eso?" Ni que decir tiene que el anillo emprendió el camino de regreso algunas semanas después, pero pienso que, para él, lo realmente importante fue el haber podido poseerlo durante aquel breve período.»

En cualquier otra época, o acaso en cualquier otro museo, es posible que el comportamiento de McKendry no se hubiera visto tolerado, pero el Met, dirigido a la sazón por Thomas Hoving, antiguo Comisario de Parques y Jardines, se había adaptado tan exquisitamente al «ritmo» de los sesenta y los setenta que McKendry no tenía inconveniente alguno en deleitarse esnifando cocaína con el propio Henry Geldzahler en su despacho. Consumía prácticamente todas las drogas existentes y, a pesar de que su salud iba resintiéndose de ello –padecía de confusión general y lagunas de memoria–, se negaba en redondo a moderar su conducta. «John –explicaba Maxime– estaba inmerso en un juego de ruleta rusa y, cuando finalmente se decidió por vivir, ya era demasiado tarde. Durante una temporada, padeció una obsesión absoluta por la luna. Jamás supe por qué y nunca se lo pregunté. Se pasaba las horas muertas contemplándola. Era un loco... un loco romántico.»

Cuando Maxime regresó de Europa, ya a finales del verano, descubrió que su marido se había enamorado perdidamente de Robert Mapplethorpe. Fiel a su aristocrática educación europea, no se mostró abiertamente inquieta, ya que sabía que John había mantenido aventuras con personas de ambos sexos. Para Maxime, un matrimonio sometido a dramas profundos era infinitamente preferible a una unión aburrida, y las pasiones de John rara vez llegaban demasiado lejos. Se había enamorado sucesivamente de Jackie Onassis, Diane von Furstenberg, Maria Callas y Rudolf Nureyev, así como del novelista japonés Yukio Mishima. A pesar de ser su madre, Maxime se mostraba tolerante incluso con las fantasías incestuosas que John alimentaba hacia su propio hijo, Alexis. Entre los amigos del conservador, era bien sabido que McKendry se había enamorado de Alexis, y el mismo John había llegado al punto de confesar abiertamente a Allen Rosenbaum que en otro tiempo había deseado a sus propios hermanos y hermanas. «A John le fascinaba lo prohibido», decía Rosenbaum. «Disfrutaba intensamente con la idea de ser un católico perverso.» Maxime opinaba que John no estaba tan enamorado de su hijo como lo estaba del *concepto* que de él tenía. «Le fascinaba toda nuestra familia, en conjunto», decía. «Quería *ser* nosotros.»

Mapplethorpe se sentía igualmente fascinado por el clan de los McKendry-La Falaise, a cuyo apartamento solía acudir a cenar dos o tres veces a la semana. Ocasionalmente, se llevaba a Patti consigo pero, si bien John consideraba que la muchacha tenía una personalidad deliciosa, Maxime la despreciaba como una simple «*prima donna*» y, encima, una «cochina». «Opino que a la gente le horrorizaba Patti porque siempre daba la sensación de tener bichitos arrastrándose arriba y abajo por las piernas», decía Maxime. «Recuerdo un día en que acudí a visitar a Mapplethorpe a su apartamento y oí a Patti protestar porque se le habían quedado los dedos de los pies enganchados en la máquina de escribir.» Recientemente, Patti había conocido al músico de rock Allen Lanier, uno de los miembros de la banda que luego se haría célebre con el nombre de Blue Öyster Cult. A pesar de que aún estaba enamorada de Sam Shepard, con quien se carteaba regularmente, no había de tardar en iniciar con Lanier una relación que luego duraría siete años.

A Patti le resultaba indiferente el hecho de verse aceptada o no por los McKendry, pero el beneplácito de estos últimos resultaba imprescindible para Mapplethorpe. Sin embargo, muchos de los amigos de Maxime le consideraban un tipo tosco y vulgar. «Siempre pensé que Mapplethorpe era un personaje bastante extraño», afirma Boaz Mazor, ayudante de Oscar de la Renta. «Resultaba evidente que se trataba de un oportunista. Quería que le aceptaran en un mundo, el de la clase alta, en el que jamás podía ser aceptado. John McKendry le abrió las puertas. Supo ver en Mapplethorpe un potencial que ninguno de nosotros habíamos advertido.»

Mapplethorpe aprovechó al máximo las oportunidades sociales que le prestaba John y, tras conocer a Mazor en casa de los McKendry, se ofreció a retratarle. «Acudió a mi apartamento y me dijo que me agachara en el suelo como un corredor a punto de escuchar el disparo de salida», recuerda Mazor. «Nunca me han gustado aquellas fotografías. Pero Mapplethorpe no me había seleccionado para posar ante su cámara porque me considerara un gran modelo. Quería conocerme mejor. Pensaba que a través de mí podría conocer gente del mundo del arte, como John Richardson. Para Robert, la cámara era una herramienta de trabajo social.» Mapplethorpe conoció a Henry Geldzahler en casa de los McKendry, y éste le presentó a David Hockney, quien regaló a Robert un dibujo a cambio de una *polaroid* de un desnudo masculino. Posteriormente, le presentaron al fotógrafo Francesco Scavullo, quien le invitó a su casa de Fire Island y le compró el retrato de un joven francés que luego colgó en su apartamento. «Sabía que hacer vida social era positivo para mi carrera –explicaba Mapplethorpe–, pero resultaba todo demasiado sutil. No sabía mostrarme agresivo en sociedad, y era preciso poseer una agresividad taimada. Un sentido inconsciente del cálculo, diría yo.»

En septiembre, John McKendry se marchó de viaje a Londres, donde debía permanecer un mes, y ofreció llevarse a Mapplethorpe consigo. David Croland no tenía idea de que el haberlos presentado hubiera desencadenado una relación tan intensa, y Mapplethorpe, antes de partir hacia Londres, le comunicó la noticia mientras consumían una hamburguesa en el David's Potbelly de la calle Christopher. «Voy a reunirme con John en Europa a finales de esta semana», anunció con aire despreocupado.

Croland se sintió conmocionado al oírlo. «¡Estás chiflado! –exclamó–. Apenas conoces a John». Mapplethorpe, tartamudeando nerviosamente, le explicó que John y él se habían hecho «muy buenos amigos» a lo largo de los dos últimos meses. Croland estaba tan desconsolado que no fue capaz de tocar la comida que tenía ante él. Hacía ya un año que veía regularmente a Mapplethorpe, e incluso habían organizado un pequeño negocio conjunto, consistente en adquirir piezas de joyería de baquelita estilo art déco en subastas de bisutería, doblarles el precio y vendérselas a Halston, que luego lo cuadruplicaba para vendérselas al por menor a sus clientes. ¿Cómo podía Mapplethorpe marcharse súbitamente con John McKendry, con alquien casado con la *madre* de su amiga Loulou de La Falaise? «Me sentí tan dolido como sorprendido», decía Croland. «Robert había sido siempre discreto en lo que se refería a sus emociones, pero nunca habría esperado de él algo así. Con todo, no tardé mucho en despertar. Pensé algo así como: "No tardé mucho en darme cuenta. Ahora advierto que era algo así como que... Robert sería capaz de cualquier cosa por su carrera."»

El 20 de septiembre, cuando llegó Mapplethorpe, McKendry se hallaba ya cómodamente instalado en el Ritz. Aunque el conservador no podía permitirse las tarifas habituales del hotel, le resultaba tan importante guardar las apariencias que optó por una de las diminutas habitaciones de servicio de la última planta, con tal de verse capacitado para pronunciar las palabras mágicas «Me hospedo en el Ritz». Como guía londinense, McKendry sabía mostrarse tan encantador como erudito; conocía a «todo el mundo», y a sus contactos en el mundo del arte había que añadir los amigos y familiares de Maxime, entre ellos su hermano, Mark Birley, dueño del elegante club Annabel's. McKendry presentó a Mapplethorpe como un «brillante y joven artista y fotógrafo» y le buscó alojamiento en casa de una amiga, Catherine Tennant, que vivía en King's Road. Catherine pertenecía a una excéntrica y acaudalada familia que incluía personajes como su hermano Colin Tennant –dueño de la isla de Mustique– y su tío abuelo Stephen Tennant, un extravagante homosexual al que le gustaba maquillarse y decorar la casa con conchas marinas y redes de pesca. Mapplethorpe no tardó en descubrir que entre los aristócratas británicos, la excentricidad y la homosexualidad no eran impedimento para lograr el éxito social. «Nadie se sorprendía de nada», explicaba. «Muchas de las personas que conocí procedían de familias absolutamente decadentes en las que los hombres casados eran gays sin que nadie se escandalizara por ello. Me convertí en el niño bonito de Londres.»

Mapplethorpe exageraba, pero lo cierto es que disfrutó de una aceptación inmediata en el círculo de amistades de McKendry. «Creo que Robert se sentía mucho más "en casa" en Inglaterra que en Nueva York», afirmaba Maxime. «A los norteamericanos les gusta contemplarse como un pueblo que ha superado las distinciones entre clases, pero el dinero es ya de por sí una distinción de clase. En este país existe una aristocracia sustentada en el dinero, y aquellos que no forman parte de ella pertenecen, de algún modo, a la clase baja. Mapplethorpe se vio inmediatamente aceptado en Londres en calidad de aristócrata hippie. No olvidemos que, por entonces, todos los miembros de la élite londinense pretendían fingir que eran *cockneys*.* Era como ver a los hijos e hijas de Park Avenue intentando hablar con acento de Brooklyn. Resultaba ridículo, pero lo cierto es que andaban todos metidos en drogas e intentando parecer osados y *outrés*.

En principio, Mapplethorpe había proyectado pasar en Londres tan sólo una semana, pero se lo pasaba tan bien que no hacía más que retrasar su partida. No contaba con dinero propio, por lo que procuraba redondear los ingresos de bolsillo que recibía de McKendry mediante la fabricación y venta de objetos de joyería. Había adquirido recientemente la costumbre de lucir en la solapa una insignia con la cruz gamada (la parafernalia nazi iba tornándose cada vez más popular entre la subcultura sadomasoquista), y poco antes de viajar a Londres se había visto expulsado de un delicatessen local por el dueño, de origen judío, anonadado por la indiferencia y la insensibilidad de Mapplethorpe ante el significado del símbolo. Así y todo, Mapplethorpe no dejaba de jugar con el proyecto de crear toda una línea de «joyería nazi», y la esvástica se convirtió en un amuleto más de los que solían integrar sus collares fetichistas. Durante su estancia en Londres, conoció al pintor, diseñador escénico y cineasta Derek Jarman, quien habría de morir de sida en 1994 y cuya controvertida carrera incluía películas tales como *Sebastiane*, víctima de la ira de los censores por su retrato de la homosexualidad. Ambos pasaron varios días rebuscando en los mercadillos a la caza de piezas susceptibles de ser empleadas en los diseños de Mapplethorpe. Posteriormente, Jarman describió a Mapplethorpe como un «agudo negociante de arte», refiriéndose a su historia como «la historia de Fausto».

Ciertamente, Mapplethorpe se sirvió de McKendry, pero también es verdad que McKendry se dejaba utilizar, pues se encontraba tan embelesado por el joven artista que habría hecho cualquier cosa por él. Opinaba que a Mapplethorpe se le presentaba la ocasión única de retratar a la nueva generación de aristócratas británicos, del mismo modo que Cecil Beaton había fotografiado a los personajes de la alta sociedad de los cuarenta y los cincuenta, y animó a Robert a que sacara *polaroids* de todas las personas que iba cono-

* *Cockney:* término aplicable tanto a los nativos y habitantes del *East End* londinense como, más especialmente, a su peculiar dialecto. *(N. del T.)*

ciendo. Mapplethorpe, sin embargo, se hallaba demasiado ocupado planeando aventuras sexuales y no tomó demasiadas fotografías durante sus tres semanas de estancia. Sí fotografió, no obstante, a McKendry en la bañera de la granja que Alexis de La Falaise poseía en Gales. Maxime, por entonces, se hallaba ocupada planeando una fiesta conmemorativa en honor de la coronación de Enrique IV, y cuando llegó a sus oídos que John había tenido la desfachatez de llevar a Mapplethorpe a casa de su hijo en un momento en que éste y su familia estaban viviendo allí, se quedó lívida. «¡Pero bueno, será *posible*!», exclamó.

A pesar de las apariencias, Mapplethorpe y McKendry no mantenían una relación sexual, debido fundamentalmente a que a Robert no le atraía el conservador, dotado de escasa salud y de un concepto sublime del amor romántico que le impedía tomar la ofensiva. Sin embargo, una noche en que ambos estaban considerablemente borrachos, Mapplethorpe cometió el error de acostarse con McKendry y, repugnado por el cuerpo blando y casi femenino del conservador, apenas fue capaz de mirarle a la cara al día siguiente. Apreciaba a McKendry y no deseaba herirle, pero tampoco quería echar por tierra sus propias oportunidades de progreso. A finales de octubre, cuando McKendry volvió a Nueva York, Mapplethorpe se sintió aliviado de verle marchar y, en lugar de volar de regreso con él, partió a París donde, una vez más, se autoproclamó como «el niño bonito de la ciudad».

Mapplethorpe se instaló en casa del diseñador de moda Fernando Sánchez, amigo personal de McKendry. Allí, ambos veían transcurrir perezosamente las tardes de otoño compartiendo botellas de champán en la bañera. «Robert era una de esas personas a las que ansiaba parecerme desesperadamente», explicaba Sánchez. «Le consideraba un héroe. Un... ¿cómo se dice en inglés?... Un ángel caído, eso era Robert. Cada vez que nos veíamos, me presionaba y me provocaba. Nos atraíamos de un modo no sexual. Era como estar jugando con el diablo.» Juntos, pasaban veladas con Loulou de La Falaise e Yves Saint Laurent, para quien la primera trabajaba. Dado que rara vez se hablaba en inglés, Robert se veía por lo general excluido de las sesiones de conversación y, aderezado con sus joyas fetichistas, hacía más las veces de exótico adorno que de brillante compañero de reunión. «Resultaba difícil permanecer durante una cena de tres o cuatro horas sin pronunciar una palabra», recordaba. «No hacía más que decirme que si escuchaba con la atención suficiente llegaría a comprender lo que decían, pero por supuesto no era así. Me sentía ridículo... Yves no hablaba inglés, y se limitaba a soltar risitas constantemente. Yo iba con mis joyas disparatadas, y él las fusilaba para su colección. Me sentía furioso por no tener dinero. Luego, me invitaba a los pases, y las modelos salían luciendo mis colgantes de dados y mis gemelos de dominó. [...] Terminó por copiar hasta una de las chaquetas que me ponía.»

El 4 de noviembre de 1971, Mapplethorpe cumplió veinticinco años en París, y para conmemorar la ocasión dibujó cuidadosamente el número 25 en un trozo de papel junto a una flecha que apuntaba hacia abajo. Temía que su carrera estuviera perdiendo impulso. Cuando John McKendry le llamó para desearle feliz cumpleaños, le dijo que no pensaba regresar a Nueva York hasta no haber tomado más fotografías. No obstante, no estaba diciendo toda la verdad ya que, si bien se sentía desdichado a causa de los escasos progresos de su carrera, lo cierto era que deseaba quedarse en París porque estaba viviendo una aventura amorosa con un francés apuesto y moreno llamado François, a quien habría de fotografiar repetidas veces a lo largo de los cinco años siguientes. Colta Ives, conservadora ayudante de McKendry, le había entregado recientemente una fotografía de Mapplethorpe que la prensa había empleado para ilustrar un artículo acerca del Hotel Chelsea (artículo en el que el artista aparecía descrito como un «ángel caído a lo Burne-Jones». McKendry conservó la fotografía en su diario y esperó con impaciencia el retorno de Robert.

Mapplethorpe llegó a Nueva York el 20 de noviembre y, nada más pasar la aduana, telefoneó a McKendry, quien se apresuró a invitarle a cenar aquella misma noche. Sin molestarse siquiera en dejar las maletas en el apartamento, Mapplethorpe tomó un taxi y acudió directamente a casa de los McKendry, donde aprovechó la conversación de la cena para revelar que le había escrito algunas cartas «muy bonitas» desde París pero que, por error, las había enviado al 190 de la calle Noventa y uno Oeste en lugar de al 190 de Riverside Drive. Lo primero que hizo McKendry a la mañana siguiente fue acudir a la dirección de la calle Noventa y uno para recoger las cartas, y quedó desconsolado al encontrarse con un solar desierto en lugar de un edificio. El episodio no era sino un símbolo de su relación con Robert: McKendry, como de costumbre, perseguía algo tan inmaterial como el aire. «John estaba convencido de que Robert era una criatura divina», explica Gary Farmer, quien posteriormente trabajaría para McKendry en el Metropolitan Museum. «Opino que se hallaba más fascinado por el personaje que por su obra. Aunque, claro está, John era de esa clase de hombres igualmente capaces de enamorarse perdidamente de un par de zapatos o una camisa de seda.»

El 24 de noviembre, *Robert Having His Nipple Pierced* se estrenó en el Museo de Arte Moderno: un triunfo para Sandy Daley quien, a base de constancia inflaqueable, había conseguido convencer al MOMA del mérito de la película. Más interesante aún que ésta era el hecho de que John McKendry, Maxime de La Falaise y David Croland se hallaran presentes entre los espectadores que asistían al espectáculo de Mapplethorpe —adorado por John y detestado por Maxime— seduciendo a su ex novio Croland. La voz de fondo de Patti Smith aportaba una nueva vuelta de tuerca a aquel argumento real: mientras Mapplethorpe y Croland se besaban tiernamente, Smith culpaba a Mapplethorpe de haberle transmitido una enfermedad venérea, manifestaba su antipatía hacia los homosexuales afirmando que no le gustaban los «rollos con el culo» y, a continuación, elaboraba una peculiar y divagadora crónica acerca de su padre y de cómo éste había conservado su vello púbico después de que las monjas se lo afeitaran antes de dar a luz.

Al concluir la película, los asistentes, puestos en pie, recompensaron a Daley con una ovación. Sin embargo, precisamente en el momento en que ella se ponía en pie para agradecerla, uno de los presentes gritó: «¡Sois todos carne de psiquiatra!» Daley se sintió tan devastada que volvió a hundirse en su asiento, y aunque Bob Colacello, en una de sus críticas para *The Village Voice*, describió posteriormente su figura y la de Patti como la de «dos creadoras verbales y visuales de inmenso talento», siempre consideró aquella velada como un fracaso: la escasa y frágil confianza que pudiera haber tenido en sí misma desapareció. Algún tiempo después, contrajo una hepatitis y abandonó el Chelsea para trasladarse a un apartamento de Brooklyn, donde aún vive hoy rodeada por veinticinco cajas que se niega a abrir con la excusa de que contienen demasiados recuerdos del pasado. «Yo contribuí a lanzar a Patti y a Robert —decía—. Los introduje en el Museo de Arte Moderno y luego ellos siguieron su camino sin mí.»

A finales de 1971, Allen Lanier se había ido a vivir al apartamento de Patti. A Mapplethorpe no pareció incomodarle la intrusión, acaso porque el recién llegado no le intimidaba tanto como antaño lo hiciera Sam Shepard. A diferencia de los anteriores «novios/héroes» de Patti, Lanier era un personaje prácticamente común y corriente. Aunque era un músico de talento, no era famoso ni guapo. Con todo, poseía un rostro agradable enmarcado por una larga cabellera de color castaño, una voz suave y una inteligencia y cultura superiores a la de muchos de los músicos que gravitaban hacia el heavy metal. «Luego me enteré de que también tenía su lado oscuro —solía explicar Patti—, pero entonces no intuí nada al respecto. Que yo supiera, vivía una vida plácida, casi virtuosa y, después de Sam, era precisamente lo que más falta me hacía.»

No obstante, las precarias condiciones de vida reinantes en el apartamento iban creando un clima de tensión entre Mapplethorpe y Patti. Ambos se habían habituado a ducharse en el Chelsea, pero tampoco disponían de calefacción, y durante los meses de invierno se veían obligados a dormir con los abrigos puestos. Patti, además, estaba harta de tener que atravesar el dormitorio de Robert para utilizar el cuarto de baño, y se quejaba de falta de intimidad, cuyos últimos vestigios perdió cuando un inspector del Departamento de Vivienda ordenó abrir un hueco en el tabique que separaba ambas habitaciones para cumplir con las normas antiincendios. Una mañana, la primera imagen que vio Mapplethorpe al despertar fue el extremo de una sierra mecánica, y comenzó a gritar al advertir que sus cuadros aún pendían del muro: «¡Mi arte! ¡Mi arte!» Sus cuadros se salvaron, pero la pared presentaba un enorme orificio a través del cual Patti tenía que saltar para llegar al otro lado. «Parecía una criatura sacada de "Las ratas del entarimado" de Beatrix Potter», recordaba Maxime, quien hubo de realizar varias expediciones nocturnas al apartamento en compañía de John McKendry para prestarle a Robert veinte dólares para comer.

Mapplethorpe no conocía otro modo de ganarse la vida que no fuera pedir dinero prestado y vender de cuando en cuando algunas piezas de joyería y, si bien McKendry le ayudaba siempre que podía, el conservador había comenzado a endeudarse seriamente con su proveedor de droga. Así y todo, sorprendió a Mapplethorpe obsequiándole con una cámara Polaroid como regalo de Navidad. Hasta entonces, Robert había tenido que arreglárselas con la de Sandy Daley y, aunque recientemente se había comprado una de segunda mano, ésta había terminado cayéndose a pedazos. Mapplethorpe tenía por fin una cámara de su exclusiva propiedad.

Varios días después de Navidad, escribió una carta a John en la que agradecía la generosidad que ambos McKendry habían mostrado hacia él: «Espero que llegue el día en que, de un modo u otro, pueda mostraros a ambos mi reconocimiento por haberme ayudado a superar esta época. [...] En este momento, me siento realmente satisfecho de mi trabajo y convencido más que nunca de que irá desarrollándose hasta convertirse en algo que a su vez influya en el curso de alguna otra cosa.»

Mapplethorpe aún no se había decidido a centrarse exclusivamente en la fotografía, y la compaginaba a partes iguales con sus colages y sus montajes. Desde sus días de estudiante en el Pratt, se había sentido intrigado por las cajas de Joseph Cornell, y las empleó como inspiración para la creación de dos piezas destinadas a los McKendry. La más grande constaba de dos cajas diferentes y contenía algunos de sus tótems típicos: una estatua del Sagrado Corazón, un crucifijo y una calavera. Pero la pequeña resultaba más reveladora, ya que había introducido dos muñequitas diminutas en el vientre de una muñeca más grande, atada a su vez a los fuelles de una cámara, como si todas estuvieran naciendo del aparato. No cabe duda de que John alentó la incipiente carrera fotográfica de Robert al proporcionarle acceso a la colección privada del Metropolitan, donde el joven Mapplethorpe pudo admirar fotografías que nunca se habían expuesto antes. «John enseñó fotografía a Robert del mejor modo posible», explicaba Henry Geldzahler, fallecido en 1994 pero a la sazón conservador de pintura contemporánea del museo. «Le mostró una enorme variedad de fotografías. Por entonces, las fotografías de niños desnudos que hacía Thomas Eakins no eran demasiado conocidas, y lo mismo podía decirse de las fotografías que Stieglitz realizara empleando a Georgia O'Keeffe desnuda como modelo. Todo aquello no se hallaba disponible para el público en general, y opino que ayudó a ensanchar los horizontes y las posibilidades de Robert.»

Hasta entonces, la experiencia fotográfica de Mapplethorpe se había limitado en gran parte a la consulta de las reproducciones que aparecían en los libros, pero el hecho de sostener físicamente las obras de Alfred Stieglitz o Edward Steichen en las manos y estudiar la notable gama de tonos de una imagen en blanco y negro le hizo contemplar el medio desde una perspectiva distinta. «Al contemplar aquellas fotografías comencé a pensar que acaso su creación pudiera constituir una forma de arte», dijo. «Hasta aquel momento nunca se me había ocurrido, pero entonces me descubrí a mí mismo emocionado por las posibilidades que entrañaba.»

Advirtió que poseía un poderoso aliado en McKendry, a quien animó a adoptar un papel más activo en pro de la difusión de la fotografía por parte del Met. McKendry, sin embargo, era el conservador equivocado en un museo equivocado. Si bien es cierto que el Metropolitan era legítimo propietario de la colección Stieglitz, compuesta tanto por obras del propio fotógrafo como por trabajos de otros foto-secesionistas tales como Steichen y Clarence White, el museo siempre había considerado la fotografía como un «hijo ilegítimo». Se resistía a organizar un departamento especializado, y apenas contaba con espacio disponible para su exhibición. Más aún: a pesar de la riqueza que encerraba la colección Stieglitz, el museo había hecho caso omiso de las creaciones de muchos otros importantes fotógrafos del siglo XIX y comienzos del XX y, a todos los efectos, había dado la espalda a las obras contemporáneas. A finales de 1967, McKendry había organizado una importante muestra titulada «Four Victorian Photographers» («Cuatro Fotógrafos Victorianos») compuesta por obras de Julia Margaret Cameron, David Octavius Hill, Adolphe Braun y Thomas Eakins, y se encontraba a la sazón inmerso en las etapas iniciales de preparación de una retrospectiva de Paul Strand. Sin embargo, ya se debiera a sus problemas maníaco-depresivos, a sus achaques hepáticos o a su abuso del alcohol y de las drogas, experimentaba grandes dificultades en concentrarse durante períodos prolongados de tiempo. «John intentaba mantener todo bajo control, pero lo cierto es que comenzaba a desmoronarse», explicaba Allen Rosenbaum. «En cierta ocasión, durante la presentación de una importante reunión celebrada con motivo de una serie de adquisiciones, se le cayó súbitamente el cinturón al suelo, y John, que vivía atemorizado por todo cuanto representara tosquedad y falta de elegancia física, se sintió completamente devastado.»

Durante la primavera de 1972, el diario de McKendry nos revela a un hombre al borde de la desesperación. «Robert me ha acompañado hasta aquí después de cenar juntos en el Veau d'Or y se ha marchado inmediatamente», escribía el martes, día 14. «Acabo de regalarle la chaqueta de terciopelo de mi traje inglés. [...] Nunca me había sentido tan desdichado, y no encuentro salida posible. [...] Quisiera disponer de algún somnífero que me permitiera irme a la cama y dormirme sin pensar ni sentir nada.» A pesar de todo, seguía decidido a ayudar a Mapplethorpe, y un mes más tarde le llevó a Boston para presentarle a diversos ejecutivos de la Polaroid Corporation, ya que la compañía había emprendido recientemente un programa en el que se contemplaba el suministro gratuito de película para los artistas. Varios días después, McKendry invitó a Mapplethorpe a cenar en el Ginger Man, cerca del Lincoln Center, donde acababa de asistir a la representación de una de sus óperas favoritas: *El caso Makropoulos*, de Leoš Janáček. Se trata de la historia de una cantante de ópera que, tras haber ingerido un licor destinado a asegurar la eterna juventud, comienza a preguntarse hasta qué punto la vida no pierde su valor cuando dura demasiado tiempo. Aquella tarde, al regresar a su casa, McKendry anotó en su diario una frase extraída de una de sus arias: «No existe alegría en la bondad, ni en la maldad, tan sólo una soledad vasta y eterna.»

McKendry padecía una soledad tan profunda e intensa que incluso el retorno de Mapplethorpe apenas habría servido para proporcionarle otra cosa que un simple alivio temporal; así y todo, los desaires físicos le dolían, y no había velada que concluyera sin que esperara un beso de despedida, como cualquier adolescente, para luego verse sometido a la humillación de ver cómo le cerraban la puerta en las narices. «¿Qué voy a hacer con John?», preguntaba Mapplethorpe a Smith constantemente, ya que el comportamiento del conservador le desquiciaba. McKendry se presentaba en su apartamento sin invitación previa, hundía el rostro entre ambas manos y comenzaba a sollozar; en otras ocasiones, se mostraba jubiloso tras adquirir un nuevo reloj en Tiffany o escuchar un disco de María Callas. Independientemente de su contribución a la carrera de Mapplethorpe, éste se mostraba incapaz de soportar sus cambios de humor, y comenzó a apartarse de él. Comenzó a visitar el apartamento de los McKendry con menos frecuencia y, cada vez que John le llamaba, inventaba excusas para no verle. Continuaron siendo amigos pero, ya a comienzos del verano de 1972, Mapplethorpe le había sustituido por un mentor más poderoso.

CAPÍTULO NUEVE

> «Si Sam no hubiera tenido dinero, es probable que no me hubiera relacionado con él. Para mí fue un fardo, por así decirlo.»
>
> Robert MAPPLETHORPE,
> en referencia a Sam WAGSTAFF.

Entre la población gay del mundo del arte, era bien sabido que Sam Wagstaff andaba a la búsqueda de «alguien a quien echar a perder», preferiblemente algún joven artista con quien pudiera desarrollar sus fantasías pigmalonianas. Wagstaff era un brillante conservador dotado de aguzada vista para reconocer objetos extraordinarios, y gracias a la reciente herencia de su padrastro disponía de dinero extra. Asimismo, era tan atractivo a sus cincuenta años de edad que todos cuantos le conocían, ya fueran hombres o mujeres, le describían invariablemente como el hombre más guapo de la tierra. «[La belleza] convierte en príncipes a quienes la poseen», escribió Oscar Wilde en *El retrato de Dorian Gray* y, en efecto, Wagstaff mostraba el soberano aplomo que produce saber que pocos hombres pueden equipararse con uno, al menos físicamente.

Wagstaff se parecía a Gary Cooper y, al igual que el actor, proyectaba una visión idealizada de la masculinidad norteamericana; medía más de uno ochenta y poseía una cabellera de tonos arenosos, grandes ojos azules, labios sensuales, una nariz fuerte y hoyuelos en las mejillas. «Sam era notablemente atractivo», afirmaba el tratante de arte Klaus Kertess. «En cierta ocasión le vi nadar y pensé que nunca había visto tal elegancia de movimientos. Era imposible no contemplarle con deseo.»

Wagstaff había abandonado recientemente su empleo en el Instituto de Arte de Detroit y se hallaba temporalmente a la expectativa en todos los sentidos. Aquella primavera ingresó en un curso de adiestramiento de tres meses de duración organizado por el Instituto Arica, una versión al estilo de la costa este de Esalen, el balneario californiano de reposo. Entre sus prácticas de yoga y meditación y los ejercicios de Arica, procuraba alimentar su interés en los fenómenos paranormales visitando a astrólogos, numerólogos y gitanos adivinos. Wagstaff se estaba buscando a sí mismo y, a la vez, buscaba a alguien a quien maleducar. ¿Qué mejor modo de conseguir ambas cosas que adoptar a un joven cuya carrera, y acaso también horóscopo, encajaran perfectamente con los suyos?

Irónicamente, fue David Croland, que aún no había perdonado a Mapplethorpe su relación con John McKendry, quien ayudó a ambos a conocerse. Croland había conocido a Wagstaff a través del conservador de arte Sam Green y del fotógrafo Peter Hujar en la residencia costera que Green poseía en Oakleyville, una remota zona de Fire Island. Cuando Wagstaff se enteró de que Croland tenía pretensiones de llegar a ser artista, acudió a su apartamento para ver su obra y le pagó mil dólares a cambio de dos dibujos. Antes de partir, sorprendió una *polaroid* de Mapplethorpe en un gorro francés de marinero que adornaba la sala de estar de Croland. Cuando preguntó de quién se trataba, Croland experimentó una sensación de *déjà vu*. «Fue como entregarlos el uno al otro», explicó luego. «Cuando Sam salió por la puerta, me dije a mí mismo: "Ahí está."»

Wagstaff se apresuró a telefonear a Mapplethorpe e inició la conversación preguntándole: «¿Hablo con el pornógrafo tímido?», con una voz tan elegante que lograba inmediatamente elevar la profesión de «pornógrafo» a la categoría de selecta profesión. Mapplethorpe, quien ya conocía la reputación de Wagstaff y sus deseos de proporcionar mecenazgo a algún joven artista al que considerara adecuado, se alegró tanto de oírle que, nada más colgar, saltó a través del hueco del tabique para comunicarle la buena nueva a Patti. «¡Yupiii!», gritó ella, dando saltos y diseminando latas y botellas por todo el suelo. «¡Estás salvado!»

Varios días después, Wagstaff visitó el apartamento de Mapplethorpe. Nada más entrar, se vio saludado por el sonido inconfundible de dos personas en el momento de practicar el acto sexual y, al penetrar en la estancia, advirtió que no era sino la banda sonora de una película pornográfica, emitida por una grabadora oculta en el bolsillo de una cazadora negra de motociclista. La chaqueta colgaba de un perchero junto a un par de pantalones de cuero de cuya entrepierna sobresalía una barra de pan. Mapplethorpe había querido impresionar a Wagstaff con su versatilidad, por lo que, además de montajes, le mostró colages, piezas de joyería y *polaroids*. Acababa de concluir una serie de adaptaciones fotográficas para las cuales había tomado fotos procedentes de revistas y periódicos, tales como un anuncio de calzoncillos publicado en *Ah Men* por una compañía llamada Skinwear. Sirviéndose de un disolvente especial, había transferido las imágenes a un trozo de lienzo que posteriormente había enmarcado. Fiel a la tradición pop art de Jasper Johns –quien ya había fundido en bronce dos latas de cerveza–, había transferido igualmente la fotografía de un pene de una revista a una lata de cerveza Miller, como si el pene fuera un pulgar capaz de elevar la lata hasta unos labios invisibles.

Al principio, Wagstaff se sintió azorado por lo explícito de las obras, ya que, a pesar de su reputación como experto del arte «maldito», conservaba aún las adecuadas reservas, típicamente *yankees*, en lo referido a cuestiones sexuales, y se refería a la pornografía como «fotos guarras». Con todo, la franqueza de Mapplethorpe le transmitía, por otra parte, una sensación sorprendentemente eufórica, y tras tantos años de representar el papel de soltero guapo se había cansado de llevar una doble vida. «Sam respetaba verdaderamente mi honradez frente a la homosexualidad», explicaba Mapplethorpe. «Llevaba toda la vida tratando de ocultar la suya propia. Procedía de un ambiente social en el que todo el mundo se preguntaba si sería gay o no, pero nunca reveló su secreto. Fui yo quien le mostró un modo más abierto de llevar su sexualidad.» Wagstaff se sentía físicamente atraído por Mapplethorpe, y ambos compartían un paralelismo psicológico obvio: estaba buscando a alguien a quien malcriar y nada podía desear tanto Mapplethorpe como que le malcriaran. Sin embargo, fue otro el elemento que selló el contrato tácito entre ambos. Wagstaff preguntó a Mapplethorpe cuál era su signo astrológico, y cuando descubrió que ambos eran Escorpión –y nacidos en el mismo día– no dudó de que sus estrellas comunes habrían de ejercer un influjo favorable sobre su relación.

Wagstaff invitó a Mapplethorpe a su apartamento, situado en un edificio que hacía esquina entre Bond Street y el Bowery. Mapplethorpe se sintió impresionado por lo espartano de su vivienda, ya que el apartamento no era más lujoso que el que él mismo compartía con Patti, ni contenía signos que mostraran que su dueño era particularmente adinerado. El único mobiliario de Wagstaff consistía en un viejo sofá y en una estera de junco que empleaba a modo de cama; todo el perímetro de la habitación aparecía alineado de libros, y en uno de los rincones se alzaba un prisma de dos metros y medio de altura que reflejaba la luz de la ventana sobre sus preciadas plantas de aguacate. Curiosamente, puesto que se trataba de una persona que había dedicado la vida a coleccionar obras de arte, no se había rodeado de ellas y, de hecho, conservaba muchos de sus cuadros y esculturas apilados en un armario. Patti recordaba haber descubierto, envuelto en trapos, un Vuillard que Wagstaff había dejado por ahí inadvertidamente. Cuando lo sacó del armario, le oyó murmurar: «Ah, sí, el Vuillard... qué bien.»

Wagstaff tuvo buen cuidado de dejar claro ante Mapplethorpe que su apartamento no debía considerarse un símbolo del estado de su cuenta corriente, y que estaba dispuesto a ayudarle. Ambos pasaron la noche juntos, y a la mañana siguiente Mapplethorpe estaba decididamente conmocionado: durante años, se había preguntado si algún día encontraría alguien a quien llegara a amar tanto como había amado a Patti, y finalmente había encontrado al hombre adecuado en Wagstaff. «Me elevó por los aires», decía. «Fue un amor a primera vista. Después de aquello, sentí que todo me daba vueltas.»

Samuel Jones Wagstaff *junior* era miembro de una vieja familia neoyorquina cuyas raíces norteamericanas se remontaban a 1790 y cuyos antepasados habían sido en otro tiempo dueños de la zona sur de Central Park. Su padre había estudiado derecho en Harvard y Columbia, pero aunque posteriormente había trabajado como abogado, tan sólo se sentía realmente feliz cuando podía dedicarse a coleccionar objetos que le llamaran la atención, ya se tratara de latas de tabaco o de opalescentes piezas de cristal marino. Su tío, David Wagstaff, también era coleccionista, y había terminado por reunir una de las mayores bibliotecas de libros de deporte de todo el mundo. Evidentemente, Sam había heredado su instinto adquisitivo de la sangre de los Wagstaff y, ya de niño, coleccionaba fotografías de periódico, postales y etiquetas de bolsitas de té. De su madre, Olga Piorkowska, había adquirido el amor por el arte, ya que había trabajado como ilustradora para *Vogue* antes de conocer a su padre. Olga adoraba a su hijo, quien, a diferencia de la hermana pequeña, Judith, era una criatura extraordinariamente hermosa. Así, le vestía con blancas camisas adornadas con volantes y pantalones cortos de terciopelo, y cada siete días le entregaba su paga semanal, que iba extrayendo, penique a penique, de un monedero de seda. Su matrimonio con el padre de Sam era una unión profundamente desdichada, y cuando Sam contaba diez años de edad y estudiaba en St. Bernard's, se divorció de su esposo para contraer matrimonio con Donald Newhall, un acaudalado artista. La familia de Newhall había establecido fuertes lazos con California durante la fiebre del oro, época en que sus antepasados habían fundado la comunidad de Newhall, en Santa Clarita.

Olga y Donald Newhall se embarcaron inmediatamente en un viaje de dos años por Europa, llevándose al joven Sam consigo y dejando a Judith, que por entonces contaba cinco años, al cuidado de Samuel Wagstaff *senior*.

A su regreso, Sam ingresó en Hotchkiss y pasó a distinguirse como una de las parejas más cotizadas en los bailes del colegio. «No había chica que no experimentara una sensación de vértigo cuando irrumpía en la estancia», recordaba el escritor Dominick Dunne. «Recordaba a aquellas imágenes de aristócratas ingleses muertos durante la Primera Guerra Mundial. Era increíblemente deslumbrante.»

Wagstaff hizo todo cuanto se esperaba de él: estudió en Yale, donde se doctoró en inglés, uniéndose a la selecta Wolf's Head Society; posteriormente, y tras graduarse en 1944, ingresó en la Marina y luchó en el desembarco de la playa Omaha. Concluida la guerra, trabajó en Madison Avenue y mantuvo su condición de «soltero de oro» y acompañante sucesivo de numerosas jóvenes de la ciudad. A mediados de los cincuenta, sin embargo, se hallaba al borde de una crisis nerviosa. Detestaba la publicidad, porque opinaba que se trataba de un negocio basado en el engaño, y su vida personal se encontraba igualmente cimentada sobre una mentira. No era ni mucho menos un soltero de oro: era un homosexual sin la menor intención de contraer matrimonio con nadie.

Cuando Wagstaff enfermó de hepatitis, interpretó su condición como un signo de que la vida que llevaba le envenenaba hasta tal punto que no tenía más remedio que someterla a un cambio. Tan pronto como se recuperó, abandonó la publicidad y, tras pedir dinero prestado a su madre, ingresó en el Instituto de Bellas Artes de la Universidad de Nueva York. Fue aquélla una decisión llena de osadía, pues contaba ya treinta y seis años de edad, y el arte no era una carrera que se considerara especialmente masculina. Sin embargo, confesaría posteriormente a Mapplethorpe que de haber continuado en el negocio de la publicidad habría terminado por suicidarse.

En 1959, la Galería Nacional de Arte concedió a Wagstaff una de sus becas David Finley, tras lo cual pasó varios años en Europa estudiando a Paul Gauguin y a los antiguos maestros. Dos años después, fue nombrado conservador de pintura, dibujo y grabado en el Ateneo Wadsworth, un museo de Hartford, Connecticut. Si bien había iniciado su carrera en el mundo del arte a una edad relativamente tardía, era ingenioso y brillante, y poseía una confianza suprema en su propio juicio estético. En 1985, declaró al *New York Times Magazine*: «Siempre me he sentido visualmente aclimatado al mundo. El gran poeta Wallace Stevens dijo algo así como: "A la mayoría de la gente le interesa la gente, pero a mí me interesan los lugares." Pues bien, yo digo: "A la mayor parte de la gente le interesa la gente –y yo no me considero una excepción–, pero a mí, sobre todo, me interesan las cosas."» En parte, su autoconfianza se sustentaba en el apellido que llevaba. Gracias a la seguridad que le proporcionaba su posición social, no se sentía obligado a adaptarse a los parámetros estéticos establecidos y, de hecho, disfrutaba desafiando los convencionalismos. Si algo le gustaba, por peculiar que fuera, daba por supuesto que todos los demás habrían de coincidir con él, y quienes ponían su opinión en tela de juicio se veían frecuentemente enfrentados a una mirada lapidaria y a una prolongada reprimenda. «Sam podía mostrarse insoportable», decía Sam Green, por entonces conservador del Instituto de Arte Contemporáneo de Filadelfia. «Algunas veces, se ponía tan pesado que te daban ganas de propinarle una patada en la espinilla y salir corriendo.»

Desde el primer momento en que llegó a Hartford, Wagstaff resolvió inyectar vida a aquella «maldita y aburrida ciudad». Durante su estancia en el cargo, promovió la primera exposición minimalista; expuso obras de Andy Warhol, Robert Motherwell, Frank Stella y Ad Reinhardt cuando éstos aún no eran conocidos; inauguró la primera muestra de escultura de Tony Smith, y patrocinó una actuación de danza a cargo del coreógrafo Merce Cunningham, con vestuario y decorados de Jasper Johns y Robert Rauschenberg. Su entusiasmo por la vanguardia chocó con el conservadurismo de los consejeros del museo, de por sí recelosos ante la independiente personalidad del nuevo conservador. «Hartford era un individuo consumido por un envaramiento típicamente eduardiano», explicaba Jim Elliott, quien posteriormente llegaría a ocupar el puesto de director del museo. «En Hartford había numerosos solteros gays, pero se les mantenía cuidadosamente camuflados. Se les aceptaba sin problemas siempre y cuando llevaran vida de "solteros", lo que implicaba asistir a actos sociales como acompañantes de viudas y de jóvenes casaderas.» Wagstaff no se mostraba dispuesto a volver a caer en aquella trampa, por lo que, en lugar de pasar los fines de semana asistiendo a cenas con miembros de la comunidad local, se desplazaba a Nueva York, donde mantenía un apartamento, y dedicaba su tiempo a visitar galerías. «Sin duda, se trataba de una actitud perfectamente razonable para un conservador —afirmaba Elliott—, pero la gente se mostraba escandalizada ante ella.»

Fue en Hartford donde Wagstaff se sirvió por vez primera de su posición de conservador como elemento de seducción, al enamorarse de un joven artista cuya carrera prometió fomentar. Para defenderse de posibles habladurías, entabló al mismo tiempo una estrecha amistad con una mujer divorciada de cincuenta y tantos años llamada Mary Palmer, quien se enamoró de él. Wagstaff nunca le reveló que era gay, si bien ella era plenamente consciente del hecho. «Lo que Sam hizo por Robert Mapplethorpe no fue un caso único», explicaba Palmer. «Sam perdía completamente la chaveta con los artistas jóvenes. Opinaba que eran los personajes más fascinantes del universo, y se esforzaba por saber qué era lo que realmente les motivaba. Creo que, en secreto, alimentaba el deseo de ser él mismo artista, pero, dado que no tenía el talento suficiente, confiaba en pasar a la historia como mecenas de alguien famoso. El joven con quien Sam se relacionó en Hartford era bastante buen pintor, pero tenía novia. Solíamos cenar los cuatro juntos, y compartíamos una buena camaradería, por más que ésta, a veces, padeciera de cierta tensión. Sam, sin embargo, se veía sometido a una auténtica presión para disimular y no revelar al resto del mundo que era homosexual.»

El joven pintor terminó por romper su relación con Wagstaff, cuyo disgusto al verse desplazado del puesto de director del museo (cargo concedido a Jim Elliott) se combinaba con la amargura de su corazón destrozado. Aceptó, pues, la oferta que le hizo el Instituto de Arte de Detroit, para el que pasó a ser conservador de pintura contemporánea. En septiembre de 1968, apareció en Motor City al volante de un destartalado Volkswagen «escarabajo». La atmósfera a la que hubo de enfrentarse en Detroit era el polo opuesto del formal ambiente de Hartford, ya que la ciudad apenas se había recobrado de las bombas y los saqueos de las revueltas de 1967.

Uno de los vecindarios más castigados por los disturbios había sido el Cass Corridor, que aún lograba distinguirse como epicentro de la más vibrante escena artística de Detroit. Entre los pordioseros, los drogadictos y las prostitutas, se movía un grupo de artistas dispuestos a crear un arte potente y espontáneo que reflejara el árido paisaje que les rodeaba. Muchos de ellos se hallaban en la veintena y estaban sometidos al influjo del músico y poeta John Sinclair —quien había contribuido a la fundación del Taller de Artistas, la primera agrupación colectiva de arte de vanguardia de Detroit— y del grupo de rock MC5, cuya canción *Kick Out the Jams** se convirtió en grito de guerra de la contracultura de la ciudad. A las pocas semanas de su llegada a Detroit, el propio Wagstaff había derribado ya sus barreras, y el museo, que había creído contratar a un conservador de cuarenta y tres años al que esperaba ver acudir vestido con ropa de grandes almacenes, había de enfrentarse a la presencia de un hippie de mediana edad que fumaba hachís, vestía pantalones tejanos y túnicas indias, asistía a conciertos de rock en el Grande Ballroom y colgaba de la puerta de su despacho los más diversos fetiches protectores, entre ellos patas de pollo.

Los artistas del Cass Corridor se mostraron jubilosos, pues por fin tenían un conservador con el que relacionarse. «Sam hizo una cosa importante en Detroit —relataba la pintora Ellen Phelan—, y fue preguntar dónde estaban los artistas. Hasta entonces, a nadie se le había ocurrido hacer aquella pregunta, pero Sam salió a buscarlos. Cabe la posibilidad de que de paso le sirviera para ir de ligue, porque los primeros que iba encontrando eran todos apuestos jovencitos rubios, pero ¿qué más da? Hay montones de personas que se mueven impulsadas por sus intereses sexuales, y también existen fundamentos mucho peores para el juicio estético.»

Wagstaff se enamoró perdidamente de numerosos artistas, especialmente de uno de veintiún años, Gordon Newton, a cuya reputación contribuyó convenciendo a los coleccionistas locales para que adquirieran su obra. Además de contribuir a salvar el abismo que separaba a los rebeldes artistas de Cass Corridor y los respetables coleccionistas de vecindarios elegantes tales como el de

* *Kick Out the Jams*: una traducción sumamente libre sería «Derriba las barreras a patadas». *(N. del T.)*

Grosse Pointe, Wagstaff llevó a Detroit un pequeño toque de la vanguardia neoyorquina exponiendo en el museo a Carl Andre, Richard Tuttle, Lynda Benglis, Walter de Maria y Robert Morris. Sin embargo, aunque posteriormente habría de ser recordado como uno de los conservadores más innovadores de la historia de Detroit, los consejeros del museo no eran capaces de asimilar un concepto tan caótico de orden como el que gobernaba la instalación de Robert Morris, consistente en trozos de chatarra, espejos y trozos de asfalto desperdigados por el suelo.

«Sam era un visionario –solía decir la tratante de arte Susanne Hilberry, quien por entonces trabajaba en el departamento de educación del museo–, pero también podía comportarse como un niño malcriado. Si le caías bien, te regalaba generosamente su tiempo, pero si no, se mostraba completamente despreciativo. Se negaba en redondo a adular a los consejeros, y cuando alguno le pedía que les explicara algo, solía decirles desdeñosamente: "El arte de calidad no necesita que lo defiendan."» Su principal aliada era Anne Manoogian, una joven de veinticinco años casada con un miembro de una de las familias más ricas de Detroit, quien se había visto detenida en una manifestación antibelicista en Washington el mismo fin de semana en que la nombraron consejera del museo. «En lo que a arte se refiere –explicaba Anne–, Detroit seguía en la edad de piedra, y Sam estaba haciendo cosas que se consideraban revolucionarias. Para alguien como yo era magnífico, pero para algunos consejeros que ya tenían sesenta años de edad, resultaba considerablemente amenazador.»

Wagstaff selló su destino en marzo de 1971 al acordar con Michael Heizer la instalación, por parte de este último, de una obra de arte terrestre en el jardín del ala norte del museo. Él mismo se encargó de reunir el dinero para el proyecto, principalmente porque creía en el trabajo de Heizer, pero también porque le gustaba el artista, quien contaba entonces veintiocho años y cuyo cumpleaños coincidía curiosamente con el suyo. Para Wagstaff, las obras de tierra de Heizer representaban el siguiente paso lógico después de la exposición de Morris, ya que los aparentemente fortuitos montones de chatarra de Morris no sólo evocaban el carácter físico del paisaje sino que ilustraban también el concepto de que el arte puede residir en el acto mismo de la creación. Heizer creó *Dragged Mass* (Masa arrastrada) arrastrando literalmente una losa de granito de considerable peso a través del helado césped del museo con ayuda de cuatro excavadoras, una grúa y un equipo compuesto por veinte hombres. Sin embargo, los consejeros y los medios de comunicación no alcanzaron a captar el significado subyacente de aquella pieza, y *Dragged Mass* terminó siendo equiparada con un acto de vandalismo. Wagstaff recibió la orden de retirarla del museo, y durante una entrevista que posteriormente concedió a la prensa describió sarcásticamente el episodio como «una victoria de los jardines de césped sobre las Bellas Artes». Permaneció en Detroit hasta octubre, pero se sentía tan desdichado en el museo que habría terminado probablemente por verse despedido de no haber presentado él mismo su dimisión.

Donald Newhall había muerto no hacía mucho y, aunque la modesta herencia de Wagstaff no bastaba para que pudiera considerarse un hombre rico, lo cierto es que ya no tenía que trabajar para los demás. Antes de abandonar la ciudad, Anne Manoogian le obsequió a modo de despedida con una cena de etiqueta en la que, según ella misma, Wagstaff se permitió la venganza de emborrachar a la esposa de uno de los consejeros hasta tal punto que hubieron de sacarla en brazos por la puerta mientras él se desternillaba de risa.

La experiencia de Detroit dejó a Wagstaff sumido en la frustración y la amargura, y regresó a Nueva York sin saber qué hacer. Siempre había sido un hombre visualmente insaciable, y entre sus muchas colecciones destacaban las de escultura tribal africana, artefactos de los indios norteamericanos, monedas griegas, sellos y, más recientemente, pintura contemporánea y arte minimalista. Sin embargo, ahora que tenía más tiempo para dedicar al coleccionismo, se declaró súbitamente «aburrido» por el panorama del arte contemporáneo. Quería coleccionar algo nuevo, ¿pero qué? Entretanto, prosiguió su búsqueda de algún joven artista al que moldear y cuidar, y no halló su propósito hasta que descubrió a Mapplethorpe.

Wagstaff dispuso inmediatamente que una de las fotografías de Mapplethorpe pasara a formar parte de una muestra celebrada en la Galería Willis, en pleno Cass Corridor de Detroit, y cuando en agosto de 1972 regresó a la ciudad con motivo de la inauguración de *Gracehoper* de Tony Smith, se llevó a Robert consigo. «Cuando vi a aquel joven junto a Sam —dice Susanne Hillberry, refiriéndose a Mapplethorpe—, lo único que pude pensar es: "Ya estamos otra vez."»

Mapplethorpe confiaba en que Wagstaff le comprara un lugar en el que vivir, ya que Patti Smith había dejado bien claro que ella y Allen Lanier querían trasladarse a un apartamento del Greenwich Village. A Robert le asaltó el pánico, pues no podía permitirse pagar individualmente un alquiler. Les habían cortado el teléfono porque Patti había dejado de pagar las facturas, y se negaba a concebir la posibilidad de pasar un nuevo invierno sin calefacción. Sin él saberlo, Wagstaff había confesado a Patti que, de hecho, proyectaba comprar un apartamento para Mapplethorpe, pero que le divertía verle «sudar un poco». Patti y Wagstaff habían alcanzado una compenetración inmediata, y su mutua afición por la literatura y el arte les proporcionaba más temas de conversación de los que gozaban con el propio Mapplethorpe, cuyos intereses se hallaban limitados a sí mismo y a su carrera. Con todo, el lazo que más los unía era su afecto hacia Mapplethorpe: nuestro «chico», como le llamaba Wagstaff.

Poco después de conocerse, Patti le reveló a Robert que tenía la «sensación» de que Wagstaff le haría realmente feliz.

En la romántica vida de Patti continuaba predominando un tema de modo constante: el perpetuo debate por alcanzar un equilibrio entre la parte agresiva de su personalidad –aquella que ella consideraba la masculina– y el aspecto pasivo o «femenino». En un intento por adaptarse a Sam Shepard, se había convertido ella misma en una proscrita, en una «desenfrenada», pero ahora, con Allen Lanier, adoptó el papel subordinado de «querida» y se confeccionó una identidad sumisa basada en las numerosas biografías de artistas que había leído, muy especialmente la de Amadeo Modigliani, cuya amante, Jeanne Hébuterne, embarazada de nueve meses con su segundo hijo, había vivido a base de sardinas en lata en el gélido estudio que ambos compartían y sin apartarse del lecho de muerte del artista, para luego terminar arrojándose por una ventana tras su muerte. A Patti le encantaba aquella historia, y posteriormente dedicó una canción de su álbum *Wave* a Hébuterne y «a todas aquellas mujeres que se sacrifican por sus hombres».

Patti –al menos en público– desempeñaba el papel de «esposa rockera» y sacrificada de Lanier, exaltando al mismo tiempo el mérito de ocuparse de su colada y lavar sus calcetines. En un artículo publicado en *Interview*, se comparaba a sí misma con Stella Kowalski, la mansa esposa de *Un tranvía llamado deseo* de Tennessee Williams, y se refería a los placeres de la sumisión. «Aquélla fue la primera vez que se me ocurrió que la posición natural de la mujer es postrada; la primera vez que asumí un papel completamente pasivo. [...] Ahora soy distinta: no me importa aguantar un poco de bronca de vez en cuando.»

Así y todo, Patti era un modelo de agresividad «masculina» cuando su carrera estaba en juego y, tras su sorprendente debut del año anterior en la iglesia de St. Mark's, había logrado excitar el interés de Steve Paul, representante artístico de Edgar y Johnny Winter. Steve se mostraba deseoso de trabajar con ella, con la única condición de que prescindiera de la poesía en sus actuaciones. «Quería convertirme en una especie de Liza Minnelli de cuero con tachuelas», se quejaba Patti en *Rolling Stone*. «Pero hizo algo importante por mí: me hizo luchar por aquello en lo que creía. Su intransigencia me hizo intransigente a mí. Cuando nos separamos, le dije: "Jamás me verás hacer esta mierda, y jamás me verás hacer un disco a no ser que me permitan hacer exactamente aquello que yo quiera hacer."» Entretanto, se dedicó a escribir críticas de rock para publicaciones tales como *Creem*, apareció en una producción de segundo orden de Anthony Ingrassia titulada *Island* (Isla) –en la que interpretaba a una adicta a la metedrina– y escribió dos libros de poesía: *Seventh Heaven* y *Kodak*. Glenn O'Brien, encargado de realizar la crítica de *Seventh Heaven* para *Interview*, admitía no entender la poesía de Patti, por más que admirara su estilo personal. La crítica apareció acompañada de una fotografía realizada por Mapplethorpe en la que aparecía Patti ataviada con pañales y cubriéndose los pechos con un paño de cocina.

En octubre, Wagstaff entregó a Mapplethorpe quince mil dólares para trasladarse a un apartamento de Bond Street situado a pocos metros del suyo. Los contemporáneos del artista contemplaron su buena fortuna con una mezcla de envidia y desprecio, ya que había algo en el hecho de vivir de «mantenido» que chocaba con el espíritu reinante en la época. «Muchas personas recibían aquella clase de ofertas –afirma la escritora Fran Lebowitz–, pero Robert fue una de las pocas personas que conocí que llegara a aceptarla. En aquellos tiempos, nadie tenía dinero. Yo conducía un taxi, pero eso es algo que Robert jamás habría hecho. No quiero decir que aceptar el dinero de Sam Wagstaff constituyera la única alternativa frente a conducir un taxi, pero no logro imaginar para qué clase de trabajo podría haber servido Robert Mapplethorpe.» Kenny Tisa, quien no había perdido de vista a Mapplethorpe desde que acudieran juntos al Pratt, no se mostró sorprendida por los últimos acontecimientos: «Robert se había esforzado duramente por conocer a la elite del mundo gay de Nueva York, y Sam era gay, rico y coleccionista de arte. A Sam le gustaba coleccionar cosas, y Robert era consciente de su propio valor como objeto coleccionable.»

Varias semanas antes de cumplirse el vigésimo sexto aniversario de Mapplethorpe, él y Patti abandonaron el apartamento que habían compartido. Habían vivido juntos desde su llegada a Manhattan, tres años antes. En aquel momento, atemorizados y sin un centavo, se habían hecho la solemne promesa de cuidarse mutuamente hasta que vinieran tiempos mejores. El momento, por fin, había llegado, y ambos se aferraron al presente sin dirigir siquiera una mirada atrás.

TERCERA PARTE

SEXO Y MAGIA

CAPÍTULO DIEZ

«El sexo es la única cosa por la que merece la pena vivir.»

Robert MAPPLETHORPE

«No creo que ningún coleccionista sepa realmente cuáles son sus motivaciones. Las obsesiones –como cualquier otro tipo de pasión– son cegadoras.»

Sam WAGSTAFF

El nuevo apartamento de Robert, situado en el número 24 de Bond Street, se hallaba próximo al SoHo, una zona de veintiséis manzanas del bajo Manhattan que iba viéndose rápidamente transformada en el núcleo del arte contemporáneo de Nueva York. Apenas una década antes, el SoHo había sido una aburrida ciudad fantasma salpicada de barrocos edificios de hierro forjado que parecían reliquias de la era industrial de la posguerra. Una a una, quebraron las fábricas que antaño producían encaje, seda, muñecas, sombreros y tijeras dentadas. Los propietarios tenían dificultades en encontrar nuevos inquilinos, y muchos de los pisos de los edificios se mantenían vacíos. A finales de los años cincuenta, numerosos artistas comenzaron a trasladarse a la zona atraídos por los bajos alquileres y los generosos espacios, pero dado que por entonces aún era ilegal habitar los edificios industriales, se veían obligados a mantenerse en permanente estado de alerta ante la posible llegada de policías o inspectores inmobiliarios. La situación cambió en 1971, cuando las nuevas regulaciones urbanas les concedieron el derecho de habitar permanentemente los espacios industriales. Simultáneamente, numerosos galeristas de Madison Avenue, tales como Leo Castelli, Andre Emmerich e Ileana Sonnabend, advirtieron las ventajas que tenía exponer grandes piezas de arte contemporáneo en espacios tan diáfanos y luminosos como eran los edificios industriales, e inauguraron nuevas galerías en una antigua fábrica de papel reformada de West Broadway. Algunos coleccionistas incipientes, antaño intimidados por el sombrío ambiente de las galerías del centro, comenzaron a visitar el SoHo las tardes de domingo; allí «colaboraban» con el artista Vito Acconci haciendo acto de presencia en la Galería Sonnabend, donde Acconci procedía a masturbarse bajo una rampa en forma de cuña. Había titulado la pieza con el nombre de *Seedbed* (Semillero), y la presencia de los visitantes no hacía sino incitar sus fantasías sexuales.

En contraste con el SoHo, símbolo del espíritu de la vanguardia, Bond Street continuaba siendo un barrio obcecadamente industrial. El vecindario de Mapplethorpe albergaba la D & D Salvage Company, la Etna Tool & Die Corporation, un taller de reparación de camiones y una estación de servicio; sobre la acera sesteaban habitualmente media docena de vagabundos procedentes de una residencia cercana. El interior del edificio resultaba tan poco atractivo como su entorno: el vestíbulo, sórdido y desnudo, no poseía otra iluminación que un tembloroso fluorescente cenital, ni otro mobiliario que un banco de madera generalmente regado de restos de comida china. Al fondo, un chirriante ascensor de hierro transportaba a los visitantes a su destino, la quinta planta.

«Cuando se es artista, de lo que se trata es de intentar integrar tu vida en tu obra», explicó posteriormente Mapplethorpe durante una entrevista con *House & Garden*. En este sentido, sus primeros ensayos decorativos parecían destinados a convertir su dormitorio en un entorno escultórico. Mapplethorpe se había mantenido siempre físicamente próximo a su obra, viviendo en una «fábrica de arte» y durmiendo sobre un colchón que a menudo hacía las veces de obra de arte. En aquel momento, optó por transformar su dormitorio en una jaula, recortando trozos de tela metálica y clavándolos sobre estructuras cuadradas de forma simétrica. El efecto resultante era similar al de los enrejados que había empleado en sus colages pornográficos para separar al observador del observado. En esta ocasión, sin embargo, se había encaramado literalmente tras la malla para protagonizar su propio drama pornográfico. Cerca de la cama colgaba una «máquina masturbatoria» que había diseñado rodeando un espejo con varias docenas de parpadeantes luces blancas similares a las de una ruleta de carnaval. El espejo cumplía la misma función que anteriormente habían desempeñado los autorretratos con Polaroid. Mapplethorpe, al igual que Narciso, se hallaba fascinado por su propia imagen reflejada y aún conservaba cierta curiosidad juvenil por su propio cuerpo. La jaula era una especie de «parque infantil» en el que Robert hacía las veces de niño insaciable.

Al comienzo de su relación con Wagstaff, Mapplethorpe le escribió en cierta ocasión: «Gracias por proporcionarme algunos de los meses más felices de mi vida. Te quiero.» Aunque no se parecían en nada, ambos personificaban e idealizaban la imagen de padre e hijo. Ciertamente, Wagstaff representaba el papel de padre adoptivo de Mapplethorpe: le amaba y le mantenía hasta un punto que Harry Mapplethorpe hubiera sido incapaz de llevar a cabo, y su clase y sus modales le convertían en la antítesis de Floral Park. Aún más: en lugar de mostrarse ocasionalmente frío y remoto como Harry, Sam disfrutaba acunando a Robert y hablándole como si se tratara de un bebé. Le llamaba «mi pequeño monito», y Robert le llamaba a él «abuelo». Con todo, había un aspecto en el que Harry y Sam se comportaban de modo idéntico: ambos se servían del dinero para controlar a Robert.

A pesar de su afán por desempeñar el papel de mecenas, Wagstaff era legendariamente tacaño en otros aspectos de su vida. Era capaz de conducir los kilómetros que fueran precisos con tal de ahorrarse los cincuenta centavos de un peaje de autopista, y rara vez se hacía cargo de una factura de restaurante. Seguía poniéndose las mismas camisas que había adquirido en Brooks Brothers varias décadas atrás, así como la misma chaqueta de color verde. En las raras ocasiones en que se decidía a pagar un taxi, era sabido que su propina apenas superaría unos pocos peniques. Había aprendido la frugalidad de su madre, quien siempre le había administrado el dinero como si jamás hubiera abandonado los pañales. Anne (Manoogian) MacDonald recordaba cierta ocasión en la que «Sam necesitaba diez dólares y su madre le indicó que fuera a su dormitorio, abriera el tercer cajón de su cómoda y le trajera un pequeño monedero que conservaba oculto bajo una almohada perfumada. A continuación, Sam permaneció junto a ella mientras esperaba a que, lentamente, desplegara el dinero y contara la cantidad exacta, para luego devolver el monedero al mismo lugar en el que lo había encontrado». Wagstaff adquirió la costumbre de recrear aquella pequeña ceremonia con Mapplethorpe, obligándole a menudo a sollozar por dinero como si fuera una criatura de cinco años. «Cada vez que necesitaba algo –solía explicar–, tenía que preguntarle: "Sammi, por favor, ¿podrías hacerme un regalo?" Me imagino que, efectivamente, *algo* había entre nosotros de relación padre-hijo.»

Al menos durante los primeros seis meses, tanto Mapplethorpe como Wagstaff mantuvieron una relación relativamente monógama. Almorzaban juntos casi todos los días y cenaban en compañía la mayor parte de las noches. Vivían, además, a cinco minutos de camino uno del otro, por lo que se visitaban frecuentemente sin previo aviso. Sin embargo, poco después de que Mapplethorpe se mudara a Bond Street, Wagstaff se quedó estupefacto al sorprenderle un día en la cama con un joven parisino y, tras perder los estribos, hubo de escuchar la siguiente admonición de su joven protegido: «Ésta es mi forma de vida, y el sexo es la única cosa por la que merece la pena vivir.» Mapplethorpe utilizaba sus relaciones sexuales como fuente de inspiración. Quería llevar la pornografía al reino del arte, por lo que sentía que necesitaba no sólo asimilar los convencionalismos del género, sino también continuar explorando su propia sexualidad. Así y todo, procuraba reducir al mínimo el número de sus relaciones porque no podía permitirse el lujo de perder a Wagstaff, con todo lo que éste representaba.

Wagstaff, por su parte, aun no compartiendo la obsesiva devoción de Robert hacia el sexo, no era ni mucho menos un mojigato. Sus aficiones eróticas incluían la asistencia a fiestas privadas animadas por espectáculos de sexo en vivo que, al menos en una ocasión, se encargó personalmente de fotografiar. De hecho, Wagstaff permitió a Mapplethorpe fotografiarle en una serie de poses sexualmente explícitas en las que incluso aceptó vestirse con prendas interiores de goma. En última instancia, sin embargo, los lazos que los unían eran más visuales que sexuales.

El mes de enero de 1973 contempló la inauguración de la primera muestra fotográfica de Mapplethorpe y el inicio de la afición de Wagstaff por el coleccionismo fotográfico. Sin contar con su amigo, Mapplethorpe había llevado sus *polaroids* a Harold Jones, director de la Galería Light, ubicada en el número 1018 de Madison Avenue desde que un abogado llamado Tennyson Shad la fundara dos años atrás. La Light era la única galería de Nueva York centrada casi exclusivamente en fotografía contemporánea, y Jones, que previamente había trabajado como conservador de la George Eastman House de Rochester, procuraba reservar parte de su tiempo todas las semanas para estudiar la obra de los jóvenes aspirantes a fotógrafos. Posteriormente, recordaría que un número sorprendente de aquellas imágenes se hallaban claramente basadas en el sexo, pues la popularidad del sistema Polaroid permitía a los artistas documentar de modo instantáneo sus actitudes más íntimas. Lucas Samaras, por ejemplo, había expuesto en la Galería Pace, en 1971, cuatrocientas fotografías inspiradas en sus fantasías autoeróticas.

Al contemplar las *polaroids* de Mapplethorpe, no obstante, Jones se sintió impresionado por la diferencia que advertía al compararlas con el resto, pues si bien Mapplethorpe se centraba en motivos poderosamente cargados de sexualidad, los trataba de un modo ausente que recordaba el enfoque que el propio Andy Warhol prestaba a su obra. Pese a lo libidinoso de sus temas, sus fotografías eran implacablemente «frías», y Jones accedió a exponer sus obras en la sala trasera –«experimental»– con que contaba la galería, tras lo cual Mapplethorpe se aplicó al diseño de una invitación que pudiera atraer al maximo la atención del público. «Una exposición no da comienzo en el momento en que penetramos en la galería», decía. «Comienza tan pronto como recibes la invitación por correo.» Lo primero que veía la gente al abrir el sobre era un autorretrato desnudo de Mapplethorpe sosteniendo una cámara, con el pene oculto por un punto adhesivo.

La muestra se inauguró el 6 de enero, y cuando Tennyson Shad se encontró a sí mismo cara a cara frente a la *polaroid* de un pene rodeado por un anillo, tan sólo se le ocurrió una pregunta que plantearle a Harold Jones: «¿Puede saberse qué demonios está pasando aquí?» Dado que no era Shad el encargado de organizar las exposiciones, apenas prestaba atención a las obras que se colgaban en la parte trasera; por otro lado, no se hallaba entre las trescientas personas que habían recibido la invitación de Mapplethorpe, por lo que a duras penas se encontraba preparado para enfrentarse al *strip-tease* fotográfico resultante. «Me sentí anonadado», recordaba después. «Es posible que arrastrara un sentido de "estética suburbana", pero no deseaba que mis hijas adolescentes vieran aquello.» Con todo, Shad se sintió igualmente asombrado por la muchedumbre que acudió a la inauguración, así como por la potencia de la «máquina Wagstaff-Mapplethorpe». En aquel caso, sin embargo, la aportación del primero era despreciable, ya que la estrategia de Robert –basada en el «establecimiento de contactos»– había tenido tal éxito que, entre la gente que había conocido en Max's y los personajes que le habían presentado Patti Smith, David Croland y John McKendry, gozaba ya de un público respetable. Claro está que ninguno de ellos formaba parte del público habitual de la Galería Light, para el que la fotografía implicaba a menudo una sumisión a la imagen «normal», esto es, imágenes que reflejaban la realidad externa, al modo de las de Aaron Siskind y Harry Callahan. El término «normal» resultaba igualmente apropiado en su sentido coloquial, ya que aquellos que tendían a frecuentar la Galería Light no pertenecían, por poner un ejemplo, al mismo tipo «urbano» que solía reunirse en la trastienda de Max. Había entre ellos estudiantes de fotografía, entusiastas de la cámara o jóvenes a los que el medio atraía simplemente porque les gustaba contemplar fotografías, y no porque aquella clase de arte representara una inversión de cara al futuro ni porque contaran con la presencia de personalidades célebres en la inauguración.

Los amigos de Mapplethorpe eran, decididamente, cuestión aparte. Tennyson Shad conserva el recuerdo de una sucesión de «reinas» y de hombres ataviados con prendas de cuero que iban invadiendo la galería en manada. Los contactos del fotógrafo, sin embargo, no se limitaban a aquel tipo de gente, y lo cierto es que había invitado a casi todas las personas que había conocido, bien en las cenas de McKendry o en cualquier otro lugar. Tan diversa mezcolanza de tipos sociales –marca de fábrica del universo warholiano–

habría de convertirse con el tiempo en otro rasgo igualmente característico de las inauguraciones de Mapplethorpe.

Sus temas eran otro elemento que habría de permanecer constante a lo largo de los años. En la Galería Light revelaba ya los tres motivos que habrían de concentrar su atención durante el resto de su vida: el retrato, las flores y el sexo. Mapplethorpe había ensayado diversas técnicas alternativas en sus colages, emplazando las imágenes sobre bolsas de papel, por ejemplo, o enmarcándolas en linóleo. Ahora, optaba por presentar sus *polaroids* en los estuches originales de plástico suministrados por el fabricante. En algunas ocasiones las pintaba de otros colores: tal fue el caso de Candy Darling, un travesti cuyo retrato apareció enmarcado en pasteles de tonos suaves. Para un retrato múltiple de Patti Smith llegó a incluir las instrucciones incluidas con la caja, en las que podía hallarse un conciso resumen de su protectora actitud hacia ella: «NO TOCAR. Sujétese por los bordes.» La pieza más ambiciosa de toda la exposición era una serie compuesta por cuatro autorretratos de desnudo superpuestos sobre dos fotografías de esculturas clásicas: anunciaba la futura obsesión de Mapplethorpe por la relación entre la escultura y la forma humana, así como por las posibilidades de emplear la cámara fotográfica para cincelar el cuerpo.

Las fotografías de Mapplethorpe se vendían a un precio aproximado de cien dólares, pero no puede decirse que contaran con un gran mercado; de hecho, no existía un mercado establecido para la fotografía en general. Desde que Alfred Stieglitz fundara su Galería «291» en 1905, apenas había habido un puñado de tratantes dispuestos a exponer fotografía, y rara vez habían logrado obtener beneficio alguno de tales proyectos. Durante la década de los treinta, Julien Levy, especialista en pintura surrealista, expuso a Man Ray, Brassaï y Atget en su galería de la calle Cincuenta y siete Oeste, pero ni al precio de diez dólares la copia consiguió vender sus fotografías, y hubo de ser el propio galerista quien adquiriera la mayoría. Veinte años después, Helen Gee inauguró el Limelight, una mezcla de galería de arte y café al estilo Greenwich Village en la que vendía *espresso* y pastas junto con fotografías de Edward Weston, Paul Strand y Elliott Erwitt. Las pastas, sin embargo, resultaban más populares que las fotografías, y Gee dependía de los beneficios del café para mantener viva su galería. Lee Witkin, quien inauguró asimismo una galería en la calle Sesenta Este en 1969, obtuvo mayor éxito que sus predecesores, pues presentaba las fotografías del mismo modo que los bibliófilos presentaban sus libros, y los clientes acudían a su galería atraídos por su ambiente acogedor y levemente mohoso. Witkin –galerista exclusivo de Edward Weston– exponía una mezcla de obras contemporáneas e históricas, pero no se mostraba especialmente interesado en ampliar el público asiduo al género más allá de su pequeño círculo de coleccionistas. Witkin había dominado el mercado hasta la inauguración de la Galería Light, un acontecimiento que confirmó el concepto de que la fotografía era un arte a la altura de la pintura y la escultura.

En un artículo escrito en 1972 para la revista *New York* y titulado «El triunfo de la fotografía, o Un adiós a la jerarquía en las artes», la crítica Barbara Rose se refería a los tradicionales prejuicios que había padecido la fotografía: «Las distinciones que separaban las artes "menores" tales como la fotografía, el cine, el grabado y las actividades artesanales, de las artes "mayores", esto es, arquitectura, pintura y escultura, eran distinciones jerárquicas impuestas en las postrimerías de la Edad Media. [...] La pintura fue proclamada como la más noble de las artes debido a que era la más limpia y espiritual (los escultores aún se veían obligados a realizar la sucia labor de tallar la piedra y fundir el bronce).» Según Rose, la fotografía era aún más sucia debido a que los críticos «elitistas» consideraban que se basaba «exclusivamente en imágenes halladas» y, por ello, poseía «menor libertad imaginativa que la pintura y la escultura».

Sam Wagstaff sostenía un prejuicio similar y, si bien él mismo disfrutaba tomando fotografías –curiosamente, sus temas favoritos eran las flores y los gatos–, asociaba la fotografía con los reportajes fotográficos de *Life* y *Look*. Siempre los había detestado, y el nombre de W. Eugene Smith bastaba para tenerle media hora perorando acerca de los fotógrafos «socialmente conscientes» que sometían al público a retratos sensibleros de valientes amas de casa y heroicos médicos rurales. «¿Por qué es necesario que la fotografía transmita algún mensaje?», clamaba. Había acudido al Museo de Arte Moderno para visitar la exposición titulada «Family of Man» («La Familia del Hombre»), considerada como el principal acontecimiento fotográfico de los cincuenta, y ello le había tornado aún más averso al género. Edward Steichen, quien por entonces ocupaba el puesto de director de fotografía del museo, había reunido quinientas tres imágenes procedentes de sesenta y ocho países para conmemorar la «unidad esencial de la humanidad en todo el planeta». Wagstaff despreció la muestra, calificándola de vulgar, y adquirió la costumbre de citarla con regularidad como ejemplo de todos los defectos de la fotografía; como posteriormente manifestó al *New York Times*: «Para el arte, el sentimentalismo es el beso de la muerte.»

Lo que le hizo cambiar de opinión fue una exposición titulada «The Painterly Photograph» («La Fotografía Pictórica»), inaugurada en el Metropolitan varios días después del debut de Mapplethorpe en la Galería Light. La muestra se centraba en los fotosecesionistas, un grupo más bien disperso de fotógrafos pictóricos norteamericanos encabezados por Alfred Stieglitz, cuyas soñadoras y poéticas imágenes de desnudos y de paisajes rurales y urbanos mostraban la influencia de la pintura impresionista y simbolista. Las fotografías que componían la muestra habían formado parte de la colección Stieglitz del Metropolitan, pero muchas de ellas jamás habían sido expuestas desde que Stieglitz las publicara en *Camera Work* cincuenta años atrás. Habían sido reunidas y colgadas por Weston Naef, ayudante de John McKendry, ya que el propio conservador estaba demasiado ocupado para encargarse de un proyecto semejante. Wagstaff acompañó a Mapplethorpe a regañadientes en su visita a la exposición. Iba con la intención de no dejarse atraer por nada, hasta que vio una fotografía de Edward Steichen: *Flatiron Building*. La imagen aparecía teñida de un neblinoso tono verde que le proporcionaba cierta calidad lírica y «pictórica». Wagstaff se quedó contemplándola mientras iba absorbiendo los detalles: la silueta del caballo y del cochero; el resplandor de las farolas callejeras; el delicado trazo de los árboles. Se resistía a creer que aquella fotografía pudiera haberla tomado el mismo Edward Steichen que había creado la para él tediosa exposición de «Family of Man». Posteriormente, un periodista del *New York Times* comparó la reacción de Wagstaff con la de Pablo de Tarso, cegado durante el camino de Damasco, ya que, de repente y sin previo aviso, se vio firmemente convertido a la fotografía. «Para mí, aquella fotografía estaba a la altura de Eakins, de Whistler, de cualquier cuadro norteamericano de la época», manifestó más tarde a *Newsweek*. «Era magnífica.»

Wagstaff hablaba constantemente de aquella imagen, y comenzó a rumiar sobre las posibles ventajas de coleccionar fotografía. Mapplethorpe le animó a hacerlo, pues opinaba que Wagstaff se estaba involucrando demasiado con el Instituto Arica, y le preocupaba que un buen día decidiera de repente donarles todo su dinero. Wagstaff, sin embargo, necesitaba consultar con toda una cohorte de videntes y astrólogos antes de tomar alguna decisión, y una tarde acudió a Patti Smith para que le leyera el tarot y así poder determinar si tenía algún sentido dedicarse al coleccionismo fotográfico. «El resultado –concluyó ella tras leer las cartas– es considerablemente favorable.»

Cuando Wagstaff comenzó a coleccionar fotografías, descubrió que era un campo en el que se encontraba prácticamente solo. Aparte de los museos y las instituciones privadas, sus principales competidores eran un abogado de Chicago, Arnold Crane, y un bibliófilo parisino llamado André Jammes, pero ambos habían completado ya los cimientos básicos de sus respectivas colecciones. Crane había copado el mercado de Walker Evans, Man Ray, Laszlo Moholy-Nagy e Hippolyte Bayard, mientras que Jammes, por su parte, se había especializado en fotografía francesa del siglo XIX. Con tan pocas personas dedicadas de un modo activo a la adquisición de fotografías, Wagstaff reconoció inmediatamente la oportunidad de distinguirse en este campo. La fotografía representaba una de las últimas fronteras del arte en las que aún podían descubrirse y reescribirse históricamente obras maestras desconocidas. Dejó de importarle que los historiadores del arte hubieran despreciado tradicionalmente la fotografía: le encantaban los desafíos, y como historiador del arte que él mismo era, ¿quién mejor para iluminar a sus propios camaradas? «Opino que Sam siempre había considerado que su vida era un fracaso», explicaba Paul Walter, quien más tarde amasaría igualmente una importante colección fotográfica. «La publicidad no le había satisfecho y, más tarde, no había logrado obtener el puesto de director en el Ateneo [de Wadsworth]. Su experiencia en Detroit había constituido otra decepción y, a partir de ahí, había ido derivando hacia un mundo de drogas y de charlatanes espirituales. La fotografía le salvó.»

Con el paso de los años, se fue afianzando el hecho de que Mapplethorpe y Wagstaff habían acordado cierto compromiso mutuo mediante el cual Robert ayudaría a Sam con su colección y éste, a cambio, contribuiría al desarrollo de la carrera del joven fotógrafo. Sin embargo, tan elemental *quid pro quo* nunca llegó a producirse. Mapplethorpe continuaba experimentando sentimientos enfrentados con respecto a la fotografía y, de haber mostrado el más mínimo talento en el terreno de la pintura, es probable que no hubiera vuelto a coger una cámara. Sus opciones, no obstante, se hallaban limitadas, aparte de lo cual carecía de la disciplina necesaria para trabajar en algo que le ocupara más allá de unas pocas horas. En 1988 confesó a la conservadora Janet Kardon: «[La fotografía] Representaba para mí, o al menos eso me parecía, el medio perfecto para una época tan acelerada como los setenta y los ochenta. De haber tenido que hacer algo en lo que hubiera tardado dos semanas, habría perdido todo entusiasmo. Se habría convertido en un acto laborioso, y su atractivo se habría desvanecido. Con la fotografía, uno se limita a apuntar y a disparar; se descarga una gran cantidad de energía en breves instantes e, inmediatamente, se pasa a otra cosa. Es como si nos permitiera actuar de un modo muy contemporáneo y obtener no obstante el resultado apetecido.» Dado que Wagstaff se contemplaba a sí mismo como el principal discípulo de la fotografía y que Mapplethorpe dependía de él tanto emocional como económicamente, parecía natural que ambos unieran sus fuerzas. Y acaso resultó aún más lógico que cuando, posteriormente, Wagstaff elaboró sus propios patrones fotográficos, la obra de Mapplethorpe se convirtiera en el elemento central de su jerarquía.

Wagstaff se mostraba invariablemente generoso a la hora de alabar a Mapplethorpe por haber sabido estimular su interés por la fotografía pero, en realidad, ya entonces era más experto en el terreno fotográfico que su «mentor». Así y todo, le gustaba decir a la gente que Mapplethorpe era «puramente un instrumento visual», y que se servía de él a modo de varilla de zahorí destinada a revelar la presencia de obras maestras. En febrero, Mapplethorpe llevó a Wagstaff al local de un comerciante de pornografía de Staten Island al que acudía con la esperanza de adquirir algunos dibujos de Tom of Finland. Cuando llegó, comprobó con disgusto que no eran originales, sino fotocopias. «Aparte de aquello –reveló Mapplethorpe durante una entrevista del *Print Collector's Newsletter* (Boletín del Coleccionista de Grabado)–, casi todo lo que tenía era pornografía blanda.»

Mapplethorpe y Wagstaff ya se disponían a marcharse cuando el encargado sacó un nuevo paquete de libros de fotografías. Mapplethorpe le preguntó si alguna vez había oído hablar de «cierto conde o barón o algo así, que acostumbraba a fotografiar a niños pequeños en Italia». Al punto, el hombre les mostró varias docenas de fotografías del barón Von Gloeden, un fotógrafo homosexual que había trabajado en Taormina, Italia, a comienzos del siglo XIX. Von Gloeden se había especializado en fotografías de muchachos sicilianos de piel morena que retrataba ante decorados de estilo clásico para luego vender las copias a coleccionistas gays de Europa y Norteamérica. Del mismo modo que los pintores homosexuales habían recurrido en ocasiones a los temas clásicos y religiosos para justificar el desnudo masculino, Von Gloeden vestía a sus modelos con togas y guirnaldas y los fotografiaba frente a las pintorescas ruinas de Taormina. «Con tal de que en algún lugar de la imagen apareciera una columna clásica –declaraba Allen Ellenzweig, autor de *The Homoerotic Photograph*–, el desnudo masculino se convertía en algo permisible por su contexto. Lograba que incluso el espectador heterosexual pudiera contemplar la imagen sin sentirse amenazado.» Mapplethorpe animó a Wagstaff a comprar aquellas fotografías, y los anticuados desnudos de Von Gloeden se convirtieron en las primeras integrantes de la colección Wagstaff al precio de veinticinco dólares la pieza. Posteriormente, Wagstaff regaló a Mapplethorpe varias de ellas para que también él pudiera iniciar su propia colección.

En marzo, Wagstaff realizó una adquisición más sustanciosa cuando el tratante George Rinhart le vendió una colección de placas de platino de la abadía de Kelmscott realizadas por Frederick Evans en 1896. Pocas semanas después, Wagstaff invitó a Rinhart a cenar a su apartamento de Bond Street. «Acudí en taxi a aquella calle espantosa y me bajé frente a un edificio igualmente espantoso», recordaba posteriormente Rinhart. «Y a quién me encuentro *allí* sino al espantoso Robert Mapplethorpe.» Rinhart había conocido a Mapplethorpe por medio de John McKendry un año antes, pero lo había despreciado, calificándolo de «golfo callejero y oportunista». El hecho de que Robert hubiera logrado avanzar de McKendry a Sam Wagstaff se le antojó a Rinhart algo completamente increíble. A lo largo de los años, Wagstaff se convirtió en uno de los mejores clientes de Rinhart y llevó a menudo a Mapplethorpe al apartamento del tratante en la calle Ochenta y tres Oeste y, más tarde, a su casa de Connecticut. «A menudo –recuerda Rinhart–, jugaban a un juego privado en el que Sam preguntaba: "Robert, ¿te gustaría tener esta fotografía?" Mapplethorpe la miraba y respondía: "Sí, Sammi", con voz de bebé. Sam adoraba a Robert. Habría hecho cualquier cosa por él.»

No obstante, Mapplethorpe no se mostraba tan indulgente con los caprichos de Wagstaff, y cada vez que le veía coger una cámara, sufría una pataleta infantil. Wagstaff era consciente de ser tan sólo un aficionado, y aunque fantaseaba con la idea de convertirse algún día en fotógrafo artístico, aún no había adquirido la confianza necesaria para posar tras una de sus obras «con un cubo lleno de mi propia sangre». Sin embargo, del mismo modo que Wagstaff se enamoraba de los artistas como medio de aproximación al arte, perseguía el empleo de la cámara como medio para establecer un lazo más íntimo con la fotografía. Intentó acordar una sesión de fotografía con Patti Smith, pero Mapplethorpe logró sabotear sus intenciones y le reprochó el haber invadido su terreno. «Tú eres un coleccionista», le recordó. «El artista soy *yo.*»

El rencor aumentó cuando, aquel mismo mes de mayo, Mapplethorpe viajó a Amsterdam para pasar cinco días de vacaciones y Wagstaff se quedó en Nueva York cuidando de su madre enferma. Uno y otro habían acordado encontrarse a finales de aquella semana para asistir juntos a una subasta de fotografía que había de tener lugar en el Sotheby Parke-Bernet de Londres. Dado que ninguna de las firmas especializadas de Nueva York celebraba subastas de fotografía con regularidad, Wagstaff creyó importante estar presente en la de Londres, pero no quería abandonar a su madre mientras su situación no se estabilizara. Cuando Mapplethorpe llegó a Londres, se registró en el Hotel Constantin, de South Kensington, y telefoneó inmediatamente a Wagstaff. Ambos comenzaron a discutir acerca del *hobby* de Wagstaff: Sam acusaba a Robert de intentar «inhibir» sus actividades, y le sugirió que a uno y otro podría venirles bien estar separados algún tiempo. Tras colgar, Mapplethorpe se sintió presa del pánico. Wagstaff era su salvavidas, y dependía de él para que el banco no devolviera sus cheques y para que no le cortaran el teléfono cada vez que olvidaba pagar las facturas a tiempo. No podía imaginarse a sí mismo retornado a la precaria existencia de la época anterior a conocerle, por lo que se apresuró a escribirle una carta en la que incluía una cuasidisculpa: «Soy un egoísta, pero también es cierto que se trata de un atri*v*uto [*sic*] común a todos los artistas.»*

La madre de Wagstaff murió a mediados del mes de mayo, y una de las primeras cosas que hizo Sam fue retratarla en su lecho de muerte. Por más que pudiera parecer un acto macabro, en realidad estaba siguiendo la tradición de los fotógrafos victorianos que tomaban fotografías de los fallecidos a modo de recuerdo para sus desconsolados familiares. Wagstaff fotografió asimismo el

* Obviamente, las faltas de ortografía contenidas en la traducción española de los textos de Mapplethorpe no pueden corresponderse exactamente con las cometidas por el artista. No obstante, se han imitado por su valor informativo y testimonial, procurando en todo momento que se aproximen lo más posible a las originales. (*N. del T.*)

escenario de su muerte: una habitación del Hotel St. Regis; quería recordar todos los detalles: las cortinas hinchadas por el viento, el florido picaporte de latón, y la pila de pañuelos de encaje. «Me desazona ligeramente el hecho de no estar presente para acompañarte durante el funeral de tu madre –le escribió Mapplethorpe desde Londres–, pero esas cosas me deprimen terriblemente.» Le inquietaba tener que asistir a la subasta de Sotheby por sí solo, y el 24 de mayo escribió a Wagstaff: «Se acerca Southerby's [*sic*]. Nunca he pugado [*sic*] por nada, pero imagino que cualquiera puede hacerlo. Sino [*sic*] estás aquí, intentaré descubrir alguna ganga, pero no puedo prometerte nada porque no estoy familiarizado con los precios de estas cosas.»

Mapplethorpe, entretanto, aprovechó para llevar sus *polaroids* a varios galeristas pero, como más tarde escribió a Wagstaff, fue invariablemente recibido con «las mismas tonterías de siempre acerca de la imposibilidad de exponer aquella clase de obras». Terminó decidiendo que si quería tener éxito tenía que determinar el punto exacto de equilibrio entre lo aceptable y lo inaceptable, y así se lo confesó posteriormente a Wagstaff: «Hoy estuve sacando algunas fotografías de flores. Creo que debería interesarme un poco menos por lo grotesco en mi obra si realmente me interesa que mi trabajo prospere. Es preciso facilitarle el acceso al público, y eso ya representa en sí una forma de arte... Venderle flores al público... cosas que puedan colgar de la pared sin sentirse incómodos.»

La muerte de Olga Newhall hizo de Sam Wagstaff un hombre rico: tanto él como su hermana Judith heredaron varios millones de dólares en acciones de la Newhall Land and Farming Company. Pese a las apariencias, los Wagstaff nunca habían sido ricos, al menos en comparación con muchos de sus antiguos compañeros en el escalafón social, y aunque Sam había disfrutado de una vida privilegiada, hasta la muerte de su padrastro siempre había dependido de su sueldo de conservador. Ahora que ya no tendría que volver a trabajar para vivir, se entregó con renovada pasión a sus sueños de coleccionista.

«No creo que ningún coleccionista sepa realmente cuáles son sus motivaciones», declaró durante una entrevista a *Art & Antiques*. «Las obsesiones –como cualquier otro tipo de pasión– son cegadoras.» Wagstaff era capaz de comprar docenas de fotografías de golpe, pero con su eterna tacañería se negaba a gastar dinero en taxis, y prefería trasladarse de un lado a otro en metro con bolsas de la compra atestadas de adquisiciones valoradas en varios miles de dólares. A menudo, Mapplethorpe le acompañaba en sus viajes de exploración pero, incluso cuando no lo hacía, Wagstaff se detenía en el apartamento de Robert de camino a su casa y vertía por el suelo el contenido de las bolsas. Ambos se rodeaban entonces de imágenes de catedrales, campos de batalla, estrellas de cine, desnudos masculinos, indios norteamericanos, cadáveres de la guerra civil, ángeles, flores y calaveras. Al igual que la magdalena de Proust, algunas de aquellas imágenes desencadenaban torrentes de emociones y sensaciones. Wagstaff casi creía poder olfatear el aroma del perfume de su madre cuando contemplaba la fotografía que Cecil Beaton tomara en 1926 de un grupo de muchachas recién puestas de largo o el retrato de Irving Penn de la elegante esposa de William Rhinelander Stewart. «Es preciso demoler la barrera de la mirada y obligar a la mente a callarse», aconsejaba a Mapplethorpe. «La fotografía es un lenguaje silencioso.»

Mapplethorpe ya había aprendido fotografía con Sandy Daley y con John McKendry, pero su experiencia con Sam Wagstaff fue completamente diferente. «Realmente, aprendí mucho», reveló luego a Janet Kardon. «Y el hecho de poder manipular las fotografías era una experiencia maravillosa. A menudo, uno tiene que limitarse a verlas a través del cristal de una vitrina, y no es lo mismo.» Por si fuera poco, disfrutaba de la oportunidad de estudiar fotografías que pocos norteamericanos habían visto antes. A Wagstaff le cupo el honor de llevar a Norteamérica la primera colección de fotografías de Nadar, el retratista francés del siglo XIX que había fotografiado a las más importantes personalidades del país. Nadar era una celebridad por derecho propio: extravagante y exquisito, se hallaba a la misma altura que sus modelos. Para Mapplethorpe, que posteriormente le citaría como su fotógrafo más admirado, esto último representaba un matiz importante.

Durante los años siguientes, Mapplethorpe se vio desbordado de imaginería fotográfica, y aunque posteriormente se encrespara ante la sugerencia de que el coleccionismo de Wagstaff pudiera haber influido en su estética —«Yo ya contaba con mi propia perspectiva», solía decir—, habría sido de todo punto imposible que no se viera afectado por él. Siempre que Wagstaff pronunciaba conferencias sobre fotografía, subrayaba invariablemente la importancia que tenía para los jóvenes fotógrafos el conocer la historia del medio: «Así tienen la posibilidad de contagiarse de parte de esa potencia, de esa magia y de esa calidad.»

La obsesión de Wagstaff por el pasado, sin embargo, era tan poderosa que Mapplethorpe se veía obligado a defenderse para que no dominara completamente su carrera. A Wagstaff le gustaba contemplar la fotografía en compañía, y presionaba a menudo a Mapplethorpe para que le acompañara en sus viajes. Esto, a veces, irritaba a Robert, quien prefería dedicar el tiempo a trabajar en sus propias obras. Wagstaff le había dado cincuenta mil dólares: quizá no un obsequio excesivamente generoso si tenemos en cuenta la cuantía de la herencia que había recibido, pero sí lo suficiente para que Mapplethorpe no tuviera que preocuparse más del pago de sus facturas. Recientemente, había adquirido una Graphic 4x5 a la que había conectado una Polaroid y, dado que por entonces la Polaroid Corporation fabricaba ya película en positivo-negativo, tenía la posibilidad de realizar copias de mayor tamaño a partir del negativo. Con ello, se vio ante la necesidad de contar con marcos más grandes, por lo que contrató a un ebanista llamado Robert Fosdick, con quien habría de colaborar durante varios años. «Para Robert fue una época muy excitante –recordaba Fosdick–, porque por fin contaba con los recursos necesarios para explorar sus ideas a fondo. A menudo, esbozaba un diseño y luego me pedía que se lo construyera. Robert jamás cogía personalmente una herramienta. Estaba firmemente convencido de que existía una clara división entre artesanía y arte.»

Las obras que Mapplethorpe creó entonces eran mucho más ambiciosas que las *polaroids* que había expuesto en la Galería Light, para las cuales se había servido de casetes de plástico a modo de marcos. En *Self Portrait, 1973* (Autorretrato, 1973), se fotografió a sí mismo con una cazadora de cuero y una pinza en el pezón, para luego reforzar el carácter sadomasoquista de la imagen enmarcando la fotografía con cuero negro. *Made in Canada* (Hecho en Canadá) era una burla inofensiva de los típicos álbumes de fotos familiares: en primer lugar, realizó una serie de dieciséis *polaroids* en las que aparecía un hombre desnudo (probablemente Wagstaff) con el pene anudado por un cordón negro; a continuación, dispuso las copias sobre un álbum de fotos y fotografió a su vez el resultado. Por fin, enmarcó la imagen resultante en una estructura horizontal de color rojo que Fosdick había construido previamente. El resultado fue que había logrado enmarcar las fotografías tres veces: las había dispuesto en el álbum y había fotografiado el álbum para terminar enmarcando literalmente la imagen final. Una de sus obras de técnica mixta, titulada *Gentlemen* (Hombres), constituía un intento por mezclar escultura y fotografía, pero no obtuvo sino una pieza que resultaba casi ridículamente juvenil y en la que aparecían revelados sus peores excesos. Había cogido un barril de madera, lo había pintado de rojo, había forrado la parte superior de cuero negro y tachuelas de metal y luego había emplazado un crucifijo sobre él. A continuación, había colocado el barril sobre un pedestal, también de madera, adornado con una placa en la que podía leerse la palabra HOMBRES. La referencia a los lavabos masculinos resultaba evidente gracias al autorretrato que aparecía en el lado opuesto del pedestal. En él, aparecía Mapplethorpe agazapado sobre el barril, como si estuviera defecando sobre el crucifijo o dejándose penetrar por él. *Gentlemen* figuró expuesta a comienzos de 1974 en la Galería Buecker & Harpsichords en el marco de una muestra colectiva titulada «Recent Religious and Ritual Art» («Obras recientes de arte religioso y ritual»). *ARTnews* describió a los artistas participantes como «visionarios que en ocasiones caen en lo bufonesco o lo demencial».

Patti Smith era precisamente una de aquellas visionarias. Durante la primavera de 1973 actuó regularmente en el Mercer Arts Center, leyendo sus poemas con el acompañamiento de un piano de juguete y bufando obscenidades al público. Se inspiraba en dos fuentes igualmente descabelladas: el poeta ruso Vladimir Mayakovsky, con sus intentos de «despoetizar» la poesía mediante la crudeza en el lenguaje, y el programa de entrevistas de Johnny Carson, a quien Patti admiraba por la imperturbabilidad de su discurso y la fluidez de su charla. El Mercer Arts Center era punto de encuentro de bandas de rock tan espectaculares como las New York Dolls, descendientes directas de David Bowie y de sus andróginas encarnaciones de Ziggy Stardust, e igualmente aficionadas al empleo de escandalosos maquillajes, vestidos de lentejuelas y botas de tacones monumentales. Comparada con las Dolls, Patti Smith era puramente cerebral, y sus aburridos oyentes a menudo saludaban sus actuaciones con silbidos y abucheos, a lo cual ella respondía lanzándoles pullas a través de un megáfono hasta ganárselos al precio de terminar afónica y exhausta. A continuación, continuaba recitando su poesía, interrumpiéndose de cuando en cuando para relatar historias de su vida y revoloteando, como de costumbre, entre lo real y lo imaginario. «Uno veía a aquel personajillo flacucho intentando valerosamente crear arte a partir de su vida», solía decir Jane Friedman, quien recientemente había asumido el papel de representante de Patti. «Patti se desnudaba emocionalmente. En todas las ocasiones en que acudí a escucharla, jamás la oí repetir una misma historia. Era completamente espontánea. Las palabras fluían, sencillamente, de sus labios.» Friedman, quien a la sazón trabajaba en la firma publicitaria Wartoke, se había mostrado reacia a representar a Patti, ya que no estaba segura de cómo podía promocionarse una poetisa. Patti, sin embargo, le hizo entender que se estaba «muriendo de tuberculosis», y Friedman experimentó tan mala conciencia que aceptó reunirse con ella. Para cuando descubrió la estratagema, ya había caído seducida por la personalidad de Patti y, dado que el Mercer Arts Center era uno de sus clientes, no tuvo dificultad en incluirla como telonera.

En mayo, Friedman le consiguió a Patti una nueva actuación en un local llamado Kenny's Castaways,* en el que había de presentar la actuación de una cantante que interpretaba música de *«Rag and Roll»*. «A lo mejor un poco de basura ayuda a animar este lugar», gritó Patti una tarde en que se hallaba presente el crítico de *The Village Voice*. A continuación, comenzó a recitar un poema titulado «Rape» (Violación), que hablaba de «un lobo camuflado bajo una piel de cordero a modo de caballo de Troya». Posteriormente, el crítico del *Voice* escribió que Patti se hallaba «a la vanguardia de una mutación cultural, como una poetisa de oropel críptica y andrógina al estilo de Keith Richard».

La carrera de Patti avanzaba a tal velocidad y en tantas direcciones simultá-

* *Kenny's Castaways*: literalmente, «Los náufragos de Kenny». *(N. del T.)*

neas que no resultaba fácil mantenerse al tanto de sus actividades. Tan pronto se trasladaba a Francia para efectuar investigaciones destinadas a una biografía de Rimbaud que nunca llegaba a completar como, apenas una semana después, aparecía en la Quinta Avenida actuando como modelo de pieles Revillon para Fernando Sánchez en un desfile de Saks. En septiembre, Andreas Brown, propietaria de la librería Gotham Book Mart, publicó su tercer volumen de poesía, titulado *Witt,* y organizó en el local una exposición simultánea de dibujos de Patti. Ésta obligó a Mapplethorpe a fotografiarla para la portada de *Witt* y convenció a Andreas para incluir las fotografías de Mapplethorpe en una inminente exposición colectiva en la que también habían de figurar *polaroids* de Andy Warhol y de su socia Brigid Polk.

A lo largo de los años, la actitud de Mapplethorpe frente a Warhol había pasado de la adulación a la competencia. En otro tiempo, había confiado en llegar a convertirse en amigo suyo –acaso incluso en su protegido–, pero había aprendido rápidamente que Warhol no pertenecía exactamente al modelo del mentor clásico: era la gente la que ayudaba a Warhol, y no al revés. En *Holy Terror: Andy Warhol Close Up,** Bob Colacello rememora un divertido episodio en el que tanto Mapplethorpe como Warhol se presentaron simultáneamente en el Lincoln Center con la intención de fotografiar a Rudolf Nureyev y comenzaron a batirse en una especie de duelo «polaroidiano» mientras el temperamental bailarín iba rompiendo las fotografías una por una. Posteriormente, Warhol reprendió a Colacello por haber invitado a Mapplethorpe. «No estarás enamorado de Robert Mapplethorpe, ¿verdad?», preguntó en repetidas ocasiones Warhol a Colacello, quien por entonces trabajaba como editor de *Interview* y estaba, efectivamente, enamorado de Mapplethorpe. «Es un cochino», se quejaba Warhol. «Le huelen los pies. No tiene un centavo. Y, luego, está esa horrible Patti Smith...» A Mapplethorpe le preocupaba que Warhol pudiera robarle las ideas, y le consideraba –acaso con acierto– como alguien que «le chupa la sangre a la gente». Ciertamente, Warhol tenía fama de apropiarse de algunas de las ideas de sus empleados de la Factory, pero también es cierto que trabajaba con *polaroids* desde mucho antes que Mapplethorpe. Y fue Warhol –y no Mapplethorpe– quien más interés despertó durante la exposición de Gotham; de hecho, Andreas Brown apenas lograba recordar las *polaroids* de Mapplethorpe. «No debían ser malas cuando las incluí en la exposición –concluye–, pero a quien la gente venía a ver era a Andy.»

Sam Wagstaff decidió asegurarse de que no volviera a ocurrir una cosa así, y reemprendió renovados esfuerzos para promocionar a Mapplethorpe. «Era como si jamás hubiera existido otro artista en el mundo», recordaba Sam Green. «Gauguin, Velázquez... olvídate. No había más que Robert Mapple-

* Literalmente, «Terror sagrado» o «Terror sin límites: un primer plano de Andy Warhol». *(N. del T.)*

thorpe.» En octubre, Mapplethorpe y Wagstaff asistieron a la frenética subasta de Scull en el Sotheby Parke-Bernet, repleto de cámaras de televisión y de personajes del mundo del disco atraídos por el boom artístico de los años setenta y ochenta. Robert Scull, dueño de una flota de taxis, y su esposa, «Spike», eran los más célebres coleccionistas de arte contemporáneo de Norteamérica, y su ascensión desde la plebe a la alta sociedad había merecido la crónica de Tom Wolfe, quien los describía como «los héroes populares de todos los personajes con ambiciones sociales que poblaban Nueva York». Tras abrirse paso a través de la muchedumbre que atestaba el salón de subastas, Wagstaff localizó a Bob Scull y se lo presentó a Mapplethorpe. «Deberías conocer su obra –le confió Wagstaff a Scull hablando de coleccionista a coleccionista–, porque en el futuro ha de ser famosa.»

CAPÍTULO ONCE

«Me dediqué a la fotografía porque se me antojó como el vehículo perfecto para ilustrar la locura del mundo actual.»

Robert MAPPLETHORPE

Francesco Scavullo realizó en 1974 un retrato de Robert Mapplethorpe y Sam Wagstaff que podría titularse *El Momento Perfecto* (apropiándose del título de la exposición de Mapplethorpe de 1988). En efecto, al igual que Mapplethorpe fotografiaba las flores en su punto culminante de esplendor, Scavullo logró capturar a Robert y a Sam en el punto culminante de su romance: nunca más volverían a aparecer ambos tan atractivos ni tan felices.

Durante algún tiempo, Mapplethorpe se había sentido satisfecho del compromiso alcanzado con Wagstaff; todas las semanas, pasaban varias noches juntos, sin hacerse preguntas acerca de aquellas que dormían separados. Sin embargo, el anhelo de aventuras de Mapplethorpe crecía en proporción directa al número de sus contactos sexuales. Si en otro tiempo había sido un asiduo voyeur del mundo sadomasoquista, ahora había pasado a convertirse en un participante en toda regla, y su obsesión por disfrutar del sexo amenazaba con anular cualquier otro aspecto de su vida. Era como si súbitamente hubiera abierto una caja de Pandora de la que hubiera surgido un enjambre de fascinantes jovencitos que le tentaban con «poppers» de amil nitrito y MDA y con atributos sexuales de todas las formas, tamaños y diseños posibles. Wagstaff siempre se había mostrado tolerante con la promiscuidad de Mapplethorpe, pero jamás había podido imaginar que su anhelo de satisfacción sexual habría de desembocar en un comportamiento tan compulsivo. Mapplethorpe protestaba, afirmando que no se sentía vivo si no hacía el amor a diario, y admitía sin tapujos que se había convertido en un «adicto al sexo».

Lo que sí es cierto es que Mapplethorpe se había convertido en un adicto a las drogas: iniciaba el día a base de marihuana y cocaína y, luego, cuando llegaba la noche, volvía a tomar cocaína, MDA, Quaaludes y cualquier otra cosa que tuviera a mano. A excepción de una cerveza o una copa de champán de vez en cuando, rara vez bebía alcohol, pues afirmaba que le «atontaba». Las drogas, sin embargo, formaban parte integral del mundo sadomasoquista, ya que intensificaban el placer de ciertos encuentros físicos que, de otro modo, habrían resultado demasiado dolorosos.

Comenzó a frecuentar bares –a «desaparecer en la noche», como él lo llamaba– los siete días de la semana. No hacía mucho que Sam Wagstaff había encargado a un vidente iowa que elaborara la carta astral de Robert, y éste le había advertido que Mapplethorpe tenía «problemas dentro de su esfera sexual», pero que ello era algo inextricablemente ligado a su creatividad: «de algún modo, lo uno y lo otro forman un todo». La obsesión de Wagstaff por la fotografía era comparable a la de Mapplethorpe por el sexo, y durante los seis primeros meses de 1974, Sam adquirió (por citar únicamente sus compras a George Rinhart) más de doscientas fotografías. No contento con la fotografía artística, a menudo regresaba de sus expediciones cargado con tarjetas de visita, postales, estereografías, libros ilustrados y mohosos anuarios decimonónicos. Mapplethorpe le describía como un «completo loco», pero tanto el uno como el otro se hallaban algo enloquecidos: el uno a causa de su voracidad sexual; el otro, por su insaciabilidad visual. Entre ambos, consumían por igual imágenes y personas.

En febrero de 1974, Mapplethorpe viajó a Londres para asistir a la subasta de fotografía de Sotheby's, y escribió una carta a Wagstaff nada más embarcar en el avión de la BOAC: «Sammi, te prometo que este año voy a trabajar verdaderamente de firme. Es posible que el año que viene sea el inútil quien lleve a casa parte de los garbanzos. Has sido realmente bueno conmigo. Te quiero, Sammi.» Una semana después, Wagstaff se reunió con él en el Hotel Constantin, pero regresó a Nueva York nada más concluir la subasta, mientras que Mapplethorpe permaneció en Londres hasta finales de marzo. «Acaso se debiera únicamente a la separación –escribió tras una conversación telefónica de larga distancia–, pero lo cierto es que te echaba de menos. Y, de algún modo, tenía la sensación de que no te alegrabas de oírme. Era como si tuvieras a alguien al lado y no pudieses hablar.» Se mostraba aún más franco acerca de sus inseguridades en otra carta escrita con posterioridad: «No quiero que nuestra relación se desintegre. Sé que no es fácil sobrellevar mi constante obsesión por el sexo. Debo intentar controlarme, porque para ti resulta demasiado difícil.

O acaso sucede que ya te has cansado de mí. Verdaderamente, no deseo estar con nadie más. Te quiero de veras.»

A pesar de todo, Mapplethorpe volvió a frecuentar uno tras otro los bares gays tan pronto como regresó a Nueva York. Muchos homosexuales habían alcanzado una relación doméstica y estable que los mantenía apartados de la moda imperante, basada en el poder a través de la promiscuidad. No obstante, las calles Christopher y West se habían convertido en el centro de lo que numerosos gays consideraban el inicio de un valeroso Nuevo Mundo de libertad sexual, y habían ido desarrollando una «cultura clónica» establecida en torno al modelo ultramasculino o «macho». Dichos «clones» se inspiraban en modelos estereotipados de masculinidad tales como los policías, los cowboys, los obreros de la construcción y los culturistas, y se ataviaban según dichos patrones. Además de negras cazadoras de motociclista, camisas de franela y recias botas, llevaban camisetas ajustadas y vaqueros Levi's con bragueta de botones, uno de los cuales procuraban dejar siempre desabrochado. De los bolsillos de sus tejanos pendían llaves y pañuelos a modo de signos mediante los cuales revelaban sus posiciones y actos sexuales preferidos. Y si todos ellos compartían un aspecto similar, sus actividades sexuales se habían especializado hasta el punto de que ahora se dividían en subcategorías eróticas tales como «amos» en busca de «esclavos»; o bien fetichistas que hallaban estímulo en las botas, los guantes, los suspensorios o, incluso, la orina y los excrementos.

Desde su juventud, Mapplethorpe había despreciado la monotonía de Floral Park, donde todas las casas eran idénticas entre sí y muchos de sus pobladores compartían, según él, el mismo «aspecto suburbano». Sin embargo, se veía recorriendo West Street, rodeado de hombres apodados «clones» que lucían el mismo corte de pelo a cepillo y los mismos y deslumbrantes cuerpos de gimnasta embutidos en los mismos uniformes. En un ensayo publicado por *Gay Culture in America*, el sociólogo Martin P. Levine describía el aspecto de los clones como el de otros tantos «modelos de anuncio de Marlboro, cargados de droga y estragados de sexo». En algunos aspectos, la calle Christopher no se diferenciaba demasiado de Floral Park: Mapplethorpe había sustituido un entorno homogéneo por otro que también lo era.

Estaba decidido a distinguirse como mago insuperable del sexo. No se limitaba a lucir un único pañuelo de colores colgando del bolsillo, sino que había cosido entre sí al menos media docena, con lo que anunciaba todo un abanico de preferencias sexuales. Para él, las iniciales S y M no significaban sadomasoquismo, sino «sexo y magia». Durante una entrevista realizada en 1982, confesó ante el escritor y editor Joe Dolce: «El sexo *es* magia. Si se sabe canalizar adecuadamente, posee aún más energía que el arte.»

En la mayor parte de sus encuentros sexuales, Mapplethorpe actuaba como elemento dominante. Prefería producir dolor que padecerlo. Las ligaduras no le atraían, salvo desde un aspecto visual, y consideraba que tener que atar a alguien no era más que un proceso largo y tedioso. Lo que más le interesaba eran los aspectos realmente aberrantes del comportamiento sexual de las personas, y a menudo sondeaba a sus amigos para ver si conocían a alguien que tuviera algo «interesante» que ofrecerle, algún «truco sexual» que no hubiera visto anteriormente. Era como si volviera a visitar Coney Island por vez primera, con la diferencia de que, en esta ocasión, los «monstruos» vestían trajes y máscaras de cuero. Si encontraba a alguien a quien le gustara la práctica de introducir el puño en el recto de su pareja, buscaba inmediatamente a otro al que le agradara que le insertaran dos puños, o incluso tres. No bastaba con que alguien experimentara un orgasmo: necesitaba que el orgasmo fuera el resultado de algún acto «creativo» como, por ejemplo, introducirse un catéter o una aguja por el pene.

El concepto de «sexo y magia» de Mapplethorpe entrañaba ciertos rituales, todos ellos tan estrictos como cualquier proceso ante el que se hubiera rebelado a lo largo de su vida. Antes de salir por la noche, se aseguraba de haberse puesto cada prenda exactamente en el orden debido. Procuraba no lavarse las axilas porque creía que el olor de la transpiración resultaba vital para su atractivo sexual. En los bares, ligaba con hombres mirándolos a los ojos para ver si lograba «detectar» algo en ellos. Quienes superaban la prueba de la mirada, terminaban en su apartamento, pero luego le costaba trabajo mantener la erección si su pareja desviaba los ojos de los suyos. Opinaba que la vista era el más importante de los cinco sentidos. Si su pareja eyaculaba antes de tiempo, Mapplethorpe consideraba que la velada había sido un fracaso y, fuera la hora que fuese, volvía a ponerse la ropa –vaqueros o pantalones de cuero, a veces un adorno en forma de taparrabos, camisa, chaleco, muñequeras de cuero con tachuelas, cazadora de cuero negro– y regresaba al West Village.

El sadomasoquismo era practicado tan sólo por un pequeño porcentaje de la población gay, pero los uniformes y equipos que lo distinguían podían verse por doquier en el West Village. Los accesorios sadomasoquistas –tales como muñequeras con tachuelas, sogas, cadenas y máscaras– se vendían en lugares como el Marqués de Suede* y el Pleasure Chest.** El artista Robert Morris, cuya obra había expuesto Sam Wagstaff en Detroit, anunció su exposición de abril en la Galería Castelli-Sonnabend diseñando un cartel en el que aparecía ataviado con un casco nazi, con las manos atadas a una gruesa cadena enlazada al cuello. En su ensayo de 1974 titulado «El fascismo fascinante», Su-

* Juego de palabras entre *Sade* y *suede* (en inglés: ante, piel de cabritilla).

** Nuevo juego de palabras. *Pleasure:* placer. *Chest:* indistintamente «pecho» o «cofre». (*Notas del T.*)

san Sontag cita las palabras de Morris cuando éste afirmó que la fotografía «era la única imagen que aún conservaba capacidad de conmoción». Seis meses después, la directora de cine italiana Liliana Cavani estrenó *Portero de noche*, la historia de un oficial de las SS (papel desempeñado por Dirk Bogarde) que establece una relación sadomasoquista con una de sus antiguas víctimas del campo de concentración (Charlotte Rampling). Al año siguiente, el sadomasoquismo había infiltrado hasta tal punto la cultura de consumo norteamericana que se empleaba para vender prácticamente cualquier cosa, desde ropa hasta discos.

Una crítica feminista describió el estilo como la «elegancia de la brutalidad», algo que resultó especialmente evidente en la obra de fotógrafos de moda como Helmut Newton y Chris von Wangenheim. Precisamente el primero de ambos fue el responsable de una controvertida doble página del *Vogue* titulada «Historia de Ohhh», que concluía con un hombre que asía sádicamente a una mujer por un pecho. Von Wangenheim ideó un anuncio de zapatos que mostraba a un Doberman mordiendo el tobillo de una mujer. La fotógrafa Ara Gallant llevó posteriormente la «elegancia de la brutalidad» a sus últimos extremos con su anuncio del Sunset Boulevard para el álbum *Black and Blue* de los Rolling Stones. Karen Durbin describía la imagen en *The Village Voice*: «El cartel mostraba a una mujer sensual (los cabellos sueltos, los labios fruncidos), vestida únicamente con un minúsculo trozo de tela hábilmente rasgada que en otro tiempo podía haber sido un vestido. Sin embargo, aparecía atada y magullada, colgada por las muñecas, con las piernas abiertas y la ingle apoyada sobre la cubierta del disco, en la que podía leerse: "¡Me veo ennegrecida y amoratada (*black and blue*) por los Rolling Stones y me *encanta*!"»

Lo que hacía la obra de Mapplethorpe distinta –y por consiguiente más inquietante– era que en lugar de una mujer atada con cuerdas (postura, al fin y al cabo, cotidiana en la pornografía «normal»), tenía la audacia de cambiar las tornas y revelar todo un universo de hombres sumisos. Helmut Newton podía fotografiar a una mujer sujeta a una cama mediante una cadena en torno al cuello o a otra que apareciera a gatas con una silla de montar sobre la espalda y no por ello sus escenas dejaban de contemplarse como disparatadas y decadentes, ya que conjuraban el mundo privilegiado de las imágenes del *Vogue* y de la alta sociedad. Comparadas con las suyas, las fotografías sadomasoquistas de Mapplethorpe no hacían la menor referencia al mundo exterior: sus hombres aparecían definidos únicamente por sus preferencias sexuales.

La mayor parte de las *polaroids* se habían tomado entre las desnudas paredes del estudio de Mapplethorpe en Bond Street, por lo general después de una noche de juegos sexuales. Uno de los directivos de la Sotheby's en Londres, Philippe Garner (responsable del departamento de fotografía desde 1971), recordaba haber visto las *polaroids* de Mapplethorpe por primera vez aquel mismo año: «Robert y Sam habían venido a Londres para asistir a las subastas. Estábamos conversando cortésmente y le pregunté a Robert: "¿A qué te dedicas?" Se limitó a responderme lacónicamente: "Hago fotos." "Siento curiosidad por verlas", dije yo, y al día siguiente se presentó en mi despacho de Sotheby's y, sin apenas pronunciar palabra, arrojó una carpeta sobre mi mesa. Comencé a contemplar aquellas imágenes y me quedé estupefacto y sin saber qué decir, no por mojigatería, sino por la increíble fuerza que destilaban. Aún hoy, recuerdo aquellas *polaroids* como una de las grandes revelaciones fotográficas de mi vida. La pornografía es un desafío complicado, pero Robert había logrado resultar poderosamente personal y, al mismo tiempo, comunicarse a través de un nivel artístico más ambicioso. Su obra era totalmente descarnada, pero dotada de una elegancia visual que la hacía eléctrica.»

La tensión entre los temas de Mapplethorpe y su presentación convertía sus imágenes en inequívocamente «mapplethorpianas». Con todo, no se mostraba inmune a la influencia de sus predecesores en el género. *Bondage, 1974* (Atadura, 1974) nos muestra a un hombre no identificado que, atado y con los ojos vendados, adopta una serie de posturas sumisas que nos recuerdan las series realizadas por F. Holland Day acerca de la crucifixión a comienzos de siglo. Day, además de homosexual, había sido un influyente miembro del movimiento pictórico norteamericano, pero se había mantenido siempre dentro de los límites de la moralidad imperante en el Boston decimonónico y, por ello, había mantenido discretamente disimuladas sus preferencias sexuales. Así y todo, muchas de sus fotografías poseían un carácter abiertamente homosexual, especialmente la titulada *Study for the Crucifixion* (Estudio para una crucifixión), la primera perspectiva frontal de desnudo masculino que había contemplado Boston. En ella, el fotógrafo adoptaba una pose que, según el escritor Allen Ellenzweig, se ha «convertido casi en un símbolo del apasionamiento sexual: la cabeza echada ligeramente hacia atrás, mostrando la garganta; el torso desplazado, las caderas inclinadas y las rodillas dobladas». Ellenzweig, en *The Homoerotic Photograph*, cita a la biógrafa de Day, Estelle Jussim, quien opinaba que aquella fotografía recordaba «más a las estatuas de esclavos de Miguel Ángel que a los santos medievales». El propio Mapplethorpe reprodujo el *Esclavo agonizante* de Miguel Ángel en *Bondage, 1974*, fotografiando las páginas abiertas de un libro que reproducía la imagen del artista y, a continuación, disponiendo el resultado en un marco de madera con su nombre inscrito: MAPPLETHORPE. Al citar a Miguel Ángel y luego mostrar tan ostentosamente su nombre sobre la obra, podía haber estado aludiendo a su propio deseo de mezclar lo escultórico con lo fotográfico y, de paso, quizá, recordar a su público que también él «trabajaba basándose en las tradiciones del arte».

«Para Robert era sumamente importante que la gente le contemplara como artista, y no como "Robert Mapplethorpe, el fotógrafo"», recordaba Klaus Kertess, quien había aceptado finalmente exponer dos de las obras de Mapplethorpe en una exposición colectiva celebrada aquel otoño en la Galería Bykert. Aun así, Kertess se mostraba reacio a exponer un desnudo masculino en su galería. «Temía que los demás artistas pudieran pensar que su espacio se había visto invadido por algo demasiado fuerte», dijo, y colgó el desnudo en el despacho de su secretaria, la futura galerista Mary Boone. La obra que Kertess aceptó exhibir abiertamente fue *Black Shoes* (Zapatos negros), una fotografía de los zapatos de Mapplethorpe y Patti Smith teñida de vivos tonos rojos y enmarcada en negro. Los zapatos eran *unisex*, y emplazados unos frente a los otros sugerían una imagen reflejada de sí misma.

Aunque Mapplethorpe y Patti ya no vivían juntos, aún procuraban ayudarse mutuamente en sus respectivas carreras. «Robert y Patti se hallaban tan ligados el uno al otro –solía decir Jane Friedman–, que parecía como si no fueran capaces de existir sin succionarse mutuamente la energía.» Además de cantar en Reno Sweeney's, un club nocturno del Greenwich Village, Patti protagonizaba regularmente conciertos de «Rock'n'Rimbaud» –un poco de rock, un poco de poesía– en diversos hoteles y clubes diseminados por toda la ciudad. En junio de 1974, Mapplethorpe le dio mil dólares para que pudiera grabar dos canciones –*Hey Joe* y *Piss Factory*– en los Electric Lady Studios.

Por entonces, Patti había formado una banda integrada, entre otros, por su viejo amigo Lenny Kaye y por un apuesto y joven pianista llamado Richard Sohl, a quien Patti había apodado D. N. V. por *Death in Venice* (*Muerte en Venecia*), ya que le recordaba al hermoso Tadzio de la historia de Thomas Mann. Mapplethorpe asistió a la sesión de grabación y, completamente inmerso en su capacidad oficial de «productor ejecutivo», se dedicó a fumar un cigarrillo tras otro y a deambular nerviosamente de un lado a otro de la estancia. Las dos canciones que se grabaron eran temas clásicos de Patti Smith: interpretó *Hey Joe*, en la que se preguntaba si Patti Hearst habría podido «montárselo» cada noche con un negro revolucionario y con su mujer; *Piss Factory*, por su parte, constituía una descripción de los años transcurridos en una cadena de montaje de Filadelfia y su firme determinación de abandonar aquella vida inútil: «Y me marcho, voy a salir de aquí, voy a montarme en ese tren y voy a viajar a Nueva York y voy a ser alguien... voy a ser una gran estrella.»

Durante el verano de 1974, Patti actuó en Max's Kansas City, donde llegó a llamar la atención de John Rockwell, uno de los críticos musicales del *New York Times*, quien la comparó con el poeta-rockero Lou Reed por su «entrega a excesos demoníacos y románticos». Aquel mismo otoño, Jane Friedman le consiguió un contrato para el Winterland de Bill Graham (San Francisco) y para el Whiskey a Go Go de Los Ángeles. «En el Whiskey, el público apenas se componía de tres personas», recordaba Lenny Kaye. «Pero lo más emocionante de todo era que, poco a poco, comenzábamos a conectar con aquel curioso submundo del rock. Sin embargo, cuando regresamos de California advertimos que la clase de música que la gente quería escuchar era precisamente aquella que aún no éramos lo bastante sofisticados para tocar. Así pues, contratamos a otro guitarrista –Ivan Kral– para que nos ampliara el sonido y, en 1975, actuamos para Eric Burdon en la inauguración del Main Point de Philly. Fue entonces cuando empezamos a darnos cuenta de que realmente habíamos conseguido construir un espectáculo propio. No un espectáculo *tradicional*, pero sí dotado de los suficientes puntos de contacto con el rock como para que yo misma llegara a pensar: "Pues mira, a lo mejor podemos realmente hacer algo con todo esto."»

A lo largo del año anterior, Mapplethorpe y Patti no habían visto con demasiada frecuencia a John McKendry, aunque no dejaban de llegarles rumores acerca de las extrañas peripecias que tenían lugar en el Metropolitan Museum y otros lugares. McKendry había estado a punto de morir durante un reciente viaje a Múnich, y posteriormente contó el espeluznante episodio a su íntimo amigo Gary Farmer.

«John estaba desnudo en la habitación del hotel», relata Farmer. «Tenía algunas drogas –un montón de "polvo blanco", según me dijo– y le daba miedo llevárselo al campo por lo que decidió consumirlo todo. Le dio una subida tremenda y, de repente, se miró al espejo y se vio desnudo. Rompió el espejo, se hizo un mal corte y, tras embadurnarse todo el cuerpo con su propia sangre, arrasó la habitación. A todo esto, los empleados del hotel no dejaban de llamar a la puerta. John miró por la ventana y vio que era noche de luna llena. Decidió que quería tocarla y, al ver un cable eléctrico que descansaba sobre el alféizar de la ventana, pensó que podía alcanzar la luna columpiándose en él. Al intentar aferrarlo, se cayó por la ventana y acabó en el suelo, completamente desnudo, empapado de sangre y con un pie hecho pedazos hasta el último hueso. Tengo la sensación de que le pareció todo de lo más divertido.» Cuando Maxime sacó a colación ante John su última escapada enloquecida, éste le ofreció una versión edulcorada del relato. Manteniéndose en equilibrio sobre sus muletas, comenzó a representarle la escena en italiano («en un italiano bastante malo», añadió Maxime). En el momento de concluir su crónica, John perdió pie y se cayó al suelo, y Maxime se sintió tan irritada que le dejó ahí tirado durante el resto del día. «Cuando regresé al apartamento –recordaba posteriormente–, John aún seguía en el suelo.»

El incidente de Múnich señaló el comienzo de la decadencia de McKendry, quien comenzó a sufrir diversos trastornos mentales y comas periódicos como consecuencia del empeoramiento de su cirrosis hepática. Maxime le hizo acudir a numerosos hospitales, donde habitualmente le ingresaban en el pabellón psiquiátrico, pero o bien ella se resistía a dejarle allí o él mismo se rebelaba, con el resultado de que seguía con sus idas y venidas, acudiendo al museo intermitentemente, como un brillante pero enloquecido director invitado. Un día se le antojó el capricho de emprender un viaje a Londres para que le pusieran fundas en todos los dientes a cargo de la Seguridad Social. Pese a sus frecuentes ausencias del trabajo, el Metropolitan mantuvo su fidelidad hacia él y no le sustituyó en su puesto de jefe del departamento de grabado y fotografía. «El Met nunca habría sido capaz de desprenderse de un conservador», decía su ayudante, Andrea Stillman. «Una vez que entras allí, permaneces en nómina hasta que llega tu hora. Su presencia, sin embargo, hacía imposible la gestión del departamento. John nunca estaba en su puesto, pero no cabía nombrar a alguien que le reemplazara. Éramos como un barco desprovisto de timón.»

Irónicamente, mientras el tiempo se acababa para el hombre que había regalado a Mapplethorpe su primera cámara, este último experimentaba a la sazón con una nueva Hasselblad de avanzado diseño con la que le había obsequiado Sam Wagstaff. Mapplethorpe probó la máquina haciéndose un autorretrato —una variación sobre el viejo tema de la crucifixión y el esclavo— en el que aparece inclinado hacia el borde con un brazo extendido y una expresión estupefacta y aturdida en su semblante. En *La cámara lúcida*, Roland Barthes citaba la fotografía en cuestión afirmando que encarnaba «una especie de plácido erotismo [...]. El fotógrafo ha captado la mano del muchacho (creo que el muchacho es el propio Mapplethorpe) en el grado exacto de apertura y con la más precisa densidad de abandono: apenas unos milímetros de más o de menos y ese cuerpo sugerido no se habría visto mostrado de modo tan benevolente [...] el fotógrafo ha hallado el *momento perfecto*, el *kairos* del deseo».

El propio John McKendry había pasado toda la vida persiguiendo ese «momento perfecto», pero a comienzos de la primavera de 1975 su salud había comenzado a declinar peligrosamente. Mientras las venenosas toxinas liberadas por la cirrosis iban minando su mente, ideó el perverso placer de desafiar los consejos de sus amigos y de los médicos: seguía bebiendo y drogándose. «¡Esto es una locura! ¡Tienes que poner fin a todo esto!», le amonestó su amigo Allen Rosenbaum. Pero McKendry permaneció fiel a su propio mito. «¿Por qué habría de dejarlo?», respondía. «Hasta ahora, todos mis sueños se han hecho realidad.» Efectivamente, había recorrido un largo camino desde su diminuto hogar situado junto a las vías del ferrocarril de Calgary, pero nunca se hubiera dado por satisfecho, porque sus sueños eran tan poco realistas como los de Jay Gatsby; también él habría de seguir eternamente a la caza de la luz verde al final del embarcadero o, en su propio caso, de los fuegos artificiales del cielo. Vivía la vida como si se tratara de una ópera, y se nutría de las grandes pasiones y delirios que ésta le proporcionaba. Y dado que le resultaba imposible mantener aquel grado de intensidad, terminaba derrumbándose inevitablemente en un estado de desesperación. Acaso no dejó de resultar clemente que hubiera de vivir sus últimos días en un estado de alucinación total.

En mayo ingresó en el hospital St. Clare's de la calle Cincuenta y uno Oeste, convencido de que su pabellón psiquiátrico era el Metropolitan Museum of Art. Así pues, se dedicó a contratar y despedir al resto de los pacientes y a entablar animadas discusiones con ellos acerca de futuras exposiciones. A su nuevo ayudante (con quien había reemplazado a Andrea Stillman) le entregaba su ropa sucia, convencido de que se trataba de obras procedentes del archivo del museo. «John había leído en algún lugar que era posible modificar la propia personalidad alterando la escritura –recordaba Gary Farmer–, por lo que ensayaba constantemente una nueva firma. A continuación, comenzó a dibujar misteriosos diagramas llenos de círculos y flechas. Ni que decir tiene que continuaba drogándose: la gente le llevaba productos a escondidas hasta la habitación del hospital.»

Mapplethorpe detestaba frecuentar la compañía de personas enfermas, y los hospitales le producían algo cercano a una fobia en toda regla. A mediados de junio, sin embargo, acudió al St. Clare's con Patti Smith para visitar a McKendry. El episodio le desasosegó hasta el punto de que al salir todo cuanto pudo hacer fue permanecer inmóvil en la acera sacudiendo la cabeza ante la injusticia que veía en todo ello. Cierto es que el culpable era McKendry por su propio descuido, pero ¿cuántos no habían hecho lo mismo? Tan sólo tenía cuarenta y dos años: era demasiado joven para estar muriéndose en un hospital. «Es todo tan estúpido», mascullaba Mapplethorpe sin cesar. «Tan estúpido...»

McKendry le había pedido que llevara consigo la cámara en su próxima visita, pero el día en que regresó al hospital dudó de si su amigo le reconocía siquiera, ocupado como estaba en aplicarse crema hidratante sobre las mejillas. Cuando terminó, no obstante, alzó los ojos hacia Mapplethorpe y musitó: «Ya estoy listo para mi foto.»

McKendry siempre había creído en las propiedades mágicas de la fotografía y, años atrás, durante un atentado terrorista en el aeropuerto de Roma, había logrado salir ileso ocultándose en una cabina de fotos y retratándose con sus nuevas gafas de sol. Acaso confiaba entonces en que la cámara lograría salvarle de nuevo. Pasó los diez minutos siguientes perdiendo y recobrando alternativamente la conciencia mientras Mapplethorpe se apresuraba a retratarle. La escena, sin embargo, resultó demasiado intensa para Robert, quien no tardó en abandonar la habitación. Le gustaba mantener cierta distancia entre él mismo y sus modelos, pero eso resultaba imposible frente a la terrible imagen de un hombre agonizante. Por ello, el retrato que obtuvo resultaba peculiarmente íntimo y revelador. Mapplethorpe lo recortó de tal modo que tan sólo resulta visible la mitad del rostro de McKendry; así, logra reducirlo a la esencia de su ser, a esa «exquisita» vista que había contribuido a convertir en conservador al hijo de un jardinero. Su aspecto es beatífico, pero Mapplethorpe logra transmitirnos la sensación de una tragedia inminente alineando su ojo con un aplique de la pared, como si alguien se hallara a punto de desenchufar la máquina fotográfica de McKendry.

Posteriormente, cuando mostró el retrato a Maxime, ésta le acusó irritadamente de aprovecharse del estado de confusión mental de su marido. «Aquella fotografía me devastó», dijo. «Había visto transformarse a John ante mis ojos centímetro a centímetro, día a día, pero cuando amas a una persona siempre conservas la esperanza de que habrá de mejorar. Al ver aquella fotografía me di cuenta de lo equivocada que había estado. John *estaba* muriéndose, y Robert había conseguido captar su imagen en aquella habitación diminuta que no era otra cosa que su propio rinconcito del infierno.»

El 23 de junio, John McKendry terminó por sucumbir a las complicaciones derivadas de su enfermedad hepática, y Henry Geldzahler pronunció una elegía adecuada a su memoria durante el funeral celebrado en la iglesia católica de Santo Tomás Moro: «John era una mariposa rabelaisiana, un ser al que le interesaban los estados de éxtasis sin poseer la constitución necesaria para soportar sus apetitos. [...] Veneramos su recuerdo porque la vida que escogió gozaba de una perfección seductora y de una plenitud estética.»

Mapplethorpe no pudo asistir al funeral debido a que se encontraba en Londres, fotografiando al arzobispo de Canterbury gracias a una serie de excelentes contactos de los que el propio McKendry había sido indirectamente responsable. McKendry había presentado a Mapplethorpe y a Catherine Tennant, quien posteriormente le presentó a Guy Nevill, inquilino de uno de sus pisos en la casa que poseía junto a King's Road. El padre de Nevill había sido amigo y secretario del príncipe Felipe, y el propio Nevill había sido antaño paje de honor de la reina. En aquella época, sin embargo, Nevill se dedicaba a coleccionar y vender obras de artistas prometedores, así como a escribir una biografía de su prima, lady Dorothy Nevill, antigua confidente de Disraeli y Darwin. Mapplethorpe pasó varias semanas de aquel mes de junio alojado en casa de Nevill, y durante una de las numerosas cenas a las que ambos asistieron, se encontró sentado junto al obispo de Suffolk. Cualquiera supondría que la conversación entre ambos fue limitada, ya que Mapplethorpe era mal narrador, y aquello de lo que más le gustaba hablar (sus voraces apetitos sexuales) no constituía un tema de conversación al que pudiera recurrir frente a un clérigo. Sin embargo, al obispo le intrigaba tanto Mapplethorpe, que le invitó a su residencia para posar ante él como modelo. Cuando éste acudió, varios días después, se encontró con que el otro visitante de la casa era el arzobispo de Canterbury. Mapplethorpe persuadió a ambos hombres para que posaran en el exterior vestidos con su atuendo ceremonial y, consciente del impacto que podía producir la púrpura litúrgica sobre el aterciopelado verdor del césped, empleó película de color con la que posteriormente creó una de sus primeras imágenes de transferencia cromática.

Los colores más personales del arte de Mapplethorpe eran el rojo (la sangre), el púrpura (la Iglesia) y el negro (el satanismo y la cultura sadomasoquista), y no dejaba de regresar a aquellas tonalidades una y otra vez. El atuendo púrpura de los obispos resultaba perfecto para su estética, y la imagen de los prelados contribuía, asimismo, a reforzar su reputación social. «Robert gozaba de un éxito social mucho mayor en Inglaterra que en Nueva York», explicaba Bob Colacello. «Y era lo bastante esnob como para dejarte adivinar que, por más que *tú* mismo pudieras sentirte impresionado ante Pat Buckley o Mercedes Kellogg, él pertenecía a una clase social muy superior debido a que se hallaba inmerso en la sociedad *inglesa.*»

El éxito de Patti Smith representaba la antítesis del de Mapplethorpe: giraba en torno al CBGB, un sórdido bar del Bowery neoyorquino frecuentado por los amantes del punk-rock. Patti llevaba ya algún tiempo a disgusto con Allen Lanier, y cabe suponer que los frecuentes rumores de las infidelidades que cometía durante sus viajes con la secta Blue Öyster la animaran a tener una aventura con Tom Verlaine (apellidado originalmente Miller), un alma gemela del mundo del simbolismo a la vez que fundador, junto con Richard Hell, del grupo Television. De hecho, era Verlaine quien había ayudado a transformar el CBGB en club de rock al convencer a su propietaria, Hilly Kristal, para que permitiera las actuaciones de Television los domingos por la noche. Un empresario inglés, Malcolm McLaren, se había sentido tan fascinado por el aspecto físico de Richard Hell –descrito por Craig Bromberg en *The Wicked Ways of Malcolm McLaren* (Las picardías de Malcolm McLaren) como un «pastel anfetamínico en versión extraterrestre»– que regresó a Londres y acometió la labor de representante de los Sex Pistols. El «estilo» punk no era, en realidad, sino un anti-estilo basado en malos modales, mal gusto y, a menudo, mala música. De hecho, grupos tales como los Sex Pistols obtenían su identidad creativa de la capacidad de mostrarse tan insultantemente «malos» como les era posible. Los Sex Pistols apenas habían terminado de grabar su primer disco cuando ya sus subversivas bufonadas les habían vedado el acceso a la BBC y a cualquier posible actuación en numerosas poblaciones británicas. El estilo punk alcanzó su apoteosis en King's Road, donde la «*movida* londinense» de los sesenta había dado paso al inquietante espectáculo de chicos y chicas tocados con coloreadas crestas mohicanas y adornados con imperdibles que atravesaban sus ropas y sus cuerpos.

Al principio, sin embargo, el estilo punk no tenía connotaciones tan extremas; de hecho, durante la primavera de 1975, cuando Patti Smith y su banda actuaron en el CBGB con un contrato de ocho semanas de duración, el término punk-rock ni siquiera se empleaba aún para definir aquellos nuevos sonidos. «Creo que todos los grupos nos asemejábamos en el sentido de que buscábamos elevar el concepto del rock sin renunciar a su simplicidad», afirmaba Patti. «Era una auténtica reacción frente a la música disco y el rock "de diseño". Nuestras letras eran mucho más sofisticadas, y no cedíamos jamás al artificio. En Inglaterra, el fenómeno punk fue mucho más reaccionario... mucho más de "gran estilo". Si no nos peinábamos no era porque quisiéramos adoptar con ello una postura política, sino porque, sencillamente, preferíamos no peinarnos.» A menudo se ha atribuido a Patti el liderazgo de tendencias tales como la de lucir ropas rasgadas o desgastadas, ya que solía mutilar sus propias camisetas afirmando que le producían «claustrofobia». Otros artistas aderezaron el estilo «desgastado» y remendaron sus ropas mediante imperdibles, recurriendo posteriormente a los accesorios propios de la subcultura sadomasoquista, corriente a la que el punk debía su mentalidad proscrita y su fascinación por las tendencias extremistas. Era tal la conexión existente entre música y sexo que Malcolm McLaren llegó a regentar una tienda londinense llamada SEX en la que se vendían artículos sadomasoquistas destinados tanto a artistas como a amantes de la pornografía. La copropietaria del negocio era Vivienne Westwood, diseñadora de moda, quien resumía así el criterio dominante: «Nos hallamos totalmente comprometidos con lo que hacemos, y nuestro mensaje es muy simple: queremos que todos tengáis la oportunidad de experimentar vuestras más descabelladas fantasías hasta el límite.»

El rock and roll proporcionó a Patti un medio de lograr tal objetivo. Pocas profesiones podrían haberle permitido hasta tal punto airear sus propios demonios en público. De hecho, siempre había sido un fenómeno punk, con la diferencia de que por fin había encontrado un público que la adoraba. «Recuerdo aquellas veces en que iba caminando hasta el CBGB», solía decir. «Nunca era completamente de noche. Siempre había crepúsculo, y veías a aquellos viejos que se calentaban las manos en las hogueras que habían encendido en los bidones. Hilly Kristal tenía un perro enorme, y cuando le atropelló un coche recuerdo haber pensado que quizá lograríamos curarle tan sólo con nuestra energía. El local estaba siempre atestado, y en su interior experimentabas una sensación intensa. Era como una reunión de fraternidad.» Así y todo, por más que la versión del *Gloria* compuesto por Patti se subtitulara «in excelsis Deo», su letra comenzaba afirmando, de modo poco ortodoxo, que «Jesús murió por los pecados de alguien, pero no por los míos», a lo que seguía un bullicioso coro de «G-l-o-r-i-a» extraído de la vieja canción de Van Morrison. *Land* (Tierra) era otro clásico de rock recreado en el que Patti mezclaba una violenta fantasía al estilo Burroughs acerca de un adolescente llamado Johnny con un tema de Fats Domino titulado *Land of a Thousand Dances* (La tierra de las mil danzas):

And suddenly Johnny
gets the feelin'
he's bein' surrounded by
horses horses horses
comin' in all directions,
with their noses in flames...
Do you know how to pony?
*like boney maroney**

El CBGB se hallaba a tan sólo una manzana de distancia del apartamento de Mapplethorpe, por lo que el fotógrafo solía acudir a menudo por las noches, camino de su ronda por los bares sado, para oír cantar a Patti. Se dirigía silenciosamente al fondo de la estancia y, desde allí, sonreía y le hacía un pequeño gesto con la mano. «Algunas veces estaba cantando acerca de Johnny y su chaqueta de cuero –recordaba Patti–, cuando, de repente, veía a Robert con *su* cazadora de cuero. Era exactamente igual que si acabara de salir de la canción.»

Las actuaciones de Patti en el CBGB despertaron un enorme interés entre los ejecutivos discográficos de la A&R, quienes comenzaron a acudir al Bowery para escuchar a aquella mujer que la gente empezaba a describir como una combinación de Rimbaud con Keith Richards. Stephen Holden, quien por entonces trabajaba en la RCA, opinaba que Patti era la mejor artista solista desde Bruce Springsteen y, posteriormente, en un artículo publicado por *Rolling Stone*, escribió que «parece destinada a convertirse en la reina del rock & roll de los setenta». Sin embargo, fue Clive Davis de Arista quien por fin la convenció para firmar con su empresa, y aunque a la banda todavía le faltaba el batería, concedió al grupo un contrato de setecientos cincuenta mil dólares. Durante una de sus primeras entrevistas con Davis, Patti mostraba ya una peculiar presciencia de lo que habría de ser su carrera. «Yo no voy a hacerme más joven», le dijo. «Necesariamente tengo que tener prisa... no tengo la energía suficiente como para perder tiempo en convertirme en una artista.»

* Y, de repente, Johnny / experimenta la sensación / de que está siendo rodeado / por caballos caballos caballos / que acuden de todas direcciones, / con los belfos en llamas... / *Do you know how to pony?* / *like boney maroney. (N. del T.)*

CAPÍTULO DOCE

> «La estrella del *rock-n'roll*, en su más elevado estado de gracia, será la nueva salvadora... naciendo en Belén a ritmo de rock.»
>
> Patti SMITH y Sam SHEPARD, *Cowboy Mouth.*

> «Jamás me habría relacionado con Robert de no ser por Sam. Y hay muchas personas que piensan lo mismo que yo.»
>
> Holly SOLOMON, tratante de arte.

En mayo de 1975, Patti Smith tocó en el Other End, y su ídolo Bob Dylan acudió a escucharla. Aquella visita simbólica –tan exhaustivamente fotografiada– constituía el equivalente musical de una bendición papal. Aún quedaba por averiguar si Patti se haría tan famosa como Bob Dylan o si habría de autodestruirse prematuramente como Jim Morrison, pero su transición como personaje de culto encaminado al estrellato era ya motivo de estrecho seguimiento por parte de la prensa. Con su nuevo batería, Jay Dee Daugherty, Patti y su banda emplearon gran parte del ocaso de aquel verano en la grabación de *Horses* (Caballos), producido por el músico John Cale, uno de los fundadores de la Velvet Underground. Además de a la imaginería surrealista de *Land*, centrada en torno a Johnny y su cazadora de cuero (Greil Marcus, en *The Village Voice*, comparaba la «violencia terminal» de la canción con la película de Buñuel *Un perro andaluz*), las letras de Patti se referían también al lesbianismo, el suicidio, los OVNIS y Wilhelm Reich. El pegadizo eslogan del grupo –tres acordes de rock mezclados con el poder de la palabra– había sido ideado por ella misma y, desde luego, a pocos cantantes del género se les habría ocurrido gritar «Imita a Rimbaud» y «Haz el watusi» en una misma línea. James Wolcott, cronista del *New York*, describió a Patti como un «fenómeno anómalo».

Así pues, lo que Patti necesitaba para la cubierta de *Horses* era una fotografía que captara su intrigante ambigüedad y, a pesar de que podría haber seleccionado casi a cualquier fotógrafo para realizarla, decidió pedírsela a Robert Mapplethorpe. «Robert y Patti hablaban de aquella cubierta sin cesar», recordaba Janet Hamill. «No se les oía discutir de otra cosa. [...] ¿Debía acaso traslucir una imagen del tipo *Vogue-Harper's Bazaar*? ¿No resultaría aquello demasiado esplendoroso? A continuación, comenzaban a discutir el significado de la palabra "esplendor". Las ideas de él eran mucho más convencionales que las de ella, y tengo la sensación de que, al final, Patti ya no le prestaba demasiada atención.» Mapplethorpe no era ni mucho menos un fotógrafo profesional y, desprovisto de la mente automatizada de su padre, se sentía cohibido ante la tecnología de su propio equipo. Nunca revelaba sus fotos por sí mismo; antes bien, encargaba el procesado de sus negativos en blanco y negro a un laboratorio próximo. Ni siquiera disponía de sistemas suplementarios de iluminación, por lo que se veía obligado a realizar todas sus fotografías a la luz del día; en consecuencia, se pasaba la mayor parte del tiempo a la caza de interesantes efectos de luz y sombra.

Sam Wagstaff había comprado un nuevo ático en la Quinta Avenida, en el Village, a una manzana de distancia del Washington Square Park, y dado que el apartamento en cuestión continuaba desnudo y pintado enteramente de blanco, Mapplethorpe lo utilizaba de vez en cuando como estudio fotográfico. No hacía mucho que había advertido que a media tarde el sol dibujaba un triángulo perfecto sobre la pared, y no podía evitar visualizarlo cada vez que pensaba en la cubierta de *Horses*.

El día en que habían acordado realizar la fotografía, Patti y Mapplethorpe pasaron varias horas tomando café en el Pink Teacup de Bleecker Street. Por fin, Robert consultó el reloj y palideció. «Vámonos de aquí», le dijo a Patti arrojando unas monedas sobre la mesa y encaminándose a la salida. Patti no tenía la menor idea de qué podía estar ocurriendo, pero le siguió a la carrera calle abajo. «La luz», le gritaba él. «No podemos perder la luz.»

Cuando llegaron a casa de Wagstaff, aún podía verse el triángulo de luz sobre la pared, pero Mapplethorpe advirtió la ominosa presencia de un grupo de nubes que avanzaban a cierta distancia. Se encontraba en tal estado de agitación que le costó trabajo instalar el trípode, que no hacía más que desplomarse sobre el suelo. Entretanto, Wagstaff permanecía entretenido en la cocina preparando chocolate caliente para Patti, y cuando Mapplethorpe la vio llevarse a los labios una enorme taza del brebaje, alzó ambos brazos en un gesto de desesperación. «Magnífico», gimió. «Ahora te saldrán los dientes de color marrón.» Patti le dijo que poco importaba, puesto que en cualquier caso no pensaba sonreír. Se había formado ya una imagen mental del retrato, que habría de mezclar las influencias de Rimbaud, Baudelaire, Frank Sinatra y Jean-Luc Godard para crear un personaje a la vez francés y simbolista mezclado con el estilo de Las Vegas-*Nouvelle Vague*. Sin embargo, era lo bastante lista como para no intentar explicarle todo aquello a Mapplethorpe quien, finalmente, había fijado el trípode y deambulaba de un lado a otro de la estancia esperando a que Wagstaff abandonara el apartamento y le dejara a solas con Patti. Cuando éste se decidió por fin a despedirse, Mapplethorpe rogó a la muchacha que se situara frente a la pared. La tarde se había tornado parcialmente nublada, y el triángulo aparecía y desaparecía a intervalos. «¿Es que jamás piensas utilizar el peine?», preguntó al ver los enmarañados cabellos de Patti, pero ésta se negó a retocar su peinado. Por el contrario, se echó una vieja chaqueta por encima del hombro y adoptó una pose típica de Frank Sinatra imaginando al mismo tiempo que era la actriz francesa Anna Karina ante el objetivo de Godard. Mapplethorpe procuró enfocar su cuerpo de modo que el vértice del triángulo pareciera surgir de su garganta, como las alas de un ángel. Antes incluso de ver los contactos, sabía ya que había obtenido una buena fotografía.

Clive Davis no compartía el entusiasmo de Mapplethorpe por aquella imagen y, de hecho, se mostró considerablemente defraudado al verla. Una de las reglas tácitas de la industria discográfica establecía que las «chicas» debían mostrar un aspecto sexy y atractivo o, al menos, femenino. Patti no sólo llevaba puesta una corbata de hombre, sino que ni siquiera se había molestado en maquillarse o peinarse. Davis era consciente de que la música de Patti no se hallaba destinada al gran público, pero si una cosa era escribir una canción en torno al suicidio en una playa de lesbianas, consideraba otra forma de suicidio —esta vez comercial— el hecho de imprimir sobre la cubierta de un disco la foto en blanco y negro de una mujer andrógina. Por si fuera poco, Patti mostraba incluso ciertos vestigios de vello facial sobre el labio superior.

Davis quería descartar directamente la imagen, pero el contrato de Patti con Arista le concedía un control artístico absoluto sobre sus propios álbumes, por lo que rehusó modificar la cubierta, hasta el punto de hacer caso omiso de los consejos de Davis, quien le rogaba que al menos permitiera al laboratorio de arte disimular la sombra del bigote. «Sentí que sería algo así como someterme a cirugía plástica», dijo. «Recuerdo que los del departamento de arte querían también cambiarme el pelo por un peinado ahuecado. "Robert Mapplethorpe es un artista —les dije yo— y no permite que nadie retoque sus fotografías." La verdad es que no lo sabía con seguridad: es posible que no le hubiera importado, pero a *mí* sí que me importaba.»

Años después, cuando la revista *Rolling Stone* publicó su lista de «Las cien mejores cubiertas de todos los tiempos», *Horses* apareció en el puesto veintiséis. La desnudez de aquella imagen en blanco y negro contrastaba poderosamente con la psicodélica paleta de colorido de la mayor parte de los elepés de los setenta, y la desafiante pose unisex de Patti alteraba radicalmente el afianzado estereotipo femenino de las «chicas rockeras». «Al ver la cubierta de *Horses* en una tienda de discos de Australia –recordaba el crítico de arte Paul Taylor (muerto a causa del sida en 1992)–, me enamoré inmediatamente de la imagen. Por entonces no sabía nada de Patti Smith ni de la música punk, pero compré el disco por la fuerza que transmitía aquella fotografía. Era elegante y profundamente moderna, y recuerdo haberla contemplado y haberme preguntado: "¿Quién será Robert Mapplethorpe?"»

Hasta entonces, las fotografías de Mapplethorpe nunca habían obtenido difusión a nivel nacional, pero, tras la aparición de *Horses* en el mes de noviembre, sus fotografías de Patti comenzaron a verse publicadas en casi todas las revistas importantes. «Siempre habíamos soñado con alcanzar el éxito juntos», decía Patti. «Formaba parte de nuestro plan a gran escala.» En efecto, difícilmente podría haber esperado mayor éxito de un primer disco, pues *Horses* aparecía reflejado en la prensa como un auténtico acontecimiento musical. John Rockwell lo describió en el *Times* como un «disco extraordinario, del que merece la pena escuchar una y otra vez cada minuto. [...] *Horses* podrá considerarse una excentricidad, pero únicamente en el sentido de que todo aquello que es rotundamente nuevo resulta necesariamente excéntrico. A algunos les irritará, y otros lo despreciarán, pero trastornará y conmoverá como pocas otras cosas a cualquier persona sensible a la energía mística.»

Patti Smith había sido siempre un personaje favorito de los críticos de rock, en parte porque tanto ella como Lenny Kaye habían sido escritores del género, pero también debido a que representaba una versión rockera de Sylvia Plath. Como personaje, resultaba interesante en la medida en que se advertía en torno a ella y su carrera una predeterminación casi trágica. Pocos años después, Gilda Radner realizaría una parodia de Patti en *Saturday Night Live*, presentándola como *Candy Slice* (Trozo de caramelo), una cantante de rock semiatontada que interpretaba una canción acerca de Mick Jagger salpicada de eructos y despropósitos para desmayarse por fin sobre el escenario. Sin embargo, los altibajos de Patti resultaban por lo general más estimulantes y terroríficos que las aturdidas travesuras de Candy Slice, y durante los cuatro meses de gira que siguieron al lanzamiento de *Horses* tan pronto se hacía dueña del escenario como se derrumbaba bajo la tensión reinante. Tan pronto reía burlonamente como escupía al público, brincando por el escenario como Mohamed Alí, golpeando el aire con los puños y desafiando al auditorio con el grito jubiloso de: «¡Vamos a pasárnoslo realmente bien juntos!» Su áspera voz era a ratos dulce y femenina, para luego convertirse en un alarido monumental. Como personaje escénico, representaba una recreación de la voz que a menudo empleaba en su poesía, y oscilaba entre una actitud femenina y vulnerable –«de gatita abandonada»– y una masculinidad jactanciosa. Entre uno y otro estado, caía ocasionalmente en momentos de incoherencia: perdía el hilo de los pensamientos, se deshacía en risitas y se quedaba contemplando el vacío.

En el mes de diciembre, tras contemplar en el Bottom Line cómo se derrumbaba sobre el suelo y se golpeaba la cabeza contra el órgano, John Rockwell escribió una crónica para el *Times* en la que describía el incidente como una «"actuación" terrorífica por su propia intensidad, una lucha cósmica y moral entre demonios y ángeles», a la vez que se refería a la personalidad de la artista como su peor defecto: «Se ha mantenido constantemente a caballo entre el genio y la excentricidad, entre lo atrayente y lo meramente desusado, entre el arte y el enloquecimiento. Puede que la palabra "enloquecimiento" resulte un poco fuerte, y quien esto escribe nunca ha estado en la mente de Patti Smith. Pero en ocasiones se comporta como una demente y, de tratarse de una simple actuación, lo cierto es que la lleva a cabo con tanta intensidad que ha llegado a convertirse de algún modo en su propia realidad.» Lo que Rockwell realmente se preguntaba era hasta qué punto podía Patti mantener el interés de su arte sin caer en la locura. En su poema «Pinwheels» (Girándulas), escribía acerca de una muchacha con «ojos como girándulas» que «danzaba a ritmo de vals al borde de un precipicio». Evidentemente, la muchacha en cuestión no era otra que la propia Patti Smith, y cada día que pasaba su danza iba tornándose más veloz y más febril.

A pesar del éxito de la cubierta de *Horses*, Mapplethorpe no podía permitirse el lujo de quedarse sentado en el estudio esperando a que sonara el teléfono. Aún no contaba con una carpeta abultada, y dado que la gente no mostraba especial ansiedad por dejarse retratar por él, se veía en la necesidad de salir a buscar él mismo sus modelos.

Sam Wagstaff continuaba ayudándole a pagar sus facturas, pero Robert no podía estar seguro de cuánto tiempo duraría aquella situación. Técnicamente, habían dejado de ser una «pareja», y ya no mantenían relaciones sexuales. Wagstaff había terminado por aceptar la promiscuidad de Mapplethorpe, hasta el punto de que, al final, quizá incluso le excitaba. Con frecuencia, Mapplethorpe le telefoneaba por las mañanas para relatarle su última orgía. El sexo, sin embargo, nunca había sido el vínculo principal que los uniera: Wagstaff era como un padre adoptivo para Mapplethorpe, del mismo modo que Patti hacía las veces de hermana. De hecho, la relación de Mapplethorpe con Wagstaff había llegado a reflejar la que mantenía con Patti; una vez más, vivía a costa de un ex amante permisivo que le daba vía libre para poner en práctica sus fantasías.

En marzo de 1976, Mapplethorpe viajó a la isla de Mustique, cuyo dueño, Colin Tennant, había decidido celebrar su quincuagésimo aniversario mediante un lujoso «Baile de oro». Bob Colacello, editor de *Interview*, le había encargado fotografiar la fiesta, pero la revista no se hacía cargo de los gastos del viaje, por lo que hubo de ser Wagstaff quien lo financiara. Tennant estaba construyéndose un Taj Mahal en la isla, y había importado de Nueva Delhi un pabellón de mármol del siglo XVIII cuyas piezas llegaron embaladas en ciento ochenta cajas. Quisquilloso anfitrión, había adornado las palmeras con serpentinas doradas, y había exhortado a sus invitados a que acudieran ataviados con trajes igualmente dorados. Los asistentes llegaron a la isla tropical acompañados de maletas repletas de atavíos más apropiados para un ballet de Diáguilev: turbantes dorados, pantalones de harén, pesados chalecos de brocado, zapatillas labradas en metal, chaquetas iridiscentes y amplios fulares.

Cualquier otra persona se habría sentido intimidada ante tan opulenta escena, pero Mapplethorpe logró crear él mismo una impresión inolvidable. Su concepto de atuendo playero consistía en un bikini de cuero rematado por una cazadora vaquera, y lucía una colección de brazaletes de plata y marfil que le llegaban a la altura del codo. El sol había prestado un tinte rosado a su enfermiza palidez habitual, y sus ojos verdes hacían juego con el color de las aguas del Caribe. «Es muy guapo, ¿no te parece?», le susurró la diseñadora de modas Carolina Herrera a su marido, Reinaldo, al verle por primera vez. «Mi mujer, una persona de elevado sentido estético –explicaba Reinaldo Herrera–, se sintió inmediatamente atraída por él. Robert poseía un gusto innato que no tenía nada que ver con lo que te enseñan tus padres ni con la educación que has recibido, y que le permitía desenvolverse con soltura en cualquier círculo social.»

«En conjunto, se trata de una experiencia extraordinaria», escribió Mapplethorpe a Wagstaff. «Colin se ha construido un reino propio. [...] Todo el mundo se cambia de ropa al menos tres veces al día... el lugar es perfecto para que cualquiera pueda lucir sus joyas. Es todo una especie de locura. Ayer salí a bucear y terminé acercándome demasiado al arrecife y acribillándome los dedos de los pies con erizos de mar. [...] Debería dormir un poco, ya que nunca se sabe qué puede ocurrir a la mañana siguiente. Gracias, Sammi, por darme la oportunidad de hacer cosas como ésta. Te echo de menos. Te quiere, Robert.»

Los sibaríticos placeres de la isla resultaban tan abrumadores, de hecho, que Mapplethorpe deseaba no haber aceptado jamás el encargo de *Interview*; se encontraba allí en calidad de invitado, y no quería que los demás vivieran su presencia como la de cualquier *paparazzi*. Por otra parte, no podía regresar con las manos vacías si pretendía obtener nuevos encargos en el futuro. Una tarde, aun con notable falta de entusiasmo, se decidió a arrastrar la cámara y el trípode hasta la playa mientras el resto de los invitados disfrutaban de una copiosa barbacoa. Durante varias horas, recorrió la playa de un lado a otro enfundado en su bikini de cuero, intentando obtener retratos formales entre un torbellino de criados cargados con bandejas de mangos y papayas, cantantes de calipso y bailarinas adornadas con guirnaldas doradas. La tarde anterior le habían presentado a la princesa Margarita, dueña de una parte de la isla que, se decía, le había ofrecido Colin Tennant como regalo de bodas al contraer matrimonio con Anthony Armstrong-Jones en 1960. A la sazón, se hallaba inmersa en un romance con Roddy Llewellyn, antiguo paisajista de jardines y aspirante a estrella de rock a quien la prensa británica había bautizado con el nombre de «El jardinero cantor». Al ver a la princesa Margarita tendida en una tumbona junto a Llewellyn, Robert pidió permiso para tomar una fotografía. Consciente, sin embargo, de la crítica actitud de la prensa frente a aquella relación, procuró asegurarse de que el amante de la princesa quedaba fuera de campo. Ella, por su parte, se negó a desprenderse de la botella de ginebra Beefeater semivacía que la acompañaba, un detalle que luego saltaba a la vista en la imagen final. De resultas de aquel día de playa, Mapplethorpe terminó seriamente quemado por el sol («... la princesa insistía constantemente en apartar las mesas de la sombra...», escribió a Sam), y tomó la decisión de no volver a mezclar jamás el placer con el trabajo.

Decidió asimismo que el periodismo fotográfico era una profesión deshonesta, y que no le agradaba invadir la intimidad de la gente. «La mejor fotografía que obtuve fue una de Bianca Jagger susurrando al oído de Mick», afirmaba. «Les sorprendí contándose un secreto, lo que no deja de ser una grosería. Eso es lo que son esa clase de fotógrafos... ladrones de secretos. Si acudo a una fiesta, quiero *estar* en la fiesta. Hay demasiados fotógrafos que se escudan en sus cámaras para evitar tener que participar en las cosas. Se convierten en observadores profesionales, algo que yo nunca he deseado ser.»

Aproximadamente un mes después de su estancia de diez días en Mustique, Mapplethorpe partió en dirección a San Francisco, donde confiaba en poder organizar un entramado sexual. A raíz de las observaciones realizadas en los bares sadomasoquistas, se hallaba en situación de convertirse en el documentalista del panorama gay sadomasoquista de los setenta, pero, a diferencia del periodismo fotográfico, aquél era un terreno que daba lugar al florecimiento de sus propios impulsos sexuales, y no lo acometió en calidad de voyeur, sino como participante activo. «El aspecto más brillante de la carrera de Robert consistía en que sabía emplear sus neurosis en provecho propio», afirmaba George Stambolian, notorio escritor e historiador de arte gay, muerto posteriormente de sida en 1991. «Cualquier otra persona se habría visto desbordada por unos impulsos sexuales tan potentes, pero Robert hallaba la manera de convertirlos en arte.» Sin embargo, al igual que hubiera sucedido con cualquier otra forma de actividad social, Mapplethorpe no podía ir irrumpiendo por las buenas en los bares sadomasoquistas y empezar a disparar su cámara. Primero, tenía que conseguir vías de acceso, por lo que solicitó una cita para ver a Jack Fritscher, editor de *Drummer*, una revista destinada a los entusiastas del mundillo en la que se podían ver fotografías de musculosos tipos vestidos con arneses de cuero y leer entrevistas con maestros de los principios del placer por el dolor, tales como el Fakir Musafar, cuyos anillados rituales simulara Richard Harris en la película *Un hombre llamado caballo.*

Fritscher era un antiguo seminarista católico que por entonces se dedicaba a escribir relatos cortos pornográficos a los que aplicaba títulos tales como «Me gusta chupar carne cruda» y «Los blues de las tetas torturadas»; predicaba una religión basada en la energía del priapismo desatado por las ligaduras de cuero, creía que la esencia del estilo gay se hallaba excesivamente en deuda con las «grandes mujeres de la pantalla grande» y postulaba el concepto del «hombre homomasculino» como alguien para quien el sadomasoquismo constituía un homenaje a la masculinidad y un nuevo «renacer». Mapplethorpe siempre se había sentido atraído por las personas dotadas de gran capacidad de oratoria, y Fritscher, el «Maestro de la sordidez» (nombre con el que se presentaba ante los lectores de *Drummer*), era capaz de hablar sin parar sobre sadomasoquismo. Ambos salieron a cenar juntos tras su primer encuentro, e inmediatamente decidieron irse a la cama. Concluida la velada, el ex seminarista Fritscher estaba irreversiblemente prendado de aquel hombre al que ya había bautizado con el nombre de «serpiente del Edén» y, dado que pretendía elevar el escaso nivel de calidad de las fotografías de la revista, encargó a Mapplethorpe que fotografiara a un muchacho llamado Elliot para la próxima cubierta.

Elliott vivía en Nueva York, pero Mapplethorpe, a la sazón en San Francisco, decidió aprovechar su relación con *Drummer*. «Robert —explica Fritscher— pensó que si lograba realizar una de las portadas de *Drummer*, los hombres se le rendirían mucho antes y le permitirían fotografiarles.» Su retrato en color de Elliott, un robusto personaje de aspecto feroz con una daga tatuada en la piel y un puro entre los labios, apareció en la cubierta del número veinticuatro de la revista. Fue la única vez que Mapplethorpe trabajó para *Drummer*, pero Elliott le sirvió para obtener otros contactos dentro del mundo sadomasoquista, y posteriormente volvió a posar para el fotógrafo junto a un hombre llamado «Dominick», quien aparece en la imagen colgado boca abajo por una cadena sujeta a una polea. «Existe un mundillo del sexo del mismo modo que existen mundillos para todo», explicaba Robert. «Y no se trataba simplemente de disfrutar de él, por más que a mí me sobrara. Se trataba de hablar con la gente y de ganarse su confianza. Tenías que ser una persona adaptable.» Robert, de hecho, se mostraba adaptable hasta el punto de que Fritscher recordaba posteriormente un episodio en el que el fotógrafo entró por equivocación en un «bar de leñadores» vestido de cuero de arriba abajo y, al advertir su error, se cambió inmediatamente de ropa y se puso una camisa a cuadros y unas botas de montaña.

Mapplethorpe tuvo asimismo ocasión de demostrar su habilidad para el transformismo con motivo del viaje que realizó a Londres a comienzos de junio para realizar nuevos retratos de sus amigos ingleses. Si hasta hacía poco había estado fotografiando a muchachitos del mundo sadomasoquista, entre sus modelos se contaban ahora Isabel y Rose Lambton, hijas de un ex ministro del Gobierno; Guy Nevill, con uniforme de equitación; Stella, nieta de lady Astor; Charlie, hijo de Colin Tennant; John Paul Getty III y Catherine Guinness, heredera del imperio cervecero. «Todo ello puede indicar la presencia de cierta naturaleza esquizoide en su trabajo, una faceta prostituida de sus perspectivas e intereses», escribió Mario Amaya para el catálogo de la exposición realizada por Mapplethorpe en 1978 en el Museo Chrysler. «De hecho, por más que estos temas procedan de un universo de extravagantes contrastes, Mapplethorpe los funde partiendo del mismo molde. El esplendoroso mundo de la moda y de las mansiones campestres adquiere en él la severidad y la aspereza del submundo de las cadenas y los cueros con tachuelas.»

En ocasiones, ambos mundos aparecían superpuestos, como ocurrió en el caso de Catherine Guinness, quien proclamó públicamente la fascinación que sobre ella ejercían dos clubes gay –The Anvil (El yunque) y The Toilet (El retrete)–, a lo largo de un artículo escrito por Steven M. L. Aronson para *Interview* con ocasión de su visita a Stanway, la mansión rural que Catherine compartía con quien era a la sazón su marido, lord Neidpath: «Recuerdo que mi padre me escribió una carta maravillosa en la que me decía: "Cacky, me cuentan que eres la reina del Toilet neoyorquino. Qué *lista* eres.» Yo me dedicaba a visitar toda clase de bares. Pasaba *muchísimo* tiempo en ellos, sencillamente por lo mucho que me divertía. Y, además, era la única clase de bares a los que una podía ir sola, ya que siendo una mujer no corres el riesgo de que te aborden. Así, había veces en que me vestía a las tres de la madrugada y me iba a cualquiera de ellos; una vez allí, me sentaba, me tomaba un par de cervezas, charlaba con la gente y me lo pasaba *realmente* bien.»

Previsiblemente, detectamos una evidente ambigüedad en muchos de los retratos que realizara Mapplethorpe de sus amistades inglesas; como Patti Smith señalara en cierta ocasión, Guy Nevill podría parecer tanto un cochero como un príncipe, mientras que Rose Lambton, fotografiada en un banco del parque con un cigarrillo encendido, podría confundirse fácilmente con una prostituta londinense. Era casi como si el artista estuviera intentando deliberadamente transmitir al observador el mensaje de que no todo es lo que parece, y que, del mismo modo que una máscara de cuero puede ocultar el rostro de un político o un clérigo, los habitantes de las grandes mansiones campestres pueden, a menudo, depositar sus preferencias en el Toilet.

Durante aquel viaje a Londres, Mapplethorpe tomó una de las fotografías que en 1990 llevarían a los tribunales a Dennis Barrie, director del Centro de Artes Contemporáneas de Cincinnati, acusado de «fomentar la obscenidad» y exhibir pornografía infantil. Robert fotografió a una niña de cuatro años de edad llamada Rosie, perteneciente a una de las más distinguidas familias de Inglaterra, sobre un banco de piedra. En la imagen, los genitales de la pequeña resultan visibles bajo su vestido de algodón a cuadros. La fotografía, que a veces figura erróneamente titulada como *Honey*,* aparecía mencionada por Judith Reisman, uno de los testigos de la acusación, en un artículo publicado en el *Washington Times*: «Honey es una niña de unos seis años de edad a la que vemos agachada sobre los fríos escalones de un viejo edificio. Aparece sucia y desaliñada, y sus cabellos despeinados cuelgan lacios sobre su carita delgaducha. Los ojos y la cámara del señor Mapplethorpe atisban bajo la falda de la criatura para exponer provocativamente ante el espectador sus genitales aún lampiños, del mismo modo que han hecho y harán miles de pederastas y pornógrafos antes y después de él.» Reisman, que se presentaba a sí misma como «directora adjunta de investigación» de la Asociación Familiar Norteamericana, un grupo defensivo conservador organizado por el reverendo Donald Wildmon, había transformado erróneamente a Rosie en la pequeña Nell de Dickens; dada la ambigüedad visual de Mapplethorpe, sin embargo, la niña podía haber sido tanto una princesa como una mendiga, y las intenciones del fotógrafo podían ser tanto lujuriosas como inofensivas. El crítico de arte Arthur C. Danto expresaba su propio desasosiego ante la imagen en la introducción a *Mapplethorpe*:

> No estoy seguro de cómo interpretar la expresión del rostro de Rosie. Podría ser de infantil despreocupación o quizá de incertidumbre con cierto asomo de temor. En cualquier caso, es imposible no sentirse incómodo ante semejante imagen. Rosie no es una persona orgullosa de su sexualidad: no conoce su cuerpo como puede conocerlo una gimnasta como Lisa Lyon, por poner un ejemplo extremo. Y está la cuestión de si Mapplethorpe decidió fotografiarla al sorprenderla en aquella postura o si la situó deliberadamente en ella con el propósito de fotografiar el sexo de una niña.

Es improbable que Mapplethorpe prefabricara la pose de Rosie para mostrar sus genitales, ya que no encajaba con su carácter el obligar a los niños a

* *Honey:* en inglés, literalmente «miel», si bien se emplea asimismo como apelativo equivalente a «cariño». *(N. del T.)*

hacer algo contra su voluntad. El fotógrafo Gilles Larrain, quien conoció a Mapplethorpe a comienzos de los ochenta, recordaba haberle mostrado una fotografía de tres niños en la que uno de los pequeños aparece riéndose con una intensidad casi histérica. Mapplethorpe felicitó a Larrain por haber logrado captar al chiquillo en una actitud tan espontánea, y le confesó que consideraba a los niños los modelos más difíciles que cabía hallar. «Es imposible controlarlos», se quejaba. «Nunca hacen lo que quieres que hagan.» En efecto, si las comparamos con sus rígidas fotografías de personajes adultos, sus imágenes infantiles raramente son fijas o estacionarias. En una de sus fotografías, Melia Marden aparece exponiendo las nalgas porque se había despojado voluntariamente de sus ropas y no hacía más que interponerse corriendo ante él mientras intentaba fotografiar a su hermana mayor, Mirabelle. Jesse McBride aparece desnudo sobre una silla debido, según su madre, Clarissa Dalrymple, a que llevaba un buen rato corriendo de tal guisa por el apartamento sin que hubiera modo de lograr que permaneciera quieto. «Resultó todo de lo más divertido e inocente», recordaba. «Ignoro por qué alguien habría de describir el resultado como "pornografía infantil".» Cierto es, sin embargo, que Mapplethorpe tendía a seleccionar las imágenes más provocativas de sus contactos. «Los niños son personajes dotados de sexualidad —afirmaba en cierta ocasión durante una entrevista del *Ledger-Star* de Norfolk—, pero eso es algo que hace sentirse incómoda a la mayor parte de la gente.» En la mayoría de los casos, las fotografías infantiles de Mapplethorpe resultaban tan inocentes como las «fotos de la hora del baño» que suelen figurar en los álbumes de cualquier familia. El hecho de que aparecieran acompañadas de imágenes sadomasoquistas, sin embargo, invitaba a considerarlas como pornografía infantil.

Mapplethorpe permaneció aún tres semanas en Londres, y a continuación se trasladó a París, donde se dedicó a visitar clubes y a disfrutar del sexo de un modo incansable. Posteriormente, confesó a Victor Bockris, del *New York Rocker*, que en París se había comportado como un ninfómano, atribuyendo su promiscuidad a las ingentes cantidades de cocaína consumidas: «[Me] hace pensar en el sexo mucho más de lo que pensaría normalmente.» Así y todo, y a pesar de su agotadora agenda social, aún se esforzaba por engrosar su carpeta de obras, y entre las personas que habían aceptado posar ante su cámara se encontraba el actor Dennis Hopper, quien por entonces vivía con la editora de modas Caterine Milinaire, hija de la duquesa de Bedford. Mapplethorpe conocía a Milinaire de Nueva York, y la tarde anterior a su cita con Hopper, Milinaire le invitó a acompañarles al Club Sept, donde permanecieron bailando y bebiendo hasta las tres de la madrugada. «Caterine y Dennis se mostraban realmente unidos», recordaba Mapplethorpe. «Era un placer estar con ellos.» A la mañana siguiente, se presentó en su apartamento a las diez de la mañana.

Al advertir que la puerta se hallaba entornada, llamó varias veces al timbre antes de pasar al interior y, cuando lo hizo, se sintió conmocionado por el aspecto del apartamento: los muebles aparecían destrozados; los cuadros arrancados de la pared, y los espejos y las lámparas rotos en mil pedazos. Hopper estaba sentado en el centro de la estancia, sujetándose la cabeza con ambas manos y con una pierna encima de una silla. «¿Dónde está Caterine?», le preguntó Mapplethorpe, pero Hopper no respondió. Robert estaba ya a punto de llamar a la policía cuando oyó un débil gemido procedente del cuarto de baño. Al acudir, encontró a Milinaire con sus hermosas facciones hinchadas y tumefactas. «¡Sácame de aquí!», le imploró ella. De camino al apartamento de su tío, le explicó que Hopper le había propinado una paliza bajo los efectos del alcohol.

Mapplethorpe había pensado siempre que Milinaire poseía los rasgos más perfectos que jamás había conocido en mujer alguna, pero ahora, al ver su rostro sanguinolento y destrozado, la encontraba más extraordinariamente hermosa que nunca. No veía un semblante «maltrecho», sino unas facciones exquisitamente transformadas mediante una serie de contusiones que se extendían como sombras sobre sus pómulos. Llevaba consigo su cámara, y al llegar al apartamento le preguntó si le permitiría fotografiarla. Ella accedió de mala gana porque pensó que era importante conservar un testimonio de aquel episodio aunque tan sólo fuera para ilustrar el hecho de que existen mujeres maltratadas en todas las escalas socioeconómicas. Adicionalmente, opinaba que sería un valioso documento de la época. «A mediados de los años setenta, la gente se comportaba de una forma tan extrema –explicaba–, y había tal abundancia de drogas y de sexo, que todo el mundo se sentía arrastrado hasta el límite. Me pareció apropiado que Robert se hallara presente en el momento en que Dennis y yo chocamos. No logro imaginar qué otro fotógrafo habría sabido captar mejor aquel instante.»

En ausencia de Mapplethorpe, Sam Wagstaff pasó el verano en Oakleyville, una zona de Fire Island tan aislada y remota que a veces era posible distinguir a Greta Garbo paseando por el bosque en dirección a casa de su amigo Sam Green. Anteriormente, Wagstaff había alquilado una casa en Pines, un elegante gueto gay en el que podía disfrutarse de blancas playas arenosas, discotecas abiertas hasta la madrugada y la presencia del «Meat Rack», una zona boscosa de dunas y árboles en la que cientos de hombres buscaban la comunión con la naturaleza a través de la práctica del sexo al aire libre. Aquel año, sin embargo, se contentaba con disfrutar de un «verano blando», y se entretenía recorriendo el bosque en busca de arándanos y ciruelas, pescando almejas, nadando en la bahía y leyendo novelas de Jean Rhys. Sam conservaba su tradicional debilidad por los «dulcecitos», termino que empleaba para designar a cual-

Retrato, tomado en 1974 por Francesco Scavullo, que nos muestra a Wagstaff y a Mapplethorpe en el cenit de su romance.

Tulips (Tulipanes), 1977,
realizada para la cubierta del libro de Wagstaff.

Jim Nelson, peluquero que reemplazó a Robert
en el corazón de Wagstaff.

Retrato en blanco y negro de Patti Smith que Mapplethorpe realizó para la cubierta de su primer álbum, *Horses.*

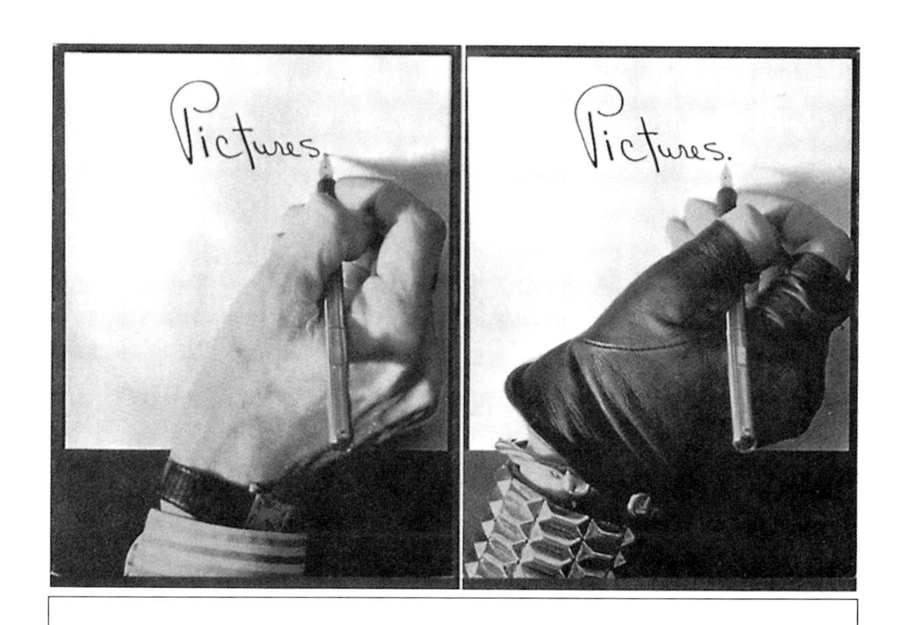

ROBERT MAPPLETHORPE

Holly Solomon Gallery

The Kitchen

Saturday, February 5, 1977

Through Feb. 26

Through Feb. 19

392 West Broadway
Phone: 925-1900
Tues.-Sat. 10:30-6:00
Wed. 10:30-9:00

484 Broome Street
Phone: 925-3615
Tues.-Sat. 1:00-6:00

Invitaciones de Mapplethorpe para sus inauguraciones paralelas en la Galería Holly Solomon y en la sala Kitchen.

Holly Solomon, primera galerista
de Mapplethorpe, que le «examinó» pidiéndole que la retratara.

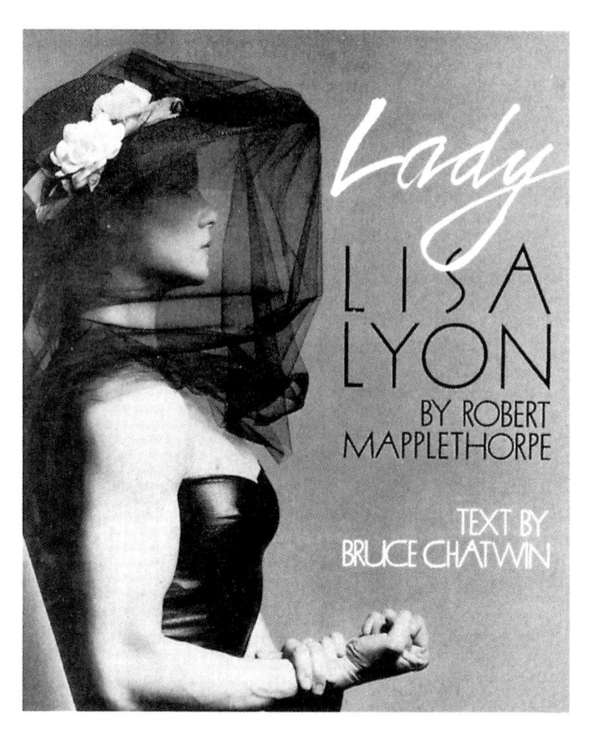

Lisa Lyon en la cubierta del libro *Lady*.

La culturista Lisa Lyon fue la última pareja femenina de Mapplethorpe.

Milton Moore, 1981.

Jim, Sausalito, 1977.

quier joven atractivo y ambicioso sin demasiado dinero, y recientemente se había encaprichado de un estudiante de arquitectura de dieciocho años llamado Mark al que supuestamente había conocido en el metro. Era la primera vez que Wagstaff se enamoraba de un joven desde que conociera a Mapplethorpe, y cuando el asunto llegó a oídos de Robert, éste llamó inmediatamente a su amigo desde París, a cobro revertido, para determinar la gravedad de la situación. En una carta fechada el 21 de julio, Sam le aseguró que Mark «ni de lejos puede reemplazar ni sustituir a mi pastelito». Tres días después, confesó a Mapplethorpe: «Nunca me siento realmente solo si puedo pensar en ti. Ignoro por qué aún me tienes afecto, pero me alegra profundamente que así sea. En esta vida no hay demasiadas personas con las que uno pueda conectar, ¿no crees?» A pesar del disgusto que le producía la existencia del arquitecto, Mapplethorpe no podía por menos de darle la razón. «Compartimos algo que ninguno de los dos ha de disfrutar con nadie más», le respondió. «Amo a mi viejo Sam, y siempre le amaré.»

Wagstaff continuó siendo un ardiente adalid de la carrera de Mapplethorpe, y convenció a numerosos amigos para posar ante él. Robert fotografió a Paul Walter –quien no hacía mucho que había comenzado también a coleccionar fotografía–, y también a Harry Lunn, quien había trabajado como agente de la CIA antes de inaugurar su propia galería de arte en Washington D. C. y copar el mercado de grabados de Ansel Adams. Con el tiempo, la relación con Lunn había de resultar provechosa para Mapplethorpe, ya que el influyente galerista, abierto entusiasta de su obra, terminaría participando en la publicación de sus colecciones «X», «Y» y «Z». Tanto Mapplethorpe como Wagstaff se dejaban ver con frecuencia en el apartamento que Norman Fisher (un traficante de drogas de altos vuelos aficionado a intercambiar cocaína a cambio de arte) poseía en Greenwich Village. Mapplethorpe fotografió a Fisher, por entonces mortalmente enfermo de cáncer, y el traficante donó posteriormente el retrato al Museo de Arte Jacksonville de Florida, cuya «Colección Norman Fisher» incluye obras de David Bowie, Robert Indiana, Malcolm Morley, Richard Serra, Ellsworth Kelly y William Wegman. Mapplethorpe conoció a otros muchos artistas en el apartamento de Fisher, que funcionaba como una especie de tertulia: aparte de los ya conocidos, comenzó a fotografiar a miembros de la vanguardia neoyorquina tales como la coreógrafa Lucinda Childs, el compositor Philip Glass, el director Robert Wilson y Brice Marden.

Hacia finales de verano, la carrera de Mapplethorpe experimentó su más importante giro de resultas de una fugaz aventura sexual con un joven que trabajaba en la Galería Holly Solomon, el cual convenció a la dueña para fijar una cita en el apartamento de Bond Street y echar un vistazo a la obra de Robert. Tanto por su personalidad como por su estilo, Holly Solomon no parecía un personaje apropiado para relacionarse con Mapplethorpe. Había trabajado antiguamente como actriz, y no había nada en ella que no resultara artificial y preparado de antemano; hablaba como si estuviera dirigiéndose al patio de butacas, y parecía profundamente consciente del efecto que creaban su atuendo vanguardista y sus cabellos de rubio platino. Vivía en Park Avenue con su marido, Horace, un fabricante de ornamentos capilares femeninos, y en 1975 había abierto una galería en el SoHo gracias al respaldo financiero de su esposo. Solomon no tardó en hacerse célebre por exponer la obra de artistas «decorativos» tales como Robert Kushner, Kim MacConnel y Robert Zakanitch, quienes experimentaban con técnicas y materiales decorativos destinados a la creación de grandes cuadros y obras cosidas sobre lienzo que sugerían diseños de papel pintado o alfombras orientales. Mapplethorpe consideraba aquellos trabajos chillones y recargados, y en privado solía tachar de «vulgar» el sentido estético de Solomon. Ésta, sin embargo, era una de las pocas galeristas que se mostraban dispuestas a exponer fotografía.

La primera vez que Solomon visitó el apartamento de Bond Street, Mapplethorpe le mostró en primer lugar sus fotografías eróticas para poner a prueba su cociente de impresionabilidad, pero la galerista no se mostró tan conmocionada como sencillamente desinteresada. «Nunca pensé que sus "fotos guarras" fueran lo mejor de su obra», dijo posteriormente. «¿En qué demonios consiste el concepto de prestar dignidad a la pornografía? ¿Puede saberse que tontería es ésa?» Sin embargo, admiraba sus retratos y decidió «concederle audiencia», algo que ya había hecho con Roy Lichtenstein, Andy Warhol, Robert Kushner y Richard Artschwager, todos los cuales ya la habían retratado anteriormente. Warhol, de hecho, realizó nueve *Holly Solomon* como parte de su retrato serigrafiado de la galerista, fechado en 1966. Mapplethorpe advirtió que se enfrentaba a competidores de altura (Solomon solía describir el retrato de Lichtenstein como «una suerte de Mona Lisa [...] un arquetipo de nuestra época»), y cuando llegó a su apartamento de Park Avenue recurrió a la sublimación de sus incumplidos sueños de estrellato fotografiándola reclinada sobre la cama, de perfil y con la cabeza ladeada hacia atrás. La hizo posar frente a un papel pintado de turbulento diseño que sugería ingeniosamente el movimiento decorativo que la había hecho famosa, y por fin le presentó un tríptico enmarcado en el que aparecía la imagen de Holly repetida por tres veces. «Cada vez que contemplaba el retrato de Mapplethorpe –explicaba Solomon–, veía a una mujer sumamente cómoda con su propia identidad... a alguien que ha sabido aceptar su propia teatralidad. Ya no es una mujer joven, pero también ha logrado aceptar eso. Opino que Robert supo interpretarme muy bien. A diferencia de los pintores, los fotógrafos deben poseer una cualidad esencial, que consiste en la habilidad de saber enfrentarse a las personas. Robert comprendió perfectamente a su "clienta". Se mostró amable, perceptivo y sumamente gentil. Di por hecho que si había podido trabajar bien conmigo sabría hacerlo también con los demás. "¿Te gustaría que te organizara una exposición?", le pregunté. Y él me respondió: "Sí."»

Uno de los motivos por los que Solomon accedió a representar a Mapplethorpe fue la perspicacia que mostraba ante la pintura y escultura contemporáneas, y no sólo ante la fotografía. «La mayoría de los fotógrafos entienden tan sólo el mundo específico en el que trabajan: el de la moda, por ejemplo. Robert poseía una perspectiva contextual del arte, y a mí me interesaba lo que intentaba lograr con sus formatos. Hasta entonces, la mayor parte de las personas que se dedicaban a coleccionar fotografías se limitaban a guardarlas en cajones o en álbumes de plástico. Al ampliar desmesuradamente sus formatos, Robert estaba afirmando que la fotografía tiene tanto prestigio como la pintura, y que no pasa nada por tenerla colgada en la pared del salón. Estaba ennobleciéndola.»

Solomon sabía que Mapplethorpe contaba con el respaldo y el beneplácito de Wagstaff, lo que contribuía a intensificar la admiración que sentía por él. «Sam estaba considerado como el coleccionista de fotografía por excelencia», solía decir. «Muchas personas, yo especialmente, creíamos en él. Y aunque también sabía que él y Robert habían sido amantes, era consciente de que Sam era una persona realmente inteligente y capaz. Jamás me habría relacionado con Robert de no ser por Sam. Y hay muchas personas que piensan lo mismo que yo.» Independientemente del modo que empleara para conseguir galeristas, el hecho de contar con alguno le proporcionaba a Mapplethorpe la credibilidad que precisaba como artista, y aquel mes de noviembre una fotografía suya de un perro dálmata apareció incluida en una muestra colectiva –«Animals» («Animales»)– en la que también figuraba obra de Susan Rothenberg y William Wegman. Solomon prometió a Mapplethorpe una exposición individual para comienzos de 1977. «No esperaba ganar dinero desde el primer momento», confesaba. «¿Qué podía pedir por una de sus fotografías? ¿Ciento cincuenta dólares? Podía ganar mucho más vendiendo cualquier cuadro. Pero me había comprometido con Robert. Le dije: "Eres bueno, y te mereces mi apoyo, pero esto, probablemente, va a acabar conmigo."»

Exactamente un año después de grabar *Horses*, Patti Smith se hallaba de vuelta en los estudios con *Radio Ethiopia*, y ella y su banda se pasaron el mes de julio trabajando en el álbum a las órdenes del productor Jack Douglas. Tras recorrer el país realizando una gira promocional de *Horses*, Patti había acometido una dedicación aún más poderosa al rock and roll, y cambió el nombre del grupo –que comenzó a llamarse Patti Smith Group en lugar de simplemente Patti Smith– para desviar la atención de sí misma en tanto que actriz-espectáculo. Siempre había mostrado cierta tendencia al autosacrificio, y no resulta casual que considerara *Radio Ethiopia* como un álbum «femenino» en comparación con la «masculinidad» de *Horses*, en el que había aparecido más dominante que sometida. Afirmaba de Jack Douglas que la había tratado despreciativamente, y también que *Radio Ethiopia* era «un álbum sexy destinado a las chicas». Pero sus mezclas de coros eran tan pobres que las letras resultaban ininteligibles, y Jane Friedman, directora de la banda, opinaba que estaba destruyendo su principal valor: «el poder de la palabra». Patti, sin embargo, se mostraba obsesionada por crear ásperos sonidos animales que imitaran los gemidos de una mujer durante el parto, y aplicó a la canción *Radio Ethiopia* una coleccion de aullidos guturales y de chirriantes notas de guitarra que obtenía tocando la misma nota una y otra vez. Charles M. Young describía el álbum, en *Rolling Stone*, como «un interminable disparate propio de los años sesenta».

Patti insistía en que era «Arte Elevado», respaldando su afirmación mediante una filosofía críptica según la cual la música de rock and roll poseía la capacidad de transportar a sus oyentes a un período prebabélico en el que todo el mundo hablaba el lenguaje universal de la «lengua perdida». En las notas del álbum incluía algunas de sus confusas ideas: «nos lo dice todo un aullido animal [...] notas que se vierten en el molde de la libertad [...] la libertad de mostrarnos intensos [...] de desafiar el orden social y romper la lenta y monótona agonía de la censura [...]». Smith afirmaba estar intentando establecer comunicación con Dios por medio de su música, y en la canción *Ain't It Strange* (¿No es extraño?), Le imploraba que Se mostrara: «Adelante, Dios, da el primer paso.» Sus urgentes exhortaciones a un Dios distante habían representado un tema constante desde la niñez, y sus diversos intentos por lograr la comunicación con Él constituían un eco de los esfuerzos de la joven Patti por hacerlo igualmente con su padre, quien se pasaba el tiempo leyendo la Biblia.

Radio Ethiopia no logró transmitir su mensaje al presidente de Arista, Clive Davis, quien, por más que respetara la creatividad de su artista, debió de sospechar que tenía un desastre entre manos. Esta vez, Patti había pedido a su antigua amiga Judy Linn que se hiciera cargo de la foto de la portada, ya que opinaba que la carrera de Mapplethorpe marchaba bien sin su ayuda y quería ayudar a Judy. La fotografía de Linn mostraba a Smith sentada en el suelo de un apartamento frente a una pared atravesada por una maraña de cables telefónicos; carecía de la intensidad visual de la que Mapplethorpe realizara para *Horses*, y reflejaba el tono desafiantemente anticomercial del álbum. Patti había insistido en incluir una canción titulada *Pissing in a River* (Orinando en un río) a pesar de que incluso tan leve obscenidad bastaba para imposibilitar su acceso a la radio. Los directivos de Arista le imploraron que la cambiara a *Sipping in a River* (Sorbiendo de un río), pero Patti se negó, ya que el concepto mismo de *Radio Ethiopia* se basaba en liberalizar el mundo de las ondas.

La personalidad de Patti siempre había sido un cúmulo de contradicciones, por lo que el enfoque de su propia carrera resultó igualmente desordenado.

Solía comparar a su grupo con los Rolling Stones, y ansiaba alcanzar una audiencia de masas. No obstante, se negaba a aceptar cualquier tipo de compromiso y se limitaba a proponer su *Radio Ethiopia.* Era evidente que se contemplaba a sí misma como aquella «salvadora del rock-n'-roll» que ya mencionara en sus escritos para *Cowboy Mouth*, y comenzó a referirse a sí misma como la «mariscala de campo del rock and roll». Comparaba sus actuaciones con acciones bélicas, y le gustaba mostrar a los periodistas los cardenales y arañazos que sufría en el campo de batalla. «Físicamente, tengo que ser como cualquiera de esas mujeres israelíes», declaró ante el *Melody Maker.* «La única diferencia es que mi metralleta es mi guitarra. Cuando concluyo una actuación, me siento tan enloquecida, tan histérica, tan impregnada de mis últimos restos de adrenalina –con los ojos llenos de sudor y sucia de polvo por haber estado arrastrándome por el suelo– que siento como si me encontrara apuntando desde una trinchera. Es como si mi guitarra fuera una ametralladora y, sencillamente, siento que sufro un cortocircuito.» Bajo su temeraria fachada, sin embargo, se ocultaba una mujer frágil y asustada cuyo arte se había visto tradicionalmente dominado por imágenes de violencia sexual y de muerte, y cuyos alaridos primarios a través de *Radio Ethiopia* apelaban a toda la rabia y la ira de sus primeros años de vida.

Aquel otoño, Mapplethorpe tomó un retrato de Patti en el que lograba captar su precario estado mental. La joven se había trasladado a vivir a su apartamento debido a que había expirado el contrato de alquiler de su vivienda e ignoraba qué hacer con Allen Lanier. No se sabe muy bien cómo, su relación con él había logrado sobrevivir a su aventura con el guitarrista de rock Tom Verlaine, y aunque Lanier y ella tenían planeado adquirir en breve un apartamento en el mismo edificio de la Quinta Avenida en el que vivía Sam Wagstaff, no se sentía del todo a gusto con él. Mapplethorpe la fotografió una mañana en que la sorprendió desnuda y agachada frente a un radiador, con la barbilla apoyada en las rodillas y las huesudas costillas dolorosamente visibles bajo la piel. En aquella imagen, Patti parecía un polluelo en el momento de emerger de un huevo recién eclosionado.

El Patti Smith Group pasó parte del mes de octubre en Europa, donde la retórica de «mariscala» de Patti llegó a tornarse aún más acalorada después de sus actuaciones en Inglaterra. Los Sex Pistols acababan de lanzar su primer *single*, titulado *Anarchy in the U. K.* (Anarquía en el Reino Unido), y aunque Patti no se identificaba con el brutal comportamiento del grupo, sí lo hacía con los objetivos del movimiento punk, consistentes en despertar a aquella sociedad complacida de su adormecimiento. Al regresar de Europa, se vio excluida de las emisiones radiofónicas de la cadena WNEW por emplear una palabra soez durante el curso de una entrevista en directo, por lo que comenzó a repartir durante sus conciertos panfletos en los que podía leerse: «Creemos en una total libertad de comunicación, y nos negamos a claudicar. [...] Queremos la radio, y la queremos ahora.» A finales de noviembre, el grupo tocó durante una semana en el Bottom Line. Durante aquel período, y según Lenny Kaye, Patti mostró una actitud «intensamente agresiva» que convertía sus actuaciones en episodios enloquecidamente autodestructivos. «Recuerdo que cada actuación era más disparatada que la anterior», decía Kaye. «Recuerdo también que durante la interpretación de *Ain't It Strange* eché a correr para mezclarme con el público y Patti me persiguió y me arrastró de vuelta caminando sobre las mesas. Todo ello obedecía a su anarquía y a su inmensa energía de adolescente, y transmitía algo muy liberador debido a lo mucho que desafiábamos los límites establecidos.»

A finales de enero de 1977, la convulsiva energía de Patti alcanzó su punto culminante cuando fue contratada para presentar la actuación de Bob Seger y la Silver Bullet Band en el Curtis Hixen Hall de Tampa, Florida. Estaba interpretando *Ain't It Strange*, mascullando la letra y parodiando actos pornográficos con Lenny Kaye, cuando comenzó a girar sobre sí misma como una peonza. «Vamos, vamos, como si fuéramos derviches», gritaba. «Adelante, Dios, da Tú el primer paso.» Continuó girando cada vez a mayor velocidad, sumergiéndose en un frenesí orgiástico, hasta que tropezó con uno de los monitores y, al igual que Ícaro, se precipitó sobre el suelo.

«Cuando me caí de aquel escenario —explicaba luego—, fue como si Dios me hubiera dicho: "Esto es lo que te va a pasar si continúas fastidiándome." Comencé a darme cuenta de que quizá era una simple mortal después de todo.»

CAPÍTULO TRECE

«Cuando aparecieron por primera vez estas fotografías, la gente se estremecía y, a menudo, apartaba el rostro, yo misma incluida. Pero nadie que contemplara aquellas imágenes lograba olvidarlas...»

Ingrid SISCHY,
sobre las «Fotografías Eróticas» de Mapplethorpe.

«Soy una artista norteamericana y no tengo ningún sentimiento de culpa.»

Patti SMITH, *Babel.*

Patti Smith cayó desde una altura de cuatro metros y medio, aterrizó sobre el suelo de cemento y fue inmediatamente trasladada en ambulancia al pabellón de urgencias del Hospital General de Tampa. La sangre manaba de una profunda brecha abierta en la cabeza, y se había roto varias vértebras cervicales.

Aquel accidente representó una estabilizadora caída en desgracia para la «salvadora del rock-n'-roll», quien comenzó a experimentar parálisis en las piernas y doble visión a su regreso a Nueva York. Los médicos temieron que nunca pudiera actuar de nuevo. A su lamentable estado físico había que añadir el hecho de que *Radio Ethiopia* había sido un fracaso de crítica y público, y que Patti no estaba en condiciones de estimular las ventas a base de giras. Por si fuera poco, acababa de emplear todo su capital en el nuevo apartamento de un dormitorio que había adquirido con Allen Lanier: estaba en bancarrota y ni siquiera contaba con un seguro de salud que cubriera las facturas de los médicos.

Mapplethorpe, que había visto prosperar la carrera de Patti por delante de la suya propia, nunca había dado muestras de celos al respecto, aunque sí había bromeado con ella acusándola de alcanzar la fama antes que él. Ahora, Patti se hallaba temporalmente en el banquillo, mientras que él estaba a punto de obtener su primer éxito de importancia con una exposición de retratos en la Galería Holly Solomon.

Consciente de que Solomon no apreciaba realmente sus «fotos porno», Mapplethorpe organizó una muestra paralela de las mismas en Kitchen, una sala alternativa del SoHo. De este modo, inauguró el 4 de febrero de 1977 dos exposiciones simultáneas: «Portraits» («Retratos»), en Solomon, y «Erotic Pictures» («Fotografías Eróticas»), en Kitchen.

Si en aquella ocasión la estrategia de dividir su obra había sido fruto de la necesidad, en el futuro habría de convertirse en un elemento constante de su carrera: las imágenes pornográficas le proporcionaban notoriedad, pero sus ingresos dependían de los retratos más ortodoxos, y el hecho de separar ambos géneros le permitía llegar simultáneamente al público heterosexual y al mundo homosexual. Las invitaciones de Mapplethorpe para sus dos exposiciones de febrero nos revelan su peculiar astucia a la hora de «venderse». En ambas aparecía una fotografía de su propia mano escribiendo la palabra *Pictures* (Fotografías) sobre un trozo de papel, pero en la tarjeta de Solomon vestía una camisa a rayas convencional y lucía un reloj Cartier, mientras que en la invitación de Kitchen la mano aparecía enfundada en un guante de cuero y rematada por una muñequera con tachuelas.

Antes de acudir a las inauguraciones, Robert se detuvo en la Quinta Avenida para recoger a Sam Wagstaff y al mismo tiempo averiguar si Patti Smith se encontraba lo bastante bien como para acompañarles, lo que no era el caso. Mapplethorpe sabía que Patti no podía caminar y que se le nublaba la vista, lo que nos revela otro ejemplo de lo insolentemente narcisista que era capaz de mostrarse, pero la joven se excusó de todos modos porque comprendía la importancia que ambos acontecimientos tenían para él. «Era casi como si no pudiera disfrutar de las cosas si yo no estaba también presente», explicaba luego. «Necesitaba que yo misma fuera testigo de la ocasión.»

Un oftalmólogo le había asegurado que recuperaría completamente la visión, pero sus piernas continuaban paralizadas. Los médicos habían recomendado una operación de columna, pero a Patti le asustaba la anestesia total. Había decidido que, en lugar de someterse a la operación, seguiría el consejo de un especialista en medicina deportiva cuyo tratamiento incluía una rigurosa tabla de ejercicios caseros destinados a fortalecer sus piernas. Entretanto, el médico había prescrito un reposo total en cama de tres meses de duración, por lo que, a pesar de la insistencia de Mapplethorpe para que alquilara una silla de ruedas con la que acudir a las inauguraciones –«Sam se encargará de pagarla», le decía–, rechazó el ofrecimiento y continuó leyendo una Biblia impresa en grandes caracteres que últimamente conservaba junto a la cabecera.

Wagstaff se había pasado los últimos treinta días asegurándose de que ambas exposiciones fueran un éxito, pero sus paternales esfuerzos comenzaban a exasperar a Holly Solomon. «Sam era un hombre sumamente exquisito y elegante –decía Holly–, pero se comportaba como una matrona judía. Mientras colgábamos la exposición estuvo llamándome sin parar cada diez minutos.» Para después de las inauguraciones, Wagstaff había organizado una fiesta de etiqueta en el One Fifth, un restaurante de estilo art déco ubicado en la planta principal de su edificio, y se había asegurado de enviar a ambas galerías sendos telegramas de felicitación para Robert en los que prometía a su protegido «abrazos de monito» y «amor para siempre». Previamente, había obsequiado a Mapplethorpe con una sortija de sello en la que figuraba el escudo de los Wagstaff y el lema de la familia: *Perseverantia et Integritas.*

La inauguración de Mapplethorpe en la Galería Solomon no resultó tan formal como pudiera haber sugerido la invitación, ya que entre los retratos que colgaban en sus muros no figuraban únicamente princesas y galeristas, sino también prostitutas y drogadictos. El retrato de la princesa Margarita con su botella de Beefeater aparecía junto a la imagen de un fornido Harry Lunn; Arnold Schwarzenegger aparecía tensando los músculos a pocos metros de un pavoneante transexual. La ecléctica mezcolanza de retratos y asistentes no había cambiado desde su inauguración en la Galería Light, tres años atrás, pero su obra había madurado desde aquellas primeras y lúdicas *polaroids* de marcos multicolores. Mapplethorpe se hallaba ya profundamente versado en historia de la fotografía, y sus primeros impulsos de experimentación juvenil habían dado paso a una técnica más cuidada y estilizada en la que se advertía la influencia de los retratos de moda de Horst y George Platt Lynes. Su estudio seguía sin disponer de equipos de iluminación, pero muchos de los retratos expuestos en la Holly Solomon aparecían dramáticamente realzados mediante luz natural, especialmente el titulado *Dennis Walsh, 1976*, en el que la erótica pose de «esclavo agonizante» del modelo se encuentra poderosamente reforzada mediante la iluminación del rostro y de la parte superior del torso, en contraste con la oscuridad que envuelve el resto del cuerpo. En una crónica publicada por *Arts Magazine*, David Bourdon felicitaba a Mapplethorpe por su «vermeeriana iluminación indirecta», a la vez que subrayaba sus «dotes para hacer palpable la luz de un modo refrescante e ingenioso que fortalece sus composiciones».

La exposición de la Galería Solomon contribuyó a establecer la reputación de Mapplethorpe como nuevo y prometedor retratista fotográfico, mientras que sus «Erotic Pictures» de Kitchen sentaron los cimientos de su controvertida carrera.

El impacto de las imágenes eróticas exhibidas en la Galería Light se había visto parcialmente amortiguado por las reducidas dimensiones del formato Polaroid, pero las fotografías expuestas en Kitchen eran de 40 x 50 cm, y bajo una laboriosa preparación, mostraban a sus modelos maniatados con esposas y con los ojos vendados, rodeados por lujosos marcos de seda y de maderas exóticas de diversos tipos. En cierta ocasión, Mapplethorpe había comentado humorísticamente a Maria Morris Hambourg (quien posteriormente alcanzaría el puesto de conservadora del departamento de fotografía del Met), que él no era más que un «decorador marica», tras lo cual había pasado horas y más horas en la tienda de marcos Bark Frameworks, de la calle Grand, examinando muestras de sedas de diversos tonos para las orlas. Hizo saber al propietario, Jared Bark, que tenía la intención de limitar los marcos a tres únicos costados, dejando abierto el inferior. Si bien no dio más explicaciones, Bark comprendió que Robert pretendía crear un arco de proscenio en el que las orlas de seda funcionaran a modo de telón. «Al hablar de marcos –afirmaba Bark–, siempre surgen las preguntas obvias acerca de su relación con la arquitectura y el arte. ¿Son los marcos el equivalente del mobiliario? ¿Constituyen detalles arquitectónicos? En realidad, los marcos de Robert eran más teatrales que otra cosa, pero las orlas funcionaban también a modo de puertas... más como puertas que se abrían a su vida interior que como ventanas que se abrieran al mundo exterior.»

«Erotic Pictures» carecía de la terrorífica autenticidad de algunas de las obras posteriores de Mapplethorpe, pero sus imágenes de hombres amordazados, cegados y atados no dejaban de constituir una revelación para aquellos espectadores aún no familiarizados con el mundo sadomasoquista. «Cuando aparecieron por primera vez estas fotografías, la gente se estremecía y, a menudo, apartaba el rostro, yo misma incluida», escribió Ingrid Sischy para el catálogo Whitney de la retrospectiva de Mapplethorpe de 1988. «Pero nadie que contemplara aquellas imágenes lograba olvidarlas, por más que las conociera tan sólo de oídas.» A diferencia de los modelos de su galería de retratos, los hombres que integraban la colección de «Erotic Pictures» solían aparecer por lo general identificados únicamente por el nombre de pila, con la excepción de dos estrellas del «porno»: Peter Berlin y Marc *(Mr. 10½)* (Don veintisiete centímetros) Stevens, con cuyas partes íntimas estaban ya familiarizados los asiduos de las películas clasificadas «X». Mapplethorpe aprovechó su fotografía de Stevens para hacer gala de su travieso sentido del humor, emplazando el célebre órgano de la estrella sobre un tajo de carnicero, como si se tratara literalmente de una pieza de carne a la espera del cuchillo.

Tras hacer acto de presencia en ambas inauguraciones, Mapplethorpe regresó al apartamento de Wagstaff para vestirse de etiqueta, y a continuación bajó a recibir a los primeros en llegar de los doscientos invitados a la fiesta del restaurante. Entre ellos figuraban Sandy Daley, David Croland, Fran Lebowitz, Bob Colacello, Danny Fields, Charles Cowles, Klaus Kertess, Mario Amaya, Halston, Elsa Peretti, Diana Vreeland, Caterine Milinaire, Catherine Guinness, Harry Lunn, Paul Walter, Fernando Sánchez y otros muchos personajes que habían contribuido directa o indirectamente al éxito de la carrera de Mapplethorpe, quien se sintió tan emocionado ante aquel impresionante resultado que no pudo por menos de correr al ascensor y subir al apartamento de Patti Smith para compartir la buena noticia con ella. «¡Soy un éxito!», exclamó exultante, irrumpiendo en su habitación.

Patti, cubierta por un sombrero gris con el que ocultaba los veintidós puntos que acribillaban su cabeza, estaba en la cama devorando un cuenco de cuscús. Sobre el lecho aparecían esparcidos una camisa de lana, las obras completas de Rimbaud y de William Burroughs y una grotesca muñeca Raggedy Ann vestida al estilo de la propia Patti. Entre aquel desorden se abría paso *Ashley*, un gato que Patti había encontrado en la basura. «Está presente Nueva York al completo», prosiguió Mapplethorpe. «Tienes que comprobarlo por ti misma.» Patti le dijo que se marchara, pero Robert volvía a comparecer a intervalos de una media hora aproximadamente con noticias frescas. «¡Soy el héroe de la ciudad!», anunció en una de sus apariciones y, cogiendo a Patti en brazos, se encaminó hacia la puerta. Sin embargo, no podía caminar sino a trompicones a causa de las drogas y el champán, por lo que volvió a depositarla sobre la cama con la promesa de regresar más tarde.

El siguiente en acudir al apartamento de Patti fue Sam Wagstaff, quien se había cansado de aquella «galería de guapitos» y había decidido que le apetecía hacerle compañía. Patti nunca se cansaba de la conversación de Sam, y éste aprovechó lo que quedaba de fiesta para enzarzarse en una discusión sobre Brancusi, deslizando sin cesar los dedos sobre imaginarios bloques de mármol. «¿Sabes qué dijo Brancusi en cierta ocasión? –preguntó a Patti–. "No busques misterios... ¡de mí obtendrás puro gozo!" ¿No te parece maravilloso?» Por fin, le dio un beso de buenas noches y Patti le vio partir en dirección a su apartamento con la sonrisa de un padre orgulloso. «Bueno –dijo al marcharse–, por fin tenemos a nuestro chico convertido en la más guapa del baile.»

Mapplethorpe obtuvo una notoriedad inmediata como *enfant terrible* del mundo del arte. El público se mostraba tan fascinado por él como por su arte. «Durante los años setenta, Robert era el equivalente vestido de cuero de los grandes dandis y decadentes del siglo XIX: Beardsley, Oscar Wilde, Huysmans...», afirmaba Philippe Garner, de Sotheby's. «Lo que hacía su personalidad tan intrigante eran las mismas cualidades contenidas en su obra: aquel escalofriante contraste entre la depravación de su sexualidad y la gracia y la exquisitez de su estilo personal.» En su introducción a *Mapplethorpe*, Arthur C. Danto escribió que el fotógrafo encarnaba a la vez todas las cualidades dionisíacas y apolíneas: Dioniso era el «dios del frenesí», y Apolo «el dios de la proporción y las formas».

A pesar de la curiosidad que su figura despertaba entre el público, ni una ni otra exposición le proporcionaron apenas ingresos. Holly Solomon cobraba trescientos dólares por cada pieza única enmarcada, y ciento cincuenta por la misma pieza sin enmarcar, pero algunas personas protestaban de que las obras enmarcadas eran demasiado caras y de que las fotografías no resultaban lo bastante atractivas desprovistas de sus orlas de seda. Mapplethorpe, que había tenido que afrontar elevados costes de enmarcado, confiaba en recuperar parte de sus gastos, y experimentó una gran frustración ante su incapacidad para generar dinero. Wagstaff actuaba a modo de red de seguridad, pero Mapplethorpe ignoraba cuánto tiempo podría seguir dependiendo de él, ya que continuaba saliendo con el joven arquitecto.

Mapplethorpe era consciente del reducido ámbito del mercado de imágenes sadomasoquistas, y sabía que la gente se mostraba reacia a colgar de sus paredes retratos de extraños, por más que se tratara de personajes ricos y famosos. En un intento de ampliar su alcance comercial, se aplicó al esfuerzo conjunto de realizar más fotografías de flores. Pocos días después de la fiesta de la Quinta Avenida, Paul Walter le envió una docena de tulipanes como testimonio de su agradecimiento, y Mapplethorpe comenzó a experimentar con ellos ayudado por sus nuevos focos de cuarzo, obsequio de Wagstaff.

Necesitaba conservar el control en todo momento o, al menos, la ilusión de que así era, pero ignoraba el manejo de las luces, y jamás hubiera desvelado sus limitaciones técnicas frente a un modelo humano. «Me dedicaba a jugar con las flores y la iluminación: me parecía un buen sistema de autoaprendizaje», reveló a *Print Letter*. «Y lo que obtuve, creo, fue algo tan potente como cualquiera de las fotografías que había realizado hasta entonces.» En el caso de los tulipanes de Paul Walter, Robert los transformó en un dramático díptico en el que la mirada del observador se ve arrastrada hacia un capullo solitario que sobresale del ramo.

A pesar de las posteriores alabanzas del crítico de arte Peter Schjeldahl, quien calificó sus obras como «las más hermosas naturalezas muertas florales jamás captadas», Robert se mostraba curiosamente hostil hacia las flores. En 1984, escribía Wagstaff en un ensayo: «En cierta ocasión, se me ocurrió el anticuado detalle de enviar unas flores a Mapplethorpe como felicitación de Pascua pero, para gran disgusto mío, las recibió con un bufido. "Odio las flores", me dijo, y fingió escupir sobre ellas. Ahora, por así decirlo, continúa escupiéndoles, pero a través de su Hasselblad; o las somete a perversidades que nadie había concebido anteriormente.» Muchas de las flores de Mapplethorpe parecen haber perdido su virginidad, como si el propio fotógrafo las hubiera deshonrado de algún modo exótico e innombrable. Cada vez que salía de Gifts of Nature, una floristería de la Sexta Avenida, y regresaba apresuradamente a casa con los brazos llenos de orquídeas, lirios y nardos, su actitud era la de un secuestrador. Y cuando, por fin, se decidía a fotografiar sus «obsequios de la naturaleza», éstos habían perdido cualquier conexión con la misma para convertirse –en palabras del propio Mapplethorpe– en «flores neoyorquinas», endurecidas y decadentes. Al igual que el protagonista de la novela de Joris-Karl Huysmans *Contra natura*, Mapplethorpe despreciaba las «flores burguesas» y prefería las orquídeas y las azucenas, a las que consideraba las «princesas del reino vegetal» o, en su caso, los «príncipes».

El hecho de que las flores albergaran los órganos sexuales de las plantas hacía que la perspectiva de Mapplethorpe de la reproducción botánica se viera matizada por sus propios intereses al respecto, y a menudo transformaba los pistilos y estambres en genitales masculinos. «Mi manera de fotografiar las flores no se diferencia mucho de la que empleo al fotografiar un pene», manifestaba en las páginas de *The Print Collector's Newsletter*. «Básicamente, se trata de lo mismo.» Con todo, cuando Holly Solomon vio sus fotografías florales accedió inmediatamente a exponerlas aquel mismo año. «Yo misma detesto las flores –dijo–, pero confiaba en que la exhibición de aquellas imágenes ayudara a modificar la imagen que se tenía de él. La gente le veía como un amante de los uniformes de cuero, y el hecho de que fotografiara flores resultaba chocante... más chocante aún que sus obras pornográficas, porque éstas eran algo con lo que ya se *contaba* de antemano.»

Mapplethorpe enfocaba el tema de las flores del mismo modo que el de los hombres que posaban para él. No sabía qué hacer con ellas una vez que ya las había fotografiado y, dado que le incomodaba la responsabilidad de tener que regarlas, solía arrojarlas a la basura antes de que se marchitaran y murieran. «Me obsesiona la belleza», explicaba a Anne Horton durante una entrevista realizada en 1987. «Necesito que todo sea perfecto lo que, claro está, nunca sucede. Y eso resulta una situación incómoda, porque uno nunca se siente realmente satisfecho.»

Pocas semanas antes de su accidente, Patti Smith había recibido un adelanto de cinco mil dólares de G. P. Putnam's Sons para escribir un libro de poesía, y cuando William Targ, editor del proyecto, supo que se encontraba confinada a su apartamento, acudió a visitarla a la Quinta Avenida. «¡Qué suerte tienes, maldito!», gruñó ella. «De no haberme caído de aquel escenario no habría tenido tiempo para trabajar en tu libro, pero aquí estoy atrapada.» Recordaba Targ: «Allí estaba Patti, en una cama enorme, rodeada de ramos de flores y con las páginas del manuscrito diseminadas por doquier. Se mostraba bastante hostil, sin que yo alcanzara a comprender por qué. Había acudido a verla en visita de cortesía. No pretendía llevarme el libro acabado. Pero Patti tenía dos personalidades distintas. La primera vez que la invité a almorzar al Algonquin, se había mostrado tímida y respetuosa, pero con el tiempo fui aprendiendo lo víbora que podía llegar a ser.»

Patti conservaba un ego sorprendentemente fuerte para alguien que había tenido que soportar un fracaso como el de *Radio Ethiopia*: creía firmemente en su propio talento, y se rodeaba de gente que defendía su perspectiva artística a ultranza. Se había peleado con su representante, Jane Friedman, por lo que contrató a la abogada Ina Meibach para supervisar su carrera. Para Friedman, que había permanecido junto a Patti desde el principio y la consideraba una buena amiga, aquélla fue una dolorosa ruptura. A la sazón, Patti pasaba la mayor parte del tiempo con una mujer llamada Andi Ostrowe, a la que había conocido a través de una de sus cartas de admiradores. Ostrowe había estado en Etiopía como voluntaria del Cuerpo de Pacificación, y ambas mujeres se mostraban convencidas de que su amistad se hallaba «predestinada» por su mutua coincidencia en la cuestión etíope. Ostrowe, conocida como la «Pequeña Patti del Cuerpo de Pacificación», trabajaba como avanzadilla del grupo, desplazándose de un lugar a otro y encargándose de montar los equipos, pero tras el accidente se ofreció a continuar prestando sus servicios gratuitamente, y todos los días se sentaba junto a la cama de Patti provista de una máquina de escribir portátil.

La mente de Patti se había tornado aún más alucinatoria como resultado de las tabletas de Percodan que tomaba para mitigar los dolores; así, compuso los poemas de su libro —acertadamente titulado *Babel*— en estado de trance mientras Ostrowe, por su parte, se esforzaba por transcribir el aluvión de palabras:

> No he andado jodiendo c/el pasado pero sí he andado jodiendo considerablemente c/el futuro. sobre la seda de la piel hay cicatrices de las astillas de los escenarios y los muros que he acariciado. como helena de su tronco, he obtenido placer de cada trozo de madera. he medido el éxito de cada noche por la cantidad de orina y semen que he logrado exudar sobre las columnas que acunaban el sistema... en esencia, soy una artista norteamericana y no tengo ningún sentimiento de culpa.

En el mes de marzo, Patti inició un agotador programa de terapia física que combinaba diversos ejercicios con máquinas de levantar pesas. Estaba decidida a recuperar las fuerzas para ganar dinero interpretando con su grupo un concierto de «Resurrección» en la radio el domingo de Pascua. Contaba, incluso, con un nuevo eslogan: «Fuera de tracción, de nuevo en acción.» Mapplethorpe ilustró la recuperación de Patti fotografiándola en la cama con el cabello peinado en trenzas y sosteniendo el collarín en el aire.

Solía detenerse a visitarla de camino a sus rondas por los bares sadomasoquistas, y Ostrowe le recordaba sentado en la cama de Patti con las piernas envueltas por mordazas de cuero. Había cedido al impulso de invitar a sus padres a que visitaran la exposición de Solomon, y se arrepentía profundamente de haberlo hecho. Wagstaff había partido a Europa, y le asustaba tener que enfrentarse a ellos por sí solo. «¿Qué voy a contarles?», preguntó a Patti, cuyo hermano, Todd, era también avanzadilla del grupo y cuya madre era presidenta del Club de Fans de Patti Smith.

Mapplethorpe había perdido hasta tal punto el contacto con su familia que su madre aún pensaba que seguía casado con Patti, y el año anterior, con motivo de uno de sus conciertos en Long Island, Joan se había llevado a su amiga Pat Farre para que viera a su «nuera». No tenía la menor idea de cómo era la música de Patti, y se sintió horrorizada cuando la vio dando traspiés por el escenario, escupiendo y rascándose la entrepierna. La intención inicial de Joan había sido visitarla luego en el camerino, pero ante aquello salió huyendo apresuradamente del club en compañía de Pat Farre, sintiéndose aliviada de no haber invitado también a Harry.

Los años no habían sido especialmente benevolentes con Joan, y su personalidad, antaño vivaracha, había ido tornándose cada vez más pesimista y huraña. Su estilo de vida apenas había experimentado cambios desde los años cincuenta. Aún acudía a la iglesia, aún pertenecía al club de bolos y aún cenaba regularmente a las seis en compañía de Harry, quien pronto había de cumplir sus cuarenta años de permanencia en los Laboratorios Underwriters. No se mostraba insatisfecha de ninguno de los aspectos de su vida; sencillamente, se quejaba de sentirse constantemente desanimada, y terminó por dar el inusitado paso de acudir a la consulta de un psiquiatra, quien le prescribió litio para aliviar su estado maníaco-depresivo. Harry culpaba a Robert de contribuir a la depresión de Joan a base de no devolver sus llamadas telefónicas y de olvidar a su familia en los cumpleaños y la Navidad. Cuando Joan le dijo que Robert había telefoneado para invitarles a asistir a una exposición en la ciudad, Harry hubo de enfrentarse a un dilema interno ante la idea de volver a ver a su hijo, ya que ello le traía a la memoria todos los disgustos del pasado: el pelo largo, el abandono de la ROTC, su fracaso en Pratt... El hecho de que inaugurara una exposición en una galería no servía más que para recordarle que su hijo le había desafiado al convertirse en artista. A regañadientes, aceptó llevar a Joan a la ciudad un sábado, antes de la hora de cierre, y mientras recorrían las estrechas calles en busca de una plaza de aparcamiento, ambos se preguntaron por qué alguien habría de escoger de modo voluntario un entorno tan deprimente para vivir.

Robert, entretanto, paseaba inquieto por West Broadway, fumando un cigarrillo detrás de otro y aplastando a continuación las colillas sobre la acera con la puntera de sus negras botas vaqueras. Su barbilla aparecía adornada por una hirsuta barbita de chivo que su padre, a buen seguro, habría de desaprobar, pero para evitar enfrentamientos mayores se había desprendido de las joyas y había intentado disimular con unas gafas ahumadas de aviador el enrojecimiento que mostraban sus ojos como resultado del exceso de drogas y de la falta de sueño.

Así y todo, cuando Harry y Joan se reunieron finalmente con él en la galería tras estacionar su automóvil, el padre opinó, una vez más, que su hijo tenía un aspecto terrible, y se produjeron varios momentos de tensión en los que ninguno de los tres pronunció palabra. Por fin, Holly Solomon hizo acto de presencia y se presentó a sí misma. A excepción de las clásicas galerías de grandes almacenes, especializadas en la venta de flores, marinas y payasos, Harry y Joan nunca habían estado anteriormente en una galería auténtica, y la experiencia resultó un tanto abrumadora para ambos. Robert les condujo de retrato en retrato, presentándoles a la princesa Margarita –«una amiga de Mustique»– y a John Paul Getty –«ya sabéis... uno de *los* Getty–. A continuación, se llevó a sus padres a almorzar a un restaurante local, donde Joan se pasó el rato charlando nerviosamente de su hija Nancy, quien por entonces tenía ya cuatro niños, de Susan, quien se había casado con su novio del instituto y tenía también un hijo, y de Richard, cuyo matrimonio con la novia coreana había terminado en divorcio y vivía a la sazón en Los Ángeles con su segunda esposa, una filipina llamada Jasmine. «¿Sabéis?», la interrumpió Robert. «*Soy* uno de los mejores fotógrafos jóvenes de Nueva York.» Harry, escéptico, comenzó inmediatamente a plantearle cuestiones destinadas a determinar su dominio técnico, preguntándole si sabía qué quería decir «profundidad de campo», pero terminó sintiéndose abrumado ante su ignorancia y ante la noticia de que su hijo pagaba a otras personas para que revelaran sus fotografías. «¿Cómo te atreves a llamarte a ti mismo fotógrafo?», exclamó. «¡Ni siquiera revelas tus propias copias!»

Por enésima vez, Robert le explicó que era un artista, y no un simple fotógrafo. «La gente ya no tiene tiempo que perder aguardando a que les pinten un retrato», le dijo a Harry. «Ahora, como se gana dinero es con la fotografía. Constituye el medio perfecto para nuestros tiempos, porque ofrece resultados al instante.» Al despedirse de sus padres tras el almuerzo, comprendió que había sido un error invitarles a la exposición. Su éxito no había modificado en lo más mínimo la relación que los unía: en todo caso, parecía haber aumentado la hostilidad de Harry.

De regreso a Floral Park, Harry se preguntaba cómo se las arreglaba Robert para frecuentar a tanta gente importante, ya que jamás había creído que su hijo fuera una persona especialmente simpática o placentera. «¿Qué ven en él?», le preguntó a Joan. «No puede decirse que sea un buen conversador, ni nada por el estilo.» Independientemente de los sentimientos de su esposo, a Joan sí le había impresionado la exposición, y al contemplar los retratos colgados de la pared había llegado a la amarga conclusión de que el hecho de que no tuvieran relación alguna con su hijo podía acaso deberse a que no tenían nada que ofrecerle. «A lo mejor es que nosotros no somos su tipo», repuso.

A Harry podía haberle producido resentimento el éxito de su hijo, pero más tarde se dedicó a presumir y a comentar la exposición con un compañero de trabajo apasionado por las cámaras que se había especializado en imágenes de mujeres ligeras de ropa. El tipo en cuestión proyectaba realizar una visita a Manhattan durante el fin de semana siguiente, y prometió a Harry que acudiría a ver la exposición. Cuando llegó a la ciudad, sin embargo, descubrió que había anotado mal el nombre de la Galería Holly Solomon y, tras consultar la lista de galerías de arte, vio el nombre de Robert bajo el de la sala Kitchen y acudió allí en lugar de a Holly Solomon. A primera hora de la mañana del lunes, comunicó a Harry que no dudaba de que el retrato de la princesa Margarita por su hijo Robert andaría colgado en algún lugar pero, desde luego, no en los muros de la sala Kitchen. Harry escuchó asqueado la detallada descripción que su amigo le proporcionó de «Erotic Pictures»: homosexuales desnudos y atados. «¿Estás seguro de lo que estás diciendo?», repetía Harry sin cesar. Siempre había sospechado que Robert no se traía nada bueno entre manos, pero ni en sus más descabelladas fantasías se le había ocurrido pensar que su hijo pudiera abrazar la sagrada trinidad de pesadillas que asalta a cualquier progenitor: era artista, era homosexual y, *encima*, era pornógrafo. Harry jamás se decidió a revelar la verdad a Joan, pues ésta ya se hallaba lo bastante deprimida de por sí y, sin duda, algo así era suficiente para destrozar el corazón de cualquier madre.

CAPÍTULO CATORCE

«Hazlo por Satanás.»

Robert MAPPLETHORPE

El período «sadomasoquista» de Mapplethorpe alcanzó su punto culminante durante los años 1977 y 1978, época en la que produjo treinta imágenes gráficas que posteriormente se consolidaron y vendieron como colección con el título de «X Portfolio». La dureza de las mismas, entre las que se incluían escenas de mutilación física, bastaban para impresionar casi a cualquiera, pero las exploraciones de Mapplethorpe le habían llevado a internarse hasta tal punto en el submundo de las desviaciones sexuales que apenas quedaba nada capaz de producirle asombro. «Todos los grandes libertinos que tan sólo viven para el placer son grandes por el único motivo de que han destruido en sí mismos toda su capacidad para apreciarlo», escribía Georges Bataille en *Erotismo: muerte y sensualidad*, refiriéndose al marqués de Sade. «A ello se debe que les atraigan las más espeluznantes perversiones, ya que, de otro modo, la sensualidad ordinaria habría de bastarles.» Mapplethorpe había llegado a aburrirse del «mismo rollo sadomasoquista de siempre», por lo que necesitaba continuar a la búsqueda de nuevas aberraciones cada vez más retorcidas.

«Durante aquel período tuve múltiples aventuras –contaba en 1988–, pero nunca fui aficionado al sexo como cosa del momento. Apenas me habré acostado con unos mil hombres diferentes.»

El ocaso de los años setenta coincidió con los últimos estertores de la Revolución Sexual y, aunque casi nadie llegó a los extremos de Mapplethorpe, tanto los gays como los heterosexuales procuraban realizar sus fantasías de modos que habrían resultado inconcebibles apenas una década antes. Los heterosexuales hacían el amor en la ducha, en las saunas y en las lóbregas aguas de una antigua casa de baños gay rebautizada con el nombre de «El refugio de Platón». Asimismo, contemplaban a través de la televisión por cable programas eróticos tales como «Midnight Blue», contrataban anuncios en las revistas de sexo en busca de intercambio de parejas, alquilaban películas pornográficas de vídeo y leían conocidos superventas con títulos tales como *El gozo del sexo* y *Todo lo que siempre quiso saber sobre el sexo*. La tradicional frase «Tengo la sensación de que ya no estamos en Kansas» había formado parte de la jerga gay durante varias décadas, y Studio 54, elemento característico de la glorificación del sexo y la cocaína durante la época, fue asimismo rebautizado con el nombre de «el mago de Oz de las discotecas» por el *New York Times*. Su imagen de glamour había sido sabiamente construida por el propietario, Steve Rubell, quien intentó proporcionarle cierta aura elegante de bisexualidad negando la entrada a las parejas de aspecto heterosexual y favoreciendo la presencia de ardientes jovencitos que contribuían a calentar la pista de baile y de criaturas fantásticas tales como Rollerena, de quien se rumoreaba que trabajaba durante el día como agente de bolsa en Wall Street, pero que solía aparecer regularmente por las noches en Studio 54 ataviado con traje de novia y patines de ruedas.

Mapplethorpe hacía incuestionablemente acto de presencia en todo club que se considerara como el lugar de moda del momento, y durante aquella época acudió a Studio 54 con una frecuencia mínima de una o dos veces por semana. Studio 54, sin embargo, era más un lugar de ambiente social que de encuentro sexual y, por lo general, solía rematar su asistencia a la discoteca con visitas al Mineshaft (El pozo minero), un «ambiente sadomasoquista duro», ubicado en un antiguo matadero situado en la esquina de Little West Twelfth con la calle Washington.

La abundancia de bares gay en el corazón del barrio tradicional de las industrias cárnicas se veía irónicamente realzada por diversos carteles en los que podían leerse frases tales como LA CARNE BIEN CORTADA o CARNE PICADA. A diferencia del club vecino, el Anvil (Yunque), en el que podía disfrutarse de espectáculos en vivo y actuaciones de jóvenes bailarines, el Mineshaft se consideraba el club sadomasoquista por excelencia: su iluminación teatral y su música minimalista atraían a todo tipo de público, desde críticos de arte y directores de cine hasta obreros de la construcción y cocineros de restaurantes de comida rápida. En definitiva, igual daba cuál fuera la ocupación diurna de cada uno, ya que una vez en su interior sólo importaban el sexo y el anhelo de aturdirse mentalmente hasta alcanzar el éxtasis.

«En el Mineshaft no se trataba de hacer conversación», recordaba Peter Reed, un bailarín al que Mapplethorpe fotografió varias veces y que falleció posteriormente de sida en 1994. «De hecho, te arriesgabas a que te invitaran a abandonar el lugar si te pasabas demasiado tiempo hablando de ópera o de cualquier cosa por el estilo. Era como un territorio primario de caza. En mi opinión, la cuestión estriba en que hubo un período concentrado de nuestra historia durante el cual todo un grupo de personas se convirtieron en adictas al concepto de salir cada noche y acabar echando un polvo. Ni siquiera era cuestión de echar un polvo, sino de tener un orgasmo. Algunos de los modos empleados para obtener tal fin podrían parecer trágicos para el observador externo, pero se trataba únicamente de experimentar aquella sensación precisa –como la liberación que se obtiene del ejercicio físico–: a continuación, podías marcharte a casa, dormir un rato y seguir funcionando.»

Mapplethorpe se pasaba la vida en el Mineshaft, al que acudía con tanta frecuencia que llegó a dar lugar a un chiste de moda: «¿A quién viste anoche *aparte* de a Robert Mapplethorpe?» Así y todo, raramente participaba en las orgías públicas: se pasaba la mayor parte del tiempo merodeando por sus pasillos escasamente iluminados, que conducían a habitaciones en los que hombres desconocidos se dejaban atar y flagelar. Había una bañera destinada a «deportes acuáticos» y una celda en la que los «prisioneros» eran maniatados con esposas o atados a sillas, así como cabestrillos de cuero destinados a facilitar los juegos sexuales con los puños. Mapplethorpe vagaba con la expectación constante de descubrir a alguien a quien llevarse a la cama, y el Mineshaft le proporcionaba ocasión de conectar con otros hombres igualmente devotos de los excesos sexuales. «Cualquier persona normal y corriente que hubiera acudido allí –afirmaba cierto crítico y biógrafo– se habría sentido horrorizada. Veías a modelos increíbles sujetos con arneses de cuero. Estaban completamente drogados, con los ojos en blanco [...] penetrados por dos puños, tres puños. Hablando en términos sexuales, se veían a sí mismos como atletas olímpicos. Al día siguiente, mis amigas me decían: "Estoy segura de que ayer anduviste haciendo algo terrible", y yo pensaba "Dios mío, si lo supieran se desmayarían ante los extremos a los que llegamos".»

Entre los primeros contactos que estableció Mapplethorpe en el club se hallaban dos especialistas en sadomasoquismo –Nick y Ray– que solían escenificar sesiones «duras» en su apartamento cuando no estaban escribiendo novelas rosas destinadas al gran público. Nick posó para varios retratos de Robert. Poseía el aspecto amenazador de un toro, y su rostro atezado, sus cejas morenas y sus ojos oscuros resultaban aún más ominosos por el espectacular tatuaje que lucía sobre la frente. En cierta ocasión en que Mapplethorpe y él estaban en el Mineshaft, un amigo común les presentó a un individuo increíblemente obeso que parecía patéticamente deseoso de actuar como «esclavo». «Acabo de apagarle una colilla en la cabeza», les susurró su amigo. «Llevémonoslo a casa.»

Se detuvieron primero en el apartamento de Mapplethorpe para recoger su cámara y, a continuación, se dirigieron a la «mazmorra» de Nick, donde, según éste, tuvo lugar una «cruda escena». El corpulento individuo se vio obligado a firmar un permiso para la divulgación de sus propias fotografías, aunque posteriormente amenazó con demandar a Mapplethorpe. «Las fotografías en cuestión nunca se publicaron», dijo Nick. «Dios sabe qué fue de ellas, pero al día siguiente Robert empezó a recibir llamadas de un abogado y tuvo que optar por ocultarse y no responder al teléfono.» Aquélla fue una de las pocas veces en que Mapplethorpe fotografió a alguien en contra de su voluntad, aunque Nick opinaba que el tipo –que más tarde les acusó de haberle torturado– disfrutó en el fondo de la experiencia. «Aquel gordito –contaba– había acudido a todas las exposiciones de Robert y estaba embobado con él.»

Desde la endurecida perspectiva de Nick, la afición de Mapplethorpe por el sadomasoquismo era más la de un adolescente obsesionado por el sexo que la de alguien seriamente comprometido con el tema. «Se pasaba la vida colgado de MDA o de cocaína –recordaba–, y solía reptar por el Mineshaft como una serpiente. Recuerdo que un día me mostró un ejemplar de una Biblia satánica similar a algo que yo ya había visto en el instituto. Las fotografías de Robert se me antojaron siempre como una versión embellecida del sadomasoquismo, y no como imágenes obtenidas de una sesión verídica.»

A Mapplethorpe nunca le había interesado limitarse a ilustrar la subcultura sadomasoquista, sino más bien a aplicar su propia estética en escenas que la mayoría de las personas considerarían normalmente sórdidas o repugnantes. Un ejemplo perfecto de lo anterior es *Jim and Tom, Sausalito* (Jim y Tom, Sausalito), una de las siete fotografías que desencadenaron el proceso de censura al que hubo de enfrentarse en 1990, en Cincinnati: la imagen muestra a un hombre orinando en la boca de otro, y fue tomada durante un viaje a San Francisco realizado en 1977. Mapplethorpe emplazó a ambos personajes en un búnker abandonado por la Marina. La luz de una ventana próxima inunda la destartalada escena con un haz cuasi religioso. Sin embargo, no es un ángel quien aparece en escena, sino Tom y Jim –este último ataviado de cuero– ocupados en transformar la orina en algo similar al vino. «¿Acaso no sois capaces de ver la belleza que encierra?», había suplicado Robert a sus vecinos de Floral Park tras mostrarles sus madonas cubistas. Años después, seguía preocupándole aquella misma cuestión, y con motivo de una entrevista realizada por Janet Kardon en 1988 aprovechó para describir otra imagen desconcertante –en la que un hombre se insertaba un dedo en el pene– como «una imagen perfecta gracias a la belleza de los gestos de la mano. Sé que la mayoría de las personas no sabe captar los gestos de la mano, pero opino que la composición funciona en conjunto. Creo que el gesto de la mano es bellísimo. Está haciendo lo que está haciendo, pero eso no es más que un elemento circunstancial». Cabe sospechar, no obstante, que Mapplethorpe se habría sentido ligeramente defraudado si alguien, al contemplar aquella fotografía, hubiera reaccionado del mismo modo que Janet Kardon durante el proceso de Cincinnati: esto es, cuestionando «la centralidad del antebrazo».

Mapplethorpe era perfectamente consciente de estar rompiendo tabúes, pero la transgresión era un acto fundamental en su obra. Para animar a sus compañeros sexuales a que rebasaran sus propios límites, solía repetirles una y otra vez la frase: «Hazlo por Satanás.» Anhelaba sacar a la luz secretos sexuales previamente ocultos, y a menudo les provocaba diciendo: «Sabes que eres un guarro.» Tan pronto como lograba quebrar sus defensas, fotografiaba a menudo sus «secretos» y los exhibía en público. Cuidaba siempre de no revelar ninguna identidad, y aunque jamás pasó por su mente la idea de chantajear a nadie, aquellas imágenes le proporcionaban la sensación de control que tanto ansiaba. «A Robert, lo que realmente le interesaba era fotografiar los deseos privados de las personas», explicaba Scott Facon, cuya fotografía aparece incluida en «X Portfolio». «Siempre te decía: "Hazlo por Satanás." Cuando descubrió que me interesaban los olores, los aromas, los suspensorios sucios y la sumisión, me convenció para que me arrollara dos suspensorios en torno a la cabeza antes de fotografiarme. La verdad es que mi fotografía debía haber sido la de la orina, pero ya la había hecho con otra persona.»

Mapplethorpe había visto recientemente una película que clarificaba sus propios deseos privados. Se trataba del *Salo* de Pier Paolo Pasolini, ambiguamente basada en los *120 días de Sodoma* del marqués de Sade, y contenía una escena en la que cuatro libertinos torturan a ocho víctimas inocentes forzándolas a ingerir sus propios excrementos. Inicialmente, *Salo* fue condenada por los censores italianos, quienes la juzgaron «aberrante y repugnante», pero no así Mapplethorpe, quien la calificó de brillante ejemplo del séptimo arte. Él mismo procuraba airear sus propias tendencias coprófagas luciendo un cinturón en el que aparecía la palabra «SHIT» (Mierda) escrita con tachuelas metálicas, si bien procuraba mostrarse evasivo con aquellas personas de las que pensaba que podrían sentirse repelidas por sus prácticas, y se refería tímidamente a su propio fetichismo como «lo sucio». No obstante, se decidió a sugerir el origen de su fijación en un autorretrato de 1978 que realizó a instancias de un director de arte alemán llamado Helmut, quien, tras aceptar la revelación de su propio secreto, presionó al fotógrafo para que divulgara el suyo. Mapplethorpe se insertó el mango de un látigo en el ano y posó con aire desafiante ante la cámara.

Llegó a controlar toda una red mundial de coprófagos que acudían a Bond Street cada vez que visitaban la ciudad y que se referían a los excrementos como «el sacramento definitivo». Incluso organizó una fiesta en el apartamento de un pediatra neoyorquino para la que envió invitaciones en cuya portada aparecía una fotografía de Arnold Schwarzenegger con la leyenda «Ardiente guarro, estás invitado a...». «Aquello fue magnífico», dijo posteriormente Mapplethorpe. «Ya se trate de una orgía o de un cóctel, sé muy bien cómo hacerlo.» Alardeaba a menudo de sus hazañas sexuales, y estaba convencido de haber cultivado sus sentidos en mucho mayor grado que cualquier otra persona que conociera. No obstante, el hecho de alcanzar un punto en el que se consigue erotizar los excrementos implica cierto grado de anulación de los sentidos, y si bien Mapplethorpe defendía orgullosamente el hecho de no ser un voyeur, nada le proporcionaba tanto placer como contemplar a otros consumir su propio excremento: un perverso acto de voyeurismo. Acaso fuera su gélida indiferencia lo que explique por qué tantos hombres lo vieran como una persona completamente desprovista de sensualidad. John Richardson, sin ir más lejos, le consideraba una «fría figura angélica, curiosamente asexuada para alguien tan supuestamente sexual».

Mapplethorpe intentaba erotizar casi todo lo que fotografiaba, convirtiendo, por ejemplo, la cabeza y hombros de un calvo en un pene y unos testículos, o enfocando de cerca los órganos sexuales de las plantas, pero sus fotografías raramente resultaban eróticas. «Las imágenes no quedan registradas en los genitales –observó el escritor George Stambolian–, sino que viajan directamente de los ojos a la mente. La sensibilidad gay de la década de los setenta era un fenómeno festivo: los hombres bailaban en las discotecas y acudían a los bares, y el sexo se convirtió en una suerte de experiencia religiosa. Pero Robert no captaba aquel éxtasis en lo más mínimo. Todo lo que hacía era frío, estático y distanciado.» Durante uno de sus raros momentos de autoanálisis, Mapplethorpe confesó que su meta, tanto en el sexo como en el arte, consistía en anular sus sentimientos: «Cuando practico el sexo con alguien, me olvido de quién soy. Durante unos instantes, llego a olvidar que soy un ser humano. Lo mismo sucede cuando me encuentro detrás de una cámara. Me olvido de que existo.»

Mapplethorpe llevaba menos de un año con la Galería Holly Solomon, y aunque su propietaria llevó a cabo hábiles maniobras durante el verano de 1977 para lograr que su obra fuera incluida en la prestigiosa muestra de arte «Documenta 6», de la ciudad alemana de Kassel, él consideró que su galerista no le promocionaba como era debido. Es más, tanto él como Sam Wagstaff opinaban que resultaría más ventajoso exponer en una galería situada en las zonas residenciales, lo que le permitiría equilibrar su grosera imagen con el más conservador entorno de la calle Cincuenta y siete. A espaldas de Solomon, sondearon a todos sus conocidos para determinar qué galería podría resultarle más apropiada y qué galeristas apreciaban más su obra. Recordaba Klaus Kertess: «Robert no hacía más que quejarse de Holly, de que no le proporcionaba suficientes ingresos y de que las comisiones por retratos que le había prometido no se habían materializado, afirmando además que no le agradaban sus otros artistas. Salíamos a cenar y se quejaba, diciendo que no ganaba tanto dinero como podría ganar un pintor en una situación similar a la suya y que si no nos parecía que aquello era terrible. No quería exponer en una galería fotográfica porque se negaba a que le consideraran un simple fotógrafo. Pero *era* un fotógrafo, y la fotografía era lo que realmente sabía hacer. El hecho de enmarcar algo por triplicado no era lo que lo convertía en una forma artística de mayor calidad. Verdaderamente, siempre había tenido cierta debilidad por Robert, pero llegó un punto en el que comenzó a cansarme.»

Patti, entretanto, se hallaba «fuera de tracción, de nuevo en acción», y ocupada ya en planear su tercer álbum, *Easter* (Pascua). Durante su recuperación había completado la mayor parte del manuscrito de *Babel*, y había realizado suficientes dibujos como para poder organizar una nueva muestra en la Gotham Book Mart. Cuando Klaus Kertess se enteró de que Robert Miller proyectaba inaugurar una nueva galería, le sugirió que fuera a ver los nuevos dibujos de Patti. Miller, a punto de consumir la treintena, había trabajado durante doce años para Andre Emmerich, pero tras una misteriosa pelea con el galerista (combinada con un espeluznante roce con la muerte debido a una hemorragia cerebral) decidió instalar su propia galería. Con el apoyo financiero de su cuñada, quien había contraído matrimonio con un miembro de la familia Johnson y Johnson, alquiló un espacio en el número 724 de la Quinta Avenida y contrató inmediatamente a Robert Zakanitch –quien desertó de la Holly Solomon– y al escultor Robert Graham. A Miller le había gustado el álbum *Horses* y, estimulado por las opiniones de Kertess, acudió a visitar su exposición de la Gotham Book Mart. Impresionado por los dibujos y, sin duda, por el peso publicitario del nombre de Patti Smith, se ofreció para exponer su obra en su nueva galería.

Patti era consciente de cuánto deseaba Mapplethorpe abandonar a Solomon, por lo que aceptó la oferta de Miller con la condición de que organizara una muestra conjunta de sus obras y de las de Robert. Miller había conocido a Mapplethorpe cinco años antes a través de Wagstaff, pero no le había prestado mayor atención hasta que acudió a las exposiciones simultáneas celebradas en la Holly Solomon y en la Kitchen. «Encontré su obra increíblemente excitante», recordaba Miller. «Quiero decir que, ¿de dónde salía aquella persona? El retrato de Harry Lunn expuesto en la galería de Holly era la más inaudita presentación de la cabeza humana que jamás había visto. Robert era capaz de fotografiar a una persona y hacer con ella algo increíble que le prestaba más trascendencia aún de la que tenía su obra sadomasoquista. Por entonces, no sabía nada de fotografía, pero al ver las suyas me sentí conmocionado.» Con todo, Miller se mostraba reacio a aceptar a Mapplethorpe: no tenía experiencia alguna en la venta de fotografías, y acaso temía que las fotografías sadomasoquistas de Robert aplicaran a su joven negocio la etiqueta de «galería gay». Según Mapplethorpe, Patti se dedicó a importunar a Miller hasta que éste, finalmente, aceptó incluirle en la exposición. Aquél no era exactamente el modo en que Mapplethorpe había soñado con su triunfal traslado a las zonas elegantes de la ciudad, y aún se sentía dependiente de Patti, pero aun así había resuelto «el problema de Holly» y podía exponer en una galería situada enfrente de Tiffany's.

Solomon ya estaba furiosa con Miller por haberle arrebatado a Robert Zakanitch, y durante una acalorada conversación telefónica le había dicho: «Oye, hazme el favor de no volver a pisar mi galería, porque cada vez que entras por la puerta me robas un artista.» No tenía ni la menor idea de que también Robert proyectaba marcharse, ya que éste había mantenido sus planes en secreto para no poner en peligro su exposición floral, prevista para noviembre. Sin embargo, pocos días después de la inauguración entró en la galería e informó a Holly de que se marchaba con Robert Miller.

Solomon casi sufrió un ataque de locura. «Acababa de morir mi madre, por lo que no estaba atravesando una época demasiado buena», explicó posteriormente. «Y luego, viene Robert y me dice que se marcha a mitad de la exposición, lo que no puede considerarse como un detalle, precisamente. Le dije: "¡Robert, esto es una idiotez! No tengo inconveniente en compartirte con Robert Miller. De ese modo, tendrás una galería allí y otra aquí." Pero se marchó de todos modos. Trabajar con él había sido un desastre desde el punto de vista financiero, pero de haberse quedado en la galería me habría permitido recuperar parte del dinero que me había hecho gastar. ¿Que si sentía que me habían utilizado y que habían abusado de mí? ¡Sí! Y fue bastante desagradable por su parte marcharse en aquel momento. Perjudicó mi credibilidad como galerista, algo muy importante para mí. [...] Pero Robert era un hombre muy poco generoso.» Cierto es que Mapplethorpe obsequió a Holly con un regalo de despedida, si bien dotado de un mensaje decididamente ambiguo. Cuando la galerista desenvolvió la fotografía que el artista había dejado en la galería para ella, se vio enfrentada a la imagen de un látigo surgiendo del recto de Mapplethorpe. «En aquel momento –dijo posteriormente–, no supe si sentirme halagada o insultada.»

Sam Wagstaff cumplió cincuenta y seis años en noviembre. Como regalo de cumpleaños, Mapplethorpe le obsequió con una trajeta en la que podía verse una fotografía suya de un busto de Pan besando el pistilo fálico de una flor. En su interior, había escrito: «Te quiero tanto como me es posible querer a alguien.» La frase representaba un amargo reconocimiento de sus propias limitaciones, y aunque probablemente su amor jamás habría sobrevivido la tensión cotidiana de una vida en común, Mapplethorpe había añadido unas palabras casi melancólicas: «Echo de menos lo que una vez tuvimos...» Leyendo las cartas de Wagstaff a Mapplethorpe, resulta evidente que aún le amaba mucho; recordaba a Robert que debía tomar sus vitaminas y prepararse las gachas calientes que él mismo le había enseñado a hacer para prevenir infecciones respiratorias; asimismo, le suplicaba que no se dejara vencer por la depresión, porque era «demasiado listo, y dulce, y cada vez más famoso».

El propio Wagstaff estaba adquiriendo celebridad como una de las autoridades más respetadas y divulgadoras en el campo de la fotografía, y él y Arnold Crane –un abogado de Chicago– poseían las dos mayores colecciones del género existentes en los Estados Unidos: un total de cinco mil imágenes que se remontaban a la invención de la fotografía hacia 1820. Mapplethorpe reprendía frecuentemente a Sam por adquirir caprichosamente demasiadas fotos realizadas por artistas desconocidos, afirmando que mermaban el valor de la colección. «Te ruego que pongas fin a esa enloquecida manía por coleccionar», le suplicaba en una carta. «Verdaderamente, se te ha ido de las manos. Deberías discriminar con más cuidado. Te estás cavando una tumba de papel. [...] Las fotografías que son realmente arte deben separarse de las demás y preservarse como es debido. No tienes derecho a tratar el arte de este modo.»

Wagstaff conservaba sus fotografías apiladas de cualquier manera en su apartamento, y cuando sus amigos iban a visitarle se ponía a cocinar hamburguesas directamente sobre el quemador de la estufa, abría una lata de caviar, ponía en circulación una botella de Chateau d'Yquem y, finalmente, les mostraba sus últimas adquisiciones. Cierto galerista recordaba haber visto a Wagstaff disponiendo varias rayas de cocaína sobre una estereografía del Palacio de Cristal fechada en el siglo XIX, lo que le sirvió de inspiración para pronunciar una conferencia acerca de la exposición celebrada allí en 1851, acontecimiento durante el cual el invento fue presentado al público por primera vez. «A Sam le encantaban las drogas», decía Daniel Wolf, quien también se dedicaba a la compraventa de fotografías. «Acaso se debiera a motivos sexuales –lo ignoro–, pero también le encantaba el halo intelectual que le proporcionaban, y la diferente perspectiva de la vida que le daban. Se servía de las drogas para pensar, y también para sentir. Era un auténtico pionero. Fue uno de los primeros que fueron a París a comprar fotografías. Hoy en día, todo el mundo va tres veces al año, pero por entonces el panorama era muy distinto. En todo Nueva York, apenas éramos un puñado de personas las que realmente nos interesábamos por la fotografía, y cada vez que charlábamos, nos preguntábamos: «¿No es sorprendente que nadie más sepa apreciar esto? ¿Qué podemos hacer para popularizarlo? ¿Cuáles son las ideas realmente importantes? Sam era el líder espiritual del movimiento.»

Wagstaff contribuyó a concentrar el interés en las antiguas fotografías del XIX, y difundió en los Estados Unidos la imagen de artistas tan poco conocidos hasta entonces como Gustave Le Gray –un francés conocido por sus inquietantes composiciones combinatorias de cielo-tierra-mar– y Nadar, cuyas piezas prestó al Museo de Arte Moderno para que figuraran en la primera muestra de importancia realizada en los Estados Unidos acerca de la obra del fotógrafo. Al hacer caso omiso de obras maestras reconocidas en beneficio de oscuras imágenes y retratos de fotógrafos anónimos, Wagstaff ensalzaba el concepto del coleccionista como artista, y presentaba su perspectiva del mundo a base de seleccionar y exhibir cuidadosamente las obras de otros. A menudo se describía a sí mismo como un «coleccionista de coleccionistas», con lo que quería dar a entender que los propios fotógrafos se veían enfrentados a juicios estéticos similares cada vez que aproximaban el ojo a la lente. Él, por su parte, «coleccionaba» sus colecciones y se las apropiaba. «El hilo común que las relaciona a todas es la calidad», afirmaba para *Art & Antiques*. «Yo no colecciono temas concretos, sino aquello que me interesa... ya sea un trasero desnudo o una puesta de sol; una cascada o el retrato de Lincoln; un indio norteamericano o un soldado muerto o la imagen de Louise Brooks, una de las mujeres más hermosas que han existido. [...] No se puede coleccionar a través de la mirada de otros. Tienes que arriesgarte personalmente. [...] Y no hablo de paternidades, ni de homogeneidades, sino de uno mismo, de nuestro ego.»

La iconoclasta perspectiva de Wagstaff atrajo a Jane Livingston, quien por entonces era conservadora de fotografía de la Galería Corcoran de Arte de Washington D. C., la misma que con el tiempo habría de cancelar la muestra de «El Momento Perfecto» de Mapplethorpe. Livingston había conocido a Wagstaff en el Russian Tea Room a comienzos de los setenta, un día en que había acudido a almorzar allí con el escultor Tony Smith. «Allí estaba aquel hombre alto, esbelto, terriblemente bello, vestido con una camisa de terciopelo verde y adornado con joyas indias de turquesa», recordaba Livingston. «En aquella época, estaba obsesionado con Arica, pero atravesaba un momento de sobriedad y de éxtasis heterosexual. A mí me resultaba difícil imaginar a Sam, aquel drogadicto enloquecido, hablando continuamente de Arica, pero había oído decir que estaba un poco chiflado. Por otra parte, era un personaje maravilloso, inteligente y encantador, y pasamos un rato muy agradable.» Livingston comenzó a trabajar en la Corcoran en 1975, pero hasta entonces su carrera se había centrado en el arte contemporáneo, y no tenía demasiado interés en la fotografía. «Me habían sometido a ese habitual lavado de cerebro que te llevaba a convencerte de que la fotografía no podía incluirse entre las Bellas Artes», explicaba. «La gente suele olvidar que la aceptación de la fotografía como forma de arte por parte de los museos había sido un avance muy reciente. Realmente, no adquirió verdadero impulso hasta comienzos de los setenta, y a partir de ahí los acontecimientos se precipitaron. A medida que fui introduciéndome en el mundo de la fotografía y enamorándome apasionadamente del medio, me crucé a menudo con Sam.» Livingston pidió a Wagstaff que organizara una muestra basada en su colección, y juntos dedicaron la mayor parte del año 1977 a planear la exposición. «Estábamos de acuerdo en que no queríamos que fuera la típica presentación cronológica y formal», decía. «La lógica de la colección de Sam –de hecho, la lógica general de Sam– residía en saber apreciar cada objeto individual por sí mismo.»

Coincidiendo con la exposición, Wagstaff tenía proyectado publicar un libro de fotografías de su colección, y contrató a un joven fotógrafo llamado Gérald Incandela, al que había conocido a través del artista y cineasta Derek Jarman, para que le ayudara a seleccionar las imágenes. Como siempre sucedía en sus contactos profesionales con jóvenes, Wagstaff se enfrentaba a motivaciones opuestas: acababa de perder interés por el arquitecto y se había encaprichado de Incandela. Tras convencerle para que se trasladara de Londres a Nueva York, se ofreció a ayudarle en todo cuanto precisara. «Sam necesitaba una musa», decía Norman Rosenthal, conservador de la Real Academia de Arte. «Necesitaba a alguien joven y hermoso para inspirarse. Se habría visto perdido sin un Robert o un Gérald.» Incandela se hallaba inmerso en otra relación, y aunque sabía que el «descubrimiento» de Wagstaff habría de constituir un estímulo para su carrera, procuró mantener su amistad dentro de límites platónicos. «Me sentía un poco nervioso –explicaba el joven–, porque pensaba: "Voy a salir de todo esto con la imagen de protegido de Sam Wagstaff", y quería poder valerme por mí mismo. Pensé que acaso Robert pudiera sentirse amenazado y, dado que yo no era más que un recién llegado, tampoco quería internarme en terrenos peligrosos.»

Mapplethorpe era perfectamente capaz de superar los celos sexuales, pero la idea de que Wagstaff pudiera estar promocionando el trabajo de otro joven fotógrafo desencadenaba en él un torbellino de emociones. Había dejado de ser el niño preferido, y su condición de heredero de Wagstaff parecía amenazada. «En cierta ocasión, escribí una crónica sobre Incandela para el *Artforum* –recordaba Klaus Krestess–, y Robert se enfureció al leerla. Jamás se refería a él por su nombre, sino que hablaba de él, sencillamente, como de "esa persona".»

La guerra psicológica entre ambos fotógrafos se libró, cómo no, en el campo de batalla representado por el libro de Wagstaff, quien había decidido que cada uno de los dos estaría representado por dos fotografías, aunque también había dejado creer a Incandela que una de las suyas figuraría en la cubierta como recompensa de toda su labor en la composición del libro. Ello representaría un triunfo para quien no era sino un fotógrafo relativamente desconocido, ya que significaría que, entre todas las imágenes del libro, Wagstaff, el maestro definitivo del buen gusto, estaría diciéndole al mundo: «Fijaos en *ésta.*»

La exposición de «Fotografías de la Colección de Samuel J. Wagstaff» inaugurada el 3 de febrero de 1978 en la Galería Corcoran señaló el punto culminante de la vida del coleccionista. Paul Richard, crítico de arte de *The Washington Post*, describió la exposición como «la mejor muestra de fotografías que ha visto Washington jamás». Las credenciales sociales de Wagstaff desempeñaron un importante papel a la hora de encumbrar aquella humilde forma de arte ante los ojos exclusivistas de los washingtonianos. El artículo del *Washington Post* rezaba: CONVIRTIENDO LA FOTOGRAFÍA EN ALGO SOCIALMENTE ACEPTABLE, y Wagstaff aparecía retratado como «el coleccionista que goza de la confianza del sistema [...], perteneciente a los Wagstaff de Nueva York y graduado en Yale en 1944». El bohemio Wagstaff se había visto temporalmente reemplazado por un hombre de mediana edad ataviado con esmoquin que lucía sus largos y dispersos cabellos especialmente cortados con motivo de la ocasión.

Antes de la inauguración, la Corcoran había organizado una cena de gala en su homenaje a la que habían asistido doscientas cincuenta personas, entre las que se contaban políticos, diplomáticos, y también Robert Mapplethorpe y Gérald Incandela. Concluida la velada, Wagstaff acompañó personalmente a Joan Mondale, esposa del entonces vicepresidente, durante un recorrido de la exposición. A pesar de su aspecto refinado y su pedigrí social, la muestra constituía en sí misma una afrenta a los gustos establecidos. «Sam poseía una arrogante confianza en su propio criterio», explicaba Jane Livingston. «Confiaba en su propio gusto, en su propio juicio, sin importarle lo que pensaran los demás. Le encantaba descubrir la belleza en objetos infravalorados, olvidados, despreciados y prohibidos.» En efecto, entre las imágenes que adornaban las majestuosas galerías de la Corcoran, figuraba la fotografía que realizara Mapplethorpe de Jim vestido de cuero en Sausalito.

La intención de Wagstaff era «conmocionar» al público, mezclando para ello elegantes retratos de Cecil Beaton y Baron de Meyer —por ejemplo— con un grotesco estudio médico de un hombre sifilítico; un hipopótamo sonriente; un gato llamado *Tweedle*; los muchachitos sicilianos del barón Von Gloeden, y una fotografía de Larry Clark en la que aparecía un drogadicto pinchándose. Presentaba el contraste entre las grandes maravillas del mundo —tales como las *Pirámides de Dahshoor*, de Francis Frith— con las fotografías realizadas por Roger Fenton durante la guerra de Crimea y diversas escenas del gueto de Varsovia.

Donde más evidente resultaba la técnica wagstaffiana de «comparación y contraste» era en la obra que expuso en dos salas separadas y contiguas a la muestra principal. En uno de los espacios figuraban las fotografías de flores de Mapplethorpe, y en el otro las fotografías conceptuales de Incandela: la antigua musa frente a la nueva. «Todos los asistentes se quedaban atónitos», decía Anne Horton, responsable del departamento de fotografía del Sotheby Parke-Bernet. «Aquello significaba que Gérald había progresado con auténtica rapidez frente a Robert.» Posteriormente, el crítico Ben Lifson escribió un artículo para *The Village Voice* en el que criticaba a Wagstaff por ejercer una influencia exagerada en su esfuerzo por promocionar la carrera de Mapplethorpe. La siguiente vez que Wagstaff vio a Lifson le gritó: «¡Serás ingenuo e hijo de puta! ¿Cómo te crees que se consigue cualquier cosa en este mundo, si no es a través del poder y la influencia?» Se trataba de un concepto que Mapplethorpe entendía demasiado bien, y cuando se publicó el *Libro de fotografías* de Wagstaff, había conseguido ya apear la obra de Incandela de su lugar de honor: la cubierta y la contracubierta del libro mostraban sendas fotografías de tulipanes realizadas por él.

«Éste es un libro que trata del placer –escribió Wagstaff en el prefacio–, del placer de contemplar, y del placer de ver, como quien ve a un grupo de gente danzando a través de una ventana. Al principio, se nos antojan un poco locos, hasta que nos damos cuenta de que están oyendo la canción que nosotros presenciamos.» A pesar de la caprichosa introducción, uno de los temas centrales del libro es la frágil naturaleza de la belleza, y en muchos casos es la belleza masculina la que se enfrenta a la amenaza más temible. Wagstaff iniciaba el libro con una fotografía de Thomas Eakins de un grupo de desnudos masculinos reunidos en una piscina, situándola junto a la *Tumba de Eduardo III*, de Frederick Evans. El emparejamiento más amargo y profético, sin embargo, es el de *Jim, Sausalito* con la desgarradora imagen de Nadar de las calaveras humanas que reposan en las catacumbas de París. Cuando Ben Lifson le pidió que comentara aquellas dos imágenes, Wagstaff repuso: «En fotografía, el gozo adopta numerosos aspectos: el gozo de la tristeza, del olvido, del ultraje... incluso el gozo de la muerte.»

El apartamento de Mapplethorpe se había convertido en escala obligada para personajes aficionados a todos los tipos de perversión sexual: hombres que llegaban provistos de maletas y, en ocasiones, de maletines de médico, llenos de catéteres, escalpelos, jeringas, agujas, laxantes, bolsas de agua caliente, cuerdas, esposas y pastillas. Algunos se disfrazaban de mujeres, de oficiales de las SS o de cerdos. Uno de ellos gustaba de ponerse ropa de bebé y un gorrito, succionar el contenido de un biberón y defecar en los pañales. «Joe» apareció en el apartamento vestido con un traje de caucho, y Mapplethorpe le fotografió arrodillado sobre un banco: el tubo insertado entre sus labios parecía conectarse con una bolsa de enema.

Hasta entonces, Mapplethorpe había intentado mantenerse alejado de los «chiflados» (hombres entre cuyas aficiones sexuales se incluía la mutilación corporal), pero ya había ilustrado la mayoría de las formas de sadomasoquismo gay y, dado que no quería continuar repitiéndose, se mostraba abierto a conocer a personas dotadas de gustos extremos. «Ken», por ejemplo, cuya horripilante imagen aparece incluida en «X Portfolio», disfrutaba dejando que la gente le tatuara sus iniciales sobre la piel. «A estas alturas, probablemente ya habrá muerto», comentó Mapplethorpe a Joe Dolce, quien entrevistó al fotógrafo con vistas a una tesis doctoral sobre el sadomasoquismo. «Estaba totalmente cubierto de las cicatrices de aquellas iniciales, como el tronco de un árbol. Se limitaba a tumbarse ahí y te dejaba hacerle todo cuanto quisieras. Pero no desprendía auténtica energía. Era como un pelele.»

Durante la época en que fotografió a «Ken», Mapplethorpe recibió una llamada de un crítico de arte que le ofreció presentarle a alguien que obtenía satisfacción sexual dejando que otros le hicieran cortes en el pene con una navaja. Aturdido por los efectos del MDA, Mapplethorpe se presentó con su cámara en el apartamento previsto para la cita y allí conoció a «Richard» –«matemático y técnico de ordenadores»–, quien tenía el pene atado a un artilugo similar a un tajo que presentaba un orificio en el centro y pernos a los lados. «Fue entonces cuando sacaron el escalpelo», relataba Mapplethorpe a Dolce. «Se me dijo que podía actuar como participante o como observador, y me las arreglé para desempeñar ambas funciones. No resultaba fácil enfocar la cámara, pero descubrí que aquello realmente me gustaba. El hecho de raspar un pene con un escalpelo constituía algo verdaderamente excitante. Podías sentir la energía a través de los dedos. Luego, otro tipo realizó su propio numerito. Salió del cuarto de baño adornado con una peluca, un maquillaje grotesco y un par de leotardos, pero aquélla no era mi escena.»

Cuando hubo terminado de fotografiar la «crucifixión» de Richard, esperó a que el otro hombre se dejara atar al cepo para someterse a su vez al ritual. «De repente, descubrí que me había llegado el turno», contaba a Dolce. «Todos los demás eran más viejos que yo y, desde luego, tan inteligentes como yo, y no cabía duda de que hasta entonces había actuado como participante activo. Sin embargo, pensé: "¿Cómo puedo enfrentarme a esto?"» Se colocó el artefacto sobre los genitales e intentó apartar la mente de la realidad de la situación, esto es, que había un hombre vestido con peluca y medias, ebrio de LSD y armado con un escalpelo que sostenía entre los dedos. «Se acabó», dijo, presa del pánico. «No pienso seguir con esto. No es mi historia.»

Mapplethorpe volvió a ver a Richard en diversas ocasiones, y posteriormente creó una pieza compuesta por distintos paneles en la que se detallaba la progresiva mutilación de su pene. Sin embargo, la mezcla de sangre y semen terminó por repugnarle. «Era como si me hubiera empachado de sadomasoquismo», decidió. «Lo había vivido de principio a fin, tanto fotográfica como físicamente, y comenzaba a conocer demasiados tipos como Richard. Aquello empezaba a ser demasiado disparatado.»

CAPÍTULO QUINCE

«Partimos hacia el reino del amor.»

Patti SMITH, *Frederick*.

«Amarle era imposible, porque sólo le interesaban los ricos, los famosos y los personajes que podía llevarse a la cama.»

Marcus LEATHERDALE,
acerca de Robert Mapplethorpe.

A mediados de febrero de 1979, Mapplethorpe llevó sus nuevas fotografías de «Richard» a San Francisco, donde confiaba en exponerlas como parte de la exposición que tenía previsto realizar en la Galería Simon Lowinsky. Lowinsky había conocido a Mapplethorpe por medio del tratante Harry Lunn en la Feria de Arte de Basilea en 1976, y se había ofrecido a patrocinar la primera muestra del fotógrafo en la Bay Area. «Las fotografías eran notablemente fuertes y amaneradas», recordaba Lowinsky. «Sin duda, resultaban sumamente decadentes, pero pensé que era importante mostrar también el material más duro, y no sólo las flores y los retratos.» Las obras «duras» de Mapplethorpe, no obstante, se habían tornado considerablemente más agresivas desde entonces, y cuando Lowinsky vio las últimas fotografías del artista —«Richard» incluida—, le dijo a Mapplethorpe que de ninguna manera podía colgarlas en su galería.

Más que la naturaleza gráfica de aquellas imágenes, lo que más inquietaba a Lowinsky era el simbolismo nazi adoptado por algunos de los personajes. Como heterosexual y pareja fiel que era, no pretendía comprender la subcultura gay sadomasoquista, pero como judío se sentía ofendido por la imaginería derivada de la esvástica, algo que le resultaba odioso independientemente de cuáles pudieran ser sus connotaciones sexuales. Asimismo, apreciaba a Wagstaff y a Mapplethorpe, pero siempre se había sentido incómodo ante lo que describía como la «política neofascista» de estos últimos. Había numerosas personas que definían a Wagstaff como antisemita, aunque la mayoría se sentían tan fascinadas por su «visión» que tendían a perdonar otros aspectos más sórdidos de su personalidad. Mapplethorpe, quien en una situación distinta podría haber optado por morderse la lengua, se inspiraba en el ejemplo de Wagstaff a la hora de verbalizar los prejuicios y a menudo se refería a los judíos como seres codiciosos y vulgares. «Creo que Robert me apreciaba —decía Lowinsky—, pero yo sabía que despreciaba a los judíos, y yo era judío. Nos sentíamos incómodos juntos. Yo opinaba que sus fotografías debían exhibirse —si hablamos de arte, tenemos que estar dispuestos a exponer cualquier cosa que haga cualquiera—, pero no me sentía tan comprometido en ello como otros galeristas.»

Lowinsky rechazó dieciocho de las fotografías de Mapplethorpe hasta decidirse por fin por una mezcla de estudios florales, retratos y algunas imágenes eróticas relativamente suaves, tales como *Mr.10½*. Proyectaba enfrentarlas con las explícitas fotografías periodísticas de Arthur Fellig, más conocido como Weegee, quien, durante los años treinta y cuarenta, había documentado gráficamente el sórdido submundo de la vida nocturna neoyorquina. Mapplethorpe se enfureció con Lowinsky, ya que el galerista no sólo había rechazado sus imágenes sexuales sino que ahora pretendía además hacerle compartir el espacio de su galería con un fotógrafo de prensa cuyas instantáneas llevaban títulos tales como «El joven de dieciséis años que estranguló a un niño de cuatro», y «Asesinato en la cocina del infierno». Acusó a Lowinsky de censurar su obra y se quejó en las páginas de *The Advocate*, un bisemanario de difusión nacional, de las dificultades que tenía para hallar espacios en los que exponer sus fotografías. Su estrategia demostró ser acertada: difícilmente podía haber pretendido que un galerista heterosexual, propietario de un elegante establecimiento de Grant Avenue, aprovechara la oportunidad de exponer imágenes de coitos anales basados en la penetración de dos puños. Al dar a Lowinsky ocasión de rechazar sus fotografías, Mapplethorpe elevó un punto más la escala de su perfil público y despertó curiosidad en torno a las imágenes que el liberal San Francisco había «prohibido».

Entretanto, pidió consejo a Jim Elliott, antiguo colega de Wagstaff en el Ateneo de Wadsworth, quien por entonces era director del Museo de Arte de la Universidad de Berkeley, donde a la sazón se exponían, en modo alguno casualmente, «Fotografías de la Colección de Robert Mapplethorpe». La muestra mapplethorpiana de las antiguas fotografías que el artista había ido coleccionando a lo largo de aquellos años constituía una versión menor de la exposición de Wagstaff en la Corcoran y, de hecho, muchas de aquellas quinientas fotografías eran obsequio de Wagstaff. Preocupado por que alguien pudiera robarlas y en modo alguno dispuesto a pagar los gastos de una póliza de seguro, Mapplethorpe convenció a Elliott para que conservara la colección durante varios años a título de préstamo, y solicitó su ayuda para hallar un espacio en el que exponer sus propias imágenes «censuradas».

Elliott le puso en contacto con Edward de Celle, copropietario junto con su socio Don Lawson de la Galería Lawson de Celle, ubicada en la calle Kissling. «Jim trajo a Robert a la galería –recordaba De Celle–, y yo acepté invitarle a almorzar. Sentía curiosidad por conocerle, pero descubrí que no se ajustaba en absoluto a mis expectativas. Le había imaginado dotado de una presencia física mucho más poderosa. Era un personaje menudo, tímido y tremendamente cortés y humilde. Habíamos reservado una mesa en la que pudiéramos estudiar sus fotografías sin reparos, y recuerdo bien el instante en que abrí aquella caja. Había visto ya pornografía en otras ocasiones, pero sus imágenes eran mucho más gráficas en la medida en que eran mejores y te arrastraban más hacia su propio contenido. La que más me desasosegó fue la del tipo que se introducía un dedo por la uretra. Me sentí asqueado, pero también fascinado. Seguí contemplándolas largo rato, y me esforcé por no mostrar reacción alguna debido, pienso ahora, a que no quería parecer paleto. No hacía más que pensar: "Algo me ocurre cuando no soy capaz de contemplar estas imágenes de un modo objetivo." Era como el cuento del traje nuevo del emperador. Uno se ve obligado a demostrar que las apariencias no logran imponerse sobre su criterio. Me sentí aliviado cuando por fin pude cerrar la caja de nuevo: estaba aturdido. Pensé: "¿Cómo puedo exponer estas imágenes en mi galería?" Porque en lo primero que pensé fue no en la calidad de las fotografías, ni hasta qué punto constituían o no arte, sino en una maestra de la escuela femenina de la localidad que acostumbraba a traer a las alumnas de su clase a visitar la galería. No hacía más que imaginarme a aquellas niñas de falditas plisadas y pensaba: "¡Oh, Dios mío!"»

Así y todo, De Celle se sentía tan fascinado por las fotografías de Mapplethorpe que le prometió que consultaría con Don Lawson la posibilidad de exponerlas. «¡De ningún modo!», exclamó éste al verlas. «¡Bajo ningún concepto! Si hiciera una cosa así, no sería capaz de volver a mirarme al espejo.» Tras aquello, el contrariado De Celle llevó la carpeta al número 80 de la calle Langton, una galería con fines no lucrativos creada por la Fundación Nacional para las Artes y, tras una acalorada discusión con el Comité de Dirección –del que él mismo era miembro–, convenció a sus socios para organizar la muestra. Mapplethorpe, en cualquier caso, insistió en que la misma apareciera bajo el título de «Censored» («Censurado»), y escogió su autorretrato del látigo para la cubierta de la invitación.

Su exposición de flores, retratos y sexo «blando» en la Galería Lowinsky se inauguró el 21 de febrero, y a ella siguió la presentación de «Censored», el 20 de marzo. Ambas muestras atrajeron una atención generalizada tanto del sector gay como del mundo del arte, pero fue la inauguración de «Censurado» la que convocó un público más pintoresco, pues a ella acudieron tanto un desfile de hombres ataviados con uniformes de cuero, como los equivalentes locales de Los Ángeles del Infierno, a lomos de ruidosas motocicletas. «Se produjo una extraordinaria mezcolanza de gente», recordaba De Celle. «Recurrí a mi lista personal de direcciones y adjunté en todo caso mi tarjeta de visita, de modo que la gente supiera que me sentía personalmente comprometido con el acontecimiento. Conservo fotografías de Robert con Anita Mardikian, un personaje muy popular de San Francisco, y también con Chris Burden, el artista que se había hecho crucificar sobre el techo de un Volkswagen. Todos se sintieron fascinados por las obras, y no hube de escuchar ni un solo comentario negativo. Quién sabe si al regresar a sus casas no mostrarían repugnancia al comentar con sus mejores amigos lo que habían visto, pero lo cierto es que cuando estás introducido en el mundo del arte intentas siempre aparecer como un personaje abierto y sofisticado.»

Thomas Albright, crítico del *San Francisco Chronicle*, no parecía sentirse tan constreñido, pues describió la muestra de la Galería Lowinsky como algo «prosaicamente convencional» y «dotado de una iluminación relativamente melodramática, al estilo de la que solemos encontrar en las fotografías comerciales de las elegantes revistas de moda». *Artweek* despreciaba la colección, considerándola como la obra «de un artista muy joven, aparentemente dominado por el impulso de exhibir públicamente sus crecientes inquietudes sexuales». La exposición de la calle Langton, por su parte, se vio completamente desdeñada por la prensa, con la excepción de un cronista de *The Advocate*, quien comparaba la sangrienta imagen de «Richard» con un óleo de Willem de Kooning, a la vez que recurría a una cita del dramaturgo romano Terencio —«Soy un hombre; nada humano me resulta extraño»— y alababa al fotógrafo por contribuir a la «conciencia de lo que implica pertenecer al género humano».

Aquella opinión no era compartida por todos los miembros de la comunidad gay de San Francisco, algunos de los cuales acusaron en privado a Mapplethorpe de proporcionar argumentos a la antifeminista Anita Bryant, quien por entonces encabezaba una virulenta campaña antigay. La «conferencia» celebrada por el artista durante un seminario patrocinado por la Langton no hizo sino reafirmar su consideración de «peligro público», ya que acudió a ella repleto de MDA y pronunció un discurso pleno de divagaciones en torno a

Dios, la magia y la perspectiva de «liberarse» a través de la energía del sexo «duro». «El resultado fue algo que cabría calificar como desastre», dijo posteriormente De Celle. «Robert no era lo que podríamos considerar un "orador público".»

Sam Wagstaff había volado a San Francisco para asistir a las inauguraciones de Mapplethorpe, pero regresó inmediatamente a Nueva York. Gérald Incandela seguía constituyendo un tema conflictivo para ambos, y si bien Robert había convencido a Sam para retirar de la cubierta de su libro las fotografías del otro, no había logrado expulsarlo de su vida. No obstante, cierta noche en que acudió a un bar sadomasoquista de la calle Folsom, Mapplethorpe se tropezó con la solución ideal a su problema: un hombre capaz de distraer sexualmente a Wagstaff de su encaprichamiento con Incandela.

El tipo en cuestión se llamaba Jim Nelson, y resultaba afeminadamente atractivo ya que, por más cueros con que adornara su metro ochenta de estatura, no lograba ocultar lo frágil de su personalidad. Cuando se excitaba en demasía, su acento de Texas se tornaba aún más pronunciado, y sus pálidas manos comenzaban a revolotear. Era como un personaje extraído de una obra de Tennessee Williams, y más de uno de sus conocidos le comparaba despiadadamente con Blanche Du Bois. Al igual que Blanche, Nelson era un soñador, pero apenas tenía nada en que fundamentar sus sueños que no fuera una capa de presunción que le hacía parecer infantil y, en ocasiones, patético. Era un incorregible admirador de las grandes estrellas, y durante años se manifestó tan enamorado de Loretta Young y Connie Stevens que conservaba varios álbumes repletos de recortes de prensa y fotografías de sus ídolos. En uno de sus armarios guardaba un mapa en el que aparecían señalados los domicilios de los astros, y solía fantasear acerca de su sueño dorado: vivir en una mansión de Hollywood.

Las fantasías de Nelson constituían un antídoto frente a la amarga realidad de su niñez, transcurrida en el Texas rural; había perdido a su madre a los dos años de edad y, dado que su padre inválido no podía hacerse cargo de él, tuvo que vivir en hogares de adopción. Posteriormente, se quejó ante su abogado, Leonard Bloom, de las burlas y provocaciones que había tenido que soportar de sus compañeros por ser homosexual. A los catorce años, se trasladó a vivir a Los Ángeles con su hermano, Art, un pinchadiscos local que le ayudó a pagarse los estudios de cosmetología. Ambos terminaron por reñir a causa de la costumbre de Jim de trasnochar, y Art le dijo: «O te acoplas a mi modo de vida o ahí tienes la puerta», por lo que Jim se marchó. Con el tiempo, trabajó en la sede de Elizabeth Arden de San Francisco, donde pasaba los días atendiendo a las fantasías cosméticas de las mujeres, y las noches sometiéndose a las fantasías sexuales de los hombres. Se mostraba tan desesperadamente ansioso por agradar a los demás que habría estado dispuesto a hacer cualquier cosa que

Mapplethorpe le hubiera pedido. Ambos pasaron juntos varias noches hasta que, por fin, el fotógrafo le organizó una cita con Wagstaff en Nueva York. «Corría el persistente rumor de que Robert había enviado a Jim a Nueva York en un paquete exprés», decía Sam Green. «El hecho es que Jim llegó al umbral de Sam Wagstaff por avión.»

La inauguración en la Galería Robert Miller de «Film and Stills» (Películas y Diapositivas), exposición conjunta de Robert Mapplethorpe y Patti Smith, atrajo en el mes de junio un público considerable y numerosas cámaras de televisión. Patti había regresado triunfante a la escena tras su accidente de diecisiete meses atrás; *Easter*, su nuevo álbum, había hecho resucitar las críticas favorables a su carrera, y tenía un single entre «Los diez discos más vendidos»: *Because the Night* (Porque la noche), canción que había escrito conjuntamente con Bruce Springsteen. Adicionalmente, *The New York Times Book Review*, había dedicado dos páginas a la publicación, en el mes de abril, de *Babel*, y el crítico Jonathan Cott describía el libro como «una obra alternativamente deslumbrante, desigual, excitante, irritante, imitativa y original». *Rolling Stone* presentaba a Smith en un artículo de portada titulado «Patti Smith sale ardiendo», ilustrado con una dramática fotografía de Annie Leibovitz en la que la artista aparecía frente a varios barriles de gasolina incendiados.

Claramente, era Patti la estrella del acontecimiento, pero la muestra sirvió para conmemorar sus diez años de amistad con Mapplethorpe. El cartel de la exposición contenía una fotografía de Patti realizada por Robert y un retrato de este último dibujado por Patti, y la primera imagen que veían los asistentes al entrar en la galería era una fotografía de los artistas tomada en Coney Island en 1968. Ambos llegaron juntos a la exposición, uno y otro con expresión tan radiante que William Targ, editor de *Babel*, los comparó con una pareja de novios en el día de la boda. «Era lo que siempre habíamos esperado», declaró posteriormente Patti. «Los dos juntos en una galería de arte.»

A Patti le correspondía el lugar de honor: la sala central de la galería, en la que aparecían colgados bajo elegantes marcos dorados sus esbozos coloreados a lápiz de Rimbaud, Pasolini y Jane Bowles. La obra de Mapplethorpe había sido repartida en dos salas más pequeñas, con sus fotografías en una de ellas y la película *Still Moving* (Aún en marcha), rodada en dieciséis milímetros, proyectándose ininterrumpidamente en la otra. Duraba diez minutos, y la había rodado en compañía de Patti el mes de enero anterior. Había proporcionado MDA a la muchacha para poder capturarla «en estado de total abandono», pero ella ya resultaba bastante desinhibida sin necesidad de productos químicos, y la droga la redujo a un estado de incoherencia casi psicótico. Con los ojos vendados, paseaba a trompicones por el estudio de Mapplethorpe farfullando sentencias en torno a Dios y a la naturaleza del mal. En ocasiones, apenas si podía hablar, y en esos momentos se dedicaba a tocarse la lengua como si intentara desanudarla. Fue Lisa Rinzler, una joven cámara, quien realmente rodó la película, con Mapplethorpe junto a ella en su papel de fotógrafo frío y desapasionado, parapetado tras su Hasselblad y ocupado en proporcionar indicaciones a Patti mientras ésta se esforzaba por encaramarse –literalmente– a las paredes del estudio. *Still Moving* muestra cierto carácter cruel y manipulador, pero Mapplethorpe y Patti mantenían una relación habituada a desafiar las reglas ordinarias. Ambos aceptaban los comportamientos extremos en el otro, y entre la media docena de trabajos conjuntos incluidos en la exposición figuraba *Richard, 1978*, imagen que Patti se había dedicado a embellecer a base de garabatear poesías por los bordes.

«Su verdadera obra maestra es su amistad», escribió René Ricard en *Art in America*. «Lo que compone la muestra –las obras– es documentación o artefacto; su importancia reside en que fue creado por estas dos personas, lo que conduce a un doble efecto. Las fotografías de Mapplethorpe son invariablemente hermosas, pero una fotografía de Patti realizada por Mapplethorpe es... bueno, es historia. Por la misma razón, incluso si Patti no poseyera talento para el dibujo (el hecho de que sus dibujos sean buenos no es sino una ventaja añadida), los deliciosos esbozos de Rimbaud que figuran en la muestra seguirían siendo objetos deseables, del mismo modo que un Verlaine o un Rimbaud sería algo deseable. [...] Verlaine, Rimbaud, Smith, Mapplethorpe: nos enfrentamos aquí a un entramado de homenajes y destinos intercambiados, como los de Piaf y Cocteau, personas destinadas a morir con un intervalo de escasos minutos.»

El 15 de junio, Mapplethorpe viajó a París para asistir a la inauguración de una exposición de su obra en la Galería Remise du Parc. Sam Wagstaff era en gran medida el responsable del acontecimiento, ya que era él quien había mostrado las fotografías de Mapplethorpe al copropietario de la galería, William Burke, a quien había conocido a través de un coleccionista de arte de Detroit. Burke las había encontrado elegantes y atractivas, y había convencido a su socia Samia Saouma de que debían ser los primeros galeristas europeos que dedicaran una exposición individual a Mapplethorpe. La inauguración atrajo a la élite del mundo gay, con muchos de cuyos miembros Robert había mantenido correspondencia regularmente durante los últimos años, hasta el punto de que se hallaba detalladamente informado de los últimos cotilleos: quién había sufrido ruinosas pérdidas en Montecarlo, qué compañía de ballet europea contaba con los bailarines más sexys y qué personaje de alguna familia real era un homosexual encubierto. La Galería Remise du Parc vendió casi todas las fotografías incluidas en la muestra, y entre sus compradores figuró el coleccionista barón Leon Lambert, quien pudo así añadir un Mapplethorpe a sus extensos fondos. «Las exposiciones de Mapplethorpe en París estaban siempre llenas de homosexuales», recordaba un importante marchante de fotografía francés. «Estaba muy relacionado con el mundo sadomasoquista, y sus miembros siempre hacían acto de presencia en tales ocasiones. Personalmente, siempre le consideré un personaje desagradable, y nunca dejé de preguntarme qué hacía Sam con él. Me encantaba Sam. Era un hombre brillante. Pero Robert era un completo desastre, y opino que sin la ayuda de Sam y de todo su universo sadomasoquista, jamás nadie habría oído hablar de él.»

Antes de partir hacia París, Mapplethorpe había entregado las llaves de su apartamento neoyorquino a un estudiante de arte recién graduado al que había conocido a comienzos de la primavera en la Galería Simon Lowinsky. El joven en cuestión se llamaba, oportunamente, Marcus Leatherdale,* y Robert, a su regreso a Nueva York a finales de verano, decidió ofrecerle empleo como secretario personal. Siempre se había mostrado descuidado con sus papeles y archivos, y a menudo era incapaz de averiguar cuántas copias numeradas había vendido de cada obra. Por otra parte, Wagstaff le había financiado la instalación de un cuarto oscuro, y por entonces contaba con dos técnicos de revelado a tiempo parcial y necesitaba urgentemente a alguien que controlara la rápida expansión de sus negocios. Leatherdale parecía el personaje perfecto: aspirante él mismo a fotógrafo, reverenciaba a Mapplethorpe quien, a pesar de ser tan sólo cuatro años mayor que él, poseía una experiencia infinitamente más vasta en los secretos del mundo del arte y del panorama gay neoyorquino.

Para comprender la atracción que experimentaba Mapplethorpe hacia el joven, basta con considerar un hecho obvio, y es que ambos podían pasar por hermanos, ya que su parecido físico podía llegar al punto de alcanzar niveles grotescos cada vez que decidían disfrazarse con uniformes de cuero de idéntico corte. Leatherdale era la viva imagen de Mapplethorpe del mismo modo que Patti lo fuera anteriormente, y cuando Robert le miraba no veía sino una versión más joven e inocente de sí mismo. Se dedicaba a fastidiarle constantemente a causa de lo que él consideraba una actitud puritana frente al sexo, y la primera noche que salieron juntos le llevó a cenar al One Fifth y luego le invitó al Mineshaft. «Cuando hagas el amor con alguien —le dijo—, procura que siempre intervengan tres personas: tú, el otro y el diablo.»

A veces, Leatherdale pasaba las noches en el dormitorio de Mapplethorpe; otras, cuando éste se llevaba a casa a alguno de sus «ligues», se veía relegado al estudio de la entrada. Las demás parejas sexuales de Robert difícilmente podían ser más distintas físicamente de Leatherdale o del propio Mapplethorpe. Su vida sexual había formado siempre parte de su trabajo hasta el punto de

* *Leather:* en inglés, «cuero». *(N. del T.)*

que su decisión de apartarse definitivamente de los «chiflados» le obligaba a buscar personajes dotados de un impacto visual lo bastante dramático como para sustituir los secretos fotogénicos de aquéllos. Cada vez más, escogía a sus modelos no por las aberraciones sexuales que practicaran, sino por su aspecto físico.

Una noche, en un bar gay, se fijó en Robert Sherman, dotado de un semblante y un cuerpo pálidos, lechosos y totalmente desprovistos de vello. Fascinado, Mapplethorpe le siguió por todas las salas y terminó seduciéndole para que le acompañara a Bond Street. Sherman, que trabajaba como drag queen, padecía una extraña forma de alopecia que había terminado por arrebatarle cualquier forma de pelo, cejas y pestañas incluidas. Sherman, al principio, se sintió intimidado por la fama de «duro» de Mapplethorpe y por la siniestra atmósfera de su apartamento —«nunca hasta entonces había visto una colcha de cuero negro», confesó—, pero el fotógrafo se mostraba sorprendentemente dulce y amable con él. «Robert quería averiguar qué se sentía al crecer desprovisto de cualquier forma de vello», recordaba Sherman. «No hacía más que preguntarme: "¿Se burlaban tus compañeros de ti? ¿Te hacían sentirte como si fueras un monstruo?"» Por más tierno que se había mostrado la noche anterior, sin embargo, Robert amaneció con la mente concentrada exclusivamente en su trabajo, y despertó a Sherman a las siete con un escueto «Levántate». Desnudo y medio dormido, Sherman recibió la orden de acuclillarse sobre el suelo junto a un muro de sombras verticales que parecían reproducir los barrotes de una jaula, tras lo cual Mapplethorpe procedió a fotografiarle. «Robert te indicaba lo que debías hacer mediante breves ademanes», recordaba Sherman. «Terminamos enseguida. Yo sabía de antemano que querría fotografiarme, pero había confiado en que primero me cortejaría un poco.»

Pero Mapplethorpe no tenía tiempo que perder en cortejos, ya que el ascensor del número 24 de Bond Street no paraba de transportar hombres hasta el umbral de su puerta. Uno de ellos, Larry DeSmedt, era un motociclista cuyo atractivo visual se veía realzado por sus tatuajes —una Harley-Davidson en el bíceps y la palabra «SEXO» sobre el ombligo— y por la falta del dedo meñique de la mano izquierda. «Robert era notablemente promiscuo», recordaba Leatherdale. «Había noches en las que venía a casa con una persona, y luego con otra distinta. Y a la mañana siguiente despertaba en compañía de una tercera a la que ni siquiera habías tenido ocasión de ver la noche anterior.» Robert, entretanto, continuaba yendo a todos sitios con Leatherdale, a quien no le importaba seguir ayudando, siempre y cuando el joven fotógrafo supiera controlar los límites de su propia ambición. Sin embargo, cuanto más interesado parecía Leatherdale por su propio trabajo, y cuanto más claramente iban viéndose sometidas sus fotografías a la influencia de Mapplethorpe, más reaccionaba este último con los clásicos celos de hermano mayor, mofándose de Marcus a sus espaldas y refiriéndose a él como «Marcus Leatherthorpe».

Al principio, Leatherdale se mostraba desconcertado ante la conducta de Mapplethorpe, ya que no lograba imaginar en qué medida podía representar una amenaza para él. Acababa de comenzar su carrera, mientras que Mapplethorpe se encontraba ya firmemente asentado. Durante los meses que vivió en Bond Street, sin embargo, Leatherdale advirtió un aspecto del fotógrafo que a poca gente le había sido dado captar. A eso del mediodía, Mapplethorpe emergía de su dormitorio como una fiera de su jaula y se dirigía al salón, decorado tan sólo con cerámica de artesanía y los austeros muebles castellanos que había ido coleccionando a lo largo de los últimos años. Sus sillas Morris y su sofá Stickley estaban tapizados de cuero negro, lo que, según él, reflejaba cierta «cualidad afectuosa y masculina». Se pasaba al menos media hora oscilando sobre una de las mecedoras, como si quisiera establecer contacto con aquella base de poder «masculino» y, a continuación, sin dejar de pellizcarse distraídamente el rostro, se fumaba varios cigarrillos, seguidos de medio porro y de una raya de cocaína. «Robert era una de las personas más torturadas y atormentadas que jamás he conocido», decía Leatherdale. «Era un amasijo de inseguridades, y parecía constantemente dispuesto a revolverse contra ti.»

Cosa que efectivamente hizo un día en que Leatherdale derramó accidentalmente un poco de café sobre la cubierta de uno de sus catálogos de fotografías. Enfurecido, le golpeó con fuerza en el rostro con el libro. «Llevaba puesta una bata –recordaba Leatherdale–, y me golpeó sin pensárselo dos veces, como si fuera su esclavo. A punto estuve de pegarle un puñetazo, pero el tipo que le revelaba las fotos nos separó.» Leatherdale renunció a su empleo como secretario de Mapplethorpe y comenzó a trabajar para Sam Wagstaff, quien le encargó que pusiera orden en su colección. Tras un primer período de apaciguamiento, ambos se reconciliaron y continuaron siendo amigos durante varios años. Leatherdale, sin embargo, continuó alentando sentimientos ambiguos hacia Mapplethorpe. «Era un tipo divertido, siempre contando chismes –solía decir–, y cuando se concentraba en ti tenías la sensación de ser la persona más importante del mundo. Pero, desafortunadamente, eso era algo que rara vez ocurría, ya que la persona más importante del mundo tenía que ser siempre él. Nunca llegué a enamorarme de él, aunque acaso al principio pensara que sí; sin embargo, ahora que sé lo que es el amor... ahora veo que no es lo que sentía por Robert. Amarle era imposible, porque sólo le interesaban los ricos, los famosos y los personajes que podía llevarse a la cama.»

Durante el mes de marzo de 1979, Mapplethorpe organizó tres exposiciones distintas en otras tantas zonas de la ciudad. La del Centro Internacional de Fotografía, situado en el número 1130 de la Quinta Avenida, se llamaba «Trade-Off»,* y consistía en una competición «amistosa» con Lynn Davis destinada a comparar y contrastar la perspectiva de cada uno de ellos frente a dieciséis temas comunes. Davis conoció a Mapplethorpe en 1976, época en la que trabajaba como editora de una modesta revista de fotografía; se había sentido fascinada por la obra de Robert desde la primera vez que vio *Mr. 10½* en una publicación europea, por lo que acordó una cita para visitarle en Bond Street. Davis, nacida en Minneapolis, se había trasladado a Nueva York en 1974 tras vivir en San Francisco durante casi una década. Se consideraba a sí misma una mujer sofisticada, pero nada de la experiencia con que contaba la había preparado para enfrentarse a la cruda potencia de las imágenes sexuales, y se sintió profundamente deslumbrada por ellas... y por el propio Mapplethorpe.

«Recuerdo un día en que asistí con ella a un cóctel –contaba el crítico de fotografía Ben Lifson–, y tuve ocasión de presenciar uno de los mayores panegíricos que he oído de Mapplethorpe. Era como si poseyera la misma autoridad y presencia de Timothy Leary durante los años sesenta. Robert iba a ser el encargado de conducirnos al gran "más allá" del mundo del sexo.» A Mapplethorpe le halagaba la admiración de Davis, y comenzó a telefonearla para darle noticias de sus experiencias sexuales. «Me llamaba por teléfono y, con ese tono tan frío y tan suyo, me contaba todo cuanto había hecho la noche anterior», afirma Davis. «Aquello me atemorizaba y me excitaba al mismo tiempo. Por entonces, todo resultaba tan nuevo para él como lo era para mí; estaba fotografiando cosas que nunca había visto anteriormente. A veces, yo misma me sentía físicamente mal contemplando aquellas escenas sexuales. Despertaban en mi inconsciente cosas realmente terroríficas.»

Una vez al mes, Davis pasaba por Bond Street para enseñar a Mapplethorpe sus últimas fotografías, y él hacía lo propio. Solían retratarse el uno al otro: Davis, acentuando la belleza sensual de Mapplethorpe; y éste, procurando destacar el hermoso rostro de Davis y sus largos y espesos cabellos teñidos de negro. «Creo que nuestra relación funcionaba porque estaba centrada en la fotografía», decía ella. «No teníamos ningún contacto profesional ni sexual, y yo no buscaba nada de él.» Había sido Davis, de hecho, la primera en recibir una llamada de William Ewing, director de exposiciones del Centro Internacional de Fotografía, para ofrecerle una muestra individual, pero ella había insistido en que a ella se unieran Mapplethorpe y otro amigo común, Peter Hujar. Este último, sin embargo, rechazó la oferta –no le agradaba la idea de competir a tres bandas–, por lo que el proyecto se redujo a ellos dos solos.

Davis había concebido el proyecto como una forma de competencia amistosa, pero pronto resultó evidente que Mapplethorpe quería ganar a toda costa. De acuerdo con las reglas del juego, ambos retrataron a las mismas die-

* *Trade-Off:* negocio, intercambio. *(N. del T.)*

ciséis personas, entre ellas Wagstaff, Leatherdale, Robert Sherman, el bailarín Peter Reed, la columnista de ecos de sociedad Phyllis Tweel y el compositor Philip Glass. «Aquella exposición pareció enloquecer a Robert», recordaba Marcus Leatherdale. «Cada vez que tomaba una foto, me preguntaba: "¿Te parece mejor que la de Lynn?"» Cuando llegó el momento de colgar la exposición, Robert llevó consigo a Wagstaff y, haciendo caso omiso de Davis, intentó apropiarse de los mejores espacios de la galería. «Fue entonces cuando me di cuenta del enorme sentido de competitividad de Robert y de su voluntad por alcanzar el éxito», relata Davis. «De él aprendí una valiosa lección acerca de Nueva York y el mundo del arte.»

Ben Lifson, en *The Village Voice*, alababa a Mapplethorpe por su dominio técnico de la luz y los detalles –«la maestría de Mapplethorpe gobierna el conjunto de la exposición»–, pero al mismo tiempo criticaba su superficialidad y su incapacidad para extraer de sus modelos otra cosa que un estrecho abanico de emociones. Lifson opinaba que los retratos de Davis eran torpes y rudimentarios, aunque ensalzaba su habilidad para retratar «emociones que Mapplethorpe o bien evita o se le escapan». Con todo, no se mostraba excesivamente impresionado por ninguno de los dos y consideraba la exposición como un fracaso. «Me sentí tan devastada por el artículo de *The Village Voice* que no salí de la cama en tres días», recordaba Davis. «Sin embargo, cuando hablé con Robert al respecto, me dio la sensación de que no le afectaba en absoluto. "Al menos nos han hecho la crítica", dijo. Más o menos, ésa era su actitud con todo: quería, sencillamente, seguir adelante, y lo hacía con la velocidad de una locomotora sin frenos.»

Carol Squiers, quien había recibido el encargo de escribir una crónica de la muestra para incluirla en los textos del catálogo, comparaba las fotografías de Mapplethorpe con la obra de un artista gay llamado Tom of Finland: «Mapplethorpe amplía una tradición consistente en forjar y retratar la postura pública de los gays...» Robert se enfureció al leer aquello, y no volvió a dirigirle la palabra a Carol durante varias semanas. «Robert se esforzaba terriblemente por estar en el candelero, y ello constituía de por sí un problema, porque la fotografía no era un arte de primera fila», recordaba Squiers. «No se aproximó a tal categoría hasta mediados de los ochenta, con Cindy Sherman y Barbara Kruger, por lo que tenía que enfrentarse con demasiadas cosas a la vez. Por si fuera poco, no quería verse encasillado como artista gay. Insistía mucho en que no le identificaran con los gays ni con los temas gays, pero no creo que ello hubiera sido posible. Quiero decir que es como un camionero que se dedica a retratar a otros camioneros. ¿Acaso podríamos fingir que no lo es, o que los tipos que aparecen en sus retratos tampoco lo son? No: ahí estaba el dilema.»

Mapplethorpe detestaba verse retratado como «artista gay». Sin embargo, su ascenso hacia la fama se veía paralelamente acompañado por la asimilación e incorporación de la estética gay al panorama cultural. En un ensayo escrito en 1987 para *Esquire* y titulado «The Gay Decades» («Las décadas gay»), Frank Rich bosquejaba nueve episodios de «la homosexualización de Norteamérica». Entre ellos, se incluían *The Boys in the Band*, de Mart Crowley; la ascensión de Bette Midler, con su anticuada y trivial sensiblería; la «comercialización de la androginia»; la resolución adoptada en 1973 por la Asociación Psiquiátrica Norteamericana, según la cual la homosexualidad dejaría de verse considerada como una enfermedad psiquiátrica; y la institucionalización de la moda gay por parte de Studio 54. Los derechos de los gays y los movimientos feministas contribuyeron a liberalizar el desnudo masculino; por fin, las mujeres podían contemplar fotografías de hombres desnudos en revistas tales como *Playgirl*, difuminando con ello las fronteras entre el «sexo que contempla» –término con el que la erudita Margaret Walters definía la tradicional actitud voyeurística masculina– y «el sexo contemplado». George Stambolian, quien impartía cursos sobre el desnudo masculino en el Instituto Wellesley, explicaba lo siguiente: «Durante años, el desnudo masculino se ha visto reprimido hasta el punto de que cuando uno hablaba de "desnudo", se refería generalmente al desnudo *femenino*. Todo eso, sin embargo, empezó a cambiar a finales de los años setenta. La Galería Marcuse Pfeiffer llevó a cabo una importante panorámica del desnudo masculino en la que se incluían fotografías realizadas tanto por hombres como por mujeres, y ello desencadenó un importante debate acerca de las nociones sexistas que hasta entonces albergábamos acerca de los desnudos masculinos en contraposición con los femeninos, según las cuales los hombres tenían que proyectar una imagen de poder y las mujeres otra de pasividad y desamparo.»

Durante los años cuarenta y cincuenta, ciertos fotógrafos, tales como Minor White y George Platt Lynes, habían procurado eliminar cualquier vestigio de homosexualidad de sus exposiciones públicas. Lynes constituye un ejemplo interesante en relación con Mapplethorpe, ya que ambos se cuentan entre los neoyorquinos de mayor éxito durante su época: ambos documentaron el panorama cultural mediante el retrato de personajes prominentes, y ambos experimentaban idéntica pasión por el desnudo masculino. Sin embargo, así como el éxito de Mapplethorpe dependía de lo escandaloso de sus imágenes, Lynes vivía atemorizado por la idea de que sus estudios de desnudo pudieran verse expuestos al público. La tensión de aquella existencia dividida, empero, terminó por agotarle y, desilusionado por su trabajo para el mundo de la moda, se trasladó a Los Ángeles, donde su antaño próspera carrera entró en decadencia. Hubo de declararse en quiebra, y se pasó los años que le quedaban de vida tomando fotografías para una revista erótica gay de Suiza bajo seudónimo. A menudo, cuidaba escrupulosamente de oscurecer los genitales de sus modelos, pero el tema resultaba ya de por sí tan escandaloso que la única persona que coleccionó sus trabajos fue el sexólogo Alfred Kinsey, quien aducía su interés profesional para documentar la estética homosexual. En 1955, a Lynes le fue diagnosticado un cáncer y, como si con ello quisiera demostrar una vez más la falta de sentido que había tenido su carrera, destruyó cientos de negativos antes de morir a los cuarenta y ocho años de edad.

Mapplethorpe, por el contrario, vivía en una época en la que numerosos fotógrafos gay se servían de sus obras para expresar simultáneamente su identidad pública y privada. Tanto Arthur Tress como Duane Michals analizaban su homosexualidad mediante imágenes oníricas inspiradas tanto en el surrealismo como en la psicología de Jung; Robert Giard fotografiaba modelos desnudos en situaciones domésticas cotidianas, tales como el momento del baño o el acto de leer el periódico; Jimmy DeSana fotografiaba escenas sadomasoquistas con un estilo áspero y agresivo que resultaba diametralmente opuesto al frío clasicismo de Mapplethorpe; y Peter Hujar expresaba su melancólica visión del mundo a través de melancólicos retratos de sus amigos y amantes. «El arte de la imagen masculina», tal y como lo bautizó Samuel Hardison, antiguo decorador de interiores, encerraba un importante potencial económico, lo que le llevó a fundar la Galería Robert Samuel en 1978. Situada en el número 795 de Broadway, constituía un lugar de encuentro ideal para los gays de Greenwich Village, quienes acudían masivamente a las inauguraciones de artistas como Kas Sable, Rip Colt, Peter Hujar, Arthur Tress y Paul Cadmus. «Iba todo el mundo, no tanto para hacer la ronda como para compartir una cultura común», explicaba George Stambolian. «Uno experimentaba cierta sensación de orgullo de grupo al contemplar imágenes que contribuían a definir y transmitir el sentido de la experiencia gay.»

Pese a la aversión que sentía a verse indentificado como fotógrafo gay, Mapplethorpe jamás hubiera dado la espalda a un mercado tan potencialmente lucrativo, y aceptó de buen grado participar en una exposición colectiva inaugurada el 11 de marzo por la Galería Robert Samuel con el título de «Seven Artists' View of the Male Image» («La Imagen Masculina Vista Por Siete Artistas»). La invitación mostraba una fotografía kitsch de Mapplethorpe en la que aparecía la fálica imagen de un plátano rodeado por una argolla de llavero. Robert Miller y el director de su galería, John Cheim –quien por entonces contaba veinticinco años de edad–, mostraron un profundo disgusto al enterarse de la presencia de Mapplethorpe en una exposición organizada en el centro de la ciudad. ¿Acaso no había hecho hincapié en lo mucho que le interesaba exponer en los barrios *residenciales*? De lo que no se daban cuenta entonces (aunque posteriormente lo comprenderían) era de que el intuitivo sentido del contrapunto de Mapplethorpe se manifestaba de modo evidente en toda su obra. El artista buscaba equilibrar el aura de elegancia contenida de la Miller –lo que ciertos galeristas describían malévolamente como arte de diseño y decoración destinado a gays de la alta sociedad– con el espíritu, más franco y sexualmente gráfico, de la Samuel. «Por entonces, había muchos artistas gay que permanecían a caballo entre lo pornográfico y las tradiciones clásicas del arte griego», afirmaba George Stambolian. «Robert intentó combinar ambas tradiciones en su arte, y también en su elección de galerías.» Independientemente de sus fundamentos creativos, sin embargo, John Cheim opinaba que Mapplethorpe no tenía nada que ganar relacionándose con galerías de segundo orden. «Robert siempre se mantenía en la frontera que separa el buen gusto del mal gusto», decía. «Hardison representaba el atractivo del mal gusto. Era una galería cutre especializada en arte homosexual, y Hardison exponía demasiadas obras homosexuales de Mapplethorpe. Yo solía decirle a Robert que aquello iba a tener resultados nefastos y que terminaría por echar a perder su reputación, pero él disfrutaba torturándonos. Y no es que nosotros no quisiéramos exponer sus obras más atrevidas; ocurría, tan sólo, que Hardison se mostraba invariablemente dispuesto a superarnos.»

El 21 de marzo, fecha de inauguración de la muestra que Mapplethorpe organizó en la Galería Miller bajo el título de «Contact» («Contacto»), nadie habría osado quejarse por la escasez de obras atrevidas. Siguiendo el consejo de un marchante inglés de fotografía llamado Robert Self, Mapplethorpe había creado «X Portfolio», un álbum encuadernado en cuero negro que contenía trece fotografías entre las que se incluían *Jim and Tom, Sausalito*; «Scott» atado con sus propios suspensorios; «Ken» y sus cicatrices; «Helmut y Brooks» –una imagen de coito con el puño–; los acribillados genitales de «Richard», y el autorretrato de Mapplethorpe con el látigo. En su introducción al «X Portfolio», Paul Schmidt, escritor y traductor de Rimbaud, había escrito como sigue: «Estas imágenes son todo cuanto nos queda de una época profana. He aquí las escenas de nuestro moderno martirologio: nuestras flagelaciones, nuestras coronaciones de espinas, nuestras crucifixiones...» La Miller mostraba «X Portfolio» en una sala aparte, pero de sus muros colgaba una selección de las demás fotografías sadomasoquistas de Mapplethorpe: escenas que resplandecían bajo sus marcos de ébano, sus orlas de seda, sus espejos y sus plexiglases coloreados, y que aparecían alternadas con estudios florales y retratos, muchos de ellos enmarcados mediante el mismo estilo decorativo.

Mapplethorpe era un sagaz hombre de negocios, y comprendía bien la importancia de «darle impulso» a sus fotografías. No bastaba con vender copias individuales a quinientos dólares la unidad para luego repartirse el dinero con la galería, y comenzó a crear dípticos y trípticos por los que podía cobrar hasta mil ochocientos dólares. Su deseo de crear «objetos únicos» no se hallaba exclusivamente motivado por el ansia de dinero: el enmarcado siempre había formado parte integrante de su arte. Pero, del mismo modo que no sabía detenerse cuando comenzaba a amontonar trastos para sus montajes o a rodearse el cuello con joyas y fetiches, cabe la posibilidad de que pecara por exceso durante la muestra de «Contact».

El carácter de las críticas osciló entre la ambigüedad y la franca hostilidad; Vicki Goldberg, del *New York*, opinaba que sus imágenes sadomasoquistas tenían la habilidad de «tornar el papel de estraza en papel de regalo», pero alababa su capacidad para fotografiar tales escenas «con una pureza de técnica y de diseño francamente elegante»... acaso «demasiado elegante para sus propios intereses», concluía. Lo que más interesante encontraba Goldberg de la carrera de Mapplethorpe era el modo en que ilustraba los cambios de actitud del público: «Hace dos años, sus retratos aparecían expuestos en una respetable galería del SoHo, y sus personajes de cueros negros en la vanguardista Kitchen. Hoy, tanto unos como otros se exponen en la Quinta Avenida.» Hilton Kramer, del *New York Times*, coincidía con ella: «[El] interés real de esta muestra reside no tanto en su "arte" como en el modo en que, de cierta manera, redefine las fronteras del gusto del público. El señor Mapplethorpe representa, probablemente, el siguiente paso lógico después de Helmut Newton, aunque ello no impide que su obra nos produzca escalofríos.»

Ben Lifson, quien apenas una semana antes había tratado a Mapplethorpe con relativa clemencia en su crónica para «Trade-Off», experimentó un dramático cambio de opinión tras asistir a «Contact» y conocer al fotógrafo por vez primera. «Robert compareció acompañado de Marcus Leatherdale –recordaba Lifson–, quien llevaba puestos sobre los pantalones unos zahones de cuero atados con cordones del mismo material. Además, había atado los cordones de una pierna a los de la otra, por lo que apenas podía recorrer unos centímetros con cada paso. Allí estaba, pues, Robert, en compañía de una figura semitrabada que avanzaba a pequeños saltos por la habitación. Uno y otro mostraban el aspecto más fatuo y afectado que jamás había visto.» A Lifson le desagradó tanto «Contact» que regresó a casa y escribió para *The Village Voice* una cáustica reconsideración de Mapplethorpe bajo el título de «El fotógrafo prosaico» en la que decía: «Todo en esta muestra resulta hostil. Los temas de Mapplethorpe –flores artificializadas, carnosas y llamativas; gente elegante; gays presentados con los atavíos y los rituales del sadomasoquismo– coexisten dentro de un estrecho círculo, dominados por el deslumbrante estilo fotográfico de Mapplethorpe tan ineludiblemente como por los costosos materiales de sus marcos. Su estilo unifica a unos y a otros, hasta convertirlos en una élite autodefinida. Sus vanidosas miradas, su exagerada sensualidad y la autosatisfacción que experimentan ante sus propias perversiones nos previenen de que somos ajenos a ellos. Emocionalmente, no podemos permitirnos sus preferencias sexuales del mismo modo que no podemos costear sus trajes o comprar su fama... o las imágenes de

Mapplethorpe. Se trata de una exposición que parece condescender con nuestra anodina existencia.»

Mapplethorpe se mostró conmocionado al leer la crítica, especialmente si se tiene en cuenta que Lifson acababa de declararle «ganador» del concurso «Trade-Off». Finalmente, sin embargo, llegó a la conclusión de que a Lifson no le gustaba su trabajo porque experimentaba fobia hacia la homosexualidad (pese a que el crítico de *Christopher Street*, una publicación gay, se había sentido igualmente horrorizado por la exposición y había acusado a Mapplethorpe de ser «un truhán callejero que se cree que puede ganar un montón de dinero vendiendo sus deleznables fotografías y sus imágenes sadomasoquistas como si fueran arte». Lifson opinaba que la mayoría de estas últimas no resultaban efectivas debido a que no eran lo bastante «reales». «De hecho, cada vez que recuerdo aquella exposición sigo opinando que la mejor fotografía de Robert era aquella en la que aparecían un pene, unos testículos y sangre por todas partes», decía. «Constituía una cruda exposición de algo de lo que la mayor parte de la gente no sabe nada, por más que se trate de algo evidentemente real. Resultaba áspera y ordinaria, pero también honesta. En cuanto al resto de las fotografías, se me antojaron como obra de alguien temeroso de aquello que nuestra imaginación pudiera elaborar en torno al tema y que pretendiera anular el proceso imaginativo. Es como si Robert no quisiera mostrarnos lo que sabe. En *La civilización y sus descontentos*, Freud habla de los artistas que descienden a lo que él llama el *maelstrom* o torbellino, es decir, el inconsciente, para luego regresar a contarnos qué han encontrado allí. Robert, sin duda, ha descendido al maelstrom, pero ha regresado con una elegante tarjeta postal que dice: «Lo pasamos estupendamente. Ojalá estuvierais aquí. Con cariño, Robert.»

Cuatro años antes, Patti Smith había prevenido a Clive Davis de que no se sentía con fuerzas para esperar demasiado tiempo hasta convertirse en una estrella. Ahora que ya había hecho realidad sus sueños, carecía de la energía necesaria para alimentarlos. «Este trabajo es muy duro», declaró durante una entrevista radiofónica realizada para la KSAN. «Fijaos en Jesucristo: sólo duró treinta y tres años.» El éxito popular de *Because the Night* la mantenía sometida a una enorme presión, y aunque públicamente ridiculizaba la canción, tachándola de «mierda comercial», la «Mariscala del rock and roll» había decidido celebrar su buena fortuna comprándose un abrigo de visón. Hasta entonces, las contradicciones de Patti nunca habían resultado tan descaradamente obvias. Insistía —algunos dirán que con cierta estridencia— en que se la contemplara como artista, y sin embargo anhelaba una aceptación pública que pocos artistas llegan a alcanzar. Como consecuencia, despellejar a Patti Smith se convirtió en un deporte cada vez más popular entre los críticos de prensa: aquellos que habían admirado su «poesía del rock» la acusaban de venderse, mientras que quienes habían opinado que *Easter* representaba un hito artístico y comercial se mostraban desconcertados ante sus divagaciones pseudoartísticas. Patti había recurrido al rock and roll con la intención de «obligar a la gente a despertar»; así pues, debía de haber constituido una lección de humildad el advertir que cuando por fin había captado la atención unánime de Norteamérica, todo su mensaje consistía en que «la noche pertenece a los amantes porque la noche pertenece al amor».

Patti había ido viéndose gradualmente cohibida por aquellas vertientes de punk rock que consideraba como más psicóticas; lo que había comenzado como una eufórica aventura musical había concluido con el derrumbamiento simbólico del punk el día en que Sid Vicious asesinó a puñaladas a su novia, Nancy Spungen, en el Hotel Chelsea. Dos meses después, en libertad bajo fianza, Vicious se sirvió de una botella de cerveza rota para acribillar el rostro de Todd, hermano de Patti. Ésta, atemorizada y desilusionada, expresó sus sentimientos en su cuarto álbum, *Wave*, grabando su propia versión del tema de los Byrds *So You Want to Be a Rock'n'Roll Star* (Conque quieres ser una estrella del rock). («But you pay for your riches and fame / Well, it's all a vicious game / It's a little insane»).*

Con todo, es posible que no hubiera renunciado tan pronto al «juego depravado» de no haber iniciado una relación con un hombre que despertó sus fantasías de amor incondicional como ningún otro lo había logrado hasta entonces. Fred («Sonic») Smith había sido guitarra rítmica de MC5, un grupo de Detroit representado por John Sinclair, líder de los Panteras Blancas. Los «Cinco» –tal y como eran conocidos– pretendían llevar a las ondas de radio su retorcido mensaje de rock, drogas y autodefensa armada. Sinclair había fundado en Ann Arbor una comuna –«Trans-Love Energies» («Energías trans-amorosas»)– cuya residencia fijó la banda en una casa de dieciocho habitaciones en compañía de un grupo de mujeres que, según *Rolling Stone*, suministraban «energía doméstica» a base de cocinar, limpiar y remendarles la ropa. «Aquello era algo asombroso», afirmaba Danny Fields, antiguo promotor de MC5: «ahí tenías a un grupo que predicaba la liberación de todos los sectores de la humanidad, de todas las razas y sexos, de todo... Pero luego, los hombres regresaban de dar su concierto y se sentaban a una mesa a comer chuletas mientras las mujeres iban y venían por la cocina sin parar. A excepción de la mujer de John Sinclair, que había ido a la escuela y era más resuelta, las mujeres no comían a la mesa con los hombres. Salvo ella, eran todas las clásicas niñitas

* La autora juega con la palabra *vicious* (vicioso, cruel, depravado), apellido del artista punk: «Pero has de pagar por tu riqueza y tu fama / En fin, es todo un juego depravado / Es un poco demencial.» *(N. del T.)*

ataviadas con floreados vestidos hippies y dedicadas en exclusiva a cocinar y servir a sus hombres. Ignoro si por entonces Fred estaba casado, pero todos tenían "mujer". Era imposible distinguirlas entre ellas. Eran como seres sin identidad propia».

En 1969 salió al mercado el primer y más popular álbum de MC5, *Kick Out the Jams*, pero tras el encarcelamiento de Sinclair por posesión de marihuana –condena posteriormente suspendida– el grupo optó por tomar una dirección menos radical. Más tarde, los críticos británicos de rock Julie Burchill y Tony Parsons denigraron su segundo álbum, *Back in the USA*, calificándolo de «pura pachanga desinfectada con los transparentes atavíos de la juventud y la rebelión». Su siguiente álbum, *High Time*, no corrió mucha mejor suerte, por lo que, tan pronto como MC5 perdió su contrato discográfico, Fred Smith decidió despegar por su cuenta y formó la «Sonic Rendezvous Band». Sin embargo, y a pesar de la reputación de Fred como guitarrista de primer orden, las actuaciones del grupo se limitaron en su mayor parte al área de Detroit, donde en marzo de 1976 conoció a Patti con motivo de una fiesta discográfica en honor de la joven, y aunque entre ambos era claramente Smith la que tenía un futuro más prometedor, la joven se sintió inmediatamente atraída por él. «La noche en que nos conocimos –decía Patti–, se subió al escenario con nosotros y, tan sólo por su forma de tocar, me fue posible juzgar qué clase de persona era... era mejor que yo, más fuerte que yo.»

Fred, quien por entonces se hallaba a mediados de la veintena, era físicamente una mezcla de todos los novios anteriores de Patti: poseía un cuerpo esbelto, unas facciones afiladas y unos cabellos peinados con la raya en medio que colgaban por debajo de su barbilla y le proporcionaban el aspecto de un granjero Amish. En su personalidad había algo igualmente austero, como si hubiera vivido demasiado tiempo en la subcultura aislada de MC5 y ansiara aún el refugio de un capullo protector. Fred había nacido en West Virginia, pero pronto se había trasladado a Detroit. Tras unirse a MC5 cuando aún era un adolescente, había crecido oyendo la retórica de Sinclair acerca de la liberación de la cultura por medio de las drogas y la «energía elevada». Patti mantuvo un romance secreto con él durante dos años hasta que, en el verano de 1978, rompió finalmente con Allen Lanier.

La amistad de Mapplethorpe con Patti, que había sobrevivido a enfermedades, a intentos de suicidio, a sus revelaciones de homosexualidad y a la vertiginosa fama de la muchacha, sufrió un estancamiento temporal cuando Fred entró en sus vidas. A Mapplethorpe le inquietaba que Fred pudiera ejercer demasiada influencia sobre Patti, quien parecía necesitar de su permiso para dar cualquier paso. Ahora que era pareja de Fred, rehusaba posar desnuda para Robert, adoptando un aire de modestia que a algunos de sus antiguos amigos les resultaba difícil de creer. Jim Carroll recordaba que cuando él y Sam Shepard la visitaron en el camerino tras una declamación de poesía, la joven se mostró exageradamente insistente en que abandonaran la estancia para poderse quitar los vaqueros. «Tampoco era como si nunca la hubiéramos visto desnuda –decía Carroll–, y al recordar algunas de las cosas que en otro tiempo acostumbraba a hacer en el Chelsea, toda aquella pantomima virginal me resultaba un poco ridícula.»

Wave salió al mercado en abril de 1979, con un retrato de Patti por Mapplethorpe en la cubierta. La fotografía había sido tomada en el apartamento de Sam Wagstaff frente a la misma pared desnuda que había servido de fondo a *Horses*. A diferencia de la postura sexualmente agresiva de la primera, Patti lucía en *Wave* un vestido blanco de aspecto más casto y llevaba dos palomas posadas en los dedos. «Estaba profundamente enamorada de Fred, y mis actuaciones iban tornándose más modestas», afirmaba Patti. «Ya no experimentaba el deseo de seducir al público, sino que se trataba de algo más personal.» Tras pasar cuatro semanas en la lista de los elepés más vendidos, *Wave* se colocó entre los veinte primeros, y aunque algunos críticos opinaron que no era sino una tibia secuela de *Easter* (*Rolling Stone* lo describió como un álbum «transitorio en el más transitorio de los sentidos»), Patti se sintió satisfecha de haber logrado equilibrar lo comercial (lo «comunicativo», según sus palabras) con lo artístico. *Wave*, su álbum más personal, era una crónica musical de la lucha de una mujer de talento por reconciliar sus ambiciosas aspiraciones con una necesidad aún más profunda por hallar un amor apasionado.

Patti ya no se sentía capaz de entregarse por entero al grupo, y durante sus cinco meses de gira se sintió tan desdichada que descargó su infelicidad sobre amigos tan íntimos como Andi Ostrowe. «Patti se comportó conmigo de una forma absolutamente brutal», decía Ostrowe. «Posteriormente nos reconciliamos, pero aquellos últimos meses fueron de los peores que he pasado en mi vida. Era capaz de despedazarte con unas pocas palabras, y al final de la gira ni siquiera nos hablábamos.» Patti se mostraba igualmente agresiva frente al público, y aunque no hacía más que insistir en que la prensa local malinterpretaba invariablemente sus palabras, las crónicas periodísticas de aquella gira reflejan su desconcierto emocional. El *Minneapolis Tribune* afirmaba que Patti parecía «desanimada», y la citaba dirigiéndose al público con estas palabras: «Estoy muy cansada. Si no os gusta el cansancio que percibís, pedid que os devuelvan el dinero y, joder, dejadme en paz.» El *Boston Globe* se quejaba de su «vanidoso y a menudo disparatado parloteo», cuyo resultado era un «espectáculo plano y plomizo». El *San Francisco Examiner* describía su aspecto como «el de una mujer enloquecida», e informaba de que había amenazado con abofetear a un reportero durante una conferencia de prensa. El *San Francisco Chronicle* describía una sesión de declamación en la que Patti no había logrado leer un solo poema sino que, por el contrario, había «farfullado con expresión aturdida frente al público asistente a la Boarding House, forzado a permanecer de pie por falta de sillas». El *Newsday* opinaba que se mostraba «más próxima que nunca a la demagogia», y que «parecía poseer un ego a la vez monstruoso y deshecho». Una y otra vez, fue incapaz de contener sus accesos de llanto al recitar los versos iniciales de *Gloria* –«Jesucristo murió por los pecados de otros, pero no por los míos»–, hasta que finalmente se mostró incapaz de interpretar la canción. Curiosamente, no hacía mucho que había añadido al papa Juan Pablo I a su panteón particular de superhéroes. El pontífice había muerto tan sólo un mes después de su elección, y Patti, que en Roma le había visto saludar a la multitud desde el balcón el año anterior, se había sentido tan conmovida por su sencillez y su piedad que había escrito la canción *Wave** en su honor. *Frederick*, el primer corte del álbum, se iniciaba con la jubilosa llamada *Hi, hello* («Hola, ¿qué hay?»), y concluía con un conmovedor «Adiós, padre».

A finales del verano, el grupo viajó a Europa, continente en el que había obtenido más éxito que en los Estados Unidos. Su concierto final, celebrado en Florencia, atrajo a una masiva muchedumbre de ochenta mil personas, la mayor audiencia para la que había tocado Patti, quien hizo acopio de fuerzas y logró escenificar una de las más enardecedoras actuaciones de su carrera. Concluyó con *My Generation* (Mi generación), de Pete Townshend, y cuando los miembros del grupo desplegaron una bandera norteamericana, el público comenzó a tomar por asalto el escenario. La policía, al principio, intentó rechazarlos pensando que se había desencadenado una revuelta, pero no tardó en resultar evidente que los fans de Patti la amaban tanto que tan sólo pretendían aproximarse a ella. Así pues, rodearon el escenario y se sentaron a sus pies con ademán de adoración hasta que los agentes los obligaron a despejar la escena.

Aquella misma noche, cuando los miembros del grupo aún se hallaban bajo la euforia del concierto, Patti anunció solemnemente su partida: «Estábamos viendo la televisión en el hotel –recuerda el bajista y guitarrista Ivan Kral–, cuando nos dijo: "Bueno, chicos, hasta aquí hemos llegado." No podía creérmelo. Habíamos permanecido junto a ella cuando se rompió el cuello y, ahora que finalmente comenzábamos a ganar dinero, decidía abandonarnos. La frustración que experimenté fue tal que me eché a llorar.»

La decisión de Patti de poner fin a su carrera suscitó un sinfín de rumores acerca de su estado de salud, y todo el mundo dio por supuesto que padecía un problema de drogas. Sin embargo, el motivo fundamental de su abandono fue su relación con Fred Smith. Había tomado la decisión antes incluso de grabar *Wave*, y aunque había mantenido sus proyectos en secreto, el disco se hallaba plagado de indicios al respecto. Aparte del título y de la canción de amor *Fre-*

* *Wave:* en inglés, «ola» y, también, «saludar con la mano». *(N. del T.)*

derick, en la que se despedía de sus admiradores, había incluido la siguiente cita de Rilke en los comentarios del álbum: «Acaso la más difícil de nuestras tareas consista en lograr que un ser humano ame a otro.» Siempre se había mostrado susceptible al concepto de que amar a un hombre implicaba un elevado grado de sacrificio, y ahora tenía la ocasión de realizar un gesto grandioso que le asegurara un lugar de honor junto a la amante de Modigliani, cuyo retrato aparecía igualmente incluido junto a las notas del disco. Muchos de sus mejores amigos culparon a Fred del abandono de su carrera, convencidos de que la había presionado para retirarse y de que su relación se basaba en la aceptación, por parte de la artista, del tradicional papel de «mujercita». Patti, sin embargo, era perfectamente capaz de proporcionar un halo de romanticismo a la situación más sombría. Dos años antes, durante una entrevista para *Melody Maker*, había comentado la fascinación que sentía por Jeanne Moreau, refiriéndose a una película en la que la actriz desempeñaba el papel de casta maestra de escuela: «Se enamora de un leñador italiano al que todo el mundo desprecia por su tosquedad [...] pero ella le ama de verdad. Y, al final de la película, está tan obsesionada por él que es capaz de cualquier cosa con tal de conquistarlo, y termina saliendo victoriosa por haber sabido conquistarle. Y si se humilla es porque *quiere* humillarse.»

Así pues, Patti terminó cambiando en Detroit su vida pública por una existencia privada, y en marzo de 1980 contrajo matrimonio con Fred mediante una ceremonia religiosa a la que tan sólo asistieron sus padres. Durante el primer año, se mantuvo en contacto con Mapplethorpe y el resto de sus amigos exclusivamente por teléfono. Durante una conversación con Janet Hamill, confesó a su amiga que echaba tanto de menos Nueva York que no recordaba haberse sentido tan desdichada desde que, años atrás, le fuera revelada por vez primera la homosexualidad de Mapplethorpe. Para cuando dio a luz a su hijo Jackson en 1982, sin embargo, las llamadas telefónicas ya habían cesado; cuando los amigos intentaban ponerse en contacto con ella descubrían que había cambiado su número por otro que no figuraba en la guía, y las cartas volvían a sus remitentes con el sello de «Destinatario desconocido». En cierta ocasión, Sandy Daley intentó localizarla con motivo de un viaje a Detroit, pero no hubo manera de descubrir el paradero de la señora de Fred Smith.

CUARTA PARTE

NEGROS Y BLANCOS

CAPÍTULO DIECISÉIS

«Perseguía el ideal platónico.»

Kelly EDEY,
en referencia a Robert Mapplethorpe.

«*Once you go black, you can never go back.*»*

Robert MAPPLETHORPE

La amistad de Robert Mapplethorpe y Patti Smith había seguido una trayectoria de casi veinte años, pero a medida que se aproximaba la década de los ochenta, sus vidas dejaron de ser paralelas y comenzaron a diverger. Ella buscaba el anonimato, y él, aún ansioso de celebridad, se mostraba desconcertado por la desaparición de su antigua compañera. «A Robert le preocupaba que Patti hubiera carecido de la energía necesaria para enfrentarse a la fama», decía la escritora Kathy Acker, quien compartía su fascinación por los aspectos más sórdidos de la cultura urbana. «Para mí, Patti era la más grande, era una mujer realmente potente, pero Robert no la veía así. En cierta ocasión me dijo: "Quizá no debería haberla animado a convertirse en una estrella." Creo que, realmente, aún la amaba, por más que no comprendiera el motivo de la decisión que había tomado.»

Para Mapplethorpe, resultaba igualmente incomprensible la relación de Sam Wagstaff con Jim Nelson, un peluquero y especialista en maquillaje artístico de San Francisco. Contra todo pronóstico, ésta había prosperado hasta

* En inglés, literalmente: «Una vez que has probado lo negro, ya no es posible volver atrás.» *(N. del T.)*

convertirse en algo más profundo que un simple coqueteo sexual. Mapplethorpe había conseguido socavar la amistad de Sam con Gérald Incandela, pero ahora tenía que vérselas con Nelson, quien había renunciado a su empleo en Elizabeth Arden y vivía semiescondido en el apartamento de Wagstaff, cocinando para Sam, cuidando de sus gatos y refiriéndose afectuosamente a él como «mi Sammi». El argumento era digno de una novela rosa y, de hecho, Nelson se ocupaba a la sazón de los peinados y el maquillaje de un culebrón televisivo titulado *As the World Turns* («Mientras el mundo gira»). «Jim era un ligue que acabó quedándose», explicaba Klaus Kertess y, en efecto, Wagstaff se mostraba tan avergonzado por su presencia que muchas personas ni siquiera sabían que vivían juntos. Recordaba Paul Walter: «Sam me contó en cierta ocasión que el único motivo por el que estaba con Jim era que no sabía cómo deshacerse de él.» Cabe la posibilidad, sin embargo, de que a Wagstaff, con sus cincuenta y cinco años, le apeteciera disfrutar de una especie de matrimonio y, aunque Nelson no era capaz de disertar acerca de minimalismo ni citar al poeta favorito de Sam, Wallace Stevens, lo cierto era que amaba y reverenciaba a su «Sammi».

Mapplethorpe se había diseñado una forma de vida en la que no había lugar para el amor, pero también a él le inquietaba ocasionalmente la idea de terminar quedándose solo. «El hecho de que me pasara la vida en los bares no significaba que no estuviera buscando a alguien a quien amar», decía. «Me apetecía tanto como a cualquier otra persona... sólo que me resultaba difícil.» De hecho, era casi imposible, y ello debido a la misma tensión dramática que gobierna su obra: la mezcla de atracción y rechazo de lo negro frente a lo blanco, del bien frente al mal, del catolicismo frente a la homosexualidad, algo que poco a poco iba destrozándole emocionalmente. Aún era el mismo personaje fragmentado que refleja su autorretrato de 1971, para el que fotografió tres partes de su cuerpo por separado, aislándolas posteriormente tras una «jaula» construida con una bolsa de papel. Mapplethorpe ansiaba escapar, pero ¿hacia dónde, y hacia quién?

La respuesta era, literalmente, una imagen en blanco y negro, pues se encaprichó de un culturista caucásico al mismo tiempo que declaraba su pasión por los hombres de raza negra. Con ello, había logrado resolver simultáneamente dos problemas: había hallado una nueva musa con la que reemplazar a Patti Smith y, además, un nuevo territorio de exploración sexual que sustituyera a los bares sadomasoquistas. Negro, blanco, masculino, femenino... las posibilidades eran infinitas.

Mapplethorpe se consideraba a sí mismo «fundamentalmente homosexual», pero también disfrutaba con la compañía de las mujeres, y la culturista Lisa Lyon representó para él la pareja femenina definitiva. La conoció a finales de 1979 en una fiesta del SoHo, y si captó su atención fue gracias a su negro traje de goma, una prenda que se adaptaba a su poderoso físico como si se tratara de una segunda piel. En contraste con su fuerte fisonomía, Lyon poseía un rostro sorprendentemente delicado: una cascada de rizos de color castaño rojizo que enmarcaban una piel blanca como la leche, unos pómulos elevados y una mandíbula bien formada. Aunque recientemente había resultado ganadora del «Primer Campeonato Mundial de Culturismo Femenino», no representaba ni mucho menos el arquetipo de la atleta, y consumía regularmente una droga psicodélica llamada PCP, o «polvo de ángeles». Asimismo, era capaz de citar a Carlos Castaneda, R. D. Laing y William Blake, y entre sus amigos se contaban Henry Miller y Huey Newton, antiguo dirigente de los Panteras Negras.

Mapplethorpe la invitó a acudir a Bond Street al día siguiente por la tarde para una sesión de fotografía, y ella se presentó en su umbral ataviada con minifalda, botas altas de cuero y un sombrero de ala ancha decorado con plumas. Él respondió inmediatamente al estímulo de lo que entonces constituía un concepto exótico (una mujer musculosa) fotografiándola mientras tensaba los bíceps bajo su sombrero de volantes. «Nunca había visto una mujer semejante», explicaba luego. «Era como estar ante alguien procedente de otro planeta.»

Había empleado aquellas mismas palabras para describir a Patti Smith y, aunque ambas mujeres representaban estilos físicamente opuestos, tanto la una como la otra se mostraban proclives a los comportamientos peculiares o extraños. Lyon, hija de un rico odontólogo de Beverly Hills, había sido una niña intelectualmente superdotada, aunque sometida a alucinaciones terroríficas. En su intento de llegar a controlar sus visiones, había desarrollado comportamientos rituales compulsivos tales como corretear por la casa en el sentido contrario a las manecillas del reloj y golpear constantemente el mobiliario con los dedos. Finalmente, le fue diagnosticado un estado maníaco-depresivo (la misma enfermedad que supuestamente padecía Joan Mapplethorpe), pero se pasó los años de instituto y universidad tratando de frenar sus ondas mentales a base de ingerir grandes cantidades de «polvo de ángeles». Se graduó en Antropología en la Universidad de Los Ángeles, donde ingresó en el equipo de *kendo* debido a que sus miembros masculinos le recordaban a los «antiguos guerreros de las películas de Kurosawa». Era la única mujer de aquel grupo deportivo, y tras derrumbarse deshecha en lágrimas después de que uno de sus compañeros la golpeara repetidamente con una espada de bambú, juró no volver a pensar en sí misma como en una débil hembra.

Comenzó a entrenarse en el gimnasio Gold's de Santa Mónica, cuyo propietario era Ken Sprague, culturista y estrella de porno gay que a la sazón intentaba modificar la imagen de culturismo homosexual del local contratando a atletas profesionales tales como Arnold Schwarzenegger y Lou Ferrigno. De un modo u otro, sin embargo, lo cierto es que Gold's no era un ambiente receptivo para el sexo opuesto, ya que imperaba la idea de que las mujeres eran hormonalmente incapaces de desarrollar masa muscular, y Lyon, con un metro sesenta de estatura y cuarenta y seis kilos de peso, no era la candidata ideal para invalidar tal mito. Por si fuera poco, tampoco parecía poseer la suficiente fortaleza mental para ello. Por entonces, su padre agonizaba a causa de un cáncer de páncreas, y su breve matrimonio con un profesor de etnología musical acababa de concluir en divorcio tras verse él detenido y encarcelado por tráfico de heroína. No obstante, su comportamiento compulsivo la llevaba a practicar rigurosos ejercicios de bíceps y de piernas, y cuando las noches la sorprendían demasiado cargada de excitantes como para poder dormir, se dedicaba a ejercitarse en el trapecio que colgaba del techo de su apartamento. En lugar de esteroides consumía LSD, droga que, según ella, le ayudaba a reprogramar su estructura celular y le permitía levantar ciento veinte kilos de peso en arrancada y ciento treinta en dos tiempos. «Utilizaba el LSD para reesculpir mi cuerpo», decía. «No sólo progresaba físicamente, sino que empezaba a tener experiencias visionarias. Penetraba en zonas que ni siquiera te atreves a comentar con otras personas.»

Lyon se convirtió en una celebridad de la noche a la mañana tras ganar el campeonato de culturismo de 1979, e inmediatamente firmó un contrato con el importante grupo deportivo IMG. Su fuerza, combinada con la suficiente feminidad como para no espantar a aquellas mujeres que comenzaban a incorporar el levantamiento de pesos a sus programas de ejercicio, la convertían potencialmente en una mina de oro, y rápidamente se diseñaron planes destinados a la publicación de un libro e, incluso, a la creación de un nuevo perfume. Lyon, sin embargo, no se mostraba dispuesta a seguir el juego, ni aun durante un período breve, y, convencida de que había de perder el título, renunció a defenderlo. En consecuencia, se vio convertida en un recuerdo antes incluso de alcanzar auténtica fama, aunque tampoco había soñado nunca con convertirse en una atleta. Se veía a sí misma más como una escultora que empleara su propio cuerpo como materia prima. Así, su encuentro con Mapplethorpe resultó afortunado, ya que por entonces buscaba un fotógrafo capaz de ilustrar gráficamente los «progresos de su esfuerzo».

Al mismo tiempo, Mapplethorpe andaba buscando medios que le permitieran modificar su imagen gay sadomasoquista y, a tal efecto, había mantenido diversas reuniones con un editor independiente, Jim Clyne, quien le había sugerido que publicara un libro de fotografías de mujeres. A Robert le preocupaba no ser capaz de contribuir con algo original al tema, y confesó a Clyne que el pubis femenino le resultaba tan poco atractivo que no lograba imaginarse a sí mismo fotografiando desnudos frontales. Finalmente, ambos dieron con una idea compatible con la estética homosexual de Mapplethorpe: un libro que llevara como título *Small-Breasted Women* (Mujeres con poco pecho), tras lo cual continuaron reuniéndose con objeto de alcanzar una definición adecuada de lo que habría de entenderse por «poco pecho». Mapplethorpe se preguntaba si habría que descartar automáticamente a todas aquellas mujeres que llevaban sujetador o si «poco» equivalía a «completamente liso». Incluso desarrolló sobre el papel la relación exacta entre pecho y pezón que habrían de poseer las candidatas ideales. Clyne envió numerosas modelos a su estudio, pero Mapplethorpe, tras fotografiarlas, terminaba invariablemente descartándolas por uno u otro motivo. Entretanto, tuvo la fortuna de conocer a Lyon, y ambos iniciaron una colaboración fotográfica que habría de desembocar en el libro *Lady* (Dama).

Tras su primera sesión fotográfica, Lyon regresó a su casa de Los Ángeles, si bien continuó conversando periódicamente con Mapplethorpe por teléfono. Ninguno de los dos contemplaba la homosexualidad del artista como una barrera capaz de impedir un eventual romance. «Nunca me planteé la cuestión», decía Lyon. «Daba igual. Me sentía completamente fascinada por él. Todo el mundo amaba a Mapplethorpe de un modo peculiar. Algunos llegaban a odiarle cuando le conocían mejor, pero nunca al principio. Podía mostrarse perverso y cruel, pero tenías que perdonarle, porque era un genio, un visionario y un revolucionario; hacía cosas que el resto de las personas jamás hubieran soñado con hacer: transgredía todos los tabúes. ¿No fue William Blake quien dijo que "el camino del exceso conduce al palacio de la sabiduría"?»

Durante el año anterior, los viajes de Mapplethorpe le habían mantenido apartado de su mundo gay sadomasoquista y predominantemente blanco para aproximarlo a una subcultura aún más reducida compuesta por homosexuales blancos que se sentían atraídos hacia los negros. En 1980, en plena crisis de lo que dio en llamar su «fiebre negra», comenzó a afirmar que habían dejado de interesarle sexualmente los blancos. «Una vez que has probado lo negro, ya no es posible volver atrás», solía decir, repitiendo una célebre frase hecha. Comenzó a frecuentar Keller's, un antiguo bar sadomasoquista de West Street que últimamente iba convirtiéndose en punto de encuentro social de hombres interesados en sexo interracial, y en el que se conocía a los blancos como «reinas tenebrosas» y a los negros como «reinas lácteas». Dos tercios de sus clientes eran negros de la clase obrera que acudían a Keller's porque el local les proporcionaba una de las pocas ocasiones que tenían de conocer a otros homosexuales. En un ensayo titulado «Los negros: un deseo y un comportamiento sexual idénticos», John L. Peterson estudiaba las dificultades a las que se enfrentaban los negros para reconciliar su orientación sexual con su identidad racial. Además del sentimiento generalizado de rechazo hacia los negros por parte de la comunidad gay (Peterson describía el ritual de admisión de los no blancos en ciertos bares homosexuales como un proceso de «cardado»), los negros habían de enfrentarse a los prejuicios antihomosexuales de su propia raza, influidos por enseñanzas religiosas fundamentalistas y por el papel de cada sexo en la cultura negra, dominada por la importancia del matrimonio y la procreación. Todo ello, combinado con la elevada tasa de paro laboral existente entre los negros y su consecuente pérdida de poder económico, había hecho decrecer aún más su categoría social.

Como resultado de todo ello, el ambiente en Keller's se veía adicionalmente complicado por ciertas realidades de peso en la cultura imperante: los clientes blancos tenían dinero; los clientes negros, no. Lo que los negros sí tenían, sin embargo –o, al menos, eso decía la leyenda–, era una sexualidad exótica y «primitiva» que atraía a los caucásicos a Keller's del mismo modo que en otro tiempo los blancos ricos se habían visto atraídos hacia el Cotton Club de Harlem. Mapplethorpe acudía al bar al menos cuatro veces por semana, y allí solía encontrarse con Winthrop «Kelly» Edey –historiador de arte y experto internacional en relojes antiguos– y con John Abbott, quien había abandonado recientemente su antiguo puesto en la Galería Sonnabend de París. Ambos poseían unas impecables credenciales sociales y, por su aspecto, cualquiera hubiera dicho que habrían de sentirse más cómodos en el Union Club que en un sórdido bar de West Street; sin embargo, también ellos habían sucumbido al contagio de la «fiebre negra», por lo que solían pasarse las horas muertas discutiendo con Mapplethorpe sobre su tema favorito: la superioridad física del hombre negro.

Tan pronto como empezó a fotografiar negros, Mapplethorpe descubrió con enorme gozo que podía extraer una riqueza considerablemente mayor del color de su piel. Kelly Edey compartía por entero su opinión: «Ya de entrada, los negros poseen una textura epidérmica distinta. Los cuerpos negros más hermosos se hallan cubiertos por una delgada capa de grasa que proporciona una increíble consistencia al sistema muscular y a la superficie corporal. Otras características de un buen cuerpo negro son la anchura de sus hombros en relación con la estrechez de sus caderas. Y luego, por supuesto, está la cuestión del tamaño del pene. Los negros *tienen* un tamaño medio efectivamente mayor. No creo que nadie sepa hasta qué punto se esforzó Robert por hallar un ejemplar perfecto. Llegó a examinar a varios miles de ellos.»

En cierta ocasión, George Stambolian oyó a Mapplethorpe describir el falo negro ideal con tal perfección que incluso había calculado las medidas ideales de la diminuta abertura que remata la punta del glande y a través de la cual la uretra expulsa la orina y el semen. «Robert había dibujado la imagen de un pene sobre un cuadro –recordaba Sambolian–, y se refería a ella como un cirujano, empleando palabras tales como *corpus spongiosum*. Me impresionó su dedicación.» Sin embargo, en las raras ocasiones en que descubría un falo perfecto, Mapplethorpe solía mostrarse por lo general insatisfecho con alguna otra parte de la anatomía del individuo en cuestión. En ocasiones tenía demasiada constitución «de presidiario» (el torso demasiado voluminoso en relación a las caderas), o acaso su color de piel era demasiado fangoso, o tenía las piernas demasiado cortas. «Cuando los antiguos pintaban o esculpían la imagen de un dios –explicaba Edey–, a menudo se servían de partes aisladas de distintos modelos: una mano o una pierna o un rostro. Robert, en su calidad de fotógrafo, no podía hacer tal cosa, por lo que se veía obligado a encontrarlo todo reunido en una sola unidad personal. Perseguía el ideal platónico.»

Los métodos de seducción de Mapplethorpe apenas variaban de una noche a otra; y, dado que el cuero negro no constituía una vestimenta habitual entre los gays negros, solía ponerse unos vaqueros y una camisa sencilla. Llegaba a Keller's pasada la medianoche, pedía una cerveza y escogía una posición frente a la barra desde la que pudiera observar a los hombres que entraban por la puerta. Había inventado apodos para todos los clientes habituales: «Cubo y pala», «Chuletas de cordero», «Palomo»... Tras veinte minutos de cotilleo con Kelly Edey y John Abbott, se deslizaba hasta el extremo más alejado de la barra, encendía un cigarrillo y fijaba la mirada en las personas más deseables de la estancia, contemplando a sus víctimas con tal intensidad que el elegido se sentía obligado a aproximarse a él. «Los ojos de Robert llameaban cada vez que veía a alguien que le resultaba espectacularmente atractivo», decía Edey. «Yo no hacía más que buscar una palabra con la que describir la intensidad de la expresión de su rostro, hasta que me di cuenta de que era la misma palabra que solían emplear para describir los ojos de Miguel Ángel: *terribilità*.»

El carisma de Mapplethorpe se veía considerablemente reforzado por la ampolla de cocaína que portaba en su bolsillo trasero y que invariablemente exhibía llegado el momento apropiado. Algunos de los clientes de Keller's acudían al local con el único propósito de procurarse drogas, y aun los no homosexuales se mostraban dispuestos a intercambiar cocaína a cambio de sexo. Otros acompañaban a Mapplethorpe a casa porque sabían que era fotógrafo y confiaban en poder ganar algún dinero posando para él. Curiosamente, y a pesar de que Edey sostenía que tanto él como Mapplethorpe anhelaban verse «arrastrados por un supersemental negro», los hombres que escogía Robert solían ser frecuentemente pequeños y de constitución menuda.

Uno de sus primeros amantes negros fue Phillip Prioleau, quien poseía un cuerpo esbelto y bien proporcionado y un rostro dulce y melancólico. Prioleau andaba falto de dinero, por lo que Mapplethorpe le contrató para que retocara sus fotografías, labor que consistía en corregir las diminutas marcas blancas que resultan de la presencia de motas de polvo sobre el negativo. De vez en cuando, también posaba para él, y para una fotografía se encaramó a un soporte de madera de roble y posó como si fuera una estatua de bronce emplazada sobre un pedestal. Esta y otras fotografías dieron lugar a diversas críticas que afirmaban que Mapplethorpe explotaba y cosificaba a sus modelos negros. Al advertir la posibilidad de que se produjera una interpretación racista de su obra, Robert comentó la situación con David Hershkovits en una entrevista realizada para el *Soho Weekly News*: «Tiene que ser racista. Yo soy blanco y ellos son negros. De algún modo, tiene que haber una diferencia, pero no tiene por qué ser negativa. ¿Acaso existe diferencia en aproximarse a un negro desnudo o a un blanco desnudo? En realidad no; se trata únicamente de las formas, y del modo que cada uno tiene de verlas y de tratarlas. Yo hago lo mismo. No intento hacerlo de un modo distinto.»

Lo que ocurría cuando los negros dejaban de ser simpes «formas» era una cuestión enteramente diferente. Mapplethorpe se refería a su ideal platónico como el «Super Negro», y confesó a John Abbott que ansiaba descubrir a un negro lo «bastante liberado» como para permitirle repetir aquella expresión peyorativa en la cama. «Siempre me ha gustado decir cochinadas», explicaba. «Son como palabras mágicas y prohibidas. El hecho de que un blanco les llame *nigger** siempre ejerce el mismo efecto en ellos: les sobreviene la erección como accionada por un resorte.» Cuando hablaba de su obra con los críticos de arte y con los periodistas solía referirse a la estética de los tonos de piel oscuros, pero en Keller's, en compañía de sus amigos, hablaba del olor diferente que tenían los negros, del tamaño de sus labios y de sus genitales, de lo sencillo que siempre le resultaba «cazar a los negros con cocaína» y de qué negros podían considerarse como «gorilas». Ni él ni sus amigos se mostraban interesados en negros de clase media debido, según Abbott, a que cuando alcanzaban tal categoría, «dejaban de ser negros». En consecuencia, a Mapplethorpe le resultaba casi imposible hallar a ninguno que pudiera encajar cómodamente en su ambiente social. «El tema de conversación central de Robert –solía decir Edey– era lo increíble y terriblemente estúpidos que eran todos. Solíamos llamar a aquello "la maldición de la belleza". Existía una relación inversamente proporcional entre el tamaño del pene y el desarrollo mental. Los más atractivos no parecían haber desarrollado demasiado el cerebro. Robert llegó a aceptar como un hecho inevitable de la vida que aquellos por los que se sentía más atraído sexual y fotográficamente nunca contarían con mucho seso. Conque pasábamos el rato tamborileando los dedos hasta que alguien entraba por la puerta y todos exclamábamos: "Dios mío, ¿habéis visto eso?" Imperaba una sensación de obli-

* En el original, «nigger», traducible, al igual que «black», por «negro», si bien con un matiz considerablemente más despreciativo. *(N. del T.)*

gatoriedad. Cuando alguien es tan bello, se impone captar su imagen, como quien fotografía un eclipse solar total.»

Desde el momento en que inició su «período negro», Mapplethorpe emprendió un esfuerzo concertado por estudiar la obra de otros fotógrafos que también hubieran fotografiado desnudos masculinos negros. No lo contemplaba como una «apropiación» de las ideas o técnicas de sus colegas, sino más bien como la creación en su inconsciente de un archivo de imágenes del que ocasionalmente pudiera tomar prestada alguna cosa. «Me gusta ver toda clase de fotografías», afirmaba en *Portrait: Theory*. «Y todo lo que absorbemos sale inconscientemente a la luz de un modo u otro. Estás tomando fotografías y, de pronto, sabes que cuentas con recursos procedentes de haber estado contemplando otras muchas. Es algo que no hay modo de evitar. Sin embargo, esta clase de influencia inconsciente es positiva y, desde luego, puede llegar a funcionar. De hecho, cuantas más fotografías ves, mejor fotógrafo llegas a ser.» Sus imágenes fotográficas del desnudo masculino, no obstante, son relativamente escasas. Entre las 134 que integran el libro de Constance Sullivan *Nude: Photographs 1850-1980* (Desnudo: Fotografías 1850-1980), el varón de raza negra no aparece representado en absoluto. Teniendo en cuenta el tabú que gobernaba el desnudo masculino en general, se comprende que los heterosexuales blancos no se mostraran inclinados a reconocer las propiedades eróticas del cuerpo masculino negro. Y, dado que los negros rara vez contaban con los recursos económicos necesarios para convertirse en fotógrafos, eran los blancos gays los únicos que podían presentar su propia visión del desnudo masculino negro.

F. Holland Day, que ya había escandalizado al Boston del siglo XIX con sus montajes de crucifixiones escenificadas, fue uno de los primeros norteamericanos que fotografiaron el desnudo masculino negro. La fascinación que Day experimentaba ante la belleza masculina resultaba evidente en la extraordinaria estilización de los retratos de hombres negros que componían su «Serie Nubia». Su fotografía de un negro vestido de jefe etíope, con su túnica africana de franjas y su turbante de plumas, fue incluida por Alfred Stieglitz en el número de *Camera Notes* de octubre de 1897; la biógrafa de Day, Estelle Jussim, citaba aquella imagen como «una de las primeras encarnaciones fotográficas del concepto de *Black Is Beautiful* (Lo negro es hermoso). En su fotografía *Ebony and Ivory* (Ébano y Marfil), Day proseguía su exploración de las propiedades eróticas del cuerpo de los negros destacando el contraste entre la oscura piel de su modelo y la blanca figurilla que sostiene en la mano. En *The Homoerotic Photograph*, Allen Ellenzweig subraya la influencia de Day sobre Mapplethorpe: «Ciertamente, Day presentaba al varón de raza negra como un objeto sexual deseable, estéticamente dotado por sí mismo, digno de admiración, y, para aquellos abiertos a tal posibilidad, susceptible de desencadenar anhelo sexual. Lo que aquí tenemos no es otra cosa que un heraldo de Robert Mapplethorpe.»

Durante los años que separan a Day de Mapplethorpe, el desnudo masculino negro permaneció en gran parte invisible, y las fotografías existentes se realizaban por lo general en secreto. George Platt Lynes fotografió desnudos masculinos a comienzos de los años cincuenta, pero sus imágenes no salieron a la luz hasta varias décadas después. Con tan pocos antecedentes históricos, Mapplethorpe se vio obligado a inspirarse en artistas contemporáneos tales como Craig Anderson, especializado en fotografías de negros destinadas a diversas revistas pornográficas. Anderson vivía en San Francisco, pero visitaba Keller's de modo regular en busca de modelos. Mapplethorpe y él proyectaban fundar una revista pornográfica, pero el proyecto se interrumpió cuando ambos se pelearon. «Aquella revista no iba a ser una obra de arte susceptible de ser exhibida en el Whitney –decía Kelly Edey–, sino auténtico *porno* que se vende en la calle Cuarenta y dos.»

A través de Edey, Mapplethorpe entró en contacto con Miles Everett, un ingeniero electrónico retirado de Los Ángeles y considerado, a sus setenta años de edad, como «el gran patriarca del desnudo masculino negro». Everett era miembro de un club llamado Black and White Men Together (BWMT) (Blancos y Negros Juntos), y llevaba fotografiando negros desde comienzos de la década de los treinta, época en la que trabajaba para el Departamento de Defensa. Había conservado su colección en secreto por miedo a perder su empleo, pero estaba considerado como una celebridad underground entre los gays norteamericanos blancos a los que les atraían los negros. Mapplethorpe viajó a Los Ángeles para conocerle y le compró veinte fotografías. A instancias de Everett, comenzó a fotografiar a sus modelos negros frente a un fondo igualmente negro –en lugar de gris– para así realzar los matices de la piel.

George Dureau era otro fotógrafo cuya obra también atrajo la atención de Mapplethorpe. Dureau, residente en Nueva Orleans, mantenía una curiosa relación con sus modelos, muchos de los cuales eran enanos y mutilados. «Tenía bajo mi dominio un pequeño reino del que era amado patriarca –decía–, y en él los negros eran como los nativos de mi aldea.» A menudo, Dureau reclutaba a sus modelos paseándose en camioneta por la ciudad y ofreciéndose a llevarles a su destino. Sus fotografías aparecían estratégicamente expuestas ante el asiento trasero. «Cuando las veían, exclamaban: "¡Qué coincidencia! A mí también me falta una pierna"», relataba Dureau. «Yo, entonces, me ofrecía a fotografiarles. Pocas personas hay en el mundo a las que no les apetezca ser recordadas.» Cuando Mapplethorpe vio una de las fotografías que Dureau había tomado de su amante de toda la vida, Wilbert Hines, apodado «Wing Ding» –un hombre con el brazo amputado a la altura del hombro–, escribió al fotógrafo y le preguntó si querría vendérsela. A continuación, invitó a Dureau a visitar Nueva York, donde ambos compararon sus distintas perspectivas del varón negro como tema fotográfico. Dureau explicó que solía entender las deficiencias de sus modelos como metáforas visuales y que, a pesar de sus desfiguramientos, los contemplaba como criaturas vibrantes y sexuales. Apenas dedicaba tiempo al ejercicio de fotografiar; la mayor parte de sus esfuerzos, afirmaba, se hallaban dirigidos a comprender al modelo como ser humano. «De acuerdo», le interrumpió Mapplethorpe. «Pero ¿qué opinas de sus axilas?» A Dureau le impresionó su obsesión por el sexo. «Yo andaba en busca de las grandes verdades universales –decía–, pero Mapplethorpe andaba a la busca de axilas con tufo acre.»

La decisión de Mapplethorpe de fotografiar negros le hizo volverse aún más quisquilloso en lo que se refería a la calidad de sus imágenes, y aunque a lo largo de los años había trabajado con diversos laboratorios, se había decidido finalmente por el de Tom Baril, un joven licenciado de la Escuela de Artes Visuales que había recurrido a la ampliadora para financiar su propia e incipiente carrera fotográfica. Mapplethorpe había contratado a Baril en junio de 1979 tras una entrevista de diez minutos de duración durante la cual le había expuesto las siguientes normas básicas: «Llevo un estilo de vida excéntrico, pero lo único que necesitas saber de mí es dónde tengo el cuarto oscuro. Vienes, haces tu trabajo y te marchas a casa.»

Así comenzó una peculiar relación de diez años de duración entre dos personas que no podían ser más opuestas. Baril era un tipo cordial y bebedor al que le repugnaba el estilo de vida de Mapplethorpe y que se refería a los gays como «maricas». «Lo único que buscaba Robert era tirarse a sus modelos y fotografiarlos a continuación», decía Baril. «Estaba documentando su propia vida para luego ponérsela a todo el mundo ante las narices, desafiando con ello a cualquiera a que dijera algo al respecto.» Mapplethorpe, acaso porque percibiera la hostilidad de Baril, le mantenía confinado en el cuarto oscuro; pero Baril, consciente de que su jefe era demasiado cobarde para arriesgarse a un enfrentamiento directo, gozaba desobedeciéndole. En aquellos casos, Mapplethorpe recurría a un tercero para enviarle un mensaje ordenándole «que se quedara en el cuarto oscuro». Desde su punto de vista, aquello constituía la mayor humillación posible, ya que había conseguido labrarse un nombre como fotógrafo sin molestarse jamás en revelar una sola imagen.

Mapplethorpe evitaba el laboratorio, pero tenía las ideas muy claras acerca del proceso de revelado. «Quería que todo quedara precioso», decía Baril. «Las flores... los rostros... los negros... todo tenía que quedar precioso.» Inspirándose en la escultura clásica, insistía en que la piel blanca mostrara un tono marmóreo, mientras que en la piel negra perseguía el color bronce. Baril tenía instrucciones de «suavizar» (o iluminar de manera selectiva) los rostros blancos para oscurecer con ello cualquier imperfección y, al mismo tiempo, de «quemar» (u oscurecer de modo selectivo) los rostros de los negros. A continuación, revelaba los retratos de los blancos sobre Ilfobrom, un papel «frío», y los de los negros sobre Portriga-Rapid, el favorito de Mapplethorpe por los cálidos tonos que proporcionaba. Ambos terminaron por desarrollar un sistema de trabajo que reducía al mínimo el contacto entre ambos, y podían transcurrir varios días sin que Mapplethorpe tuviera que decirle a Baril otra cosa que no fuera «suaviza» o «quema». Baril solía atribuir el éxito de su prolongada colaboración a su propio aislamiento de la obra de Mapplethorpe. «Quizá me hubiera resultado más difícil trabajar con algo que me interesara», decía. «De este modo, tan sólo tenía que aplicar juicios técnicos. ¿Es una buena copia o no?»

La exposición de Mapplethorpe titulada «Blacks and Whites» («Blancos y Negros») se inauguró en la Galería Lawson de Celle de San Francisco el 25 de marzo, exactamente dos años después de que Don Lawson rechazara «Censored». No es que Lawson se mostrara mucho más conforme con las nuevas fotografías y, según Edward de Celle, se opuso denodadamente a la exhibición de tres imágenes: *Bobby and Larry Kissing* (Bobby y Larry besándose) —una fotografía de dos amigos de Mapplethorpe, Bobby Miller y Larry DeSmedt, besándose en los labios— y dos fotografías de sendos penes en erección. «Durante la recepción, Don se sentía tan incómodo por la presencia de aquellas fotos que se negó a comparecer en la sala en la que colgaban», relataba De Celle. «Recuerdo que alguien gritó: "¡Ann Getty está subiendo por las escaleras!" Dios mío, Don estaba horrorizado. Dijo: "Ann Getty no puede entrar aquí y ver esto, ¡es espantoso!" En fin, que antes de que nadie pudiera darse cuenta de lo que ocurría, tanto él como varios otros gays que también conocían socialmente a la señora Getty habían emprendido la huida por la escalera de incendios.»

De Celle comprendía la importancia que daba Mapplethorpe a rodearse de la «gente adecuada», por lo que dispuso lo necesario para que le invitaran a una pequeña casa de campo de Nob Hill cuya propietaria era Anita Mardikian; asimismo, organizó una cena en su honor a la que había invitado a Lita Veitor y Katharine Cebrian, dos de las «grandes damas» de la ciudad. De Celle había planeado también un retrato de Cebrian, si bien luego comenzaron a asaltarle dudas al respecto. «Katharine era como la realeza de San Francisco», explicaba posteriormente. «Todo el mundo quería retratarla, y ella, por lo general, rechazaba todos los ofrecimientos. Detestaba los malos modales y todo aquello que consideraba "inapropiado".» De Celle confiaba en que Mapplethorpe tendría el buen gusto de prescindir de su cazadora de cuero negro y que se pondría la chaqueta de terciopelo verde a la que en ocasiones recurría para los actos sociales (la «Bill Blass», como solía llamarla). Sin embargo, se sintió horrorizado al ver que el fotógrafo se presentaba en el umbral de Cebrian con su cazadora de cuero y su cinturón de tachuelas con la palabra «MIERDA». «Contuve el aliento», relata, pero Mapplethorpe ya había comenzado a hacer alarde de sus encantos frente a la anciana. Recorrió la casa, admiró su Renoir y su Tiziano y no dejó de dirigirse a ella con suavidad mientras montaba el trípode en el salón. Cebrian tenía que asistir aquella misma noche a una fiesta benéfica de etiqueta que organizaba el convento del Sagrado Corazón, por lo que iba vestida con un largo y vaporoso caftán negro adornado por un elegante collar de oro y coral. Mapplethorpe la sentó junto a una ventana, con el rostro de perfil. Le gustaba comenzar con una imagen de perfil porque, en su opinión, era la perspectiva más natural; a partir de ahí, podía rotar la cabeza del modelo hasta descubrir su pose más atractiva. Por lo general, encontraba que el ángulo de tres cuartos solía favorecer a la mayoría de la gente, pero en el caso de Cebrian se concentró en su perfil, ya que destacaba la peculiar forma de su nariz y la sensación de nobleza y de poder que sugería.

Cebrian disfrutó tanto con la sesión de fotografía que más tarde pidió a Mapplethorpe que fuera con ella en calidad de acompañante a la fiesta del Sagrado Corazón. «¿Me pregunto si no tendrá otra ropa que ponerse?», susurró a De Celle, pero Mapplethorpe acudió a la fiesta de beneficencia tal y como iba, y aunque ello le valió que un prominente personaje social le volviera la espalda, Cebrian le presentó a todos sus amigos y amigas. «Ninguno habríais pensado que Robert se atrevería a comparecer en la fiesta de beneficencia de una escuela católica para señoritas –decía De Celle–, pero lo cierto es que nunca dejó pasar ninguna ocasión de ver mundos diferentes. Era un observador excelente, y mostraba más interés por los demás que nadie que haya conocido jamás. Por eso sus fotografías eran tan buenas, y por eso encontraba una reacción positiva por parte de tanta gente.»

Lisa Lyon había asistido a la inauguración de «Blancos y Negros». Concluida ésta, Mapplethorpe y ella partieron en dirección al Monumento Nacional Joshua Tree, cerca de Palm Springs, con la intención de realizar una sesión fotográfica en el desierto. Mapplethorpe nunca había aprendido a conducir, por lo que ocupó el asiento del conductor mientras Lyon, al volante, internaba el automóvil en una tormenta de arena. Para cuando finalmente llegaron a Joshua Tree estaba a punto de ponerse el sol, y Mapplethorpe hubo de darse prisa para aprovechar la poca luz restante. El desierto estaba salpicado de enormes peñascos dotados de diversas formas geométricas tales como pirámides, óvalos y cilindros, y aunque Mapplethorpe nunca había estado anteriormente en Joshua Tree, era evidente que ya había contemplado paisajes similares en las fotografías de Edward Weston. Así, comenzó a trepar por las rocas con la cámara y el trípode a cuestas. Lisa, entretanto, se desnudó en el coche y, sin tiempo para maquillarse, intentó proporcionar el brillo necesario a su cuerpo derramando sobre su piel un frasco de aceite para bebés. Con una temperatura de apenas cinco grados centígrados, desnuda y tiritando, se encaramó sobre las rocas y, encarándose a la arena que el viento arrojaba sobre su rostro, comenzó a adoptar una serie de poses de culturismo. Mapplethorpe le indicó que se tendiera sobre una peña y, como si se tratara de un desnudo de Weston, dibujó una analogía entre las curvas de su cuerpo y las esculturales formas del paisaje.

Cuando terminaron, cubiertos como estaban de trozos de maleza y tierra y ataviados de cuero negro, se registraron en un hotel de Palm Springs cuyos responsables, al principio, se mostraron reacios a alquilarles una habitación. «Al mirarme en un espejo vi que estaba completamente embadurnada de aceite –recordaba posteriormente Lisa–, y que tenía los pantalones de cuero adheridos a la piel. Todo el mundo nos miraba de un modo peculiar, así que nos tomamos un ácido para olvidarlo.» Aquella noche conmemoraron su unión creativa haciendo el amor, y aunque a Lisa le inquietaba que Mapplethorpe pudiera reaccionar apartándose emocionalmente de ella, éste mantuvo una actitud «elegante y respetuosa desde el principio hasta el final». Ambos se dedicaron a fantasear acerca de la posibilidad de casarse y trasladarse a vivir a una casa enorme en la que pudieran habitar alas separadas. «Se mostró verdaderamente dulce», dijo ella. «Hacía cosas como tomarme de la mano, y creo que en aquel momento realmente nos amábamos. Pero en general resultaba duro, porque nunca llegaba a expresar de verdad sus emociones con palabras, y tenías que andar descifrando sus silencios.»

Cuando Mapplethorpe regresó a Nueva York tras varias semanas en California, de nuevo volvió a la rutina de acudir a Keller's todas las noches. Su obsesión por perseguir a los negros iba alcanzando tales grados que cuando sorprendía a un candidato atractivo en un club o un restaurante no dudaba en dejar a sus acompañantes con la palabra en la boca y salir corriendo como un sabueso. Tom Baril fue testigo de un continuo desfile de negros entrando y saliendo del piso. «Robert pasaba la noche con alguien –relataba Baril–, y a la mañana siguiente hacía caso omiso por completo de él. Se limitaba a utilizar a aquellos tipos.» Mapplethorpe reveló a su amigo Bobby Miller que en ocasiones se tornaba tan desesperadamente ansioso de contacto sexual que recurría a merodear por el Bowery y a llevarse a casa a negros sin techo. «¿No te preocupa contagiarte de alguna enfermedad?», le preguntaba Miller, pero Mapplethorpe quitaba importancia a tal posibilidad. «Lo único que necesitan es un baño –decía–, y, además, son las personas menos propensas a padecer enfermedades, porque a nadie más le apetece irse con ellos.»

El verano tocaba a su fin, y Mapplethorpe desesperaba cada vez más de la posibilidad de hallar su ideal platónico. «Recuerdo un día en que estuve charlando con Robert y con Craig Anderson acerca de la dificultad de encontrar un cuerpo perfecto», relataba posteriormente Kelly Edey. «Lo interpretábamos como una manifestación de lo divino. Si eres de temperamento religioso y vives la vida a través de tus ojos, tiendes a creer que cualquier atisbo de belleza es una manifestación de Dios. Poco después, Craig pasó una semana en Boston y descubrió un modelo bellísimo llamado Carlos. "He descubierto a Dios en Boston", nos dijo, y Robert y yo hubimos de consolarnos mutuamente de la amargura que nos producía pensar que era imposible que algo así nos ocurriera a nosotros, porque también nosotros queríamos disfrutar de la ocasión de venerar el cuerpo de un dios.»

CAPÍTULO DIECISIETE

«Su rostro era el de un hermoso animal.»

Robert MAPPLETHORPE,
en referencia a Milton Moore.

Robert Mapplethorpe descubrió a «dios» en un bar gay llamado Sneakers una lluviosa noche de septiembre de 1980, poco después de visitar Keller's. Miró a través del escaparate del local y vio a un joven de raza negra que contemplaba con aire melancólico el desfile de gays que subían y bajaban por West Street. Dominado por el súbito impulso de llevarse a aquel extraño a casa, Mapplethorpe penetró en el bar, se apoyó en una pared y fijó en él su mirada de «Miguel Ángel».

Milton Moore acababa de terminar de jugar a la máquina de bolas y había decidido descansar unos minutos antes de coger el metro para dirigirse al apartamento de un amigo que vivía en Upper West Side. En el mismo instante en que se volvía para coger la chaqueta, advirtió la presencia de un blanco flacucho que le contemplaba con ojos llameantes. La intensidad de su mirada le asustó, por lo que abandonó el bar apresuradamente y echó a correr por la calle Christopher en dirección a la estación de metro de Sheridan Square. Mapplethorpe le siguió, esquivando al resto de los hombres que paseaban por la acera. Le aterrorizaba la posibilidad de perderle de vista, de que desapareciera en la boca de metro y se desvaneciera para siempre. Logró darle alcance antes de que cruzara la calle y rebuscó en sus bolsillos hasta encontrar una tarjeta de visita. «Me llamo Robert Mapplethorpe», dijo, pero el nombre no significaba nada para Moore, quien se apartó instintivamente de él. «Por favor –imploró–, no estoy buscando problemas.»

Mapplethorpe procuró tranquilizarle con palabras amables y le invitó a cenar a un café próximo a la estación. Eran las tres de la madrugada, y cuando Moore le dijo que ya había cenado, reajustó su ofrecimiento a un «desayuno temprano». Mientras tomaban café y tostadas, fue enterándose de los datos básicos de la vida de Moore: tenía veinticinco años, tenía doce hermanos y era nativo de Jackson, Tennessee. Acababa de abandonar la Marina y necesitaba encontrar un empleo, ya que sus escasos ahorros iban agotándose velozmente. «¿No has pensado nunca en ser modelo?», le preguntó distraídamente Mapplethorpe. Moore confesó que, aunque su especialidad eran la de radiotelegrafista, había realizado unos cuantos cursos de modelo en la escuela Barbizon de San Diego. Mapplethorpe no precisaba más: inmediatamente, ofreció a Moore la posibilidad de hacerle una carpeta. «¿Cuándo sería eso?», inquirió Moore, a lo que Mapplethorpe respondió: «Bueno, podríamos hacerlo ahora mismo.»

La inquietante atmósfera de Bond Street hizo que Moore se sintiera incómodo, y que comenzara a preguntarse si no habría juzgado mal a su nuevo amigo. La cabeza le zumbaba a causa de la cocaína que Mapplethorpe le ofrecía sin cesar, y se sentó en una butaca del salón, aferrándose a los brazos con ambas manos. Posteriormente, aseguró no haber mantenido jamás una relación homosexual hasta entonces, y aunque su presencia en un bar gay parecía sugerir lo contrario, lo cierto es que parecía genuinamente desconcertado ante los avances del fotógrafo. Su inocencia conmovió profundamente a Mapplethorpe, quien se sentía cada vez más convencido de haber descubierto al «hombre primitivo» de sus sueños. «Cuando le miraba a los ojos –exclamaba–, veía un alma en estado puro.»

Lo que experimentó cuando por fin logró convencer a Moore para que se desnudara fue una revelación aún mayor: de todos cuantos había visto, el joven poseía el único falo que lograba aproximarse al ideal soñado por el fotógrafo. Moore, sin embargo, avergonzado de sus generosas proporciones y temeroso del oprobio de su familia, se negó a permitirle que le fotografiara hasta que Mapplethorpe accedió a prometerle que nunca mostraría su rostro y sus genitales dentro de una misma imagen. Robert se internó en el dormitorio y reapareció con una funda de almohada con la que tapó la cabeza de Moore antes de disparar varios rollos de película. A continuación, hizo firmar al modelo un documento en el que reconocía: «A Robert Mapplethorpe, fotógrafo, el derecho de tomar fotografías de mi persona.»

Cuando Mapplethorpe regresó a Keller's, contó a Kelly Edey y a John Abbott que había hallado «el gran amor de mi vida». Además de sus atributos físicos –entre ellos, unas piernas que Mapplethorpe comparaba con las de un caballo– y el «rostro de un hermoso animal», Moore se hallaba dotado de una personalidad dulce e inocente que encajaba con el estereotipo del noble salvaje. Mapplethorpe sentía el impulso de protegerle del mundo, y halló la ocasión de hacerlo tan pronto como Moore le confesó a regañadientes que era un desertor de la Armada. Tras cumplir un año de servicios, había vuelto a alistarse para poder visitar de nuevo el Lejano Oriente, pero cuando la Armada le destinó a Virginia se sintió traicionado y huyó a Nueva York. «De haberlo sabido cuando le conocí –dijo Mapplethorpe–, es probable que me hubiera mantenido alejado de él: no me atraen los desastres.» Sus asuntos emocionales, no obstante, se habían visto siempre gobernados por un profundo drama, y su elección de Moore le hacía acreedor de una calamidad aún mayor. La idea de ver a Moore entre rejas hería el núcleo mismo de su concepto prefijado del noble-salvaje, y apenas lograba conciliar el sueño pensando que las autoridades navales pudieran irrumpir en Bond Street y encerrar a su «alma pura» en la cárcel.

Mapplethorpe había trabado amistad con el artista de origen cubano Agustín Fernández y con su esposa Lia, y a menudo acudía a visitar a la pareja, ambos de mediana edad, en busca de consejo. Lia le puso en contacto con un abogado de Alexandria, Virginia, dispuesto a ocuparse del caso de Moore, y buscó asilo para éste en casa de Ramón Osuna, primo de Agustín y galerista en Washington.

Mapplethorpe inauguraba una exposición en la Galería Jurka de Amsterdam el día 2 de noviembre, por lo que no podía acompañar a Moore a Washington. «No me dejes ir solo, por favor», le suplicó éste. Pero Mapplethorpe no podía ofender a Rob Jurka, uno de sus más antiguos adalides europeos, quien el año anterior ya había expuesto su obra y había publicado un catálogo sobre ella. Así pues, Moore viajó solo a enfrentarse con su consejo de guerra y Mapplethorpe voló a Amsterdam en compañía de Sam Wagstaff para asistir a la inauguración de «Black Males» («Varones negros»). Apenas llegaron, recibió una frenética llamada telefónica de Lia Fernández comunicándole que Moore se negaba a presentarse ante las autoridades navales y que amenazaba con regresar a Nueva York. «Pregúntale qué quiere a cambio de quedarse en Washington», le dijo Mapplethorpe. «Haré lo que sea.» Pocos días después, Lia volvió a telefonear con las exigencias de Moore: quería un uniforme nuevo para la vista. Mapplethorpe le envió el dinero y aguardó ansiosamente el resultado de la investigación. Moore pasó una semana en el hospital naval de Bethesda bajo observación psiquiátrica y, posteriormente, dos meses en un centro de detención, tras lo cual se vio absuelto y licenciado de la Marina por motivos de salud. «Milton se alegró profundamente de no tener que ir a la cárcel», dijo su abogado, Michael Leiberman. «Abandonó la Marina sin la sensación de haber quedado deshonrado.»

Moore regresó a Nueva York a comienzos de 1981, pero su comportamiento irregular no presagiaba nada bueno para el nuevo año. En ocasiones, se pasaba varias horas seguidas sumido en una especie de trance, para luego entrar en estados de agitación en los que llegaba a arrancarse la ropa a tiras. Mapplethorpe intentaba racionalizar aquel cambio dramático atribuyéndolo a la incapacidad de Moore para ajustarse a su nuevo entorno. «Acababa de entrar en mi mundo procedente del severo ambiente de la vida militar», decía. «Y también hay que tener en cuenta que yo le impulsaba a consumir drogas.» Sin duda, las actividades sexuales de Mapplethorpe constituían una forma adicional de estrés, ya que Moore tenía que soportar no sólo verse interpelado como «negro», sino también las tendencias coprófagas de su amante. Por si ello fuera poco, se veía atrapado en una grotesca comedia costumbrista inspirada por la relación del fotógrafo con Sam Wagstaff. «Era la primera vez en mi vida en que podría haber ayudado a alguien», explicaba Mapplethorpe.

Así, del mismo modo que el patricio coleccionista había ayudado en su día al incipiente artista de Floral Park, éste intentó educar a aquel marinero de Tennessee. Mapplethorpe contrató a un tutor inglés para que le diera clase y, siguiendo los perversos consejos de Wagstaff, le dio a leer novelas de Charles Dickens y *El paraíso perdido*, de John Milton. La relación estaba condenada de antemano, y Wagstaff previno a Mapplethorpe de que no debía depositar demasiadas esperanzas en aquel sencillo campesino del Sur. Moore, por entonces habituado a llevar consigo un diccionario de bolsillo adondequiera que fuese, debió de percibir la antipatía de Wagstaff, pues comenzó a referirse a él como «Samuel Viperino Wagstaff III». Mapplethorpe se apresuró a recordar a Sam que también él se hallaba inmerso en una relación socialmente inconveniente con «Dora la Tonta», nombre con que había bautizado a Jim Nelson, quien no tardaría en alcanzar la cumbre de su carrera en forma de contrato como responsable de peluquería y maquillaje de *Cats*. Moore, al menos —insistía Mapplethorpe—, no era una loca chillona, sino un hombre dotado de una belleza y una gracia físicas poco comunes. Procuró animar a Moore a explotar su «ritmo natural» regalándole un par de zapatos para bailar zapateado y fijándole citas con diversos coreógrafos. Sin embargo, cada vez que llegaba el momento de acudir a las pruebas, Moore se negaba a abandonar el dormitorio pese a las súplicas, cada vez más emotivas, de Mapplethorpe: «Baila, Milton, baila.»

El obsesivo amor de Mapplethorpe por Moore alcanzó su expresión definitiva en la fotografía que muchos consideran como su obra maestra, titulada *Man in Polyester Suit* (Hombre con traje de poliéster), concebida por el artista el día en que Moore le mostró orgullosamente un traje de tres piezas adquirido en Corea varios años atrás. Era la pieza más cara de su guardarropa, y Moore la reservaba en espera de una ocasión especial. Mapplethorpe no tardó en advertir los defectos del corte y, tras persuadir a Moore para que se pusiera el traje, procuró subrayar deliberadamente la chapucera labor del sastre alineando el pulgar de Moore de modo que señalara un punto en el que la costura se interrumpía abruptamente. «¿Quién, si no un negro, se pondría un traje así?», comentó a John Abbott la primera vez que le mostró la fotografía. En ella, puede advertirse el pene semierecto de Moore, abriéndose paso a través del tejido como si quisiera escapar a su humilde origen. El falo constituye el eje central de la imagen, y resulta obvio que Mapplethorpe debió de disponer cuidadosamente la forma de los pantalones y la chaqueta con objeto de destacar aquello que consideraba el rasgo más notable de Moore.

Fiel al acuerdo previamente alcanzado, recortó la fotografía de Moore a la altura del cuello. Sin embargo, el hecho de aislar los genitales parecía contribuir a la idea de que los negros tan sólo existían en tanto que objetos sexuales. El activista y escritor gay de raza negra Essex Hemphill realizó las siguientes declaraciones durante la conferencia OUT WRITE '90: «La mirada de Mapplethorpe presta una atención especial al pene en perjuicio de la visión del rostro del sujeto y, por ello, de la persona íntegra. El pene se convierte en *la* identidad del varón negro, lo que constituye el clásico estereotipo recreado y presentado como *arte* dentro del contexto de la perspectiva *gay*. [...] En principio, lo más insultante y degradante para los negros es la determinación consciente de Mapplethorpe de que los rostros, las cabezas y –en consecuencia– las mentes y experiencias de sus modelos negros no alcancen la importancia de los primeros planos de sus penes. Resulta prácticamente imposible contemplar los retratos de Mapplethorpe de hombres de raza negra y eludir la presencia de cuestiones tales como la explotación y la objetivación.»

Edmund White, en su introducción al catálogo de «Black Males» publicado por la Galería Jurka, expresaba el punto de vista opuesto:

> Cuando Robert Mapplethorpe contempla al varón de raza negra, lo hace desde dos de las escasas perspectivas de que dispone hoy el norteamericano de raza blanca: los ve de un modo o bien estético o bien erótico. [...] Ni que decir tiene que hay «liberacionistas» que afirmarían que cuando un blanco desea a un negro está teniendo lugar alguna forma de «racismo», del mismo modo que, supuestamente, se produce alguna forma de «pederastia» cada vez que alguien desea a alguien de menos edad. Sin embargo, tales aseveraciones, por retóricas y demagógicas que resulten, nunca resisten su aplicación a cada caso individual, ya que el deseo sexual es, en definitiva, una forma de amor. [...] Mas no de amor en el sentido de responsabilidad social firme, sino de amor en el sentido de pasión, de apetito, de anhelo irreprimible.

White visitó a Mapplethorpe poco después de la creación de *Man in Polyester Suit*, y se sintió sorprendido por la profundidad de las emociones del fotógrafo. Mapplethorpe comenzó a hablarle de su relación con Moore y, de repente, decidió ilustrar el relato con una fotografía de los genitales de su amado. «Ahora ya sabes por qué le amo tanto», dijo, con los ojos cuajados de lágrimas.

El romance con Moore había alterado la dinámica de la relación personal entre Mapplethorpe y Lisa Lyon. Aunque aún se sentía fascinado por el cuerpo de la muchacha, ya no se mostraba tan inclinado a soñar despierto con la posibilidad de casarse con ella. Su aventura había alcanzado el punto culminante en el desierto de Joshua Tree. Sin embargo, Lisa era una aliada formidable, y en otoño de 1980 organizó con Ingrid Sischy –nombrada recientemente editora de *Artforum*– la publicación de una carpeta de sus propios retratos por Mapplethorpe. A continuación, se sirvió de ellos para persuadir a Viking Press de que firmara un contrato para la publicación de *Lady*. Mapplethorpe y ella pasaron dos años trabajando en el libro, que Sam Wagstaff describiría posteriormente en el prólogo como un «recorrido vertiginoso de la anatomía de una dama, y otras excentricidades». Lisa posó para Mapplethorpe disfrazada de novia, boxeadora, ciclista, prostituta, pitonisa, arquera, buceadora y corista; se cubrió el cuerpo de grafito, de arcilla de color verde, de cuero y de seda; y, en una foto memorable, se arrolló una pitón de cuarenta kilogramos de peso en torno al cuello. Cuando concluyó su «recorrido vertiginoso», sin embargo, el fotógrafo había agotado ya todas las posibilidades del cuerpo de Lisa, y los altibajos de su personalidad comenzaban a atacarle los nervios; opinaba que la joven consumía demasiadas drogas, y en ocasiones apenas era capaz de seguir el hilo de su frenético parloteo. Durante una sesión fotográfica que realizaron en el zoológico Terry Hill de Nueva Jersey, la situó junto a un tigre que acababa de sufrir un ataque de epilepsia. «¿No sería magnífico que el tigre devorara a Lisa?», le susurró a Bobby Miller, que actuaba como responsable de peinado y maquillaje. «Sería un final perfecto para *Lady*.»

El libro no era sino otro más de los muchos proyectos de Mapplethorpe, cuya fama iba creciendo tanto en Europa como en los Estados Unidos. A diferencia de pintores y escultores, podía producir cada año material suficiente para varias exposiciones lo que, a su vez, generaba más críticas y más publicidad. Sus carpetas de prensa estaban llenas a reventar de artículos sobre él. Durante el año 1981 realizó diez exposiciones individuales en cinco países distintos: tan sólo entre los meses de febrero y abril, su obra apareció expuesta en la Galería Nagel de Berlín, en la Contretemps de Bruselas y en la Kunstverein de Frankfurt. La Kunstverein publicó un importante catálogo de su obra con un ensayo de Sam Wagstaff y organizó una muestra itinerante que viajó a Hamburgo y Múnich; Graz y Viena, en Austria; y Basilea y Zúrich, en Suiza.

Según todos los patrones reinantes en el mundo de la fotografía, Mapplethorpe disfrutaba de una carrera envidiable, pero había adquirido el costoso hábito de consumir cocaína, y se quejaba constantemente de falta de dinero, hasta el punto de que a menudo no podía pagar puntualmente a Tom Baril. Su situación financiera se le antojaba tanto más deprimente debido a la excitación surgida en torno a los expresionistas, cuyas osadas y emotivas imágenes entusiasmaban a los coleccionistas, aburridos del estilo espartano del minimalismo. Julian Schnabel, cuya carrera podía considerarse como un paradigma de la década de los ochenta, estaba cobrando quince mil dólares por cuadro, mientras que Mapplethorpe no podía esperar más de dos mil por cada fotografía.

En marzo, accedió a exhibir retratos de celebridades del punk tales como Patti Smith y Debbie Harry en el marco de una exposición conjunta titulada «New York/New Wave» («Nueva York/Nueva Ola») y organizada en la P. S. 1. Junto a su obra se exponía la de Jean-Michel Basquiat, cuyos cuadros, inspirados en *graffiti*, aparecían en público por primera vez. A sus treinta y cuatro años de edad, Mapplethorpe aventajaba en diez años a Basquiat, y era sin duda el artista más universalmente afianzado de toda la muestra. «Robert no tenía por qué haberse molestado en asistir», decía Diego Cortez, conservador de la exposición. «Todo el mundo conocía ya su nombre, pero él no perdía ocasión de promocionarse.»

Mapplethorpe pensaba que no tenía otra elección, y que de otro modo apenas sería capaz de ganarse la vida. «Tenía que vender un montón de fotografías para ganar lo que ganaba un pintor con un solo cuadro», explicaba. «No podía limitarme a relajarme y confiar en que todo saliera lo mejor posible.» Solía expresar insistentemente su disgusto con la labor de la Galería Miller, y era Sam Wagstaff, en su calidad de «representante» de Mapplethorpe, quien había de sermonear periódicamente al director, John Cheim, por no dedicar el tiempo suficiente a Robert. Así y todo, la Galería Robert Miller y Robert Mapplethorpe representaban el matrimonio ideal de los ochenta, ya que la importancia que la firma concedía a sus costosos enmarcados y sus lujosos catálogos reflejaba perfectamente la obsesión que el fotógrafo sentía por el «estilo». Adicionalmente, y a pesar de las continuas quejas de falta de atención de Mapplethorpe, la galería había demostrado un sólido compromiso con la fotografía organizando una sección separada y dirigida por Howard Read, quien por entonces contaba veintiséis años de edad y era íntimo amigo de John Cheim desde sus años de estudiantes en la Escuela de Diseño de Rhode Island. Read era el prototipo de vendedor yuppie consumado, y comerciaba con fotografías como un tratante de ganado podría hacerlo con cuartos de res. Con su pelo engominado de gel y sus trajes a medida, no arrullaba sutilmente a sus clientes, sino que los tomaba verbalmente por asalto, fijando en ellos sus ojos azules, que latían al ritmo ametrallador de su discurso. Era una máquina de vender viviente, y la gente bromeaba a menudo acerca de su personalidad grosera e impertinente. Mapplethorpe, de hecho, le detestaba, y a sus espaldas solía referirse a él como «el vendedor de automóviles de segunda mano». Sin embargo, el fotógrafo se sentía igualmente motivado por el dinero y, tanto si ambos eran conscientes de ello como si no, lo cierto es que en cierto modo eran almas gemelas.

A pesar de que las ventas de Mapplethorpe nunca habían sido tan notables como su imagen pública, la comercialización de su obra era un trabajo hecho a medida para Read. De hecho, su importancia para la galería no consistía tanto en su capacidad de generar dinero como en su habilidad para atraer público. La gente acudía a ver a Mapplethorpe, pero aunque no compraran sus fotografías, Read aprovechaba para endosarles algo de Diane Arbus, Man Ray o de cualquiera de los demás fotógrafos representados por la firma. «En cierto modo, Robert era un fiasco», explicaba Read. «La gente se sentía absolutamente fascinada por él como persona. Les enseñabas una fotografía de Robert y querían saberlo todo acerca de él. Querían comérselo vivo. Sin embargo, les decías que echaran mano de la chequera y no había nada que hacer.»

«Black Males», inaugurada en mayo en la Galería Miller, resultó ser su exposición de más éxito hasta la fecha. Aunque consistía exclusivamente en imágenes de jóvenes de raza negra, muchos de ellos desnudos y dotados de cuerpos musculosos y órganos sexuales de generosas proporciones, lo cierto es que pareció tocar una fibra sensible entre los compradores de Read, en su mayoría blancos. El galerista vendió las veinte fotografías de que constaba la muestra a dos mil dólares la pieza. A diferencia de la anterior –«Contact»–, en la que el clasicismo inherente a Mapplethorpe aparecía casi eclipsado por sus grotescos marcos, en este caso toda su energía se hallaba concentrada en las propias imágenes. De formato mayor de lo habitual –algunas medían setenta y cinco centímetros por un metro–, estaban rodeadas por sencillos marcos de color negro que nada restaban de la cruda potencia visual de obras como *Man in Polyester Suit*. La serie más llamativa constaba de cuatro tomas del modelo «Ajitto» encorvado sobre un pedestal que evocaban simultáneamente el *Jeune homme nu assis au bord de la mer* (Joven desnudo sentado a la orilla del mar), de Hippolyte-Jean Flandrin, el *Male Nude Seated on the Rock* (Hombre desnudo sentado en una roca), del barón Von Gloeden y los pimientos de Edward Weston.

Aquellos que durante su recorrido por la Galería Miller contemplaban cuerpos negros tan espléndidos como los de «Ajitto» no podían saber que su creador se refería a sus modelos como *niggers*, ni tampoco que compartía los conceptos racistas. «La obsesión de Robert con los negros resultaba un poco inquietante, un poco desproporcionada –decía Diego Cortez–, pero, básicamente, se trataba de una obra en estado puro. A veces, el arte va más allá de la estrechez de miras del artista.» La mayoría de los observadores se fijaban fundamentalmente en el negro fulgor de la piel y en las esculturales formas de los músculos que ésta ocultaba. Kay Larson, del *New York*, alababa el control técnico de Mapplethorpe: «En todas sus fotografías, el grano adquiere un aspecto bruñido, como si el fotógrafo hubiera tenido la posibilidad de pulir el óxido de plata con una herramienta manual.» Allen Ellenzweig, de *Art in America*, escribió: «Mapplethorpe proclama de un modo inequívoco aquello que hemos venido a investigar: el cuerpo como representación de su propio y descarnado acontecimiento. En ese sentido, no experimentamos la sensación de que se haya producido mediatización alguna entre Sexo y Arte: el objeto estético *es* el objeto sexual, y viceversa. Esta exposición no pretende adoptar una toma de postura sociológica, sino que llama oportunamente la atención sobre los valores culturales reinantes: el sexo, atractivamente empaquetado y cosificado, hasta el punto de que podemos llevárnoslo a casa y colgarlo de las paredes.» No obstante, Fred McDarrah, de *The Village Voice*, recurría a un lenguaje más crudo: «La imagen principal que se nos ofrece es la de un negro enorme ataviado con una elegante gabardina y mostrando su pene elefantiásico a través de la cremallera abierta. Se trata de una imagen fea, degradante, obscena y típica de la obra de este artista, dirigida fundamentalmente a aquellos coleccionistas lascivos y babeantes que la compran para luego masturbarse con ella en la intimidad de sus elegantes salones.»

Mapplethorpe llevó a Moore a ver «Black Males». Fiel a su palabra, en ningún momento había mostrado el rostro y los genitales de su amante en la misma imagen. Moore aparecía bien como el «hombre» sin nombre de *Man in Polyester Suit*, bien como el marinero de dulce expresión que saluda a la cámara. Mapplethorpe le había dividido literalmente en dos: cabeza o cuerpo. En la vida real no resultaba tan fácil enfrentarse a la identidad dividida de Moore, y Mapplethorpe, pese a proclamarle como un espléndido «receptor sexual», no sabía qué hacer con él durante las horas de luz diurna.

Le sugirió que solicitara la concesión del seguro de paro, pero Moore no parecía capaz de dar con la oficina adecuada. Semana tras semana, regresaba a Bond Street con las manos vacías, lo que desencadenaba colosales peleas con Mapplethorpe en las que a menudo el joven modelo terminaba perdiendo el control de sí mismo y caía en una especie de trance catatónico. Así y todo, Mapplethorpe insistía en someterle a situaciones sociales incómodas y en invitarle a cenas a las que también acudían críticos y coleccionistas de arte. Antes de tales ocasiones, Moore procuraba repasar su diccionario, pero se ponía tan nervioso que, a menudo, recurría a anotarse palabras o frases enteras en la palma de la mano. «Era capaz de llevarse realmente bien con ciertas personas —comentaba Mapplethorpe—, siempre y cuando éstas se limitaran a hablar con él y a dejarse fascinar por su primitivismo. En otras, ocasiones, sin embargo, resultaba un poco picajoso.»

En el mes de julio, Lia y Agustín Fernández invitaron a Mapplethorpe a su casa de San Juan, pero cuando éste llegó en compañía de Moore y se registró en el Hilton, Lia no pudo por menos de sentirse aliviada. Según ella, Moore era un personaje «peligroso y totalmente paranoico» que no cesaba de contarle cuánto detestaba a Sam Wagstaff y a Lisa Lyon y que, aunque nunca había llegado a conocer a Patti Smith, se mostraba convencido de que el espíritu de la muchacha reinaba aún sobre Bond Street. Con todo, sus palabras más duras eran las dirigidas a su amante. «A Milton no le gustaba que le fotografiaran –recordaba Lia–, y solía decir cosas como: "Robert me utiliza. Yo soy más listo que él. ¿Por qué es *él* el fotógrafo y no yo?" Se acaloraba tanto que a veces llegaba a temer por la seguridad de Robert.»

Mapplethorpe había regalado a Moore un collar adornado por una calavera y le había fotografiado en la playa de San Juan con la cadena de plata prendida en torno al cuello y el cráneo colgando de ella. Nada más retratarle, Milton había desaparecido, y Robert había pasado el resto del día buscándole. Ya avanzada la noche, le encontró por fin, pero sus vacaciones ya estaban echadas a perder, y la tensión entre ambos era tan palpable que Lia Fernández juró no invitarles juntos a ningún sitio, nunca más. «Robert se quejaba sin cesar de que Milton sólo comía "comida de negros", y de que le resultaba imposible soportarlo por más tiempo», decía. «Todas sus relaciones con los hombres de raza negra eran terriblemente sexuales, pero en realidad no le *gustaban*. No cesaba de referirse a ellos como *niggers*, y decía que eran todos unos estúpidos. Es posible que llegara a enamorarse de Milton, pero con un amor muy diferente del que experimentan otras personas.»

La palabra «amor», sin embargo, no hubiera logrado describir siquiera a medias la complicada pasión que Mapplethorpe sentía por Moore, más parecida a un sentimiento que fluctuaba entre la desesperación y el éxtasis. Poco después de su desastroso viaje a Puerto Rico, recibieron una invitación para pasar un fin de semana en Hamptons con la editora de *Artforum*, Ingrid Sischy, quien acudió a recogerlos a la estación de tren en compañía de Klaus Kertess. Mapplethorpe y Moore emergieron de un océano de camisas *polo* Ralph Lauren y Topsiders y se zambulleron directamente en aquel clima de casi treinta grados ataviados en sendos uniformes de cuero negro a juego. «Fuimos directamente a la playa», recuerda Kertess. «Todo el mundo estaba en bañador excepto Robert y Milton, que seguían vestidos enteramente de cuero negro. No ofrecían lo que pudiéramos llamar una escena habitual para Hamptons, pero de repente Robert cogió a Milton de la mano y ambos comenzaron a brincar a lo largo de la playa. Nunca olvidaré la imagen: Robert y Milton saltando por la arena, cogidos de la mano, como si fueran la pareja más feliz del mundo.»

Aquellos raros momentos de gozo iban viéndose descompensados por días y semanas de angustia a medida que la salud de Milton se deterioraba sin que Mapplethorpe se aviniera a reconocer la gravedad del problema. A mediados de septiembre, el fotógrafo estuvo a punto de sufrir un incendio catastrófico en Bond Street cuando Moore arrojó un cigarrillo en una papelera. Los bomberos llegaron a tiempo para salvar la mayor parte de sus negativos, si bien muchos quedaron destruidos por la acción del agua. «¿Qué ha ocurrido?», preguntó Tom Baril cuando llegó a Bond Street y vio a Mapplethorpe hurgando entre los escombros. «Bah –suspiró éste–, Milton.»

El incendio sirvió para demostrar a Mapplethorpe que llevaba una vida verdaderamente descontrolada y, en un intento por imponer cierto orden en Bond Street, contrató inmediatamente a una administradora llamada Betsy Evans que en otro tiempo había trabajado en San Francisco con Simon Lowinsky. Para Betsy, quien solía definirse a sí misma como «Señorita Pepis», la vida cotidiana en el estudio de Mapplethorpe constituyó una revelación. Mapplethorpe disfrutaba haciéndola rabiar, para lo cual dejaba sobre su mesa contactos repletos de imágenes de penes y pidiéndole que escogiera los que más le gustaban. Betsy, que terminó por acostumbrarse a su perverso sentido del humor, reaccionaba ante aquel comportamiento infantil «jugando a la mamá» con él. Mapplethorpe parecía incapaz de enfrentarse siquiera a las tareas más sencillas, tales como escribir cartas de negocios, por lo que era ella quien se encargaba de escribirlas; nunca tenía tiempo para almorzar, y era Betsy quien tenía que bajar a la calle para traerle gruesos emparedados de fiambre. Conservaba sus fotografías en tal estado de desorden que la muchacha se pasó los tres primeros meses revisando las pilas de imágenes que alfombraban el suelo. «Robert no sabía llevar un archivo –explicaba–, y nunca sabía en qué galería o en qué museo se hallaba tal o cual fotografía. Tuve que realizar una investigación a fondo para descubrir dónde estaba cada cosa.»

A finales de octubre, Mapplethorpe viajó a París para asisitir a la inauguración de una exposición de sus fotografías en la Galería Texbraun, regentada por Hugues Autexier y François Braunschweig, cuyos comienzos como vendedores de fotografías antiguas en el mercado de ocasión de la Porte de Clignancourt había llevado a Mapplethorpe y a Wagstaff a referirse a ellos como «las pulgas».* Autexier y Braunschweig era una pareja gay que frecuentaba el Mineshaft y otros bares sadomasoquistas internacionales. Braunschweig habría de morir de sida en 1986, a lo que siguió, pocas semanas más tarde, el suicidio de Autexier, también seropositivo. Para la inauguración de Mapplethorpe de 1981 se ataviaron, como era su costumbre, con sendos uniformes de cuero negro perfectamente a juego con el atuendo del público asistente. La galerista Monah Gettner recordaba haber coincidido con Harry Lunn, quien le comentó con tono cínico: «Lo gay está de moda, ¿no lo sabías?»

* En inglés, «flea market»; en francés, «marché aux puces»: ambos idiomas recurren a la palabra «pulga» para designar sus «Rastros». *(N. del T.)*

Al mes siguiente, Lunn celebró una muestra de la obra de Mapplethorpe en su galería de Washington D. C. en la que expuso las carpetas «X» e «Y» del artista, además de la recientemente completada «Z Portfolio», compuesta por fotografías de negros. Cuando el *Washington Post* le preguntó por qué sentía la necesidad «de incluir un sadomasoquismo tan banal», Lunn respondió con absoluta franqueza: «Opino que se trata de una obra interesante y, además, creo que puedo ganar dinero con ella.»

Las frecuentes ausencias de Mapplethorpe de Nueva York por motivos profesionales no hicieron sino aumentar la tensión que reinaba en su relación con Moore, y cada vez que le dejaba solo temía que pudiera destrozarle el piso. Sin embargo, incluso cuando estaba allí para vigilarle resultaba evidente que Milton no lograba adaptarse a su nuevo entorno. Desde que se levantaba por las mañanas, se veía sumergido en el frenético mundo del estudio de Mapplethorpe, con sus teléfonos incansables y sus entrometidos empleados. A veces, se sentía tan enervado por el acelerado ritmo de vida de Mapplethorpe que optaba por quedarse en la cama y observar la actividad reinante desde el otro lado de aquella jaula de tela metálica.

En noviembre, Mapplethorpe alquiló un estudio-apartamento en el número 88 de Bleecker Street para que Milton y él pudieran vivir juntos sin verse distraídos por el trabajo cotidiano. Transformó el pequeño espacio reinante en una vitrina en la que exhibir su mobiliario estilo Mission, su cerámica de arcilla norteamericana y su más reciente colección de cerámica y vidrio escandinavos. Había adquirido la mayor parte de sus piezas en el Fifty 50 de Greenwhich Village, donde solía pasar al menos una hora todos los sábados estimando la calidad de las nuevas existencias. «Solía venir a eso de las cinco de la tarde; encendía un porro y comenzaba a curiosear», afirma su propietario, Mark Isaacson, muerto posteriormente de sida en 1993. «No se le escapaba nada. Cogía un jarrón y lo situaba bajo los focos de la tienda para ver cómo se reflejaba la luz sobre su superficie. Visualizaba constantemente las piezas desde la perspectiva de su propia fotografía, y éstas, inevitablemente, terminaban por aparecer en sus imágenes. Como los jarrones eran objetos y simétricos, sus arreglos florales fueron volviéndose cada vez más austeros: una orquídea solitaria, por ejemplo, frente a un ramo de tulipanes. Para mí, resultaba interesante observar el proceso, ya que no podía evitar sentir que yo mismo formaba una modesta parte del mismo.» Los estantes del nuevo apartamento no tardaron en estar cargados de bulbosos jarrones fabricados en todos los tonos posibles de color marrón, mostaza, verde mar y azul molusco. Moore, por su parte, tenía órdenes de no tocarlos nunca.

Durante los primeros meses de 1982, Moore hizo cuanto estuvo en su mano por atenerse a las reglas, e incluso aceptó la sugerencia de Mapplethorpe de apuntarse a un curso de fotografía en la Escuela de Diseño Parsons.

Con el tiempo, sin embargo, fue incapaz de soportar la obligación de asistir a las clases y, sencillamente, dejó de acudir. Mapplethorpe había pagado tres mil seiscientos dólares de gastos legales de Moore, y ahora que había alquilado un apartamento de mil dólares mensuales esperaba de éste alguna aportación económica, aunque tan sólo fuera el seguro de desempleo. Cuando Milton, una vez más, dejó pasar la fecha en la que debía presentarse en la oficina de paro, Mapplethorpe experimentó tal frustración que rompió a llorar. «Hago todo lo que puedo por ti –gimió–. Cuando quisiste cantar, te contraté al profesor de Barbra Streisand. Cuando quisiste bailar, te conseguí a los mejores coreógrafos de la ciudad. ¿Qué quieres de mí?» Moore se apoderó de un cuchillo de cocina y comenzó a propinar puñaladas al aire alocadamente hasta que Mapplethorpe consiguió arrebatárselo. A continuación, intentó calmar a Milton, quien se había derrumbado sobre el suelo sumido en un parloteo ininteligible.

A Mapplethorpe le asustaba tanto que Moore pudiera lastimarse a sí mismo que, aunque antaño le había rescatado de la cárcel, optó ahora por mantenerle encerrado en el apartamento. «Robert seguía albergando a aquel pobre muchacho sureño, confinado en lo que parecía la sala de exposiciones de una compañía de lunas y cristales», decía Bruce Mailman, propietario de un *dance hall* para gays llamado Saint y de los baños de New St. Mark's, quien también habría de fallecer a causa del sida en 1994. «Era como vivir con un tigre atado a una correa dentro de tu propio apartamento.»

Mapplethorpe tenía que viajar a Atlanta el 2 de abril para la inauguración de su próxima exposición, en la Galería Fay Gold, por lo que pidió a Edmund White que vigilara a Moore durante su ausencia. «Le recuerdo como un personaje sumamente dulce y cariñoso», recordaba White: «Era más un niño mimado que otra cosa.» Una tarde, pocas semanas después, Mapplethorpe regresó a Bleecker Street y se encontró con la ventana abierta. Moore había desaparecido. Acudió corriendo a la comisaría más cercana pero, una vez allí, no tuvo valor para revelar el nombre de su amigo. «Sabía que iban a decirme que estaba muerto –dijo–, y no me sentía capaz de soportarlo.» Así pues, regresó al apartamento y, deshecho en lágrimas, comenzó a llamar a sus amigos para comunicarles que Moore estaba muerto. Le esperó durante toda la noche y la mañana siguiente y, justamente cuando se disponía a acudir de nuevo a la comisaría, Moore entró en el apartamento, sin camisa y con los pantalones completamente arrugados. «Dios mío, ¿dónde has estado?», gritó Mapplethorpe. Moore le explicó con voz serena que siempre había querido conocer Nueva Jersey pero que, dado que nunca había tenido dinero para el transporte, había decidido realizar el viaje a nado. «¿Que te has ido *nadando* a Nueva Jersey?», aulló Mapplethorpe. «¿Y puede saberse cómo se te ha ocurrido semejante locura?» Milton se encogió de hombros.

«No sé», repuso. «En el apartamento hacía calor, así que abrí la ventana y se me ocurrió saltar.»

Mapplethorpe telefoneó inmediatamente a Ingrid Sischy y le preguntó si podía recomendarle un psiquiatra para Moore. «Me asombró que Robert llegara hasta ese punto», confesó Ingrid. «Mapplethorpe era el típico personaje escéptico en lo que a psicoanálisis se refería. El hecho de que estuviera dispuesto a hacer aquello por Milton demostraba hasta qué punto estaba decidido a conseguir que aquella relación funcionara.» Mapplethorpe y Moore asistieron juntos a varias sesiones, pero Milton se mostraba reacio a continuar, y el fotógrafo, consciente acaso de que la dinámica de su relación podría precisar de cientos de horas de terapia, no tardó en abandonar la idea.

Milton, entretanto, comenzó a descargar su ira sobre Mapplethorpe, al que acusaba de ser la fuente de todos sus problemas. Sus comentarios eran perspicaces y, en ocasiones, desternillantemente divertidos para un personaje «primitivo». Amenazaba a Mapplethorpe con invitar a sus propios padres a Nueva York para que pudieran comprobar por sí mismos la degenerada existencia que su hijo se veía forzado a llevar. «Puedes dirigirte a ellos como "Padre y Madre Moore"», decía. «Podemos llevarlos a unos cuantos espectáculos de Broadway, y luego al Mineshaft. ¿No te parece bien?» En otras ocasiones, sin embargo, atacaba a Mapplethorpe por su costumbre de llamarle *nigger* y realizaba llamadas telefónicas amenazantes a Sam Wagstaff en mitad de la noche. Jim Nelson estaba enfurecido con Mapplethorpe por destrozar su paz doméstica. «Gracias a ti –se quejaba–, vamos a acabar todos asesinados en nuestras propias camas.»

Mapplethorpe estaba tan obsesionado con Moore que no cesaba de pedir consejo a propios y extraños. El abogado Michael Ward Stout recordaba haberle oído contar todas sus tribulaciones en el Odeón, un restaurante de TriBeCa. El episodio había tenido lugar durante una cena organizada por Bruce Mailman, para quien Stout había actuado como consejero legal con motivo de la apertura del Saint y de los baños de New St. Mark's. Posteriormente, sería Stout el albacea del legado de Mapplethorpe y el presidente de la fundación bautizada con su nombre, pero a la sazón apenas conocía al fotógrafo, y no parecía que uno y otro tuvieran mucho que decirse. A sus treinta y nueve años, Stout era tan sólo tres años mayor que Mapplethorpe, pero su imperiosa personalidad y su generosa constitución le proporcionaban el aspecto de un emperador romano. Solía vestir trajes de tres piezas de corte conservador y relajarse interpretando a Beethoven y a Scriabin en el piano Steinway de su apartamento del Upper West Side, decorado a imitación de la refinada atmósfera de cualquier *suite* de hotel europea. Según Stout, sin embargo, ambos hombres compartían «la misma afición desproporcionada por lo exagerado y lo exótico».

Stout había nacido en Lake Mills, Wisconsin, y se había trasladado a Manhattan poco después de graduarse en la Facultad de Derecho de la Universidad de Wisconsin. Había trabado amistad con Mickey Ruskin, se había convertido en cliente habitual del Max's Kansas City y allí había conocido a Mapplethorpe. Resulta dudoso, no obstante, que éste le prestara demasiada atención, ya que el abogado empleaba en sus ratos de ocio idéntico atuendo al de sus horas de trabajo. «No tenía tiempo para andar cambiándome de ropa», solía decir. Así y todo, continuaba trabajando para una discreta firma de Park Avenue durante el día y saliendo por la noche con sus amigos del mundo del arte. En 1975, conoció a Salvador Dalí, quien se sintió impresionado por el parecido físico del abogado con su propio progenitor (Gala, esposa de Dalí, creyó que Stout, quien entonces contaba treinta y un años de edad, andaría ya por la sesentena) y le ofreció inmediatamente un empleo, tras lo cual Stout comenzó a pasar algunos meses en Europa con los Dalí y su séquito. «Tan pronto como comencé a relacionarme con Dalí –dijo luego–, perdí muchos de los amigos y contactos profesionales que poseía en el mundo del arte. Consideraban a Dalí como un personaje pretencioso, comercial, codicioso... ¡todo lo peor! Yo, sin embargo, opinaba que era verdaderamente fascinante... un genio.» El hecho de que Dalí se mostrara a la sazón demasiado pródigo a la hora de estampar su firma –hasta el punto de hacerlo sobre papeles en blanco– tuvo como resultado un auge inmediato del mercado de litografías falsas del artista. Stout desempeñó un papel crucial en la labor de diferenciación entre las obras falsas y las auténticas, y llegó a adquirir una notable reputación como experto en fraudes artísticos.

Mapplethorpe, quien por entonces buscaba modos de comercializar su propia carrera, se mostró interesado en conocer los lucrativos acuerdos de comercialización de Dalí. Cuando llegó al Odeon, sin embargo, se hallaba tan obsesionado por Moore que inmediatamente se lanzó a un relato pormenorizado de la historia de su relación. Stout, que había acudido preparado para una cena de negocios, se vio súbitamente inmerso en la vorágine de aquel atribulado romance. «Tengo un montón de problemas», le confesó Mapplethorpe a modo de presentación, tras lo cual apenas tocó la comida durante las horas que siguieron. Stout contempló, fascinado, cómo iban formándose pequeñas montañas de ceniza sobre el plato del fotógrafo. «Milton iba a tirarse por la ventana –relataba posteriormente Stout–, o acababa de tirarse por la ventana, o acaso alguien le había tirado por la ventana. No recuerdo los detalles con exactitud, pero sí que algo sumamente dramático estaba pasando.»

«Dime: ¿qué crees que debería hacer?», le preguntó Mapplethorpe. «¿Echarle o dejarle que se quede?» Stout, bajo cuya respetable apariencia se ocultaban un perverso sentido del humor y una apasionada afición por el cotilleo, encontró intrigante la odisea de Mapplethorpe. Empero, no contaba con una respuesta fácil. «Cuando amamos a alguien, es una tortura», le aconsejó. «No hay más remedio que esperar a que se nos pase.»

Mapplethorpe realizó un último esfuerzo por salvar la relación viajando a Tennessee con Moore, con el absurdo objetivo de llegar a comprender sus raíces. Pero nada de su experiencia anterior le había preparado para un viaje semejante. La familia de Milton vivía en una deprimente urbanización en la que docenas de personas tenían que apelotonarse en habitaciones del tamaño del estudio de Bleecker Street. «¡Eran casas de vecindad!», explicaba luego Mapplethorpe. «¡Agujeros de pobreza!» De inmediato, se arrepintió de haber aceptado pasar allí la noche y logró escapar temporalmente del apartamento ofreciéndose a fotografiar a los jóvenes sobrinos y sobrinas de Milton, ocupados en jugar al aire libre con una silla medio oxidada. Para Moore, el viaje resultó igualmente difícil: desazonado por la súbita intrusión de Mapplethorpe en su antigua vida, su rostro adquirió una expresión iracunda y ceñuda y regresó a su parloteo incomprensible. Los miembros de su familia hicieron caso omiso de él y se pasaron la tarde frente a un pequeño televisor en blanco y negro por cuya pantalla se paseaban a placer las cucarachas.

Aquella noche, la madre de Milton mostró a Mapplethorpe la que había de ser su cama: un pequeño catre cubierto por un colchón tan delgado que a través de él podían distinguirse los muelles del somier. Pensó inmediatamente que jamás conseguiría conciliar el sueño allí, y sus sospechas se vieron confirmadas por la aparición de Milton en el umbral de la puerta con un rifle cargado entre las manos. «*Nigger, nigger, nigger*», repetía, en voz cada vez más alta. «*Nigger, nigger, nigger...*» Mapplethorpe intentó calmarle, pero Moore se hallaba completamente trastornado. «Voy a contarle a mi madre que soy homosexual y que tú eres mi amante», dijo. «Y luego voy a contarle todo lo que hacemos en la cama, y también que me llamas *nigger*. Mapplethorpe no sabía en aquel momento qué le atemorizaba más, si la presencia del arma o las amenazas de Milton de revelar las peculiaridades de su vida sexual. «Por favor –le imploró–, cálmate.» Pero Moore seguía repitiendo la palabra *nigger* y reclamando la presencia de su madre. «¡Dios mío!», pensó Mapplethorpe, «¡Van a lincharme!» A la mañana siguiente, huyó del apartamento prácticamente a la carrera y abordó el primer vuelo con destino a Nueva York.

Varias semanas después, Moore compareció en Bond Street para reclamar sus pertenencias: dos antenas de televisión y la banda sonora de la película *Fama*. Le dijo a Mapplethorpe que podía quedarse con los zapatos de baile. «Nunca llegamos a tener lo que podría considerarse como una verdadera relación», explicaría más tarde. «Creo que Robert me veía como si fuera un mono de circo.»

CAPÍTULO DIECIOCHO

«No sé si sabías que los maricas se están muriendo.»

Robert MAPPLETHORPE

Mapplethorpe se sintió destrozado por la pérdida de Milton Moore, y lloró el fin de su relación como una esposa desolada ante la muerte del marido. «Robert estaba absolutamente devastado –recordaba John Abbott–, y yo no podía por menos de solidarizarme con su amargura porque realmente había hallado su divinidad sexual. Milton era su "Super-Negro", lo que le llevaba a no tener en cuenta el hecho de que acaso era también un esquizofrénico.» La experiencia le había enseñado las desventajas de vivir con un «primitivo», y juró que su próximo amante negro habría de ser alguien más adaptado a los ambientes elegantes.

Un día, camino de una recepción de etiqueta, vio a Jack Walls en medio de la calle. A diferencia de lo ocurrido con Moore en el Sneakers, el episodio no fue tanto una epifanía como un encuentro rutinario en el que Robert se limitó a deslizarle apresuradamente su tarjeta de visita y a decirle «Llámame». Varios días después, se reunieron para tomar café en el Pink Teacup, y Mapplethorpe le expuso con franqueza las nuevas condiciones que debería cumplir un posible amante. «No me interesa estar con un cualquiera», previno a Walls, quien respondió con firmeza: «Me parece perfecto, porque yo no pienso ser un cualquiera. Voy a ser una estrella... y una estrella de cierta magnitud.»

Walls trabajaba por entonces como mecanógrafo, pero a sus veintitrés años se creía capaz de casi cualquier cosa: quería escribir, pintar, bailar, cantar y trabajar en el cine. Mapplethorpe se sintió más atraído por su osadía que por su aspecto físico, ya que, por desgracia, Walls no era ninguna divinidad. Medía un metro setenta y cinco, y era de complexión delgada y piernas flacas y arqueadas. Su rostro, agradable y expresivo, no poseía, sin embargo, la fascinante intensidad del de Moore. A pesar de ello, Walls era inteligente y divertido, y poseía una soltura callejera educada casi a la perfección a lo largo de los años transcurridos en el seno de una de las bandas urbanas de Chicago. Tenía ocho hermanos y hermanas, uno de los cuales había muerto en el transcurso de un tiroteo callejero entre bandas rivales, y aunque su madre le había prevenido para que no se metiera en líos, se había visto sorprendido en posesión de una automática del treinta y dos cuando aún cursaba estudios en el instituto. Había pasado tres meses en un centro de detención juvenil y, tras su puesta en libertad, había abandonado los estudios y se había dedicado a la enseñanza del *hustle* en una academia local especializada en bailes al estilo de Fred Astaire. «También me dedicaba a traficar con drogas: heroína, mescalina, coca», decía. «Pasé por la experiencia de ver cómo me apoyaban una pistola contra la sien. Me dispararon. Realmente, era una vida de locos. Lo mismo le pegaba una paliza a alguien que le enseñaba el hustle. También enseñaba a bailar salsa.»

Walls podría haber llegado a convertirse en un delincuente profesional de no haber conocido casualmente a un grupo de gays que le abrieron todo un mundo nuevo de libros y películas antiguas. No tardó mucho en advertir que él también era gay, y tampoco sintió la necesidad de ocultar el hecho ante el resto de los miembros de la banda. «Les dije: "¡Oye, que soy *gay*!" –explicaba–, y me respondieron: "Eso es magnífico." Yo no era un exhibicionista, ni me gustaba ir llamando la atención por la calle, por lo que pude gozar de un respeto absoluto dentro del sistema de bandas de Chicago.» A los dieciocho años, se alistó en la Marina y, tras pasar tres años en Extremo Oriente, vivió en San Diego hasta que, un día, oyó a Grace Jones cantando por la radio. «Me dije a mí mismo: "Me marcho" –relata–, y es que sonaba *tanto* a Nueva York...»

Varios meses después de su llegada, Walls conoció a Mapplethorpe y se vio súbitamente inmerso en un mundo de fiestas elegantes, inauguraciones de galerías y fines de semana en East Hampton. El hecho de que lograra salir airoso de tales situaciones sin necesidad de recurrir a diccionarios ni a chuletas alentaba a Mapplethorpe, quien se sentía cómodo con él casi en cualquier sitio. Con todo, la relación tenía sus propios problemas. «Robert buscaba la compañía no sólo de los hombres –relata su abogado, Michael Stout–, sino especialmente de los *negros*. Padecía una forma concreta de neurosis. Ir del brazo de un Milton o de un Jack no es precisamente el mejor salvoconducto para entrar en sociedad.» Amy Sullivan, a quien Mapplethorpe había conocido en Max's a comienzos de los años veinte, les invitó en cierta ocasión a su casa de East Hampton, donde pasaron la velada en compañía de Paul Walter, un coleccionista de fotografía. «Jack desapareció súbitamente –recordaba Sullivan–, y Mapplethorpe le encontró más tarde paseando arriba y abajo por la entrada del jardín. Jack, sencillamente, era incapaz de soportar aquella clase de reuniones. No tenía problemas siempre y cuando lograra hallar un tema en común con su interlocutor, pero ¿de qué podía hablar con alguien como Paul Walter? Es posible que Robert pensara que el hecho de relacionarse con negros le permitía mantener intacta cierta estructura de poder. Aquellas personas no eran ni médicos ni presentadores de televisión, sino chiquillos desamparados y sin un céntimo, y Robert podía controlarlos.»

Cuando Walls manifestó su interés por el diseño de moda, Mapplethorpe convenció a Sullivan, director de la cadena norteamericana de *boutiques* Agnes B., para que le contratara como dependiente en su tienda del SoHo. Walls adquirió la costumbre de llegar tarde al trabajo, pero culpaba a Mapplethorpe de su comportamiento. «Teníamos que hacer el amor todas las noches», explicaba. «Algunos días, me veía obligado a decir cosas tales como "Por favor, me duele la cabeza", pero si le rechazaba se ponía a gimotear como un bebé.» Mapplethorpe exigía asimismo a Walls que cumpliera con sus obligaciones de modelo, pero su colaboración nunca resultó tan inspirada como la que sostuviera con Milton Moore. «En lo que a físico se refiere –se quejaba Mapplethorpe–, Jack, sencillamente, no estaba a la altura necesaria.» En consecuencia, el fotógrafo no experimentaba la motivación necesaria como para situarle sobre un pedestal o idolatrarle en modo alguno. Las fotografías de Jack Walls que tomó en Fire Island aquel verano no lograban sino resaltar las limitaciones físicas de su modelo.

Existe una fotografía de Walls en pantalones bermudas que concentra la atención del observador sobre sus piernas arqueadas, aparentemente aún más torcidas por efecto de las líneas rectas que dibujan los tablones que forman la cubierta y los blancos barrotes de la barandilla. Por el contrario, otra fotografía similar, tomada de la cintura para abajo, nos muestra las curvas que esculpen sus cuádriceps flexionados. La conclusión de Mapplethorpe de que «Jack no era Milton» resulta evidente a la vista de tales imágenes, a pesar de lo cual el artista no renunciaba a autoconvencerse de su atracción por el joven. «Creo que me he enamorado», confesaba periódicamente a Walls en un tono que, como mucho, traslucía la existencia de un tibio afecto. «¿Lo *crees*?», respondió Walls tras una de aquellas manifestaciones. «Cuando creas que lo estás locamente, no dejes de hacérmelo saber.»

Mapplethorpe continuaba frecuentando Keller's y llevándose hombres a casa para sus sesiones fotográficas nocturnas. Dado que su trabajo requería cierta intimidad, nunca hasta entonces había contado con la presencia de ayudantes, pero en el mes de abril Betsy Evans y Tom Baril tuvieron inesperadamente ocasión de conocer a su nuevo empleado, un joven llamado Ed que tenía el cabello de color castaño oscuro y los ojos de un azul intenso y que, aparentemente, carecía de apellido. «Se llama simplemente Ed», les dijo Mapplethorpe. «*Ed.*» Betsy y Tom no tardaron mucho en descubrir que aquel joven de veintiún años no era otro que el hermano de Robert, nacido cuando éste contaba catorce años de edad y ya acudía al instituto. Ed acababa de graduarse en Stony Brook, Long Island, perteneciente a la Universidad Estatal de Nueva York. Recién doctorado en fotografía, el tema de su tesis había sido Robert Mapplethorpe. «No es que me apetezca especialmente tener contratado a mi hermano –le espetó Robert a Ed sin mayor reparo–, pero, dado que apenas te conozco, quién sabe: igual funciona.»

Ed no había tenido otra proximidad con su hermano que la que suponía haber estudiado sus fotografías para la tesis, y Robert se había trasladado a Manhattan cuando Ed estudiaba primer curso. Su recuerdo más vívido de Robert se remontaba a cierta ocasión en la que había comparecido en el acto de graduación de la escuela católica de gramática de Ed disfrazado de Marlon Brando en la película *Salvaje*. Más tarde, había acudido clandestinamente a Manhattan para visitar las exposiciones de Robert en la Solomon y la Kitchen, pero aún había aguardado un año más hasta reunir el coraje suficiente para presentarse en Bond Street. Para entonces, había adquirido una imagen desproporcionada de Robert, por lo que aquella fría tarde de lluvia en la que, camino de Bond Street, advirtió la presencia de una siniestra figura vestida de negro junto a la escalerilla de incendios, experimentó el impulso de salir corriendo en dirección contraria. Sin embargo, subió en el traqueteante ascensor hasta el piso superior, donde descubrió a su hermano quien, indiferente al lóbrego día reinante, ni siquiera se había molestado en encender la luz y permanecía sentado en la penumbra fumando un cigarrillo de hachís. «Robert no pronunciaba una sola palabra –recordaba Ed–, por lo que tuve que decirlo todo yo, preocupado desde el principio hasta el fin de no tener nada interesante que ofrecerle. No quería que pensara que yo era como el resto de la familia. Quería impresionarle.» Cuando Ed concluyó su incoherente monólogo, Robert le alargó una carpeta de fotografías sadomasoquistas y le observó atentamente mientras él las estudiaba una tras otra. «A quién se le ocurre hacer semejante faena a su hermano pequeño», se quejaba Ed. «Salí del apartamento sintiéndome realmente mal. Conté a mis amigos que había ido a ver a Robert, pero me callé el resto.»

Ed, que entonces tenía dieciséis años, no supo captar la complicada sexualidad de Robert, pero sí aceptó de algún modo los aspectos oscuros de la naturaleza de su hermano, a quien, además, admiraba por haber escapado del ambiente embrutecedor de Floral Park. Así, en la esperanza de convertirse en una versión suavizada de Robert, acometió el primer paso hacia su objetivo doctorándose en fotografía. La adoración que sentía por su hermano, sin embargo, no fue del agrado de su padre, a quien le inquietaba la posibilidad de perder otro hijo a manos del arte y, acaso, también de la homosexualidad. Cuando Ed se graduó, en invierno de 1982, Harry le exhortó a que olvidara su proyecto de estudiar fotografía y concentrara sus esfuerzos en hallar un «trabajo de verdad». Ed sabía que Robert había tenido que escuchar el mismo sermón, por lo que le telefoneó en busca de consejo y, para su sorpresa, obtuvo en cambio una oferta de empleo. «Más tarde descubrí que era mi madre quien le había impulsado a hacerlo», decía Ed. «Y habría preferido que no fuera así: me habría gustado más pensar que la idea había partido del propio Robert.» Dado que Ed aún vivía en casa de sus padres, Robert le previno de que no debía hablar de su trabajo con la familia. «Lo último que me hace falta —dijo— es un vínculo de comunicación con Floral Park.»

Durante sus primeros meses de trabajo, Ed se ocupó de montar las fotografías de su hermano y de ayudarle a organizar sus archivos. En su intento por respetar la intimidad de Robert, procuraba moverse por el apartamento casi de puntillas. Para Mapplethorpe, las sesiones fotográficas poscoitales eran sagradas, y aunque por lo general tenían lugar de noche, Ed nunca sabía con seguridad con qué habría de encontrarse cada mañana. Incluso cuando retrataba a personas con las que no había compartido el sexo, Robert procuraba disfrutar de al menos cuarenta y cinco minutos a solas con sus modelos, período que aprovechaba para intentar establecer algún contacto con el otro a través de algún elemento compartido, ya se tratara de un amigo o de un interés común por coleccionar piezas de alfarería. Robert era tímido, pero hábil en lograr que los demás se sintieran a gusto, ya que transmitía la impresión de que jamás traicionaría a nadie con un retrato poco halagüeño. Como solía decir a menudo, sólo le interesaba captar lo «mejor» de cada uno.

La cocaína formaba parte integral del proceso creativo de Robert Mapplethorpe, si bien sus amigos y colegas describían su adicción como una situación «altamente controlada». Explicaba Betsy Evans: «Para él era lo que para otros el café: primero un poco, luego otro poco. Resultaba increíble.» Uno de sus camellos, sin embargo, sostenía que Mapplethorpe padecía una grave adicción: «Se esforzaba tanto por mantener una actitud reservada —decía—, que lograba disimularlo. Yo, sin embargo, sabía de su grado de adicción porque tenía que ayudarle a procurársela en muchas, muchas ocasiones. Y siempre que venía a comprar acudía solo, por lo que no es de extrañar que el resto de la gente lo ignorara.» Casi siempre, recurría a la cocaína durante las sesiones fotográficas, y a menudo se la ofrecía a sus modelos. En 1977, *ARTnews* publicó un perspicaz artículo en el que alababa la habilidad del fotógrafo para crear «efectos de luz que son el equivalente visual de ciertos estados psicológicos inducidos por la cocaína». En efecto, esa mirada atónita que llegó a convertirse en rasgo característico de sus retratos era, a menudo, consecuencia de la droga, y cuando no era así, se decía que el fotógrafo había buscado deliberadamente la presencia de una intensa «expresión de coca». Sus modelos nunca aparecían sorprendidos en actitud melancólica o soñadora, sino que parecían agazapados sobre una línea invisible de la que estuvieran a punto de saltar. Su retrato de Iggy Pop, con la boca abierta en un aullido mudo, resulta terrorífico por su desesperada y angustiosa inmediatez. El de Alice Neel resulta igualmente turbador por distinto motivo, ya que Mapplethorpe fotografió a la anciana pintora poco antes de morir, y su rostro muestra la expresión exhausta y boquiabierta de una mujer a punto de evaporarse hacia un nuevo estado de existencia.

Mapplethorpe no era un fotógrafo agresivo: apenas alzaba la voz más allá de un murmullo, y solía dar indicaciones gesticulando levemente con los dedos. No pedía a sus modelos que saltaran por el aire o se disfrazaran con trajes grotescos. Cuando aparecían retratados con algún accesorio entre las manos, era generalmente como resultado de sus propios deseos. La escultora Louise Bourgeois llegó al apartamento provista de una de sus propias esculturas fálicas. «Pensé que aquello iba a ser un desastre –manifestó durante una entrevista de la BBC refiriéndose a la sesión de la que había sido protagonista–, y procuré prepararme para ello.» La gente, sin embargo, solía acudir a Bond Street sin otras armas que sus propias defensas psicológicas: escudos de belleza, talento o riqueza que hacían que incluso los rostros más privados parecieran públicos. Y aunque Mapplethorpe rara vez descubría las debilidades de sus modelos, sí era en ocasiones capaz de penetrar hasta el corazón de las cosas. El abogado derechista Roy Cohn, un hombre empeñado en negar vigorosamente su propia homosexualidad, posó para él en 1981, y existen pocos retratos del personaje que resuman tan acertadamente su personalidad aviesa e hipócrita como el de Mapplethorpe, consistente en una cabeza incorpórea flotando en un negro infierno y escupiendo veneno hacia el observador. «Ignoro por qué mis retratos salen siempre tan bien», confió en cierta ocasión a Ed. «Sencillamente, no lo comprendo.»

Ed tampoco lo comprendía, ya que los métodos de trabajo de su hermano no podían ser más desordenados, por decirlo de un modo benévolo. Jamás se preocupaba de medir la luz, ni ensayaba la escena tomando imágenes previas de sus modelos con la Polaroid. Se limitaba a enchufar el foco a plena potencia y a ajustar la apertura de su cámara a *f16*. A medida que Robert fue sintiéndose más cómodo con la presencia de Ed, comenzó a autorizarle a entrar en el estudio para ayudarle con la instalación de los equipos, si bien luego le ordenaba salir inmediatamente por miedo a que pudiera destruir la magia. Ed, por lo tanto, aguardaba fuera hasta que Robert volvía a llamarle, pero había de entrar y salir con tanta frecuencia que su hermano terminó finalmente por acceder a que permaneciera en el estudio para ayudarle de modo permanente.

Animado por Ed, comenzó a realizar mediciones de luz y a tomar *polaroids*, e incluso se compró una luz estroboscópica de segunda mano, más complicada de utilizar que su foco habitual, ya que estaba equipada con una unidad electrónica de flas. «A Robert le asustaba realmente cualquier cosa demasiado técnica», afirmaba el fotógrafo Gilles Larrain, a quien Mapplethorpe había conocido en una ocasión en que se vio obligado a recurrir a alguien para que se encargara de un pedido comercial que a él le era imposible realizar por sí solo. «Siempre pensé que su rechazo a involucrarse –por ejemplo, con los procesos del revelado– podía estar originado por cierta intuición de que habría de gozar de una carrera sumamente breve. Era como si se negara a molestarse por nada por falta de tiempo. Una vez en que salí a cenar con él, una amiga mía le preguntó impulsivamente si era feliz. Él la miró como si de repente se hubiera puesto a hablarle en chino y repuso: "¿Feliz? No, la felicidad... no es para mí."»

A comienzos de los ochenta, el sida era apenas un fragor distante: algún que otro rumor acerca de una nueva enfermedad que se producía entre los gays y que entonces se conocía con el nombre de GRID o Gay-Related Inmune Deficiency (Inmunodeficiencia relacionada con la homosexualidad). Ya en la primavera de 1982, sin embargo, el fragor se había tornado más fuerte y ominoso: los centros de control sanitario habían informado de la existencia de doscientos ochenta y cinco casos de GRID en diecisiete estados diferentes, la mitad de ellos en la ciudad de Nueva York. Mapplethorpe había estado oyendo historias acerca de personas que había conocido en el Mineshaft y en los bares sadomasoquistas de San Francisco y que súbitamente habían comenzado a desarrollar síntomas tales como hinchazón de los nódulos linfáticos, hepatitis de carácter grave, neumonías, una infrecuente forma de cáncer de piel denominada sarcoma de Kaposi y todo un abanico de infecciones oportunistas rara vez detectadas en los Estados Unidos. Betsy Evans, cuyo hermano Peter había caído también enfermo, siempre sabía cuándo Mapplethorpe había recibido noticias de la hospitalización de alguien porque su semblante perdía el color y comenzaban a temblarle las manos. En mayo, Mapplethorpe subastó su colección de fotografía en Sotheby's para contribuir al pago del alquiler del apartamento de Bleecker Street. El GRID se hallaba sin duda presente en sus reflexiones, ya que empezó a describir el coleccionismo fotográfico como si se tratara de una terrible enfermedad. «Me pongo malo cada vez que compro», reveló al *Maine Antique Digest*. Amy Schiffman, de *American Photography*, aderezó las declaraciones en las que Mapplethorpe acusaba al coleccionismo de «enfermedad» con una comparación de su propia cosecha aún más dramática y morbosa: «Con el dinero que ganó de la venta de su primer encuentro con el virus, debería ser capaz de costearse no pocos antibióticos en el futuro.»

Mappethorpe, de hecho, tomaba a la sazón un medicamento antibacteriano llamado Flagyl destinado al tratamiento de la amebiasis, una enfermedad gastrointestinal que le afectaba desde hacía varios años. En *And the Band Played On*, Randy Shilts atribuía la frecuencia de tales desórdenes entéricos entre la población gay al incremento de la práctica del coito anal y de otras prácticas sexuales más exóticas. El doctor Larry Downs, por entonces médico personal de Mapplethorpe, le previno repetidas veces de que debía renunciar a su obsesión por las heces, pero el fotógrafo hacía caso omiso de sus consejos, lo que le llevaba a batallar continuamente con parásitos que luego contagiaba a sus parejas sexuales. Consumido por la diarrea y los calambres estomacales, mantuvo sin embargo un agotador calendario de exposiciones en el que raramente transcurría un mes sin inaugurar una muestra: la Galería Larry Gagosian de Los Ángeles en junio; la Watari de Tokio en septiembre y la Jurka de Amsterdam en octubre.

En noviembre, coincidiendo con una exposición de su obra en el Centro de Arte Contemporáneo de Nueva Orleans, Mapplethorpe se encontraba ya obviamente exhausto, a pesar de lo cual viajó en compañía de Jack Walls para asistir a la inauguración. Ambos se hospedaron en casa de Mike Myers y Russ Albright, un decorador de interiores y un radiólogo que vivían en una casa de tres pisos de estilo Imperio en la que se rumoreaba que habitaban aún los fantasmas de los esclavos negros que el propietario original había torturado hasta la muerte. Era conocida públicamente con el nombre de «La casa encantada», y Mapplethorpe ya había residido en ella en calidad de invitado a comienzos de aquel mismo año, época en la que había decidido conmemorar las fiestas del Mardi Gras trabando conocimiento con una larga sucesión de negros y llevándoselos a dormir con él. En esta ocasión, no obstante, se mostraba extrañamente letárgico: carecía de energía para salir por las noches y se quejaba de síntomas gripales. Albright le fijó una cita con uno de sus colegas, el doctor Brobson Lutz, quien le redactó un historial clínico y le interrogó acerca de su relación con las drogas. «No consumo drogas recreativas», repuso Mapplethorpe. «Tan sólo tomo cocaína, alucinógenos y nitritos.»

El doctor Lutz le ingresó en el Hospital Baptista del Sur, donde le fueron diagnosticadas una infección autidiva de origen bacteriano y una inflamación de los nódulos linfáticos. Para entonces, el acrónimo GRID había sido sustituido por el más neutro de SIDA, o Síndrome de Inmuno Deficiencia Adquirida, pero aún quedaba por aislar el virus del HIV, y aún habría que esperar dos años, hasta 1984, para el desarrollo de pruebas fiables para la detección de anticuerpos. «A Robert le daba pánico la posibilidad de padecer el sida –recordaba Lutz–, pero su radiografía de tórax era normal y no mostraba síntomas de neumonía, por lo que procuramos tranquilizarle basándonos en lo que sabíamos por entonces. Volviendo la vista atrás, lo cierto es que la infección auditiva que padecía no era corriente en un adulto de treinta y seis años. Estoy seguro que de haber contado entonces con un sistema de detección sanguínea como los actuales, Robert habría dado positivo.»

Tan pronto como regresó de Nueva Orleans, Robert contrató una póliza de seguro de enfermedad, pero se negó a hablar con nadie de la cuestión del sida o de su reciente estancia en el hospital. No obstante, durante un desayuno de trabajo con Jim Clyne en el que tenían previsto negociar su participación en el libro *Exquisite Creatures* (Criaturas Exquisitas), Mapplethorpe espetó súbitamente a su acompañante la triste verdad: «No sé si sabías –dijo– que los maricas se están muriendo.»

A Mapplethorpe le gustaba realizar exposiciones múltiples en primavera, y en marzo de 1983 inauguró tres muestras distintas en otras tantas galerías de Nueva York. «Era imposible hacer un viaje en metro sin oír pronunciar su nombre», decía Howard Read. El 1 de marzo, la Galería Robert Samuel –recientemente rebautizada con el nombre de Hardison Fine Arts– inauguró una exposición de Mapplethorpe consistente en retratos de negros, imágenes transferidas de flores y motivos eróticos. Estos últimos eran los más curiosos de todo el repertorio, ya que Mapplethorpe acababa de desviar su atención de las escenas sadomasoquistas y había comenzado a fotografiar escenas pornográficas heterosexuales, como si ello le proporcionara cierta protección frente al sida. En ellas aparecía Marty Gibson, un joven guardacostas negro de Virginia que previamente le había enviado varios desnudos y al que Mapplethorpe se había apresurado a invitar a Nueva York. Tras pasar un fin de semana con él en la residencia de Bruce Mailman en Fire Island, le había preguntado si aceptaría posar para una sesión experimental de fotografía con una tal Veronica Vera, quien se autoproclamaba «revolucionaria sexual» y se preciaba de poseer «la mejor vulva» de la industria pornográfica. La joven llegó a Bond Street con un baúl lleno de ropa interior de encaje y, tras seleccionar un corsé de terciopelo rojo, unas medias negras y unos zapatos de tacón alto, comenzó a llevar a cabo actos eróticos frente a la cámara de Mapplethorpe. «La sesión resultó un poco incómoda –relataba Gibson–, porque se me estaba insinuando, pero intenté comportarme profesionalmente al respecto.»

Antes de que Gibson abandonara Nueva York, Mapplethorpe le prometió enviarle copias de las fotografías. «¿Qué quieres que haga con ellas?», gritó mientras Gibson se montaba en el taxi. «Cuélgalas en un museo», bromeó Gibson. Seis años después, *Marty and Veronica* formaba parte de la retrospectiva de Mapplethorpe en el Whitney Museum. «La foto que llegó al Whitney –recordaba Vera– fue una de Marty con la cabeza metida entre mis piernas.»

Andy Grundberg, del *New York Times*, se esforzó valerosamente por adaptarse a la exposición Hardison en un artículo titulado «Is Mapplethorpe Only Out to Shock?» (¿Qué intenta Mapplethorpe aparte de llamar la atención?). En su crónica, se preguntaba si «la perpetua fascinación [de Mapplethorpe] por la pornografía puede entenderse como parte de una postura vanguardista destinada a descodificar la pornografía a base de remedar su "imagen", del mismo modo que Cindy Sherman, por ejemplo, ha remedado la imagen de las diapositivas de los años cincuenta». No obstante, descartaba rápidamente la idea, «ya que carecemos de cualquier prueba de la existencia de un distanciamiento crítico de su obra. [...] Más que educar, estas imágenes parpadean; más que recurrir a los convencionalismos de la pornografía, *son* pornografía». Incluso la revista *Screw* se decidió a enviar a un crítico para comentar la exposición, con el siguiente resultado: «La estrategia de Maplethorpe [*sic*] es, en cierto sentido, cínica. Esos ciudadanos de clase alta que bajo ningún concepto querrían verse sorprendidos frecuentando el ambiente anónimo de los espectáculos en vivo y las tiendas "porno", tienen, no obstante, la misma necesidad que todos los demás de imágenes con que nutrir su apagada vida sexual. Así, dado que ellos no acuden al "porno", Maplethorpe [*sic*] les trae el "porno" a domicilio.»

En aquella ocasión, Mapplethorpe no llevó el «porno» a la Galería Miller, sino que prefirió mostrar en cambio sus esculturales piezas murales. Los asistentes a la inauguración del 1 de marzo tan sólo vieron cuatro fotografías de Mapplethorpe, si bien también pudieron admirar más de una docena de «marcos» con forma de cruz y pentagrama. «Básicamente, todo ello obedecía al empeño de Robert por no ser únicamente un fotógrafo», explicaba Howard Read. «Era como si quisiera decir: "Puedo probarlo. Id a ver mi exposición. No hay fotografías."» Grundberg escribió que resultaba «difícil determinar qué pretende Mapplethorpe si nos limitamos tan sólo a estas obras», aunque también se preguntaba si el motivo de la cruz y la estrella querría sugerir «una perversa reconstrucción, a lo Oscar Wilde mezclado con Duchamp, de la intensa imaginería de la Iglesia y el Estado».

La tercera y más interesante muestra fue la celebrada en la Galería Leo Castelli, en cuyas salas se expusieron las fotografías de *Lady* coincidiendo con la aparición del libro. Lisa Lyon viajó desde Los Ángeles para acompañar a Robert a la inauguración, pero no puede decirse que entonces fuera precisamente un anuncio viviente de la mujer nueva y autosuficiente cuya imagen podía admirarse en las paredes de la galería. Había contraído matrimonio con un cantante francés de rock, Bertrand Lavilliers, del que luego se había divorciado, y la ruptura en cuestión había acelerado la crisis nerviosa que sufría. A la sazón, vivía en Los Ángeles con su madre y, con apenas cuarenta kilos de peso, parecía un esqueleto. Los críticos se mostraron hostiles, como si se sintieran amenazados por el concepto mismo de la «mujer nueva». Grundberg destacaba su «constitución hermafrodita», sus «gruesos bíceps» y «las protuberantes venas de sus antebrazos y sus axilas sin depilar». *People* se preguntaba si *Lady* pretendía ser «una especie de broma morbosa acerca de la difuminación entre los distintos papeles sexuales». Posiblemente, podemos considerar los conceptos de Mapplethorpe como adelantados a su época ya que, diez años más tarde, Madonna y el fotógrafo Steven Meisel habían de crear lo que esencialmente no era sino una versión pornográfica de *Lady* durante su creación conjunta de *Sex*, una colección de las fantasías pictóricas de la cantante de rock, entre las que se incluían las ligaduras, la bisexualidad y el sexo interracial. El libro en cuestión se convirtió en un acontecimiento editorial, pero si el musculoso cuerpo de Madonna se contempló como un símbolo del triunfo de la disciplina, el de Lyon fue denostado como si se tratara de un monstruo.

Ciertos críticos, sin embargo, no se sintieron tan amenazados por la representación mapplethorpiana de un cuerpo femenino poderoso como repelidos por sus ideas sexistas. «¿Qué tiene de nuevo ver a una mujer en cuclillas, apoyada en las manos y las rodillas, vestida únicamente con un corsé de encaje y con el trasero al aire?», inquiría Carol Squiers en *The Village Voice*. «¿O que exhiba los pechos, se ponga gafas de sol o nos contemple fríamente ataviada con un atuendo magnífico? Pese a todos los tópicos comúnmente aceptados acerca del concepto de lo nuevo, el supuestamente polifacético retrato de Lisa Lyon se desmorona para convertirse en una única, estereotipada e interminable visión de la mujer.»

Mapplethorpe aún no había perdonado del todo a Squiers el hecho de que convirtiera su homosexualidad en tema de debate en el artículo publicado acerca de la exposición «Trade-Off» de 1978, y se sintió doblemente traicionado al leer la crónica del *Village Voice*. Durante años, se negó a dirigirle la palabra, lo que resultaba extremadamente violento para Squiers, ya que a menudo coincidían en las mismas inauguraciones. «Era como si yo le hubiera humillado personalmente frente a todo el mundo del arte», decía. «Mapplethorpe ya había obtenido dos críticas negativas de Ben Lifson en *The Village Voice*, y daba la sensación de que el periódico hubiera desencadenado un ataque bien calculado sobre su persona. Estaba realmente enfadado, y el efecto que ello ejercía sobre mí era terrible. Finalmente, un par de años después, coincidí con él en un club, me acerqué adonde estaba y le dije: "Siento muchísimo haber escrito lo que escribí." Nos abrazamos y él me dijo: "Bah, no pasa nada." Robert poseía el don de experimentar un auténtico afecto, con el inconveniente de que no podía durar demasiado ya que, obviamente, su circunstancia fundamental consistía en amar y verse traicionado... una escena que no hacía más que repetir una y otra vez.»

Aquella primavera, Mapplethorpe pasó varias semanas en Europa con Lisa realizando una gira promocional de *Lady*, y aunque ambos procuraron jugar a representar su supuesta simbiosis vistiéndose de modo similar con trajes de cuero negro y coqueteando frente a los periodistas, el fotógrafo proyectaba terminar con la tirante relación que los unía tan pronto como concluyera el viaje. Se quejaba de que Lyon no había sacado provecho a su carrera como culturista, y no lograba comprender por qué insistía en limitarse a ser una «artista de espectáculo» cuando podía haber sido un Conan *el Bárbaro* en versión femenina. Sin embargo, no era la titubeante trayectoria de Lisa lo único que le incomodaba: la había elevado a un estado próximo a la perfección, y detestaba que su amazona iconográfica padeciera dificultades emocionales y un problema de drogas. Una vez más, se enfrentaba a la «maldición de la belleza», a la expulsión de los dioses de su Olimpo de fabricación propia. «Sabía que defraudaba a Robert –decía Lisa–, porque no me mostraba a la altura de sus ideales. Pero ¿qué ser vivo de este planeta habría podido lograrlo?»

Desde luego, no su representante, Howard Read, quien no lograba extraer una palabra de elogio del fotógrafo por más que se esforzara. «Me torturaba y me atormentaba», decía Read. «Si yo le decía: "Acabo de conseguirte una exposición magnífica en tal museo", me respondía: "¿No me digas?... ¿Algo más?"» Mapplethorpe negociaba con otros representantes a espaldas de Read, y antes de partir en agosto hacia Venecia, donde había de inaugurarse una exposición de su obra en el Centro di Documentazione di Palazzo Fortuny, pidió a Peter MacGill que le representara. MacGill y su socio, Arnold Glimscher, acababan de inaugurar la Pace MacGill en la calle Cincuenta y siete Este, pero a Peter no le entusiasmaban las fotografías de Mapplethorpe lo bastante como para arriesgarse a un enfrentamiento con Read. «A excepción de *Man in Polyester Suit*, sus imágenes no destilan demasiada genialidad», solía decir. Así pues, Mapplethorpe continuó en la Galería Miller, pero no pasaba un día sin que despellejara literalmente a Read. «Robert colgaba el teléfono y gritaba: "¡No soporto a Howard!"», recordaba Betsy Evans. «Sencillamente, le detestaba.»

La relación de Mapplethorpe con Jack Walls constituía otra fuente de frustraciones. Por entonces, ambos llevaban casi un año conviviendo en Bleecker Street, pero Mapplethorpe aún no estaba enamorado de Jack. «Llegué a pensar que Jack era el novio ideal para Robert –decía Lisa Lyon–, pero éste nunca logró amarle debido a que se trataba de una situación forzada. Seguía aún enamorado de Milton, lo que, en mi opinión, es lo mismo que ocurre con el ADN: algo real cuyos motivos no puedes explicar. Para Jack era muy duro. Se esforzaba por hacer multitud de cosas, pero Robert no sólo no le animaba ni creía en él, sino que, por así decirlo, le *desafiaba* a tener éxito, cosa que no funcionaba.» Walls tenía que escuchar los sermones de Mapplethorpe, quien le acusaba de llevar una existencia inútil y le explicaba cómo, mediante la disciplina adecuada, también él podría alcanzar el éxito. Walls, sin embargo, apenas lograba hacer acopio de la disciplina necesaria para conservar sus empleos –le habían despedido de Agnes B.–, y sus crecientes problemas de drogas hacían improbable cualquier mejora de su situación. «Robert decía desear el éxito para mí –explicaba Walls–, pero en realidad no era así. Si hubiera hecho algo, cualquier cosa, que amenazara con eclipsarle, habría sido el fin para los dos.»

Puede que Mapplethorpe no fuera del todo realista al contemplar las posibilidades profesionales de Walls, pero éste era igualmente insensato al confiar en la monogamia del primero. «Cuando quieres a alguien no te gusta que haga el amor con otras personas», decía Walls. «Yo también tuve ocasiones para acostarme con otros, pero no lo hice debido a que Robert no era un personaje anónimo, y no quería que otras personas pudieran decir: "Sí, yo me he acostado con Jack Walls, ¿sabes?, el mismo que sale con Robert Mapplethorpe." Hasta hoy, apenas hay nadie en Nueva York, ni en su estado, ni siquiera en todo el país, que pueda presumir de haber dormido con Jack Walls. No quería para mí una reputación de persona promiscua, ni la deseaba tampoco para Robert.»

Así y todo, Mapplethorpe continuó teniendo docenas de aventuras con sus modelos, entre ellos un joven llamado Dennis Speight que luego apareció en una serie de fotografías incluidas posteriormente en la colección «Terrae Motus» de Nápoles, Italia. La «Terrae Motus» había sido ideada por el galerista napolitano Lucio Amelio, quien persuadió a numerosos artistas para que crearan obras basadas en sus respectivas reacciones ante el terremoto que había devastado diversas partes del sur de Italia en 1980. Mapplethorpe había visitado Nápoles en agosto, y cuando regresó a Nueva York montó un retablo compuesto por cinco fotografías centradas en torno a la imagen de una calavera de piedra. En cada extremo del retablo figuraban sendas fotografías de Dennis Speight sosteniendo un ramo de espinos y azucenas.

Walls se mostraba profundamente celoso de Speight, y una tarde, al enterarse de que Mapplethorpe le estaba fotografiando, decidió telefonear al estudio. «¿Cómo puedes hacerme esto?», gritó al auricular. «Me siento tan mal que voy a matarme.» Al comprobar que Mapplethorpe no respondía, Walls asió uno de los preciosos jarrones de cristal del primero y lo sostuvo a través de la ventana. «Tengo tu jarrón –le amenazó–, y o regresas a casa en este mismo instante o lo encontrarás roto en mil pedazos.» Inmediatamente, Mapplethorpe dejó caer el teléfono y echó a correr calle abajo por Bond Street en dirección al apartamento, donde halló a Walls encaramado al alféizar de la ventana. «No lo hagas –le suplicó Mapplethorpe–. *¡No dejes caer ese jarrón!*»

El 4 de noviembre de 1983, Mapplethorpe celebró su trigésimo séptimo aniversario en Londres, con lo que hasta entonces podía considerarse como su mayor triunfo profesional: la inauguración de una retrospectiva de trece años de su obra en el Instituto de Arte Contemporáneo. Los periódicos británicos habían logrado despertar la curiosidad del público mediante artículos que le describían como el «niño travieso» de Nueva York, a la vez que como un «ídolo personal». Frente al Instituto se formaron largas colas de personas deseosas de ver la exposición, algo que el crítico C. S. Manegold atribuía «a una estúpida –pero perversa– fascinación por los aspectos salvajes de Nueva York; por el... *Homo New Yorkus*».

Sandy Nairne, director de exposiciones del Instituto de Arte Contemporáneo, había incluido deliberadamente fotografías sadomasoquistas con la esperanza de desatar un debate en torno a los setenta y al impacto que la década había ejercido sobre los modelos sexuales. «Yo era un gran admirador de la obra de Robert», afirma Nairne. «Claro está que no me gustaba todo lo que hacía. Encontraba sus flores aburridas, y sus retratos infantiles demasiado cursis. Asimismo, sus imágenes de sexo heterosexual me parecían grotescas. Las fotografías sadomasoquistas, sin embargo, eran importantes de cara a las cuestiones que se debatían acerca de la década de los setenta.» Nairne era consciente de que algunas de aquellas imágenes darían lugar a controversia, y dado que el Instituto ocupaba un emplazamiento importante en el Mall –ruta de acceso al palacio de Buckingham–, tuvo buen cuidado de colocar un cartel en la entrada mediante el que se prohibía el acceso a los menores de edad. A pesar de todo, y antes incluso de que pudieran ser colgadas, la policía del aeropuerto de Heathrow confiscó seis fotografías de Mapplethorpe, entre ellas *Man in Polyester Suit* y el retrato de Louise Bourgeois con su escultura fálica. «La selección realizada no obedeció a ninguna política nacional en contra de la obscenidad –explicaba Nairne–, sino sencillamente a lo que determinado oficial de aduanas consideró en aquel momento "obsceno".» Nairne se enfrentaba a tres opciones: reenviar las fotografías a Nueva York, resignarse a que la policía las quemara o presentar recurso ante las acusaciones de obscenidad frente a un tribunal próximo al aeropuerto. Sus abogados le previnieron de que en tal caso habría de perder el pleito, por lo que Nairne recurrió a lo primero, y rogó a un amigo de la sección de Nueva York del *Sunday Times* londinense que volviera a enviarle las fotografías en la valija nocturna del periódico. Las fotografías confiscadas llegaron al *Times* al día siguiente y fueron enviadas de inmediato al Instituto. «Posteriormente –relata Nairne–, me entrevisté con el cronista de sucesos del *Daily Mirror*, quien me reveló que el Departamento de Investigaciones Criminales había revisado deliberadamente la exposición y había tomado la prudente decisión de no armar alboroto alguno al respecto.»

Mapplethorpe compareció en un simposio del Instituto de Arte Contemporáneo en compañía del fotógrafo David Bailey pero, por desgracia, el «estimulante debate» que preveía Nairne no llegó a tener lugar. C. S. Manegold daba cuenta de la siguiente conversación:

ENTREVISTADOR: Cuando se estrenó la película de Marlon Brando *The Wild Bunch* [*sic*],* tengo entendido que el proyeccionista inglés acabó en la cárcel por haberla mostrado al público. En esta exposición usted exhibe una fotografía en la que puede verse una penetración con el puño. ¿Hasta dónde piensa que es posible llegar?

MAPPLETHORPE: La verdad es que tengo otra con dos [puños]...

ENTREVISTADOR: En serio, ¿hasta dónde? Para mí, resulta sorprendente que el Instituto de Arte Contemporáneo exhiba esa foto, por más que me parezca magnífico en ciertos aspectos. ¿Hasta qué punto, sin embargo, cree usted que puede llegarse a la hora de provocar la conmoción del público?

MAPPLETHORPE: No lo sé... Quiero decir, que no es lo que yo intento... hacer... En otras palabras, no pretendo... si fotografié esa escena es porque me sucedió a mí. [...] De hecho..., el *puño* de la fotografía pertenece al Director de Arte de una de las más importantes revistas de moda [...] eran todos amigos míos. En resumen, que no pretendía establecer hasta qué punto se puede [...] Tengo también una fotografía en la que hay sangre por todas partes. No sé qué pretende usted demostrar con todo esto.

Aquella misma tarde, cuando se presentó en la inauguración con Jack Walls a la zaga, Mapplethorpe estaba tan drogado que Sandy Nairne apenas logró hilvanar con él una conversación. Más tarde, abandonó el Instituto de Arte Contemporáneo para asistir a una cena en su honor organizada por una de sus últimas amistades inglesas, Francesca Thyssen (hija del industrial y coleccionista alemán Hans Heinrich Thyssen), quien el año anterior ya había invitado al fotógrafo y a Lisa Lyon a pasar unos días en su casa de Jamaica. «Me impresionó lo importante que era para Mapplethorpe mantener aquellos lazos sociales», observaba Nairne. «Para la sección de retratos de la muestra seleccionó deliberadamente fotografías de sus amistades londinenses, debido, en mi opinión, a que había pasado tanto tiempo relacionándose con ellos que quería reintroducirlos una vez más en su vida. Cada vez que hablaba con él de sus retratos, nunca parecía capaz de desligar sus relaciones personales de las imágenes. Cuando comenzamos a proyectar la muestra, en 1982, quería una gran sección dedicada a Lisa Lyon; la próxima vez que le vi, sin embargo, dijo: "Bueno, mejor ahorremos algo de espacio." Al montar la exposición, ya sólo quería unas cuantas fotografías de Lisa, pero no porque sus retratos no le gustaran, sino porque estaba, según sus palabras, "harto" de ella. Aparentemente, no había para él otro modo de comentar y evaluar su trabajo: no se trataba de si le gustaban o no las fotografías, sino de si le gustaban o no las personas.»

* El entrevistador confunde *The Wild Bunch (Grupo Salvaje)*, [S. Peckinpah, 1969], con *The Wild One (¡Salvaje!)*, [L. Benedek, 1953]. *(N. del T.)*

Nairne se sentía molesto: después de todo el tiempo que había dedicado a diseñar la exposición y a editar el catálogo, de sesenta y cuatro páginas, Mapplethorpe no se había molestado en darle las gracias ni en enviarle, siquiera, una nota de reconocimiento. Nueve meses después, coincidió por casualidad con el fotógrafo en Nueva York y éste le preguntó: «¿Dónde te has metido? Le dije a tu secretaria que quería fotografiarte.» Nairne nunca había recibido aquel mensaje, pero comprendió que el ofrecimento de Mapplethorpe era una forma de mostrar su gratitud. Así pues, accedió, si bien resolvió internamente que no se dejaría convertir en una de las formalistas y desnudas creaciones de Mapplethorpe. Deliberadamente, acudió a la sesión ataviado con una holgada chaqueta Katharine Hamnett y procuró recrear una proyección relajada y amable de sí mismo mientras el fotógrafo se fumaba un cigarrillo de hachís. Cuando se disponían a abandonar el salón para dirigirse al estudio, sin embargo, Nairne advirtió que Mapplethorpe había sustituido su expresión aturdida por otra de acerada intensidad. Con voz suave, pero autoritaria, comenzó a espetarle órdenes: «Mueve las manos frente a las solapas... tuerce la cabeza hacia la izquierda... desvía la mirada a la derecha.» Antes de que Nairne tuviera tiempo de analizar la situación, ya había renunciado al control de su propio cuerpo. «Súbitamente, había pasado a formar parte del proceso», explicaba. «Sentía que iba envarándome y adquiriendo una expresión formal. Robert me estaba esculpiendo al estilo de sus fotografías como si fuera un bloque de piedra.»

La primavera de 1984 señaló la llegada del segundo aniversario de Edward Mapplethorpe como ayudante de su hermano. La admiración que había sentido en otro tiempo hacia Robert, sin embargo, se había convertido en una profunda decepción. Había tenido buen cuidado de respetar las normas y la intimidad de Mapplethorpe, y nunca le había pedido ayuda para su propia carrera. A veces, incluso había pensado que a Robert le agradaba su presencia, especialmente al final de la jornada, cuando ambos se sentaban a reírse y a fumar hachís. Así, fue para él una conmoción el día en que su hermano le invitó a desayunar y, tras pedir con voz serena una taza de café y unos huevos revueltos, descargó sobre él una virulenta filípica. Aparentemente, había llegado a oídos de Mapplethorpe que el galerista Sam Hardison había invitado a Ed a incluir una de sus fotografías en una de sus próximas exposiciones colectivas, en la que también figuraban obras de Robert, por lo que en la invitación habrían de figurar dos Mapplethorpe. «No tengo la menor intención de permitir que mi hermano pequeño venga a aprovecharse de mi energía», reprendió a Ed. «Quiero que te cambies el apellido.» Ed se sintió totalmente cogido por sorpresa, y confesó que ni siquiera sabría qué nombre elegir, pero Robert había pensado en todo: «El apellido de mamá es Maxey», sugirió. «¿Por qué no lo utilizas?»

Así, Edward Mapplethorpe se convirtió en Edward Maxey, pero fue una transformación desapacible, ya que se sentía desconcertado e irritado por la reacción de su hermano. «¿Cómo podía considerarme una amenaza?», se preguntaba. «Robert exponía ya en museos, mientras que mi carrera estaba en los inicios.» A finales de marzo, Ed viajó a Los Ángeles para visitar a unos amigos y, de paso, para comprobar si la ciudad le gustaba lo bastante como para mudarse a ella. Aunque aún no había hablado de ello con Robert, quería dejar su empleo y comenzar una nueva vida en otro lugar bajo el nombre de Edward Maxey. Antes, sin embargo, había acordado reunirse con su hermano en Los Ángeles para ayudarle a realizar una serie de fotografías destinadas a *A Day in the Life of Los Angeles* («Un día en la vida de Los Ángeles»), proyecto editorial que implicaba enviar a cien fotógrafos a cubrir la ciudad entre las doce del mediodía y las 11.59 de la noche del 30 de marzo. Robert se hallaba alojado en el Hotel Hyatt del Sunset Boulevard con el resto de sus colegas, y cuando Ed se reunió con él en el vestíbulo ya había comenzado a quejarse de que no debía haber aceptado el encargo. «¿Qué pinto yo aquí?», gruñía. «Yo no soy un reportero fotográfico.» Aquella misma tarde, ambos hermanos asistieron a una recepción en la galería G. Ray Hawkins. Robert se limitó a recoger su tarjeta de identificación y a continuación ordenó a Ed que le llevara a un bar de homosexuales. Cuando despertó, a la una de la tarde del día siguiente, era el único fotógrafo del proyecto que había dedicado doce de sus veinticuatro horas en Los Ángeles al sexo y al sueño.

Aquella noche, el coleccionista Dagny Corcoran celebraba en su casa una cena en honor de Mapplethorpe, y éste había manifestado su intención de fotografiar a los artistas David Hockney, Ellsworth Kelly y Ed Ruscha. Pero al final, decidió que el salón estaba demasiado abarrotado de personas e instaló el trípode en el jardín, con lo que no logró otra cosa que sufrir continuas descargas eléctricas cada vez que oprimía el botón de control de la luz estroboscópica. «Le aterrorizaba electrocutarse –relata Ed Maxey–, y para cuando, por fin, concluyó la sesión de retratos ni siquiera cumplimos con el tiempo establecido. Lo único que quería era acabar cuanto antes.»

Se trataba de un deseo compartido por el propio Ed quien, al día siguiente, durante un emotivo enfrentamiento con su hermano en el Hyatt, le comunicó que pensaba trasladarse a vivir a Los Ángeles. Robert estalló, y con una voz que a Ed le recordaba a la de su padre, acusó a su hermano pequeño de ser un egoísta y un desconsiderado. «¡Cómo te atreves!», gritó Robert. «Con toda la energía que he empleado en educarte y tú ahora me pagas abandonando tu puesto. Jamás llegarás a nada en esta vida si no te responsabilizas de tus compromisos. Recuerda que eres *mi* empleado.» Ed se sintió tan desolado ante los ataques de su hermano que rompió a llorar. «Me he portado bien contigo estos últimos años –sollozó–, pero quiero vivir mi propia vida. Quiero afianzarme como persona. Tú sólo piensas en ti y en los problemas que todo esto puede ocasionarte.»

Ciertamente, la infraestructura técnica de Robert se había complicado desde el inicio de su colaboración con Ed, y para entonces recurría ya a varias luces estroboscópicas, a un arco y a difusores con los que suavizaba los rostros de sus modelos. Ya no le era posible trabajar sin un ayudante y, consciente de que no había de ser fácil encontrar un sustituto para Ed, convenció a su hermano de que continuara trabajando en el estudio hasta que pudiera encontrar la persona adecuada. «No puedo tener a cualquiera de ayudante», declaró. «Necesito a alguien con quien pueda comunicarme.»

Tras la partida de Robert, Ed permaneció en Los Ángeles varios días más. Cuando regresó a Bond Street, se quedó estupefacto al comprobar que su hermano ya le había reemplazado. «Quiero que conozcas a Javier González», dijo Robert, presentándole a su nuevo ayudante. «No es más que un golfillo español, pero es muy ambicioso.» Robert había conocido a Javier en Madrid en febrero de aquel mismo año, con motivo de la inauguración de una exposición de sus fotografías en la Galería Fernando Vijande, y atraído por el perfil clásico y el corte de pelo punk del muchacho, se había ofrecido para proporcionarle empleo en el futuro. «No habla inglés –reveló Robert a un Ed cada vez más incrédulo–, pero no creo que necesites más de una semana para adiestrarle. Se ha traído un diccionario.» Así, la tarea final de Ed consistió en enseñar a alguien que no hablaba inglés a actuar como ayudante de su quisquilloso hermano. «Javier era un chico espabilado –relataba Ed–, pero había un montón de términos que ni siquiera figuraban en el diccionario. Todos los que estábamos relacionados con el estudio pensábamos que aquello no era sino una muestra más de la locura de Robert.»

Para Jack Walls, aquello fue la gota que desbordó el vaso, y aunque Mapplethorpe le explicó que se trataba, fundamentalmente, de un acuerdo de negocios, Jack le sorprendió echando mano de la cuenta corriente para pagar las clases de inglés y las facturas del dentista de su nuevo ayudante. Su reacción consistió en hundirse cada vez más en las drogas, hasta el punto de robar dinero del apartamento de Mapplethorpe. Éste contraatacó expulsándole de Bleecker Street y haciendo correr la voz entre todos sus conocidos de que Jack era un ladrón y un embustero. «Me alegré de perderle de vista –manifestó Walls–, ya que, francamente, llevaba un estilo de vida odioso, y yo tenía que pensar también en mi propia reputación.»

CAPÍTULO DIECINUEVE

«Acabó tratando a las personas del mismo modo en que podría tratar a una estatua o a su propia colección de cerámica. Las personas o bien eran posibles modelos para sus fotografías, o bien desempeñaban en su vida el mismo papel que sus colecciones.»

Paul SCHMIDT,
en referencia a Robert MAPPLETHORPE.

En junio de 1984, dos meses después de que su hermano partiera hacia Los Ángeles, Robert Mapplethorpe hubo de enfrentarse a una nueva deserción: Sam Wagstaff, sin previo aviso, decidió vender su colección de fotografía al Museo J. Paul Getty de Malibú.

La venta formaba parte de un acuerdo secreto supervisado por Daniel Wolf, quien reunió nueve colecciones, entre ellas las de Arnold Crane y André Jammes, para dotar al Getty de un fondo de dieciocho mil fotografías en total. La operación, que en conjunto ascendía a veinte millones de dólares, resultaba insólita por cuanto ninguno de los vendedores conoció la identidad del comprador hasta que hubo concluido. En consecuencia, si bien Wagstaff obtuvo cuatro millones y medio de dólares por su colección, también es cierto que su ego se vio temporalmente sacudido al darse cuenta de que sus fotografías terminarían mezcladas con otros varios miles de distinta procedencia. «Sam me dijo que había querido que la colección Wagstaff se conservara como entidad independiente», recordaba George Rinhart. «Se llevó un disgusto considerable al saber lo ocurrido.»

Para Wagstaff, sin embargo, aquella colección se había convertido en una carga, y no dejó de aliviarle que fueran otros quienes sobrellevaran la responsabilidad de su cuidado. «Durante toda su vida, Sam había sido dado a desarrollar profundas obsesiones para luego abandonar sus compromisos», afirma la conservadora Jane Livingston. «Ya lo había hecho con su colección de arte contemporáneo, y luego le tocó el turno a la fotografía. Una vez me dijo: "Me fastidia tener que ocuparme de ella." Había tenido que alquilar un segundo apartamento para albergarlas, y estaba constantemente preocupado de que alguien entrara a robar. Le espantaba el jaleo. Independientemente de que fuera un coleccionista voraz, no le gustaba verse atado por sus posesiones. En ciertos aspectos, Sam no era más que un mocoso extraordinariamente mimado.»

Entre las fotografías que Wagstaff conservó en Nueva York se incluía su colección de Mapplethorpe, de las que había rehusado desprenderse a pesar de los intentos de Daniel Wolf por llevárselas al Getty. La relación de Wagstaff con Robert se hallaba enraizada en la fotografía, y a pesar de ceder la mayor parte de su colección es posible que su sentimentalismo no le permitiera renunciar a ella por completo. Por otra parte, del mismo modo que ya no necesitaba pronunciar enardecidos discursos en defensa de la fotografía (el público había desarrollado un notable reconocimiento del género como forma de arte), tampoco necesitaba ya esforzarse en promocionar la carrera de Mapplethorpe, que avanzaba viento en popa sin su ayuda. «Solía ver en Sam y Robert una relación similar a la de Brian Epstein con los Beatles», decía Howard Read. «Pero con el tiempo se volvió amarga: a veces, venía Sam a la galería y Robert le gritaba: "¡Cállate! No sabes de qué estás hablando." Robert pensaba que las opiniones de Sam se habían vuelto anticuadas y aburridas, y que ya no tenía necesidad de consultar con lo que consideraba un disco rayado.» Sin embargo, y a pesar de sus protestas, Mapplethorpe estaba tan ligado emocionalmente a Wagstaff que no pudo evitar experimentar una punzada de pesar al enterarse de la operación Getty, pues señalaba la agridulce conclusión de aquella parte de su vida en común. Poco después, cuando Wagstaff anunció su nueva pasión —la plata norteamericana del siglo XIX y comienzos del XX—, Mapplethorpe reaccionó como hubiera hecho un amante celoso y manifestó que la consideraba «espantosa».

La plata era algo que fascinaba a Wagstaff desde hacía tiempo, y a veces, cuando iba a cenar a casa de sus amigos, rebuscaba en sus alacenas en busca de reliquias familiares. Había adquirido ocasionalmente alguna que otra pieza en las subastas, entre ellas una jarra de Tiffany adornada con crisantemos geométricos, pero se trataba de objetos demasiado barrocos y llamativos para un ex conservador de arte contemporáneo. Empero, a Sam le encantaba defraudar las expectativas de la gente, y la plata norteamericana de la época victoriana se consideraba tan vulgar por su diseño y por su tendencia a mezclar plata con cobre —o incluso con baño de plata—, que decidió convertirla en su nueva afición. Era algo que podía promocionar, del mismo modo que había hecho con la fotografía o con la carrera de Robert Mapplethorpe; una nueva manifestación de sus fantasías pigmalionianas: objetos que podía comprar en almonedas y rastrillos para luego lustrarlos en casa y mostrar al mundo cuán esplendorosamente brillaban.

Su ático no tardó en verse convertido en una reluciente cámara acorazada sobre cuyos suelos se apilaban docenas de objetos excéntricos: palas de queso decoradas con gatos y ratones; saleros y pimenteros embellecidos con peces y cangrejos; un trofeo marítimo Gorham de 1870 dotado de asas con forma de sirena; un cuenco de plata inspirado en la adquisición de Alaska por parte de los Estados Unidos en 1867 y adornado con témpanos y osos polares; innumerables cestas, confiteras, fruteros, platillos para mantequilla y servilleteros. Ingrid Sischy publicó en *HG* su descripción de la caprichosa guarida de Wagstaff: «A pesar de la elegancia reinante, se había producido un problema de almacenamiento de bolsas de aire entre el blanco suelo de linóleo y la estructura de las tablas del piso, por lo que caminar por el apartamento era como ir pisando papel de burbujas, y la conversación se veía continuamente salpicada de pequeños estallidos. De este modo, incluso la acústica parecía contribuir a la electricidad que desprendía Sam Wagstaff, a la permanente expectativa de que en cualquier momento habría de revelarte algo insólito. Nunca salí defraudada. En cierto modo, su casa era como una Navidad perpetua.»

Mapplethorpe, en cuyo espartano sentido de la estética no había lugar para tinteros plateados con forma de perros y gatos, opinaba que Wagstaff estaba tirando el dinero. Él, entretanto, se había dedicado a coleccionar objetos de cristal modernistas de Venini y de Murano, y su pequeño apartamento de Bleecker Street rebosaba de jarras de color turquesa, pequeños jarrones granates, platos con forma de hoja, pisapapeles y docenas de recipientes rojos, marrones, azules y ámbar. «El cristal de Venini le llamaba verdaderamente la atención», recordaba Mark Isaacson, quien había tenido ocasión de venderle numerosas piezas. «Compró al menos un centenar de elegantes botellas y jarrones debido simplemente a que había algo en su combinación de suavidad y dureza –en su mezcla de opaco y translúcido– que le cautivaba. No se molestaba en enterarse de la historia de cada pieza, ni en conocer las fechas o los nombres de los fabricantes. Para él, era algo puramente visual. Había veces, cuando no tenía nada específico que enseñarle, en que se ponía a caminar frenéticamente de un lado a otro de la tienda. "¿No tienes *nada*?", me espetaba. Era como un drogadicto en busca de su dosis. Cada vez que recibía un nuevo envío de objetos de vidrio le telefoneaba, y siempre comparecía antes de una hora. Procuraba mostrarse desinteresado, pero sus ojos traslucían la emoción que sentía, como si ya entonces se anticipara a la increíble euforia que experimentaba al comprar algo.»

Si contemplamos la historia de Norteamérica, la imagen de Mapplethorpe y Wagstaff, semienterrados en sus faraónicos sepulcros de tesoros, constituye el símbolo de la década en la que más gente ha habido en el país con posibilidades de gastar dinero en comprar cosas. El fenómeno resultó especialmente evidente en el mundo del arte, el cual, mediante una suerte de pacto faustiano con Wall Street, había comenzado a abastecer a los nuevos ricos del peritaje arbitral, las finanzas y el mercado de fusiones y adquisiciones, necesitados de objetos materiales –pinturas, esculturas y fotografías– con los que decorar sus recién remodelados apartamentos de Park Avenue. El SoHo, en palabras de Maureen Dowd para *The New York Times Magazine*, se había convertido en una «bohemia de postín en la que los artistas hablaban más de paraísos fiscales que de política y en la que resultaba más emblemática la posesión de una tarjeta *oro* de American Express que la de una buhardilla». En conjunto, constituía el dramático reverso de la época del Max's Kansas City, donde numerosos artistas célebres habían intercambiado obras originales por tarjetas de consumición. Max's, sin embargo, había cedido su condición de refugio de artistas al elegante Mr. Chow's, situado en el Upper East Side, y las estrellas del mundo del arte de los ochenta no eran ascéticos intelectuales, sino personajes al estilo de Keith Haring, quien más tarde abriría una tienda propia para vender camisetas, cordones para zapatos y papeles pintados inspirados en sus clásicos garabatos de diseño.

Durante 1984, Mapplethorpe se entregó a la cosecha de los rendimientos financieros resultantes del auge del mercado del arte. Diseñó una edición limitada de mesitas de café en forma de falo para que ARC International las distribuyera y logró que las paredes de Morgans –el nuevo hotel minimalista propiedad de Steve Rubell e Ian Schrager, de Studio 54– fueran decoradas con sus litografías florales. «En lo que se refiere a la creatividad –manifestó durante una entrevista con *Photo/Design*–, sostengo la teoría de que se es tanto más creativo cuanto más dinero se posee.» Mapplethorpe veía que otros fotógrafos, tales como Bruce Weber, obtenían encargos notablemente lucrativos, y se preguntaba por qué él no era capaz de hacer lo mismo, especialmente teniendo en cuenta que las obras de Weber se basaban a menudo en una glorificación decididamente homosexual del cuerpo masculino. Con todo, Weber se las arreglaba para disimular el tema subyacente escogiendo modelos paradigmáticos de la heterosexualidad norteamericana establecida: atletas olímpicos, surfistas y marines; personajes que, como señalaba Allen Ellenzweig, eran probablemente homófobos en la vida real. «Encuentro su obra cínica e intelectualmente deshonesta –afirmaba Ellenzweig–, porque Weber apela claramente a una sensibilidad de tipo homosexual, pero ¿a quiénes recurre como modelos? En muchos casos, a hombres heterosexuales que habitan un universo masculino segregado y que, probablemente, consideran a los gays como simples

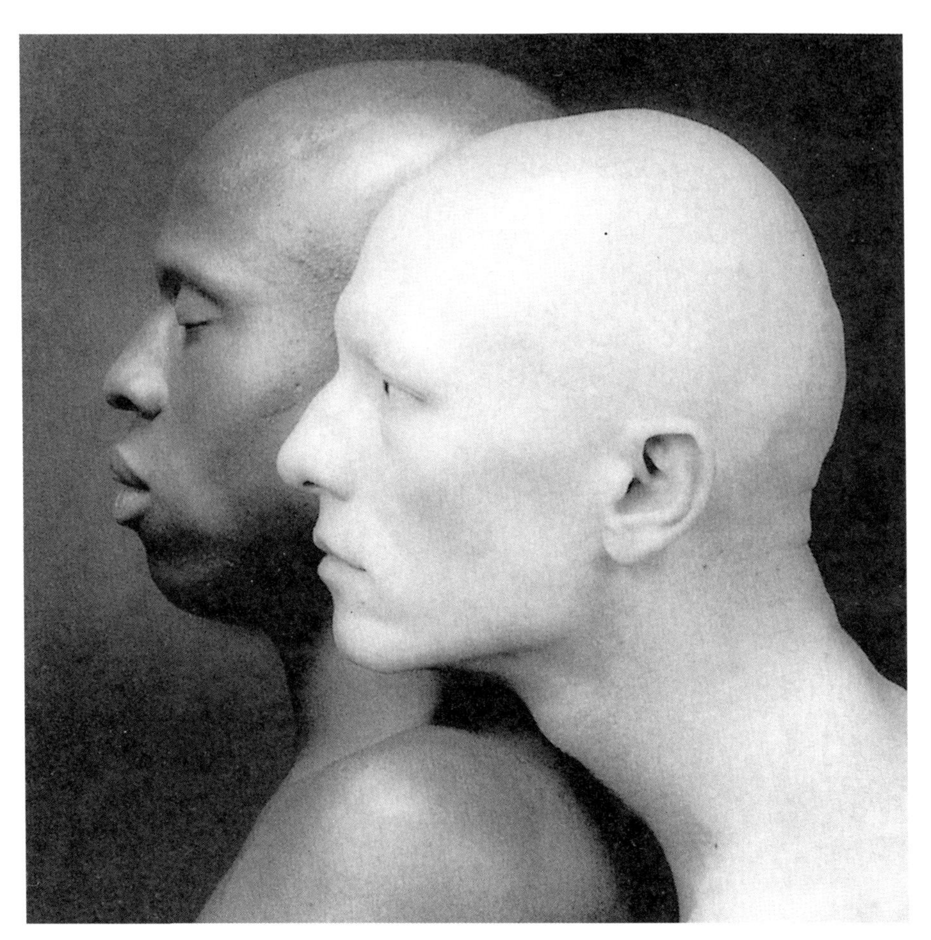

Ken y Robert, 1984.

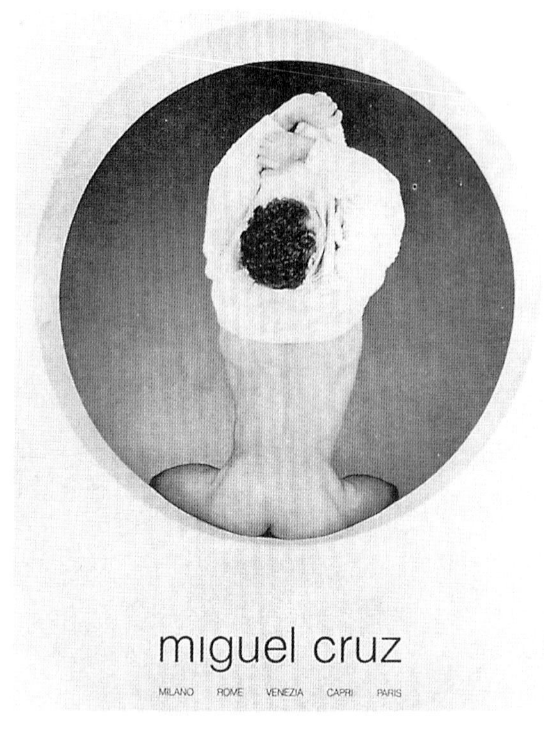

Anuncio que realizó para Miguel Cruz.

Parodia del retrato de Mapplethorpe con Lisa Lyon.
De izq. a der.: Edward Maxey, hermano del artista, la directora del estudio, Betsy Evans, y el grabador Tom Baril.

Thomas in a Circle (Tomás en un círculo), 1987.

Jack Walls y Robert Mapplethorpe.

Patti Smith
retratada por Mapplethorpe para el álbum *Dream of Life*.

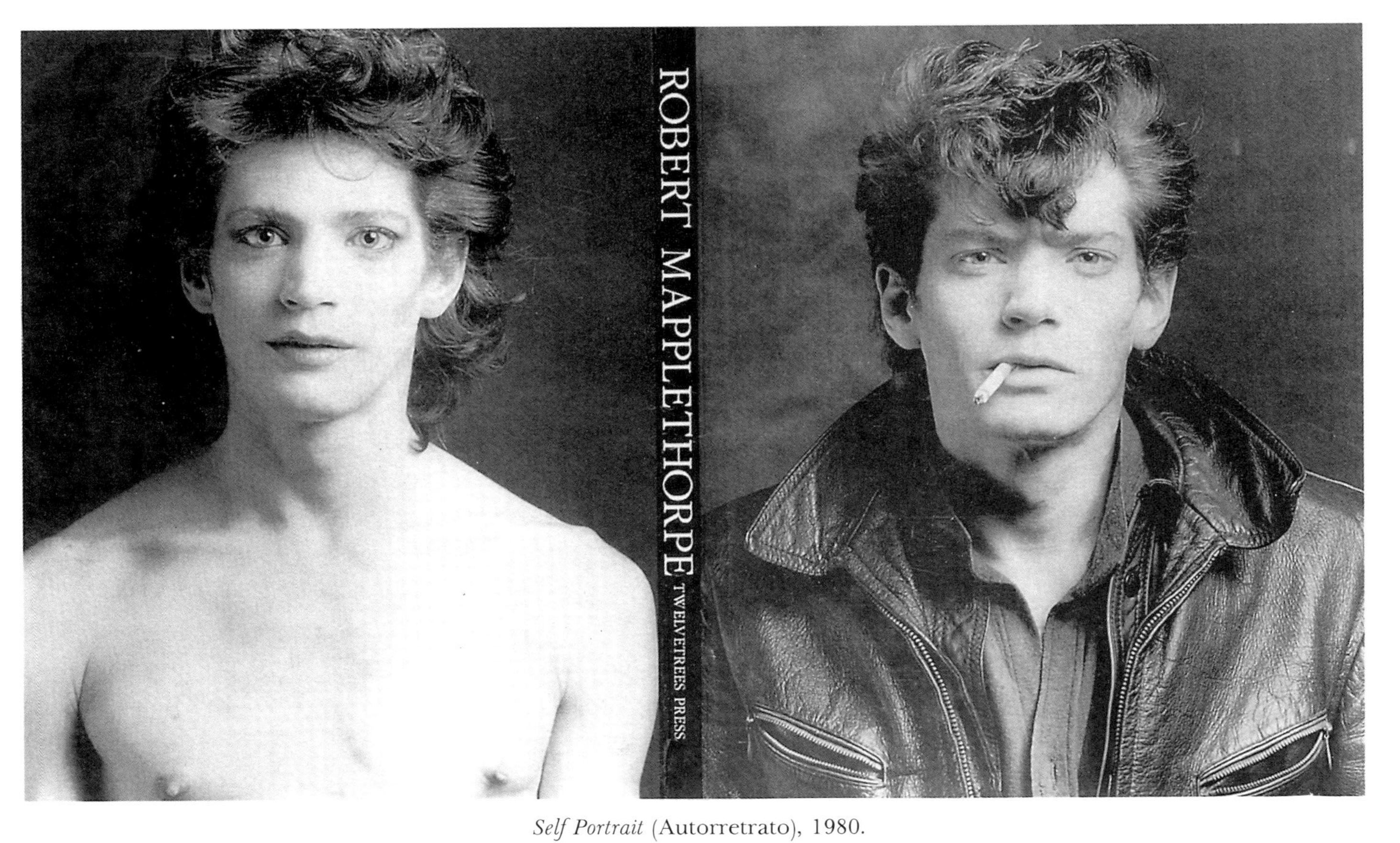

Self Portrait (Autorretrato), 1980.
Portada y contraportada de su primer libro de retratos, titulado *Certain People*.

Apartamento de la calle Veintitrés Oeste que Wagstaff regaló a Mapplethorpe.

Robert y Sam Wagstaff.

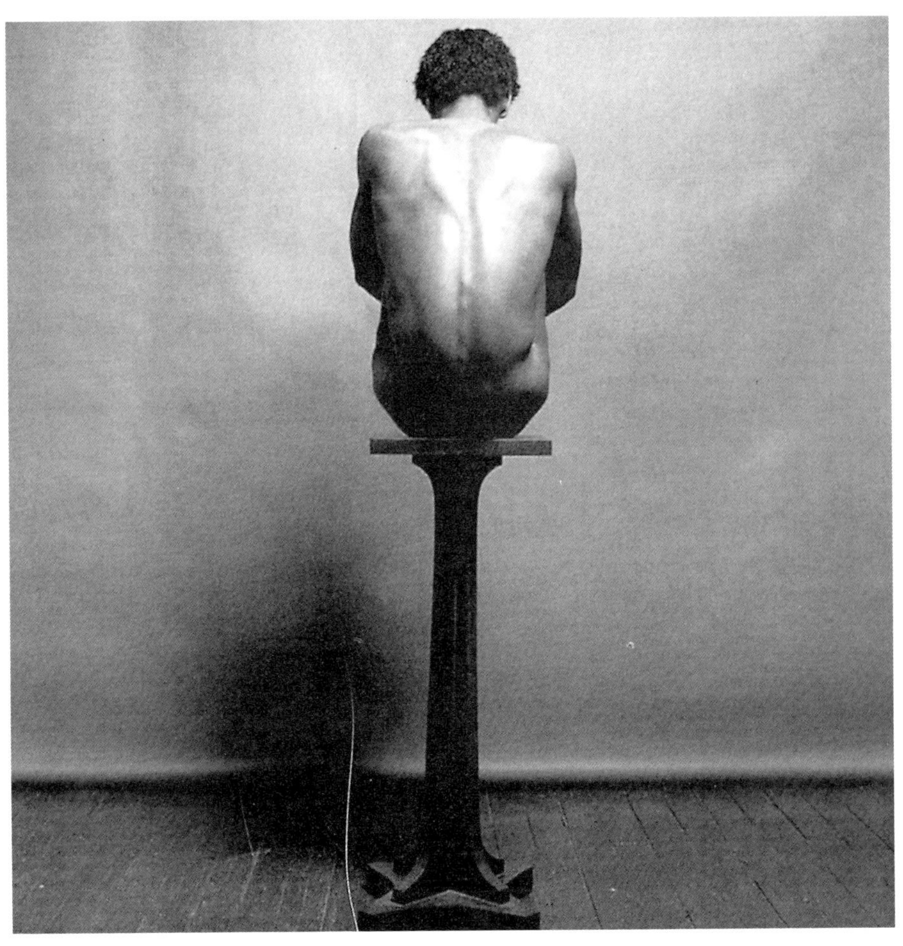

Retrato de Philip Prioleau
por Mapplethorpe que apareció en su *Black Book* (Libro Negro).

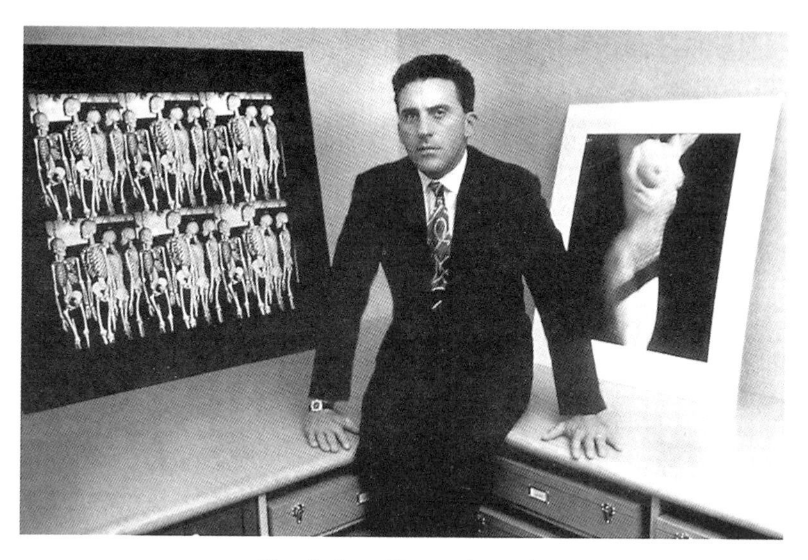

El galerista, Howard Read.

SAMUEL J. WAGSTAFF, JR.

1921-1987

Retrato que Mapplethorpe tomó en 1978
de Sam Wagstaff y que sirvió para ilustrar
la esquela de este último.

Mapplethorpe tomó esta fotografía de su hermano Ed Maxey y de su novia, Melody Danielson, a su vez una de las modelos favoritas del fotógrafo.

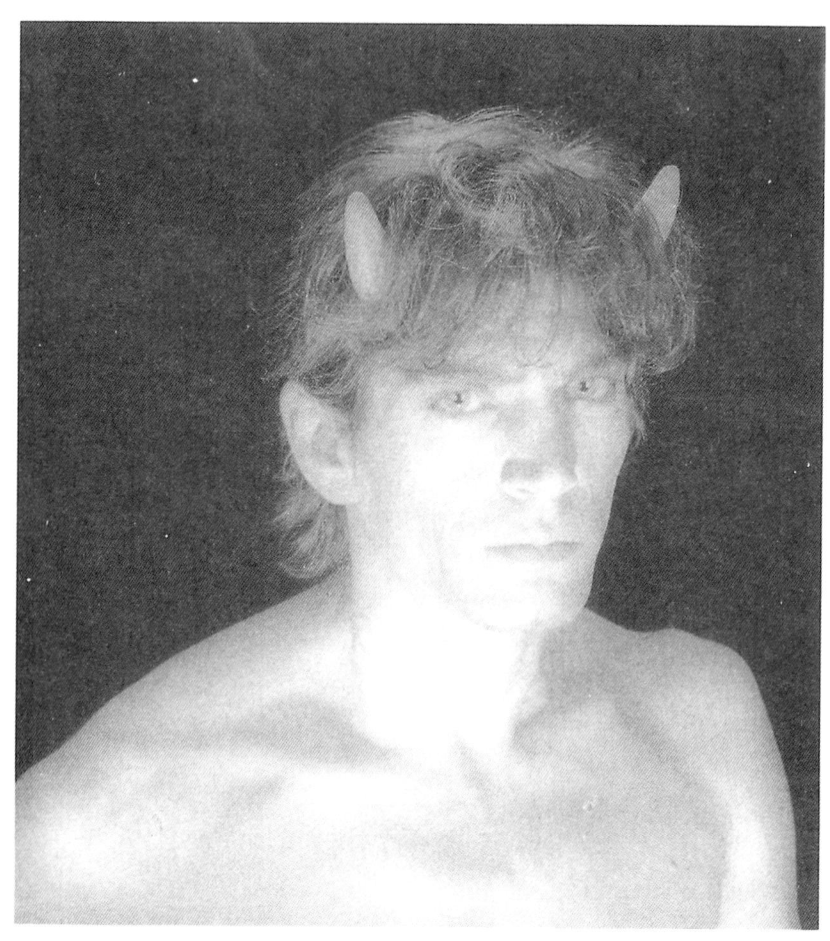

Self Portrait (Autorretrato), 1985.

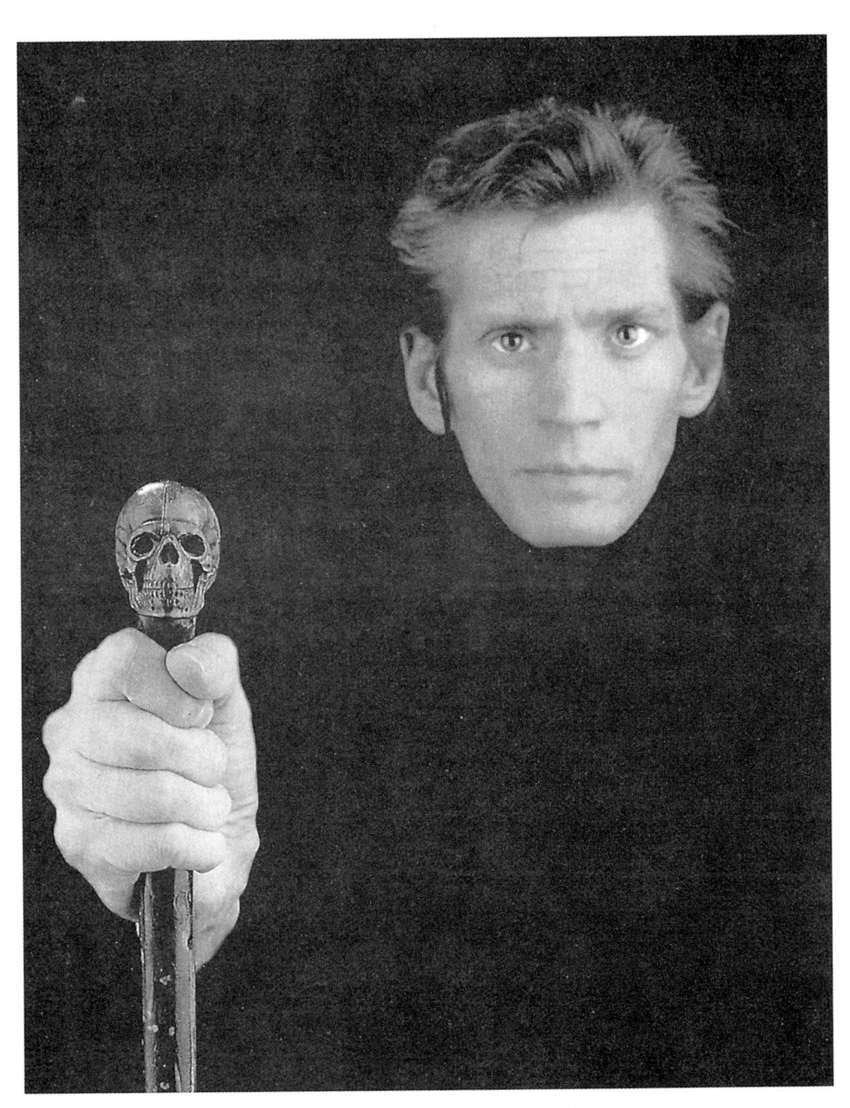

Self Portrait (Autorretrato), 1988.

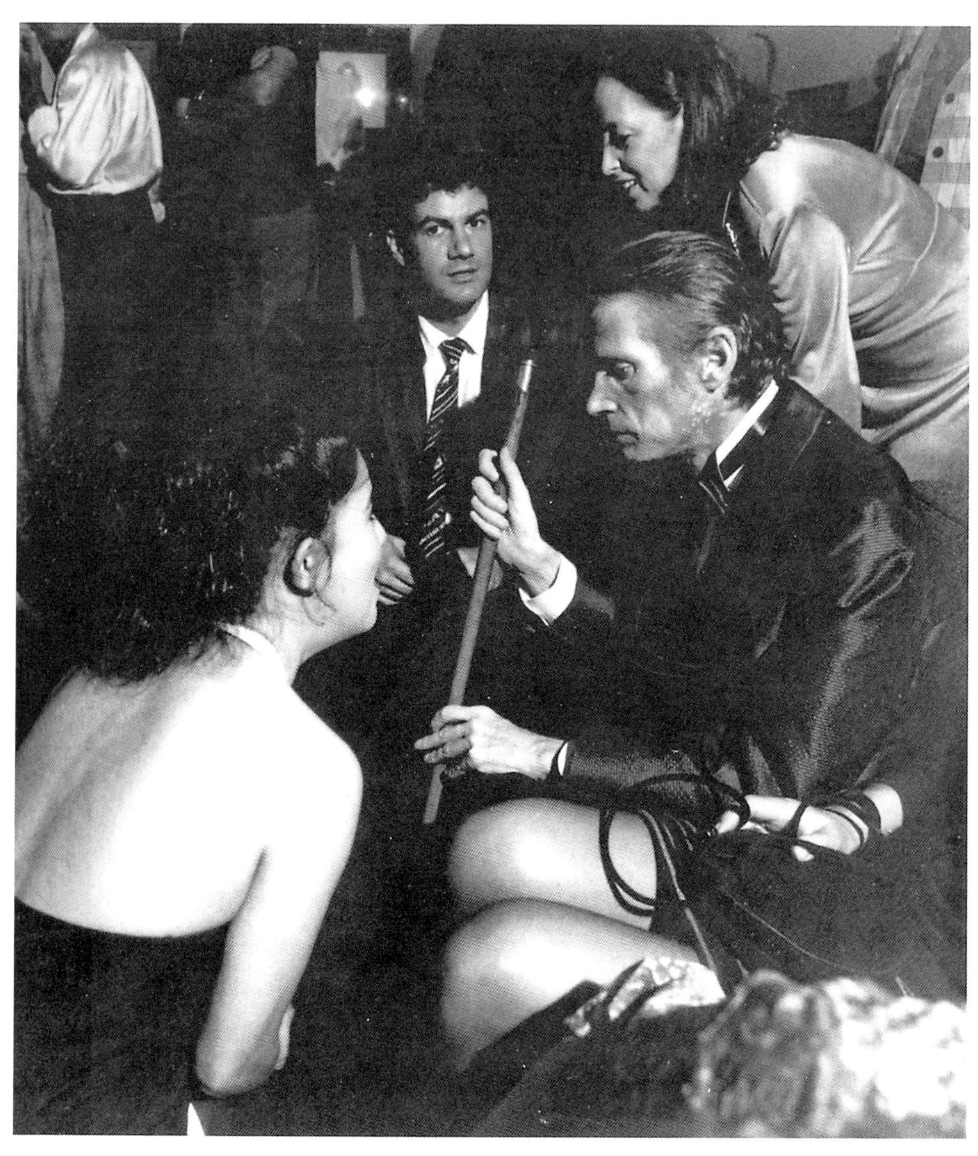

Retrospectiva de Mapplethorpe en el Museo Whitney.
En esta fotografía de Jonathan Becker aparece en compañía de sus amigos y del estilista Dimitri Levas (*en el centro*).

Elegante autorretrato,
en el que se capta la áspera realidad de su estado.

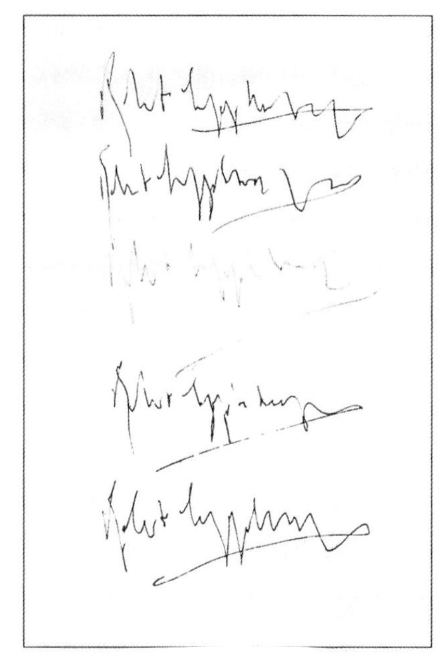

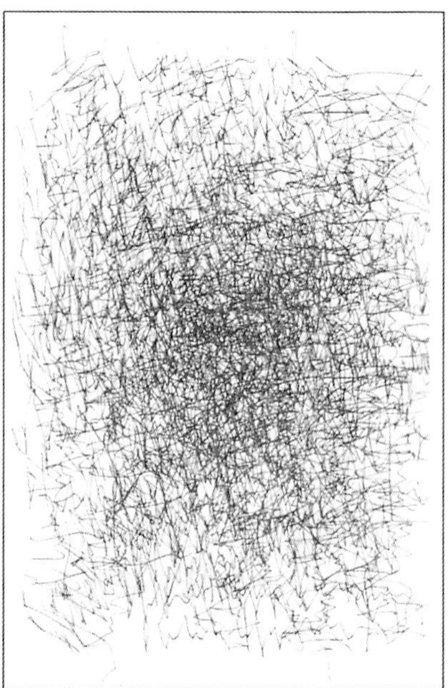

Entre las últimas aportaciones del fotógrafo se encuentran estas dos páginas cubiertas por su firma. En la que aparece a la derecha, el nombre de Mapplethorpe se ha desvanecido hasta convertirse en un borrón.

Mapplethorpe y su madre fueron enterrados juntos en el sepulcro de los padres de esta última, en Queens. El nombre del fotógrafo no ha sido inscrito jamás sobre la lápida.

Fachada de la Galería Corcoran de Washington, D.C. en la que se proyectaron diapositivas de las fotografías de Mapplethorpe como protesta contra la cancelación de la exposición de «El Momento Perfecto».

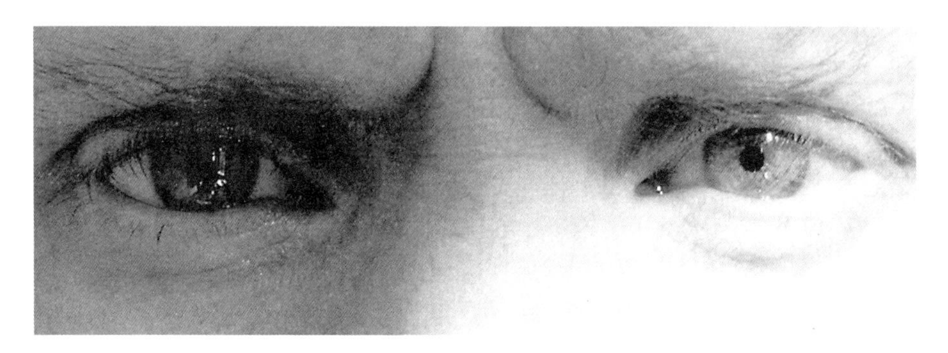

Self Portrait (Autorretrato), 1988.

“maricas”. En todas las comunidades de tipo minoritario existe un considerable nivel de autoaborrecimiento, así como numerosas cuestiones psicológicas no resueltas y relacionadas con el poder, ya que, por más que admiremos a los poderosos, a menudo son precisamente ellos quienes peor nos tratan, quienes nos niegan nuestros derechos y quienes nos pisotean. Por eso, opino que la obra de Robert es mucho más sincera que la de Weber.»

Durante el último año, Mapplethorpe había estado colaborando con Art & Commerce, una agencia especializada en el aspecto editorial y publicitario de las carreras de los fotógrafos. Pero, a diferencia de otros clientes tales como Steven Meisel y Annie Leibovitz, Mapplethorpe no era fácil de vender, por lo que Anne Kennedy, copropietaria de la agencia junto con su socio, Jimmy Moffat, tenía dificultades en convencer a los clientes norteamericanos para que le contrataran. «Al principio, solíamos enviar gruesas carpetas llenas de fotografías de Robert –decía–, pero la gente no sabía aceptarlo. Percibían a Robert como un fotógrafo que rozaba perpetuamente los límites establecidos. Solíamos tener más éxito con las revistas europeas, generalmente algo más creativas y osadas que las norteamericanas. Robert, sin embargo, deseaba intensamente trabajar con las publicaciones nacionales, y hablar de Norteamérica equivale, en gran parte, a hablar de Condé Nast. Las fotografías de Mapplethorpe, no obstante, eran demasiado duras y demasiado específicas para ellos. Yo consideraba a Robert como el gran retratista de la época, pero ello no significaba que sus fotografías tuvieran necesariamente que hallar cabida en aquellas páginas. Los editores querían cosas más divertidas, más suaves, más entretenidas, y Robert, realmente, no tenía mucho que hacer en ese terreno.»

Independientemente de los retratos que tomara o los productos que promocionara, sus imágenes siempre parecían versar más acerca del propio Robert Mapplethorpe que de cualquier otra cosa. Si le pedías que fotografiara un par de zapatos de tacón alto para la revista alemana *Stern*, por ejemplo, colocaba un zapato en equilibrio sobre las nalgas de un negro desnudo; y para *Vogue Italia*, adornaba el cuerpo de otro negro con joyas de diamantes; luego, para unos grandes almacenes japoneses, fotografiaba al mismo modelo ceñido de arriba abajo por cinturones de cuero. El verdadero mensaje de sus fotografías no se hallaba relacionado con la moda, sino con el poder y la sumisión, especialmente en lo que se refería a hombres de raza negra, a quienes Mapplethorpe consideraba como el fetiche definitivo, equivalente a un zapato de tacón alto o a un broche de diamantes.

Sus detractores criticaban frecuentemente su obra acusándola de ser demasiado fría y desapasionada: mucha apariencia pero poco corazón; sin embargo, uno percibía bajo la capa externa una explosiva mezcolanza de emociones que amenazaban con hacer añicos aquella perfección cristalina. Sus imágenes, incluso las comerciales, tenían algo inquietante, y ese elemento no encajaba bien con la cultura consumista norteamericana. «A su modo, Robert era muy católico», decía Paul Schmidt, quien había escrito el ensayo de introducción de su «X Portfolio». «Hablamos de ello en numerosas ocasiones, porque yo también había recibido una educación católica, y a menudo me preguntaba si las fotografías de Robert no constituirían un mecanismo propio para enfrentarse a su culpabilidad sexual. Cuando un adolescente de tercer grado comete un acto de exhibicionismo, está realizando también un acto de agresión que, en ese contexto, representa al mismo tiempo un deseo de recompensa y de castigo. Equivale a "Que te jodan", pero luego es: "Castígame, porque soy un niño malo." Robert adquirió celebridad por abrir paso a todo un campo de especulación teórica en una sociedad que nunca se había enfrentado abiertamente a la iconografía del sexo. Pero opino que al principio él mismo se enfrentaba a la imaginería sexual de un modo sumamente inconsciente, hasta que advirtió que podía salir bien librado de todo ello, momento en el que comenzó a comportarse como un niño en una confitería. Así y todo, también opino que al final se sentía desgraciado y, sin querer parecer condescendiente, creo que en algún lugar de Robert se oculta un alma consumida que grita pidiendo afecto.»

Acaso fue debido a eso por lo que Mapplethorpe terminó perdonando a Jack Walls quien, después de robarle dinero, se las había arreglado para reintroducirse en la vida del fotógrafo. Esta vez, Mapplethorpe estaba convencido de que Walls poseía el potencial necesario para convertirse en el «nuevo Ben Vereen», y decidió relanzar su carrera el 10 de diciembre, coincidiendo con el estreno de su película *Lady*, protagonizada por Lisa Lyon. Había alquilado el club Private Eyes para la proyección, y el programa anunciaba que Walls cantaría una vez concluida la película. Sin embargo, llegó a su debut con noventa minutos de retraso... Mapplethorpe estaba furioso. El público vio recompensada su paciencia con una interpretación de *Chicago* prácticamente desprovista de cualquier asomo de afinación, y Walls abandonó el escenario tras una modesta ronda de aplausos.

«Fue una pesadilla», rememoraba Mark Isaacson. «Todo el mundo permaneció en sus asientos, susurrando "¡Dios mío!" y preguntándose cómo era posible que Robert hiciera el ridículo de aquella manera. Quiero decir, que estamos hablando nada menos que del sector más esnob del mundo del arte neoyorquino —una auténtica bandada de buitres—, y me consta que contemplaban a Jack igual que antes habían contemplado a Milton y pensaban, por qué no se bajará de una vez los pantalones, ya que, obviamente, es lo único interesante que puede ofrecer.»

Poco después de la catástrofe de Walls, Mapplethorpe se encontró con Fern (Urquhart) Logan, su amiga del Pratt, y aprovechó para quejarse de su incapacidad para encontrar un socio adecuado. Ahora, afirmó, buscaba a alguien que fuera rico y, a la vez, profesionalmente competente. Fern, también fotógrafa, acababa de divorciarse de Tom Logan, némesis de Mapplethorpe durante su época en los Pershing Rifles, y andaba igualmente a la caza de una nueva pareja. Invitó a Robert a asistir a una fiesta náutica que había aparecido anunciada como velada social para mujeres en busca de millonarios negros. «Yo buscaba uno –declara Logan–, y él también.» Pero cuando llegaron al puerto de Nueva York, vestidos de escrupulosa etiqueta, descubrieron que no había un solo millonario a la vista. «Esto es un desastre», gimió Mapplethorpe. «Están todos de *rebajas*.»

Aprovechó un momento de la velada para aconsejar a Fern que se labrara un hueco profesional como fotógrafa especializada en desnudos masculinos negros. «Ellos son negros, y tú eres negra –le dijo–, por lo que probablemente te costará menos trabajo convencerles para que se desnuden.» A continuación, le preguntó si era consciente de hasta qué punto resultaba estimulante el empleo de la palabra *nigger* durante el juego amoroso. «A ver si entiendo lo que quieres decir –dijo ella, atónita–: ¿lo que tú buscas es un millonario negro inteligente, próspero y, además, deseoso de que tú –un blanco– le llame *nigger*?» Mapplethorpe, pacientemente, le explicó que no había captado el concepto global de la idea. «Yo no le llamaría *nigger* a todas horas –dijo, con aire ofendido–, sino únicamente en la cama.»

La vida privada de Mapplethorpe era paradigma del caos pero, así y todo, se las arreglaba para mantener su estudio en un estado de funcionamiento razonablemente aceptable. Tina Summerlin, quien previamente había trabajado para Annie Leibovitz, había reemplazado a Betsy Evans al frente de su estudio; también ella era rubia y culta, y en su calidad de representante de Mapplethorpe de cara al exterior contribuía a compensar la siniestra imagen del fotógrafo con una máscara de normalidad. Javier González había aprendido por fin inglés, y aunque nadie comprendía realmente la mecánica de su relación con Mapplethorpe, había demostrado su competencia como ayudante. En cuanto a Tom Baril, continuaba detestando a su jefe, a pesar de lo cual le ofrecía un trabajo de tal calidad que el fotógrafo obtenía la unánime admiración de todos por la perfección de sus copias. «Robert era un maestro utilizando a las personas –afirmaba Howard Read–, lo cual requiere también cierto talento.»

Las dotes de Mapplethorpe se pusieron claramente de manifiesto en el caso de Dimitri Levas, un *atrezzista* al que había conocido en 1978, en la exposición celebrada en el número 80 de la calle Langton, y al que había visto posteriormente en 1983, ocasión que ambos aprovecharon para charlar de su mutua afición por los objetos de cristal de los años cincuenta. Levas era un inveterado asiduo de los rastros, y comenzó a vender a Mapplethorpe diversas piezas que iba hallando en sus expediciones. Éste, impresionado por su perspicacia y por su capacidad para husmear, le animó a comprar flores para fotografiarlas, y Levas no tardó en presentarse en Bond Street con ramos de lirios chinos y tulipanes. Sus visitas tenían algo de cortejo ritual, y confesó hallarse completamente obnubilado por el fotógrafo, cuya obra admiraba y cuyo llamativo estilo de vida constituía el polo opuesto del suyo propio. Levas había trabajado para la Galería Charles Cowles y posteriormente había ocupado el puesto de ayudante de John Loring, director de diseño de Tiffany, pero en ambos casos se había tratado de empleos mal pagados, lo que le hacía encontrarse a menudo en dificultades económicas. Vivía en un pequeño apartamento junto al SoHo, y entre sus posesiones más preciadas se contaba una fotografía de Mapplethorpe: *Jim, Sausalito*. Era de estatura media y relativamente robusto; tenía el cabello castaño oscuro, ojos del mismo color y unas facciones agradables. Tanto física como temperamentalmente era el candidato ideal para desempeñar el papel de fiel adlátere de Mapplethorpe. Tras abandonar su empleo en Tiffany comenzó a recibir encargos de estilismo para revistas de moda, pero lo que más le gustaba era trabajar para Mapplethorpe, a pesar de que el fotógrafo rara vez le pagaba y a menudo omitía su nombre de los créditos. «Procuraba esforzarme realmente por mejorar sus fotografías», explicaba Levas. «Separaba aquellas que me parecían realmente buenas e intentaba animarle a mantener el mismo nivel de calidad. Me volvía loco intentando conseguirle las flores y los jarrones adecuados.»

Pese a su fama de personaje perfeccionista y obsesionado por su trabajo, Mapplethorpe se mostraba a menudo perezoso a la hora de concebir nuevas ideas, por lo que fotografiaba casi cualquier cosa que Levas decidiera llevarle, ya fueran frutos, flores o vegetales. Su vida social le interesaba más que la fotografía, y ello le obligaba a mantener una agenda frenética. No había noche en que no asistiera a fiestas o inauguraciones, tras lo cual procuraba visitar Keller's. «Recuerdo que solía decirle: "Fotografía unos cuantos desnudos blancos para variar" —relataba Levas—, pero a él le atraían los negros, y tampoco era la clase de persona de la que pudiera esperarse que anduviera persiguiendo modelos para fotografiarlos; durante años, los había perseguido para acostarse con ellos, y luego los había fotografiado.»

El sida, sin embargo, había ejercido un profundo efecto en la perspectiva de Mapplethorpe frente a la fotografía, y aunque no se decidió a sacrificar sus visitas a Keller's, sí fue mostrando la tendencia a fotografiar a aquellos modelos que le atraían más desde un punto de vista estético que sexual. Fue Levas, de hecho, quien descubrió a los culturistas Ken Moody y Lydia Cheng, quienes se convirtieron en dos de los símbolos mapplethorpianos más notorios de mediados de los ochenta.

Moody era un monitor de gimnasia de raza negra cuyo extraordinario físico resultaba aún más fotogénico como resultado de la alopecia que padecía: su piel, desprovista por completo de cabello, relucía como si fuera de bronce, y Mapplethorpe le fotografió regularmente entre 1983 y 1985. Si bien Moody admiraba el libro *Lady*, se mostraba en general ofendido por la representación fotográfica que Mapplethorpe hacía de los negros, especialmente en el caso del *Man in Polyester Suit*, y dejó claro desde el principio que los desnudos frontales eran un tema vedado. Mapplethorpe, por el contrario, se concentró en lo que Stephen Koch, en *Art in America*, había descrito como el «grafismo del cuerpo negro», en lugar del «erotismo del cuerpo negro». Moody existía como medio de demostrar el color y la forma; para uno de sus retratos, Mapplethorpe le cubrió la cabeza y los hombros con polvos de talco, y para otro, le fotografió en compañía de Robert Sherman, su modelo alopécico de raza blanca, con objeto de resaltar el diálogo entre las propiedades tonales del negro y el blanco.

A diferencia de Lisa Lyon, cuyas fotografías de *Lady* revelaban la presencia de una mujer impregnada de la cultura de sexo y drogas de los setenta, Lydia Cheng vivía con su marido, a su vez propietario de una librería próxima a la Universidad de Columbia, y cuidaba escrupulosamente su salud. Robert la considearaba demasiado yuppie para su gusto, y no se esforzó en absoluto por conocerla mejor. Para él, no era más que un cuerpo; más aún: un cuerpo descabezado, ya que opinaba que sus rasgos asiáticos limitaban la universalidad de su belleza, y por lo general la fotografiaba del cuello para abajo. Quería que Cheng representara un ideal femenino tan intemporal como racialmente estéril: un ideal que él mismo no habría sido capaz de crear en épocas más tempranas de su carrera, cuando sus ideas de belleza se hallaban inextricablemente unidas a sus obsesiones homosexuales.

Mapplethorpe intentó realzar las cualidades visuales de sus fotografías experimentando con revelados a base de platino, proceso que, a diferencia de la plata, produce un mayor abanico de tonos entre el blanco y el negro. En lugar de emplear papel comercial, las copias se imprimían sobre papel de acuarela bañado con una emulsión de platino que se aferraba a la fibra hasta casi formar parte de ella. El resultado final era un acabado más suave y aterciopelado, capaz de seducir al observador con mayor eficacia que una copia normal a base de plata. Sin embargo, se trataba de un proceso complicado, y dado que Tom Baril no poseía el equipo necesario para llevarlo a cabo en el cuarto oscuro de Bond Street, Mapplethorpe comenzó a trabajar con Martin Axon, un grabador inglés que residía en Nueva York. Con vistas a la preparación de su exposición en la Galería Miller, prevista para mayo de 1985, Mapplethorpe revisó su colección de fotografías con Axon para seleccionar aquellas que pudieran funcionar mejor en platino. Entre ellas, estaban las de Lydia Cheng, Ken

Moody y Robert Sherman. En septiembre, estimulado por su triunfal incursión en la técnica del platino, Mapplethorpe presentó en la Galería Barbara Gladstone cincuenta fotografías realizadas mediante catorce procesos de impresión distintos, entre ellos serigrafías, litografía y rotograbado. «Si consideramos los desafíos técnicos implícitos en los distintos procesos de impresión empleados –escribió John Tavenner en el *New York Native*–, lo más probable es que el papel de Mapplethorpe haya consistido más en seleccionar y aprobar que en ensuciarse las manos. Nos queda la de que Mapplethorpe ha retrocedido, se ha retraído, y siente menos... El aire de desapego que domina estas fotografías implica una actitud de retirada hacia lugar seguro después de varios años de llevar una existencia peligrosa.»

Aquel año, el espectro de la muerte se mantuvo presente por doquier. En mayo, Joan Mapplethorpe se desmayó y fue trasladada al hospital, donde le diagnosticaron un enfisema. La madre de Joan había muerto de cáncer de pulmón, y ahora la propia Joan corría peligro de sucumbir a una enfermedad respiratoria empeorada por su inveterada adicción a la nicotina. Robert envió flores al hospital, pero no acudió a visitar a su madre hasta el mes de julio, cuando ésta llevaba ya varios meses en la unidad de cuidados intensivos. Alquiló una limusina y se trasladó al hospital Winthrop de Mineola, Long Island, con Anne Kennedy, a quien dejó esperando en el automóvil para encontrarse con su hermano Richard sollozando junto al lecho de su madre. Richard vivía en Los Ángeles, y dado que tan sólo acudía a casa una vez al año, temía no volver a verla viva. Robert esperó la salida de Richard y, a continuación, ocupó su puesto junto a Joan, mostrándose en todo momento insensible y desapasionado. Sus hermanas se sintieron impresionadas por la diferencia entre ambos, así como por la sensación de mutuo desconocimiento que ofrecían al cruzarse en el umbral, como dos extraños que se encuentran en la calle. El resto de la familia albergaba la esperanza de que Robert regresara con ellos a Floral Park, pero éste, enervado por la siniestra imagen de su madre conectada a un respirador, volvió inmediatamente a Manhattan.

Tampoco allí halló demasiado consuelo, ya que a Jim Nelson, amante de Sam Wagstaff, le había sido diagnosticada recientemente la existencia de sida, y aunque ni a Mapplethorpe ni a Sam les apetecía hablar del tema, la cruda realidad de la enfermedad comenzaba a invadir peligrosamente su territorio. Wagstaff y Nelson pasaron la mayor parte del verano en Oakleyville, donde Sam había pagado recientemente trescientos mil dólares por una casa centenaria y semiderruida cuyo propietario anterior había muerto de sida. «Era algo más parecido a un refugio playero», recordaba uno de sus vecinos, Sam Green. «Se trataba de un lugar húmedo y maloliente cuyos techos rezumaban humedad... en absoluto el sitio que nadie elegiría para vivir.» Así y todo, Nelson hizo cuanto estuvo en su mano por convertir la casa en un hogar confortable. Colgó cortinas nuevas, vistió las mesas de elegantes manteles y contrató a un jardinero para que plantara rosales. Sin embargo, los ciervos continuaban triscando los arbustos, y por mucho que sustituía las plantas, no había día en que no vieran que el número de flores había disminuido. El triste destino de las rosas constituía una metáfora del debilitado sistema inmunológico de Nelson quien, acaso inconsciente de sus actos, seguía presentando batalla a los ciervos como si su vida dependiera de ello. A lo largo del verano, Sam no dejó de oír el plañidero gemido que periódicamente provenía del jardín de Nelson: «Mis rosas, mis rosas...»

Wagstaff se pasaba los días peinando la arena de la playa en busca de restos de cerámica procedentes del basurero local. Posteriormente, encargó a la artista Carol Steen que los transformara en piezas de joyería con las que luego obsequiaba a sus amigos para celebrar sus cumpleaños o las fiestas de Navidad. Se refería a sus diseños como *bijoux des plages.** Más sorprendente aún era la pasión que demostraba por coleccionar diminutos trozos de metal generalmente considerados como restos de clavos procedentes de navíos antiguos. Nelson y él solían aguardar la retirada de la marea, tras lo cual filtraban la arena durante varias horas en busca de aquellos diminutos fragmentos de metal grisáceo. Un galerista francés que conocía bien a Wagstaff se mostró horrorizado al ver por primera vez su colección de restos metálicos, que el coleccionista conservaba en tazas de té diseminadas por toda la casa. «Sam poseía una perspicacia absolutamente increíble —decía—, pero casi me entraron ganas de llorar cuando me enseñó aquellos guijarros y aquellas cosas. No me cabía en la cabeza.» Sin embargo, Pierre Apraxine, conservador de la Gilman Paper Company y antiguo amigo de Wagstaff, aprovechó aquel verano para unirse a sus rastreos, maravillado ante la convicción de Sam de que era posible alcanzar un estado de conciencia elevado por el mero hecho de aprender a contemplar los objetos.

Mapplethorpe recurría a su método habitual —las visitas a Keller's— para bloquear su propia ansiedad. La amigable atmósfera del bar, sin embargo, se había tornado más sobria. Una tarde de verano en la que saludó a Kelly Edey, a quien no había visto desde que el erudito coleccionista de relojes antiguos se trasladara a vivir con un operario perfumista varios años atrás, le preguntó con tono desenfadado: «¿Qué tal está tu amante?» «Se está muriendo de sida», fue la angustiada respuesta que obtuvo. Edey se apresuró a disculparse ante Mapplethorpe por haber introducido aquella nota trágica en su habitual cháchara en torno a la sexualidad con miembros de la raza negra. «No debí haberte sometido a eso —dijo Edey—, ya que había llegado a mis oídos que tam-

* *Bijoux des plages:* en francés, en el original. Literalmente, «Joyas de las playas». *(N. del T.)*

bién tú estabas viviendo un período de intenso sufrimiento.» Se refería a Milton Moore, cuyo desdichado romance con Mapplethorpe había pasado a formar parte de la leyenda de Keller's. «Aún sufro», repuso Mapplethorpe. Edey pensó que tenía un aspecto más avejentado y fatigado que la última vez que le había visto, pero lo atribuyó a la afición del fotógrafo a la cocaína. «Keller's sigue siendo el mejor sitio para conocer negros», confesó Mapplethorpe a Edey, aunque tanto el uno como el otro se sentían extrañados del decreciente número de parroquianos que acudían al bar.

Muchos de los amigos de Mapplethorpe le previnieron de que su comportamiento sexual equivalía a un suicidio. Una noche en que ambos coincidieron en una fiesta, Fran Lebowitz le dijo: «Eres un *kamikaze*. ¿Por qué no te tiras directamente por la ventana?» Una tarde, la galerista Barbara Gladstone se negó a bajarse de un taxi después de que Mapplethorpe lo detuviera para acompañarla a su apartamento y luego indicara al conductor que le llevara a West Street. «Sé adónde vas», dijo. «¿No te parece verdaderamente estúpido?» Robert la miró fríamente a los ojos. «Me parece que deberías ocuparte de tus propios asuntos», repuso. Gladstone se bajó del taxi, y Mapplethorpe prosiguió su camino.

Siempre había sostenido que el sexo era más importante que cualquier otra cosa en su vida, y por más que las consecuencias de sus acciones entrañaran ahora un mayor riesgo, se negaba a modificar su comportamiento. Acaso debido a que raramente practicaba el sexo anal –el método de transmisión de sida citado con más frecuencia por los especialistas–, creía hallarse a salvo de peligro. O quizá se hallaba sumido en tal estado de autonegación que llegaba a creerse invencible. El escritor y editor Steve Aronson, quien conocía a Mapplethorpe desde 1970, recordaba una conversación que había mantenido con él durante un almuerzo organizado por el diseñador de joyería Kenneth J. Lane: «Salíamos juntos de la reunión, y Robert me dijo: "Demonios, este asunto del sida es como para asustar a cualquiera. Espero que no me lo contagien a mí." Yo pensé: "Dios mío, si hay tres personas en esta ciudad que van a contraerlo, una de ellas es él." Mentalmente, sentí como si le viera ya en la tumba.»

CAPÍTULO VEINTE

«Yo no pertenezco a un grupo de alto riesgo.»

Robert MAPPLETHORPE

El Robert Mapplethorpe que cumplió treinta y nueve años en noviembre de 1985 era ya una figura mucho más respetable que el Mapplethorpe que había aterrorizado el mundo del arte con imágenes de sexo sadomasoquista. Su cumpleaños coincidía con la publicación de *Certain People: A Book of Portraits* (Cierta gente: un libro de retratos), obra que recibió copiosas alabanzas de un rotativo tan institucional como el *New York Times*. Cinco años antes, el mismo periódico le había acusado de «redelimitar las fronteras del gusto del público»; ahora, sin embargo, *Certain People* aparecía mencionado en su «Crónica Literaria» como un posible regalo navideño, y el crítico Andy Grundberg se refería a Mapplethorpe como «el mejor retratista fotográfico que ha surgido en los últimos diez años».

Jack Woody, editor de *Certain People* a través de su propia imprenta, Twelvetrees Press, había acordado con Mapplethorpe no incluir en la obra imágenes explícitamente sexuales. La idea consistía en atraer a un mayor sector de público para luego, según Woody, «revolucionarlo» mediante la publicación de un segundo volumen de fotografías pornográficas. Así, de las noventa y cinco fotografías que integraban *Certain People*, la única que alude directamente al sadomasoquismo gay es el retrato de una pareja ataviada con uniformes de cuero que contempla la cámara con una solemnidad al estilo gótico-norteamericano cuasi grotesca si tenemos en cuenta el peculiar decorado del salón y los houdinianos grilletes que luce uno de sus miembros. Woody, sin embargo, no llegó a publicar un segundo libro de Mapplethorpe, ya que ambos habían llegado a detestarse mutuamente antes incluso de que concluyera la edición del primero. Woody había contribuido considerablemente al reconocimiento de la fotografía homosexual con su libro sobre George Platt Lynes, publicado en 1981, y opinaba que Mapplethorpe se había visto poderosamente influenciado por la obra de este último, así como por la de otros fotógrafos con cuya obra había entrado en contacto a través del afán coleccionista de Sam Wagstaff. «Quería incluir algunos retratos más toscos de su primera época para mostrar los cambios profesionales que había experimentado –explicaba Woody–, pero Robert se negó en redondo. El retrato más antiguo que aceptó ceder estaba fechado en 1976. A Robert le asustaba la idea de que la gente pudiera ir diciendo que no era otra cosa que una creación de Sam, y cuidaba mucho de mantenerse a distancia de su ex mentor. Quería que el público pensara que había aparecido caído del cielo o, más exactamente, surgido de la tierra. Para él, la imagen lo era todo.»

El título *Certain People* implicaba una idea de elitismo que reflejaba el ancestral anhelo de Mapplethorpe de ser contemplado como un «personaje especial», por lo que conmemoró su integración en dicha fraternidad incluyendo sendos retratos en la cubierta y contracubierta del libro. Ambas, fechadas en 1980, ponían de manifiesto el convencimiento de Mapplethorpe de que su propia singularidad derivaba en parte de su voluntad de sobrepasar los límites impuestos por la sexualidad, la clase y el género. Para la cubierta del libro seleccionó una fotografía que le presentaba –enfundado en una cazadora de cuero negro, con un flequillo engominado y un cigarrillo colgando entre los labios– como epítome del atractivo varonil de los cincuenta. El retrato de la contracubierta mostraba una faceta distinta: con el pecho desnudo, profusamente maquillado y la boca sensual y palpitante, se nos antoja, al igual que el *alter ego* tipo Duchamp, una «Rose Selavy» o versión masculina de mujer. «El mensaje de Mapplethorpe –escribía David Joselit en el catálogo de la exposición de "El Momento Perfecto"– es que que la experiencia de cualquier identidad masculina o femenina consiste en la sensación de una sucesión de poses inestable y perpetuamente sometida a ajustes.» Mapplethorpe, a través de su oscilación entre actitudes masculinas y femeninas, alternaba entre dos extremos del espectro social: la «sordidez neoyorquina» que definía Stephen Koch y el «esplendor neoyorquino». La colisión de ambos universos en *Certain People* tenía como resultado una democrática mezcolanza de rostros a cuál más interesante (Francesca Thyssen, Doris Saatchi, las hermanas Lambton), más célebre (Richard Gere, Kathleen Turner, Donald Sutherland) y más oscuro, pero también más inolvidable (Nick con una calavera tatuada en la frente, un elegante empresario del «porno» y una artista de strip-tease coronada por un tocado pantagruélico).

Desde la época en que Mapplethorpe había tomado la mayoría de los retratos, la balanza se había inclinado a favor del *glamour*, y el fotógrafo aprovechó la fiesta de presentación de su libro para inaugurar su nuevo ático de quinientos mil dólares, obsequio de Sam Wagstaff tras la «operación Getty». El apartamento estaba situado en el número 35 de la calle Veintitrés Oeste, a dos manzanas de distancia del edificio del Oasis Bar, donde Mapplethorpe y Patti habían vivido en otro tiempo. A diferencia de su sórdido predecesor, el nuevo ático mereció en *House & Garden* una doble página acompañada de un artículo que remontaba su «genealogía estética» desde Oscar Wilde y Aubrey Beardsley hasta Christian Bérard y Jean Cocteau. Los «pequeños altares» creados por Mapplethorpe, en los que se mezclaban artículos relacionados con la religión y el ocultismo, habían formado parte de sus conceptos decorativos ya desde el Pratt, con la diferencia de que ahora disponía de más dinero para invertir en ellos, y las imágenes fosforescentes de Jesucristo y los demonios de plástico se habían visto sustituidas por crucifijos de marfil, sátiros de mármol, un busto de Mussolini y una serigrafía de Ed Ruscha consistente en la palabra *EVIL* (MAL) impresa en rojo y negro. Sus butacas de cuero negro aparecían adornadas por almohadones de tafetán estriados procedentes de Scalamandre, y sus gustos con respecto al mobiliario habían pasado de la simplicidad del estilo ermitaño a los diseños Biedermeier y Regency. En la pared del salón contiguo a su dormitorio colgaba el símbolo definitivo de su éxito: un retrato serigrafiado del propio Mapplethorpe firmado por Andy Warhol.

Los objetos del apartamento estaban tan cuidadosamente dispuestos que no era de extrañar que Mapplethorpe se mostrara reacio a arriesgar su perfección invitando a Jack Walls a vivir con él. «No eches las campanas al vuelo pensando que ésta es también tu casa», le previno después de que Jack se pasara todo un día ayudándole a hacer la mudanza. Walls se mostraba cada vez más hastiado de ver cómo Mapplethorpe aceptaba la generosidad de Sam Wagstaff sin por ello dejar de predicar las virtudes de la autodependencia. Se trataba, claramente, de una situación sin futuro posible y, cansado de la promiscuidad y de las provocadoras acusaciones de Robert, declaró finalizada la relación y regresó a Chicago el mismo día de Acción de Gracias. «No tenía nada que agradecerle», afirmaba Walls. «Robert estaba disfrutando de un festín del que a mí no me llegaban más que las sobras.»

Uno de los motivos por los que Mapplethorpe había mantenido su relación con Walls era porque detestaba acudir a los acontecimientos sociales solo, y Walls era una pareja adecuada, por más que no siempre fiable. Fiel, sin embargo, al auténtico espíritu de la década, Mapplethorpe había establecido un vínculo con su decoradora de interiores, una divorciada de cincuenta años de edad y flamígeros cabellos llamada Suzie Frankfurt, cuya estrecha amistad con Andy Warhol, unida a varias décadas de fiestas nocturnas, la habían convertido en una adicta al alcohol, creándole además la reputación de una Auntie Mame contemporánea. En los ochenta, Suzie había reformado ya su destructiva conducta, pero aún le gustaba disfrutar de su situación entre los más preeminentes personajes sociales de la ciudad. Solía celebrar lujosos festines de etiqueta en su casa de East Side, cuya decoración –según contó a *W*– había sido concebida para evocar las brillantes escenas de los salones de baile que aparecen en las novelas de Tolstoi y Pushkin. A Mapplethorpe le fascinaban sus ostentosos alardes de riqueza. «Realmente, le gustaba venir a mi casa», relataba Frankfurt. «Era como un palacio... todo tan grandioso y tan formal; y yo, siempre vestida con grandes túnicas. Todo estaba perfectamente organizado gracias a que entonces yo contaba con numerosos sirvientes, algo que a Robert le encantaba. Él mismo trataba a sus amigos negros como si fueran criados, por lo que no me cabe duda de que si hubiera tenido dinero habría contratado a un mayordomo, a un lacayo, y todo lo demás.»

El hecho de que de repente Mapplethorpe se paseara por la ciudad acompañado de Suzie Frankfurt se les antojó a muchos de sus amigos como algo peculiar, si no directamente hipócrita, ya que el fotógrafo siempre se había mostrado sumamente crítico a la hora de juzgar a las «brujas mariconas», mujeres que desarrollaban su existencia en la órbita de los homosexuales, y Frankfurt tenía fama de enamorarse de los gays. «Acababa de romper con Andy –explicaba–, y Robert vino a ocupar su lugar. Me parecía bellísimo, y opinaba que poseía un carisma auténticamente digno de estrella de rock. Nuestra relación fue muy romántica, aunque no llegué siquiera a darle un beso en la mejilla.» Suzie llevaba a Mapplethorpe a la ópera y al ballet; le invitaba a comer a Mortimer's, un selecto restaurante del Upper East Side, y acudía con él a las subastas de muebles de Sotheby's. Le escribía notitas románticas y le sorprendía con obsequios íntimos tales como un albornoz de seda de cachemira diseñado por Gianni Versace. Recién convertida al catolicismo, le exhortaba sin éxito a retornar al seno de la Iglesia y a considerar los peligros inherentes a su comportamiento sexual. Él respondía que no debía preocuparse. «Yo no pertenezco a un grupo de alto riesgo», decía. La lógica de Mapplethorpe no tenía ni pies ni cabeza, y aunque Suzie era consciente de su profunda autonegación, no podía evitar sentirse encaprichada de él. «Suzie estaba desesperada y apasionadamente enamorada de Robert», afirma Michael Stout. «Hizo mucho por él, encargándole retratos y arreglándoselas para que sus amigos de la alta sociedad hicieran lo propio.»

El día de Año Nuevo de 1986, Suzie telefoneó a Mapplethorpe para decirle que la noche anterior había conocido al financiero cubano Roberto Polo en su fiesta anual de Le Cirque, y que se había enterado de que éste andaba en busca de un fotógrafo que pudiera encargarse de los anuncios de moda del diseñador cubano Miguel Cruz. «Le dije: "Tienes que contratar a Robert Mapplethorpe"», recuerda Suzie.

Incluso en plena década de los ochenta, la historia «a la *Cenicienta*» de Roberto Polo dio que pensar a numerosos miembros de la *Nouvelle Society* que también habían ascendido meteóricamente de la miseria a la fortuna. Nadie, sin embargo, había alcanzado tales cotas, ni tan deprisa, como Polo, quien al principio solía vivir en un modesto apartamento de un solo dormitorio situado en el Upper East Side hasta que, súbitamente, compró un edificio urbano de estilo gótico que luego decoró con costosísimas antigüedades y obras de arte en tan sólo seis semanas. A continuación, adquirió una tienda de antigüedades de Madison Avenue, así como una oscura casa de modas propiedad de Miguel Cruz. Posteriormente, Polo fue detenido por apropiación indebida de ciento diez millones de dólares de sus inversores, y dio con sus huesos en una cárcel italiana, pero cuando Mapplethorpe le conoció en su opulenta mansión del centro no pudo por menos de sentirse impresionado. Polo le explicó que quería transformar a Miguel Cruz en una estrella internacional del diseño, y que la tarea de Mapplethorpe consistía en excitar la imaginación de la gente por medio de una campaña publicitaria levemente escandalosa, al estilo de las fotografías de Bruce Weber para Calvin Klein. El trabajo que Mapplethorpe realizó para Miguel Cruz es buena muestra de por qué jamás podría ser un buen fotógrafo de modas, ya que no prestó la menor atención al vestuario. Su más célebre retrato para la campaña de Cruz consiste en un modelo masculino desnudo en el instante de introducir la cabeza por el cuello de un jersey. La imagen, sin embargo, no se centra en el jersey, sino en la postura que adopta el modelo al sentarse, en la que su espalda, sus nalgas y sus piernas forman un gigantesco falo.

Mapplethorpe se encargó de las fotografías de Miguel Cruz durante tres temporadas sucesivas, pero acabó dimitiendo tras una disputa con Polo, de quien sospechaba (correctamente, como pudo demostrarse luego) que no era más que un timador. «Fue todo horrible», dijo entonces su representante, Anne Kennedy. «En su mayoría, los anuncios eran vergonzosamente malos, pero Mapplethorpe ganó un montón de dinero con ellos.» Y el dinero, según Kennedy, era el único criterio por el que el artista se guiaba a la hora de aceptar los encargos comerciales, incluso aquellos que podían dañar su reputación. Cuanto más trabajaba con Mapplethorpe, más ambivalencia experimentaba Kennedy hacia él. Adoraba al Mapplethorpe, con el que podía evocar su educación católica y reírse a carcajada limpia de sus recuerdos comunes acerca de la severidad de los curas y las monjas, pero su personalidad contenía otro aspecto que no le gustaba nada. Robert no era el único artista que aspiraba a ganar montones de dinero, pero su codicia iba acompañada de unas pretensiones sociales y de un ansia de publicidad que le convertían en un personaje considerado más y más ridículo por el mundo del arte. «Solía oír a la gente hablando de él y burlándose de su presunción», contaba Kennedy. «A veces, se comportaba de un modo que resultaba patético e indigno de un artista.»

Con todo, si ganar dinero era el impulso predominante de Mapplethorpe, también es cierto que era uno de los pocos fotógrafos aceptados en el ámbito del mundo del arte, en reconocimiento de lo cual Richard Marshall, conservador del Whitney Museum, le encargó los retratos del libro *50 Artistas de Nueva York.* Así, además de conocer a Roberto Polo, Mapplethorpe se pasó tres semanas del mes de enero fotografiando a Willem de Kooning, Mark di Suvero, Elizabeth Murray, Eric Fischl, Malcolm Morley, Richard Serra, Louise Nevelson, Red Grooms y Sandro Chia, afianzando al mismo tiempo su propio lugar junto a ellos mediante un autorretrato junto al que podía leerse la siguiente declaración personal: «Veo las cosas como nunca habían sido vistas hasta ahora. El arte constituye una certera manifestación de la época de su creación.»

El arte de Mapplethorpe representaba asimismo una acertada manifestación de sus periódicas obsesiones, ya que, al mismo tiempo que creaba sus embarazosos anuncios publicitarios para Miguel Cruz, recurría a la misma decoración que empleaba en sus fotografías de moda para llevar a cabo la desconcertante imagen visual de *Thomas in a Circle* (Thomas en un círculo). La diferencia estribaba en que Thomas Williams era negro, y en que Mapplethorpe estaba enamorado de su esbelto y musculoso cuerpo. Williams, monitor de gimnasia, danzarín exótico y estrella del porno, hizo regularmente las veces de acompañante de Mapplethorpe durante aquella primavera y el verano subsiguiente y, aunque nadie lo advirtiera entonces, se convirtió en la última musa del fotógrafo. Mapplethorpe jamás llegó a encariñarse con él del modo en que lo había hecho con Milton Moore, o incluso Jack Walls, pero admiraba las formas clásicas de Williams y la reluciente perfección de su piel. Así y todo, no se mostraba tan satisfecho con el tamaño de su cabeza, la cual juzgaba demasiado pequeña para el resto de su cuerpo, por lo que resolvió el problema del mismo modo que siempre se había enfrentado a los contratiempos de la naturaleza: sencillamente, eliminando los defectos. Con frecuencia, Williams aparece representado en sus fotografías únicamente por medio del torso, o bien con la cabeza oscurecida. Mapplethorpe protestaba asimismo de que Williams era demasiado poco inteligente para él, y dado que ello no tenía tan fácil arreglo como lo anterior, no preveía un largo futuro en común para ambos.

A pesar de todo, invitó a Williams a que le acompañara a la cena de etiqueta que Suzie Frankfurt ofreció en su honor el 10 de mayo con objeto de conmemorar una inauguración de su obra en el Palladium. La antigua sala de conciertos había sido recientemente transformada en un sofisticado club diseñado por Steve Rubell e Ian Schrager y, en efecto, la palabra clave allí era «arte». Rubell había diseñado el club de tal modo que resultara atractivo para los artistas –«las estrellas de rock de los ochenta»– y, aún más importante, para los profesionales de Wall Street que compraban arte. «Que Dios nos libre de que haya un solo banquero que no entre», dijo Schrager al *New York* para explicar la política del club. Fue precisamente aquella resplandeciente combinación de arte y comercio la que impulsó a Mapplethorpe, como la cosa más natural, a asistir a la cena de etiqueta en casa de Suzie Frankfurt para luego dirigirse en limusina al Palladium, el mismo local en el que Patti Smith había vociferado la letra de *My generation*, el célebre himno de los Who a la rebelión juvenil. Los tiempos habían cambiado, y Mapplethorpe se había adaptado al gusto de la época, por más que aún fuera lo bastante rebelde como para disfrutar de las atónitas expresiones de la gente cuando se presentaba en los acontecimientos sociales del brazo de un negro.

Supo capturar esa misma sacudida visual en la fotografía titulada *Thomas and Dovanna*, en la que Williams, desnudo, baila con una hermosa mujer blanca ataviada con traje de cotillón. Por más que aquella imagen funcionara, sin embargo, no ocurrió lo propio con su relación con Suzie Frankfurt: la decoradora se quedó estupefacta cuando supo que Mapplethorpe había invitado a Williams a la cena. «Estábamos leyendo los nombres de las parejas en la lista de invitados –recuerda Michael Stout–: Lia y Agustín Fernández... Robert y Thomas. Cuando me reuní con Suzie a la hora del almuerzo, no hacía más que repetir: "¿Robert y Thomas?... ¿Robert y Thomas? ¡Robert es *mi* pareja!" Me pidió que se lo explicara un centenar de veces, y yo le dije que, básicamente, era un problema de mala educación. Robert debería haber tenido la suficiente perspicacia para intuir el modo de comportarse frente a una cena celebrada en el ámbito de aquella misma sociedad a la que intentaba incorporarse. Suzie estaba destrozada. Se dio cuenta de lo estúpida que había sido al ofrecer aquella cena en honor de Mapplethorpe para que luego él se trajera a otra pareja como acompañante.»

Suzie Frankfurt siguió en términos amistosos con Robert, pero después del incidente de Williams, su «romance» nunca volvió a ser lo mismo. «Robert era como una droga», solía decir Suzie. «Después de pasar tres horas con él, no veías el momento de alejarte, pero luego te asaltaba el síndrome de abstinencia y necesitabas verle de nuevo. Sin embargo, en aquella relación no había entrega alguna. Sólo se buscaba recibir algo.»

Paul Schmidt señalaba los autorretratos de Mapplethorpe como la llave que explicaba su propio egocentrismo. «Verdaderamente, todo consiste en eso –explicaba–: la cámara me contempla, yo contemplo la cámara y el resto del mundo no es más que un elemento periférico.» Ciertamente, los autorretratos sirvieron para escenificar las distintas fases específicas de su vida: la confusión sexual de sus primeras *polaroids*; la blanda felicidad de su convivencia con Sam Wagstaff, tal y como se refleja en la fotografía de 1975 que Roland Barthes alabara por su «radiante erotismo»; su obsesión por los negros, en una fotografía del artista realizando una felación con alguien que probablemente es Milton Moore; y, más recientemente, un retrato de sí mismo como dandy de la alta sociedad, ataviado con esmoquin de satén y pajarita. Tom Baril recordaba que Mapplethorpe, después de revelar aquel último autorretrato, se había mostrado más preocupado que de costumbre por las arrugas de su rostro y le había ordenado que disimulara tantas como le fuera posible. «Ya sabes, a medida que te vas haciendo viejo, empiezas a difuminar y aclarar tu imagen», dijo a Anne Horton durante una entrevista celebrada en 1987 en la que se quejaba de que el exceso de piel bajo la barbilla estropeaba el retrato. «Pero no es nada malo. Estoy seguro de que habrá de llegar el día en que diga: "Me gusta más el aspecto que tenía entonces." Por el momento, y hasta entonces, me encuentro bien.»

Pero Mapplethorpe no se encontraba bien, y no había aclarados ni difuminados que pudieran ayudarle. Se despertaba en mitad de la noche empapado en sudor; tenía las glándulas linfáticas hinchadas, y padecía de dolores estomacales y diarrea. Sam Wagstaff había cuidado de sus intereses durante la última década, pero dado que ambos habían construido una suerte de muro defensivo en torno al tema del sida, no osó insistir en que el joven artista se hiciera las pruebas de detección de la enfermedad. El propio Wagstaff había comenzado a experimentar dolores en el pecho y dificultad para respirar, y Jim Nelson había desarrollado el sarcoma de Kaposi, las llagas violáceas de origen canceroso que constituyen una de las más espeluznantes manifestaciones de la enfermedad.

El hecho de que Mapplethorpe se las arreglara para continuar su vida normal como si no sufriera nada más grave que un resfriado común es prueba de su capacidad de obstinación y negación. Aceptó incluso ser entrevistado por la televisión española para un documental sobre su vida, y a la pregunta de si sus retratos podían considerarse como la crónica de una época, respondió: «Me limito a vivir mi vida y a hacer lo que tengo que hacer.» Siempre había dependido de Wagstaff para que le suministrara el contenido interno de sus obras, y aquel mes de junio dispuso que el periodista español visitara a Sam en su apartamento. Wagstaff describió al fotógrafo como alguien que «juega demasiado con el peligro». Recurrió asimismo a la analogía del «niño malo» que patina allí donde el hielo es más delgado, a diferencia de los «sosos... la gente corriente», quienes únicamente patinan allí donde el hielo está duro. Wagstaff también había adquirido la costumbre de patinar en zonas peligrosas y, a pesar de sus sesenta y cuatro años, mostraba el aspecto de un escolar rebelde con una bomba fétida oculta bajo la chaqueta de su uniforme. Tal y como puede apreciarse en el documental, aún era un hombre notablemente atractivo, y su apariencia era la de un hombre dotado de una salud de hierro. No es de extrañar, pues, la sorpresa de todos sus amigos cuando a finales de mes hubo de ser ingresado en el hospital St. Vincent's, donde le fue diagnosticada una tuberculosis. Para alguien de los refinados gustos estéticos de Wagstaff, se trataba de una enfermedad convenientemente elegante y romántica, por lo que en ningún momento se avergonzó de confesar a la gente que «padecía un pequeño ataque de tisis». Lo que no mencionaba era que la tuberculosis, considerada en el siglo XIX como el mal típico de escritores y poetas, se había convertido en una de las infecciones oportunistas asociadas al sida.

Mapplethorpe pasó el fin de semana del 4 de julio en East Hampton con Ingrid Sischy y Amy Sullivan, pero se sentía tan extenuado que una tarde se quedó dormido en la playa durante varias horas. Amy intentó proteger su blanca piel del sol cubriéndole con una toalla, pero sus pies se quedaron expuestos y sufrió graves quemaduras en ambos. Misteriosamente, amaneció con la piel aún más roja que el día anterior. «Recuerdo que me asusté, porque nunca había visto que las quemaduras del sol empeoraran», dijo Amy. «Supongo que su sistema inmunológico comenzaba a fallarle, y que no era capaz de combatirlas.» Dos días después, Sullivan y Sischy le acompañaron a una fiesta que la industria francesa de la moda celebraba en el Lincoln Center. El lugar se encontraba plagado de paparazzi en busca de los rostros célebres que integraban la elegante congregación, y aunque normalmente Mapplethorpe hubiera disfrutado exhibiéndose, se vio inmerso en una escena de pesadilla cuando los fotógrafos le rodearon y sintió que las luces le quemaban la piel. «Tengo que salir de aquí», susurró a Sullivan. «El flas me hace daño.»

La pesadilla continuó al enterarse de que a su hermano Richard le habían diagnosticado cáncer pulmonar y cerebral. Su último encuentro con él había tenido lugar exactamente un año atrás, junto a la cama de hospital en la que yacía Joan, cuando su hermano se había mostrado temeroso de no volver a ver de nuevo a su madre. Irónicamente, Joan se había recuperado, y ahora era Richard quien agonizaba en el hospital. La enfermedad le había atacado tan súbitamente que los Mapplethorpe apenas podían digerir la información que les suministraba Ed, quien desde Los Ángeles actuaba a modo de enlace entre Richard y su familia. Los boletines de noticias de Ed eran devastadores: «Richard padece cáncer de pulmón... se le ha producido una metástasis en el cerebro... está perdiendo la memoria...» Nadie sabía con exactitud qué le había pasado a Richard; también él había sido un fumador empedernido, y quizá había heredado la debilidad respiratoria de su madre y de su abuela. A finales de julio, cuando los médicos le dieron apenas unas pocas semanas de vida, Ed convocó a toda la familia en Los Ángeles. Dado que Joan no era capaz de respirar sin su botella de oxígeno, prefirió quedarse junto a Harry, pero Susan, Nancy y James fueron a visitar a Ed al hospital. «Cuando entramos en la habitación –recuerda Nancy–, Richard se puso a llorar y comenzó a mover las manos sin parar. No sé si nos reconocía o no. Ni siquiera sé si se daba cuenta de que tenía cáncer. Las enfermeras intentaban ayudarle a caminar, pero apenas podía moverse. Luego, se ponía a decir cosas extrañas. Después de aquellos cinco días que pasé con él, supe que nunca volvería a ver vivo a mi hermano.»

Robert se había excusado de asistir a la trágica reunión familiar con el pretexto de que tenía demasiados compromisos en Nueva York. Así y todo, el 8 de agosto voló a Los Ángeles para retratar a Frank Gehry para *House & Garden*, y rogó a Ed que le asistiera en calidad de ayudante. Ed esperó a que finalizara la sesión para abordar el delicado tema de si Robert proyectaba visitar a Richard en el hospital, y se quedó estupefacto ante la respuesta de su hermano. «No voy a ir», declaró Robert. «Si yo estuviera muriéndome, no querría que él me viese en ese estado. Además, no tenemos una relación cercana.» Empero, y como tibia concesión a Ed, Robert envió a su hermano moribundo un ejemplar de *Certain People* fríamente dedicado con la siguiente leyenda: «Para Richard, Robert.» Cuando murió, el día 24 de agosto, Richard aún conservaba el libro en su habitación de hospital. «Mi hermana vio a Richard en el féretro –dice Nancy–, y cuenta que se le había caído el pelo y que parecía un anciano. Sólo tenía cuarenta y un años.»

Los Mapplethorpe celebraron una misa de funeral por Richard en Nuestra Señora de las Nieves, y aunque Joan dejó un mensaje con todos los detalles en el contestador del estudio de Robert, nunca obtuvo respuesta. No estuvo presente en la iglesia cuando toda la familia desfiló por el pasillo central, ni se advirtió su presencia entre los demás congregados. Sin embargo, diez minutos después de iniciarse la misa, Nancy oyó a alguien toser con tanta fuerza que el sonido amenazaba con ahogar la voz del sacerdote. Volviendo la vista atrás desde su asiento, alcanzó a distinguir una frágil figura vestida de negro que, doblada sobre sí misma por los espasmos, se cubría la boca con un pañuelo. Cuando el desconocido alzó la cabeza, vio que se trataba de Robert, y se le cayó el alma a los pies. «En lugar de pensar en el hermano que acababa de perder –afirmaba Nancy–, no conseguía apartar a Robert de mi cabeza, diciendo para mis adentros: "Oh, Dios mío, él también no."»

A finales de septiembre, Mapplethorpe se encontraba tan débil que apenas podía abandonar el lecho, y admitió ante Dimitri Levas que acaso fuera víctima de una pulmonía... «aunque no de las del tipo que provoca el sida». De haber necesitado una indicación de que su pulmonía tenía todas las probabilidades de ser «de las del tipo que provoca el sida», no tenía más que hojear las páginas del *Black Book* (Libro negro), por entonces a punto de ser publicado por St. Martin's Press. El fotógrafo había tenido relaciones sexuales al menos con un setenta y cinco por ciento de los hombres que aparecían en el libro y, según el propio Mapplethorpe, se rumoreaba que muchos de ellos habían contraído el sida. De entre ellos, un puñado de modelos –entre ellos Phillip Prioleau, a quien había fotografiado sobre un pedestal– ya estaban muertos.

Levas consideraba a Mapplethorpe su mejor amigo, pero se sentía obstaculizado en sus esfuerzos por ayudarle. «Robert estaba cada vez más enfermo –decía Levas–, y no recibía los cuidados necesarios.» Una noche en que Mapplethorpe estaba en forma especialmente baja, Levas se encontró con Mark Isaacson, cuyo amante, de veinte años de edad, tenía sida y se encontraba al cuidado del doctor William Siroty, en el Beth Israel Hospital. «Mark, tienes que ayudarme», imploró Levas. «Robert está muy mal, pero se empeña en negarlo. ¿Podría vuestro médico ingresarle en el hospital para un examen?» Isaacson llamó a Siroty y dispuso lo necesario para que se admitiera el ingreso de Mapplethorpe en el Beth Israel aquella misma tarde, tras lo cual Levas y él acudieron personalmente a recogerle. «¡Me niego a ir, me niego a ir!», vociferó Mapplethorpe cuando le contaron sus planes. Levas e Isaacson no daban crédito a sus oídos. «¡Ya me habéis oído!», volvió a gritar. «*¡No pienso ir!*» Levas experimentó tal angustia que notó el corazón desbocado y un sudor frío sobre la piel. «¡Estás loco!», gritó a su vez. «Lo hemos dispuesto todo, y vas a ir.» Mapplethorpe, sin embargo, se negó a moverse del dormitorio y, finalmente, Levas e Isaacson comprendieron que no podían forzarle a entrar en el automóvil que esperaba en la puerta y le dejaron solo.

A la mañana siguiente, Levas acudió a comprobar cómo seguía sintiéndose Mapplethorpe. «No demasiado bien», dijo éste tímidamente. «He decidido que sí iré.» Nada más ingresar en el Beth Israel, el doctor Siroty ordenó una broncoscopia y una biopsia del tejido pulmonar para ver si padecía PCP (*Pneumoscystis carinii pneumonia*), enfermedad asociada al sida. Levas y Amy Sullivan estaban con Mapplethorpe cuando el doctor Siroty regresó con los resultados. «Bien –dijo Mapplethorpe–, pues resulta que lo tengo.»

QUINTA PARTE

EL MOMENTO PERFECTO

CAPÍTULO VEINTIUNO

«Lo tiene todo el mundo.»

Sam WAGSTAFF

Patti Smith estaba en la cocina de su casa de St. Clair Shores, Michigan, cuando recibió una llamada de su abogada, Ina Meibach, informándole de que Robert Mapplethorpe estaba en el hospital aquejado de una pulmonía asociada al sida. Había transmitido la noticia a través de su propio abogado, Michael Stout, y éste a continuación había llamado a Ina Meibach en su nombre.

El hecho de que Patti y Robert hubieran pasado a comunicarse a través de sus abogados demostraba hasta qué punto habían ido distanciándose a lo largo de los años. De hecho, Patti llevaba una vida tan aislada que el único modo en que aún conservaba el contacto con los viejos amigos era a través de las páginas de esquelas de los periódicos. Las drogas se habían cobrado un número considerable de vidas durante la década de los setenta. Ahora, en los ochenta, era el turno del sida, pero la epidemia apenas afectaba a la vida de Patti como esposa y madre alejada de la gran ciudad, y rara vez pensaba en ella. En junio de 1986, sin embargo, una esquela había captado especialmente su atención: Mario Amaya, el mismo que organizara una exposición de Mapplethorpe en el Museo Chrysler, había muerto de sida. A partir de entonces, Patti comenzó a preocuparse por la salud de Robert.

Irónicamente, Patti se enteró de la noticia precisamente mientras planeaba un viaje a Nueva York para grabar su álbum de regreso, titulado *Dream of Life* (Sueño de vida). Fred Smith había concedido su permiso para que fuera Mapplethorpe quien firmara la cubierta del disco, y Patti se encontraba a punto de llamarle para organizar la reunión y para hacerle partícipe de un secreto: a sus cuarenta años de edad, se encontraba felizmente embarazada de nuevo. Ahora, le asustaba telefonear por miedo a descubrir a Mapplethorpe agonizando en el hospital. En lugar de ello, telefoneó a Sam Wagstaff para obtener más detalles del estado del fotógrafo pero, dado que no había hablado con ninguno de los dos desde 1982, terminó la conversación sintiéndose como Rip van Winkle. «¿Qué tal está Robert?», preguntó a Wagstaff, quien poco después sería igualmente hospitalizado por segunda vez. «Está mejor que yo», repuso él. «Lo tengo yo, lo tiene Jim, lo tiene todo el mundo.»

Cuando finalmente habló con Robert, Patti se sorprendió de lo poco que parecía haber cambiado. Se mostraba irritable y deprimido pero, desde luego, no derrotado, y acordaron que Patti iría a visitarle en la primera semana de diciembre. Sorprendentemente, él no le exigió que justificara los motivos de su desaparición en 1979, y ella no hizo nada por explicarlo. Para Robert, bastaba con que Patti hubiera vuelto.

Apenas supo Mapplethorpe del resultado positivo de su diagnóstico, convocó a todos sus amigos al hospital. Aunque por entonces aún no se daba cuenta, su mundo iba contrayéndose poco a poco, y sus relaciones con personas tales como Michael Stout, Dimitri Levas y la fotógrafa Lynn Davis habrían de adquirir renovada importancia para él con cada nueva crisis. Mapplethorpe había mantenido su vida tan encasillada que aquélla era la primera vez que muchos de sus amigos se veían entre sí, y a lo largo de los días que siguieron se vio desbordado por una avalancha de libros de arte, cigarrillos de hachís, caramelos de goma, tabaco, pizzas y docenas de ramos de flores.

Lisa Lyon acababa de recibir el alta de un sanatorio psiquiátrico de Pasadena, y había iniciado una nueva relación con cierto científico y pionero en la investigación de las drogas, un septuagenario llamado John Lilly. Cuando se enteró de lo que le ocurría a Mapplethorpe, tomó el primer avión con destino a Nueva York y, poco después del despegue, se sumió en un trance a lo Carlos Castaneda en el que voces imaginarias la impulsaron a desfigurar su aspecto con la ayuda de una barra de labios y un lápiz de ojos. Así, irrumpió en la habitación de Mapplethorpe mostrando el mismo aspecto de las madonas cubistas que el fotógrafo había pintado en su juventud y, extendiendo los brazos como un personaje de tragedia griega, comenzó a lamentarse a gritos: «Robert... Robert...» A continuación, se refugió en el cuarto de baño para fumar «polvo de ángel» y al día siguiente se desmayó en la sala de espera del hospital, donde permaneció seis horas durmiendo sin parar. Todo ello resultó excesivo para Mapplethorpe, quien llevaba años viendo cómo Lisa se autodestruía, y consideraba que estaba más allá de cualquier posibilidad de recuperación. Con el tono más autoritario que fue capaz de adoptar, teniendo en cuenta que se hallaba ocupado consumiendo una ración de piza, la expulsó de su vida: «No quiero volver a verte más», dijo. «Estoy harto.»

Así y todo, no puede decirse que le faltaran admiradoras femeninas, y entre las más persistentes se encontraba Alexandra Knaust, una joven de veintiocho años a la que había conocido a comienzos de los ochenta como empleada del fotógrafo Gilles Larrain. La relación entre ambos había terminado en pleito, y Knaust había adquirido una fijación con Mapplethorpe, hasta el punto de que su afecto por él rozaba ya un grado obsesivo.* «Estaba enamorada de él», afirmaba. «Robert era el hombre más atractivo que jamás había conocido. Un día, le dije lo que sentía por él y me respondió: "Ay, Alex, si tan sólo fueras hombre y negro..." Mi relación con él era muy compleja.» Mapplethorpe se quejaba de ella incesantemente, y a menudo se negaba a hablar con ella por teléfono; sin embargo, siempre le habían atraído las personalidades complicadas, y Knaust, por resuelta y bravucona que se mostrara, poseía en realidad la fragilidad de un Milton Moore. Era guapa, de cabellos rubios color miel y pómulos elevados, y contemplaba a Mapplethorpe como su mentor omnisapiente. Éste, por su parte, correspondió a aquella devoción en 1984 ofreciéndole el puesto de agente en Londres. Allí, Knaust combinó su casi sobrehumana tenacidad con una nerviosa intensidad de carácter que a menudo espantaba a la gente. A Anne Kennedy, sin ir más lejos, llegaba a perturbarle la relación profesional que la muchacha mantenía con Mapplethorpe, sin comprender muy bien qué objetivos perseguía.

Pese a todo, Knaust siguió defendiendo incansablemente en Londres los intereses de Mapplethorpe, y cuando se supo que el fotógrafo padecía sida, intensificó su grado de compromiso con él enterándose de todo cuanto pudo acerca de la enfermedad en cuestión. A continuación, se ofreció para organizar todo lo referente a sus cuidados médicos y, sorprendentemente, logró ponerse en contacto con las principales autoridades estadounidenses en la materia, incluido el doctor Sam Broder, director clínico del Instituto Nacional del Cáncer. Broder organizó una cita para Mapplethorpe con el doctor Michael Lange, quien por entonces realizaba un programa de pruebas experimentales con AZT en el Roosvelt-St. Luke's Hospital de Manhattan. Aunque el AZT aún no había sido aprobado por las autoridades sanitarias de la nación —tan sólo se hallaba disponible para ensayos clínicos—, Mapplethorpe alimentaba una fe pueril en las capacidades curativas de la ciencia. «Qué afortunado soy de que

* En 1990, Knaust se vio envuelta en una batalla legal de cuatro años de duración, durante la que se enfrentó con Michael Stout y la Fundación Mapplethorpe con motivo de ciertas fotografías de Mapplethorpe que, según Stout, se hallaban aún en su posesión. Posteriormente, Knaust demandó a la Fundación por importe de más de dos millones de dólares de honorarios que consideraba que se le debían en concepto de servicios prestados al fotógrafo en calidad de representante para el Reino Unido. El jurado votó a favor de la Fundación, y Knaust se vio obligada a devolver las fotografías.

hayan encontrado una cura», le dijo a Lia Fernández quien, a pesar de que no sabía nada acerca del medicamento en cuestión, repuso: «Sí, eres muy, muy afortunado.»

El 11 de diciembre, Mapplethorpe tomó un taxi y se trasladó al Mayflower Coffee Shop de Central Park West para reunirse con Patti Smith. De todas las fotografías que había tomado de ella, la que predominaba en su mente era la cubierta de *Horses*, de diez años atrás. Por ello, debió de sentirse conmocionado al ver a aquella mujer de mediana edad sentada a la mesa del rincón. Los largos cabellos de Patti aparecían manchados de gris, y ocultaba sus ojos tras unas lentes. Se hallaba flanqueada por su marido, Fred, y por su hijo Jackson, quien tiraba incesantemente de la manga de su jersey de cuello vuelto gritando «mamá» sin parar. Patti se sintió aliviada al advertir que Mapplethorpe presentaba un aspecto sorprendentemente bueno, y él le explicó que gracias al AZT y a las inyecciones semanales de vitamina B_{12} se sentía mejor de lo que se había sentido en años.

Su relación con Patti siempre había sido un asunto privado e íntimo entre ambos, por lo que no le resultaba fácil hablar estando Fred presente. Le llamó la atención que ella no dejara de remitirse a Fred a la hora de comentar cualquier detalle de sus vidas, así como el hecho de que desviara constantemente la mirada hacia su marido cuando llegó el momento de planear la cubierta del nuevo álbum, como si buscara su aprobación. Con todo, Mapplethorpe confiaba en que las sesiones fotográficas le permitirían volver a alumbrar aquella magia especial que los unía. A Patti parecía apetecerle la ocasión tanto como a él, ya que sospechaba que sería la última vez que uno de sus álbumes se viera honrado por la presencia de una fotografía de Mapplethorpe, y quería conservarla en el recuerdo como su mejor colaboración juntos.

Mapplethorpe había adquirido una profesionalidad considerable desde la época en que se dedicaba a perseguir a Patti por el apartamento armado con la Polaroid de Sandy Daley, y ella, tan pronto como penetró en su espacio nuevo e inmaculado, advirtió que la intimidad y la espontaneidad pertenecían ya al pasado. Mapplethorpe había sustituido a Javier González por un apuesto y joven ayudante llamado Brian English al que había contratado sin percatarse de que su única experiencia se reducía a llevar varios meses tomando fotografías. «Durante la entrevista no hablamos en absoluto de fotografía», recordaba luego English. «Le impresionó mi conocimiento de los ordenadores, por lo que en el curso de un día pasé de la nada a trabajar para él. No tuve más remedio que improvisar.» English resultó ser aún más perfeccionista que el propio fotógrafo, y se pasó la sesión de Patti trasteando interminablemente con las luces mientras el peluquero y el maquillador aguardaban con sus tenacillas, barras de labios y cepillos de maquillaje. Patti detestaba el maquillaje, pero soportó aquella transformación por Mapplethorpe y, tras una hora de preparativos, se situó por fin frente a la cámara.

La mirada de Mapplethorpe advirtió inmediatamente la presencia de una diminuta manchita marrón sobre el dorso de su mano. Convencido de no haberla visto hasta entonces, le preguntó acerca de su origen; ella repuso que la mancha había surgido misteriosamente nada más nacer su hijo. Su presencia molestaba a Mapplethorpe, no sólo porque aborrecía cualquier tipo de imperfección sino también, indudablemente, porque le recordaba la vida de Patti junto a Fred. Siempre había admirado sus gráciles manos por la similitud que tenían con las de Georgia O'Keeffe, y probablemente pensaba en la célebre modelo de Stieglitz cuando indicó a su propia musa que extendiera sus inmaculadas manos sobre el pecho en un gesto que evoca innumerables fotografías de Stieglitz y O'Keeffe. Patti notó a Mapplethorpe extrañamente callado durante la sesión, y se preguntó si estaría pensando lo mismo que ella: que algún día, el único testimonio de su relación serían las fotografías que habían creado juntos. «Oh, Robert», suspiró, y él alzó brevemente la mirada hacia sus ojos. «Lo sé —dijo él—, lo sé.»

Cuando Patti vio la fotografía, pocos días después, se sintió decepcionada. Mapplethorpe la había retratado hermosa... mucho más hermosa de lo que era en la vida real. Había eliminado las arrugas y las depresiones que tenía bajo los ojos, transformándola en una visión de la madona perfecta, con sus ondulados cabellos derramándose sobre el pecho. La mujer del retrato, sin embargo, no reflejaba la filosofía de *Dream of Life*, ni en el énfasis que pretendía hacer sobre el poder de la maternidad y la fuerza colectiva de las personas sobre los cambios sociales. Sin embargo, no podía soportar la idea de herir sus sentimientos, por lo que aceptó utilizarla, si bien abandonó Nueva York sintiéndose deprimida por motivos que ni siquiera ella comprendía enteramente.

Sam Wagstaff había ingresado en el hospital, aquejado de pulmonía, a finales de noviembre, y tras ser dado de alta se dedicó a planificar una exposición de plata que debería tener lugar en marzo de 1987 en la Sociedad Histórica de Nueva York. Acaso porque intuía que sería la última que organizaría, se mostraba completamente obsesionado con ella, y telefoneaba al director de la Sociedad, James Bell, a las horas más intempestivas del día y de la noche para comentar sus últimas ideas. Quería que Mapplethorpe se encargara de las fotografías del catálogo, pero la plata había constituido siempre un tema difícil entre ellos, y el fotógrafo no se mostraba dispuesto a perder el tiempo con ella. Según los términos del testamento de Wagstaff, Mapplethorpe había de heredar la mayor parte de su patrimonio, y le preocupaba el hecho de que, a no ser que Sam dejara de adquirir piezas para la exposición, apenas recibiría nada aparte de un estruendoso montón de cuencos y soperas. No obstante, la plata era lo único que proporcionaba cierto placer a la vida de Wagstaff. Padecía una infección de la mucosa bucal que le impedía consumir alimentos sólidos, y se sentía tan débil que necesitaba servirse de muletas para cubrir el trayecto que separaba el dormitorio de la sala de estar. La enfermedad había hecho también estragos en su belleza física, y Samuel J. Wagstaff, el hombre más atractivo de Nueva York, ya no aparecía reflejado en el espejo. Con todo, la plata aún podía mejorarse con un poco de bruñido, por lo que, incorporado en la cama, pasaba el tiempo abrillantando los cuchillos de mantequilla y las palas de queso hasta dejarlos relucientes.

Wagstaff tenía cuanto necesitaba para la exposición, pero aún pensaba que faltaba algo: la *pièce de résistance*. Durante años, había oído hablar de un extraordinario centro de mesa Gorham de 1881, un espléndido diseño de Flo Ziegfeld encaramado sobre cuatro elefantes enjaezados y rematado por una alfombra persa. Cuando un joven y osado experto llamado Ron Hoffman logró por fin localizarlo, Sam se mostró entusiasmado. Se empeñó en levantarse de la cama para recibir a Hoffman en la sala de estar y, ayudado por sus muletas, rogó al joven que hiciera girar el objeto a la luz del sol para admirarlo desde todos los ángulos. «¡Qué maravilla!», exclamó. «Lo expondré con gardenias flotando en su interior. ¿No te lo imaginas?» Aquella noche, Wagstaff se acostó en compañía de su plateado talismán, el cual pasó la noche reposando sobre la almohada contigua a la suya.

Así y todo, aquel mágico objeto no bastaba para frenar el implacable avance de su enfermedad, y el 12 de diciembre hubo de ser ingresado de nuevo en el hospital St. Vincent's. Allí le vio Patti por vez primera desde 1979, pero Sam, carente de la energía necesaria para acometer uno de sus animados monólogos, se dirigió a ella como si hubiera reducido todo su pensamiento a los elementos puramente esenciales. «He tenido tres grandes amores en esta vida», le confió. «Mi madre, el arte, y Robert.» Patti aún estaba en la habitación cuando Mapplethorpe se presentó de visita. Soliviantado por los ochenta mil dólares que había costado el centro, imaginaba ya una interminable hilera de plateros haciendo cola a lo largo del pasillo, pero nada más ver a Wagstaff se apiadó de su lamentable estado. Extendió el brazo para tomar su mano entre las suyas, pero a Sam le avergonzaba una desagradable erupción que se había extendido sobre su piel y la retiró. Patti oyó a Mapplethorpe susurrar «No seas tonto» mientras aferraba firmemente la mano de Wagstaff entre las suyas. Más tarde, cuando ambos abandonaron St. Vincent's, ninguno podía evitar recordar a John McKendry y la visita que habían realizado a otro hospital años atrás. «Es todo tan absurdo», había dicho Mapplethorpe entonces, sólo que ahora volvía a emplear las mismas palabras para describir tanto la situación de Wagstaff como la suya propia. Solos en la acera, frente al hospital, le dijo a Patti: «Esto también ha de sucederme a mí.»

Sam pasó las vacaciones en casa, pero el ático que en otro tiempo había evocado la imagen de una Navidad perpetua mostraba ahora la desolada atmósfera de un Viernes Santo. Su muerte era inevitable: tan sólo era cuestión de tiempo. La espera fue especialmente ardua para Jim Nelson, quien contempló el desarrollo del drama desde un colchón extendido en la sala de estar, donde dormía rodeado de objetos de plata diseminados por doquier. Las lesiones del sarcoma de Kaposi que padecía Nelson se habían extendido a sus pies, pero aún no estaba tan enfermo como Wagstaff, y se veía obligado a soportar toda una invasión de visitantes y enfermeras privadas en el ámbito de su hogar. «¿Es que yo no le importo a nadie?», vociferaba a veces, exasperado. Lo cierto, no obstante, era que Nelson había representado siempre un papel secundario en las vidas de Mapplethorpe y Sam Wagstaff, y el sida en nada había logrado modificar tal hecho. Anne Ehrenkranz, la anciana ayudante de investigación de Wagstaff, era con frecuencia depositaria de las iras de Nelson, quien una tarde alcanzó tal grado de histeria que llegó al punto de amenazarla con un cuchillo de cocina.

Mapplethorpe y Ehrenkranz se vieron convertidos en aliados a la fuerza durante la odisea de Wagstaff. Al fotógrafo le inquietaba que la mujer, en su calidad de consejera de la Sociedad Histórica de Nueva York, pudiera estar animando a Sam a adquirir aún más objetos de plata para la exposición. Mapplethorpe estaba convencido de que Sam padecía una demencia originada por el sida, ya que a menudo su amigo hablaba sin sentido y, en ocasiones, estallaba en vociferantes accesos de cólera. Wagstaff, sin embargo, no se hallaba en absoluto sometido al acoso de codiciosos plateros. De hecho, Ron Hoffman era el único experto al que se concedía acceso al domicilio. Ya en la segunda semana de 1987, Wagstaff continuaba tan inquieto por la exposición que pidió a Hoffman que trasladara varias de las piezas al apartamento para poder estudiarlas. Aquella vez, le faltaron fuerzas para abandonar el lecho, por lo que Hoffman las llevó a su dormitorio sobre una bandeja de desayuno. «Se encontraba tan débil que ni siquiera podía sostenerlas entre sus manos —recordaba Hoffman—, pero aún sabía distinguir entre aquello que le gustaba y aquello que le disgustaba. Sus esfuerzos resultaban tan patéticos que yo mismo me derrumbé y hube de abandonar la estancia.»

Varios días después, Wagstaff entró en coma, y Ehrenkranz, que le había cuidado durante meses, reunió al variopinto grupo que había constituido su única familia. La correctísima señora Judith Jefferson se vio en la necesidad de disputar un hueco junto al lecho de muerte de su hermano con un fotógrafo conocido por sus imágenes pornográficas, con el peluquero y maquillador de la obra *Cats* y con la acaudalada esposa de un abogado de Manhattan aparentemente encaprichado con el moribundo. «Creo —señaló la hermana de Wagstaff en cierto momento— que lo mejor será celebrar un discreto funeral familiar.» Al oírla, Mapplethorpe susurró a Ehrenkranz: «Seguro que están encantados de que asistamos un judío y dos maricas.»

A las once de la noche, Mapplethorpe abandonó el apartamento en compañía de Ehrenkranz y Jefferson, mientras Nelson y la enfermera de noche velaban al enfermo. Wagstaff había representado a la familia de Nelson durante los últimos once años, y si bien su relación no había sido ni mucho menos óptima, sí había proporcionado a Nelson cierta ilusión de felicidad. Vivía en un ático de Manhattan con un amante acaudalado que físicamente tenía el aspecto de una estrella cinematográfica. Era lo máximo a lo que podía haber aspirado aquel huérfano de Texas, y ahora tocaba a su fin. Nelson se resistía a perderle, por lo que durante la hora que siguió, no dejó ni un instante de sostener al moribundo entre sus brazos. Cuando Wagstaff murió, poco después de la medianoche del 14 de enero, Nelson aún permanecía aferrado a él como si en ello le fuera la vida.

«Sam ha muerto», dijo Mapplethorpe a Patti con voz pesarosa. Dos días después, sin embargo, el 16 de enero, asistió a una cena celebrada en Mr. Chow's en homenaje al artista David Salle y actuó en todo momento como si nada hubiera ocurrido. Andy Warhol se negó a sentarse junto a él debido a que, como posteriormente anotó en su diario, «está enfermo». En efecto, nada más aparecer la esquela de Sam Wagstaff en el *New York Times*, comenzaron a circular en el mundo del arte rumores acerca de la salud de Mapplethorpe. Se citaba una pulmonía como motivo del fallecimiento, pero todo el mundo sospechaba que debía de padecer sida, lo que dio lugar a numerosos comentarios acerca de la posibilidad de que Mapplethorpe fuera seropositivo.

Si bien el fotógrafo se había mostrado sincero con sus amigos, confiaba cándidamente en que podría mantener la verdad en secreto de cara al público. Temía que de otro modo pudiera ponerse en peligro su éxito comercial, y ni siquiera lo reveló a los empleados de su estudio. Suzanne Donaldson, quien había sido recientemente contratada como sustituta de Tina Summerlin al frente del estudio, confirmó inocentemente una noticia periodística acerca de la hospitalización de Mapplethorpe, tras lo cual éste la reconvino hasta las lágrimas, gritando: «¿Cómo has sido capaz de hacer semejante cosa?» Donaldson, igualmente temerosa de hallarse contagiada, se sintió aterrorizada al contemplar la escena. «Pensé: "¿Por qué tiene que sucederme esto?"», explicaba luego. «"¿Por qué tengo que introducirme en la vida de una persona gravemente enferma que ni siquiera se molesta en contarme la verdad?"»

Ansioso por escapar de los rumores y las llamadas indiscretas, Mapplethorpe partió hacia Nueva Orleans el 19 de enero con el encargo de fotografiar los pantanos de Louisiana para *Condé Nast Traveler*. A Mapplethorpe le disgustaba fotografiar paisajes, por lo que, aparte de Brian English, se hizo acompañar por Lynn Davis para aquella expedición. «Nos hospedamos en un mísero hotelucho de los pantanos –recordaba Davis–, con un guía local, un paleto que poseía varios toros –uno de los cuales persiguió a Robert– y que nos transportaba en un barco.» Incluso en medio de aquellas marismas, la estética de Mapplethorpe se impuso sobre la de la naturaleza, y entre las voluptuosas y coloridas imágenes de flores se deslizó la fotografía de una cabeza de caimán que no dejaba de recordar a uno de los negros jarrones de la colección del fotógrafo.

Mapplethorpe permaneció una semana en la «casa encantada» de Nueva Orleans en compañía de Mike Myers y Russ Albright. La pareja acababa de inaugurar la Galería Julia, en la que el fotógrafo había accedido a exponer su obra en consideración hacia ellos. Myers se sintió impresionado por el dramático cambio en la personalidad de Mapplethorpe, ya que en lugar de mostrarse frío y emocionalmente ausente, parecía poseído por una rabia frenética. Afirmaba detestar la falsedad reinante en el mundo del arte, y no cesaba de maldecir a sus galeristas. Quería abandonar Nueva York, y llegó al punto de ponerse en contacto con varios agentes inmobiliarios de Nueva Orleans con vistas a la adquisición de un apartamento en la ciudad. «Robert estaba realmente desatado», relataba Myers. «Estaba tan irritado que esperaba verle estallar en cualquier momento.»

Cuando efectivamente estalló, lo manifestó recorriendo todos los bares de homosexuales en busca de negros. Había confiado a diversos amigos que atribuía a un negro el haberle contagiado el virus del sida, pero después de vanagloriarse de haberse acostado con aproximadamente un millar de hombres, difícilmente podía estar seguro. Con todo, se aplicó a la tarea como un ángel vengador, abordando a un negro tras otro con ofertas de cocaína para luego tentarlos con la palabra *nigger*. Uno de ellos le ordenó a voz en grito que se callara, pero Mapplethorpe siguió repitiéndola hasta que el hombre echó mano de su ropa y salió corriendo. «Eres perverso», gritó al marcharse. «*¡Perverso!*»

El artista George Dureau se mostró anonadado por el comportamiento de Mapplethorpe, y en varias ocasiones intentó distraer su atención del sexo a base de mantenerle despierto cuanto le era posible. Independientemente de la hora, Mapplethorpe se las arreglaba para dar un rodeo por los bares «negros». Resulta imposible saber con certeza si tomaba precauciones en la cama, pero para los observadores externos, cual era el caso de Dureau, mostraba una agresividad espeluznante. «En numerosas ocasiones –relata Dureau– me pregunté si el tipo conservaba algún resto de moral.»

Mapplethorpe regresó a Nueva York para asistir a la lectura del testamento de Wagstaff, y allí supo que había heredado tres cuartas partes de su patrimonio, valoradas en más de siete millones de dólares. El veinticinco por ciento restante pasaba a Jim Nelson. A Judith Jefferson, hermana de Wagstaff, le correspondía la comparativamente mezquina suma de diez mil dólares, por lo que inmediatamente impugnó el testamento. Ambos legatarios padecían enfermedades terminales, por lo que el dinero de su hermano se hallaba destinado a terminar en manos de abogados. El propio Michael Stout se mostró comprensivo con ella: «Por un lado, un peluquero cubierto de sarcoma de Kaposi, y por otro, un fotógrafo sadomasoquista constantemente presente en las gacetas de sociedad... ¿quién podría culparla?» Dado, pues, que el testamento pasaba a manos del tribunal sucesorio, ni Mapplethorpe ni Nelson podían acceder al dinero, si bien Wagstaff, anticipándose a la reacción de su hermana, había dispuesto que ambos recibieran un estipendio mensual de varios miles de dólares. Así y todo, Mapplethorpe, en su calidad de albacea del patrimonio de Wagstaff, decidió vender el ático para obtener más dinero, con lo que Nelson habría de perder su hogar. Éste, lógicamente disgustado, recurrió al abogado y activista gay Leonard Bloom para que negociara un acuerdo con el legado Wagstaff.

A Bloom aquello se le antojó como un fascinante estudio en psicología humana: un triángulo amoroso en el que Wagstaff ocupaba el vértice y Mapplethorpe y Nelson representaban las esquinas opuestas de la base. Consciente o inconscientemente, Wagstaff había escogido dos hombres emocionalmente incapaces que dependían de él tanto desde el punto de vista económico como tutelar. «Sam veía en Jim parte de lo que veía también en Robert», explicaba Bloom. «Ambos sufrían de falta de autoestima. Fijaos en Robert: se había fotografiado a sí mismo con un látigo metido en el culo. A Sam le gustaba ejercer un papel dominante; le gustaba controlar a Jim y, en menor medida, también a Robert. ¿Cómo lo lograba? Mediante el dinero.» Mapplethorpe intentó perpetuar la tradición acusando a Jim de ser un manirroto irremediable empeñado en derrochar su herencia. «Si le das demasiado —sentenció ante Bloom—, se limitará a dilapidarlo.» Con todo, Mapplethorpe tenía que solucionar de algún modo la situación económica de Nelson, y por fin acordó con él una compensación económica de quinientos mil dólares y la propiedad de la casa de la playa que Wagstaff poseía en Oakleyville. Al fin y al cabo, detestaba aquella mansión que, sin embargo, poseía un poderoso valor sentimental para Nelson, quien se hallaba decidido a realizar un último intento por plantar una rosaleda durante el verano siguiente. Confiaba en que llegaría el día en que sus cenizas se mezclaran allí con las de Wagstaff.

Sam Wagstaff, no obstante, se hallaba destinado a reposar en un lugar más digno que Oakleyville, y sus restos fueron depositados en la cripta familiar construida en la iglesia del Descanso Celestial de Nueva York, situada en la esquina de la calle Diecinueve y la Quinta Avenida. El 2 de marzo, Mapplethorpe celebró en el Metropolitan Museum of Art un funeral al que asistieron varios cientos de personas para recordar a Wagstaff y ensalzar su extraordinaria visión artística. El fotógrafo leyó un poema escrito por Patti Smith en el que ésta comparaba al coleccionista con un «tulipán en la negrura del viento». Posteriormente, Mapplethorpe y Nelson ofrecieron una modesta cena conmemorativa en Il Cantinori, uno de los restaurantes favoritos de Wagstaff en el Village, y los invitados brindaron por su recuerdo con varias botellas de su amado Chateau d'Yquem. A Mapplethorpe, la situación se le antojó macabra y, volviéndose hacia Anne Horton, de Sotheby's, susurró: «¿Cómo se las arregla uno para celebrar una cena de homenaje a alguien que no está presente?»

A finales de marzo, Mappethorpe y su ayudante, Brian English, volaron a Palm Springs para fotografiar flores del desierto por encargo de *Condé Nast Traveler.* A ellos se unió Ed Maxey, quien había acudido conduciendo desde Los Ángeles. Los tres pasearon durante varias horas por el desierto –Mapplethorpe, ataviado con cuero negro y unas botas vaqueras de tacón alto– hasta que se toparon con un viejo guarda que les dio la mala noticia: la primavera había sido tan seca que todas las flores estaban muertas. Así pues, regresaron a Los Ángeles, donde Patti y Fred Smith vivían en un apartamento que habían alquilado hasta concluir *Dream of Life* en la Record Plant. Mapplethorpe era consciente de que a Patti no le gustaba la fotografía que había tomado de ella y, por más que a él sí le gustara, organizó una segunda sesión para complacerla. Le faltaban apenas unos meses para dar a luz, y apareció luciendo una barriga prominente bajo su holgado suéter de cuello cerrado. Inspirándose en la pintora Frida Kahlo, había peinado sus cabellos formando una colección de delgadas trenzas. Sentada en el patio bajo una palmera, el sol realzaba las líneas de su rostro y sus labios, secos y agrietados. Mientras Brian English se encargaba de instalar el equipo, Mapplethorpe se sentó a reposar junto a ella. El falso aspecto de salud y lozanía que había adquirido tras diagnosticársele el sida había desaparecido, y cuando se puso en pie para tomar la foto, las manos comenzaron a temblarle súbitamente hasta tal punto que dejó caer el exposímetro y lo rompió. Hasta entonces, la enfermedad no había afectado a su capacidad profesional, y durante el resto de la sesión se mostró cariacontecido. Sin el exposímetro, no le era posible calcular el tiempo de exposición, por lo que sabía que las fotografías no saldrían bien. Cuando unos días después regresó a Nueva York no se sorprendió de que Tom Baril le comentara la escasa calidad de los negativos. «No han salido como yo quería», dijo a Patti con disgusto durante una conversación telefónica. «No sirven.»

La compañía discográfica necesitaba la fotografía para finales de la semana, por lo que Smith, a regañadientes, se dispuso a enviarles el primer retrato. Mapplethorpe, sin embargo, la telefoneó de nuevo antes de que saliera en dirección a la oficina de Correos. «Aguanta un día más», le dijo con tono de misterio. A la mañana siguiente, Patti recibió un paquete postal procedente de Robert, y cuando vio la fotografía que contenía se echó instantáneamente a llorar. Técnicamente, no se trataba de un retrato a la altura habitual de Mapplethorpe —su rostro aparecía poco contrastado y el fondo estaba borroso—, pero sus imperfecciones no hicieron sino aumentar su aprecio. Mapplethorpe había evitado, incluso, eliminar la manchita marrón de su mano izquierda. «Desde luego, no es una foto deslumbrante —dijo Patti—, ni tampoco especialmente favorecedora. Pero Robert sabía que ésa era la imagen que yo buscaba. Fue un obsequio que me hizo.»

CAPÍTULO VEINTIDÓS

«Tan sólo confío en vivir lo suficiente para disfrutar de la fama.»

Robert MAPPLETHORPE

En cierta ocasión, Mapplethorpe había revelado a su compañero de habitación del Pratt, Harry McCue, que estaría dispuesto a vender su alma a cambio de la fama, por lo que en ningún momento se le escapó lo irónico de su situación. A pesar de su temor de que los rumores acerca del sida pudieran echar a perder su carrera, la enfermedad sirvió para incrementar el potencial de ventas de sus obras. Para entonces, era ya uno de los fotógrafos más célebres del mundo, y durante la última década su obra había aparecido en sesenta y una exposiciones individuales, cinco libros y quince catálogos. El sida, sin embargo, no tardaría en catapultarlo hacia otro ámbito de la fama ya que, por desgracia, nada había de realzar tanto su vida como la perspectiva de perderla. «Opino que no es imposible vender un millón de dólares en obra de Robert», alardeó Howard Read frente al galerista Peter MacGill. «Está enfermo.»

Es frecuente que los precios se disparen tras la muerte de un artista —«cuanto más muerto, mejor», reza un conocido dicho del mundo del arte—, y la situación de Mapplethorpe, en tanto que enfermo terminal, había creado, según Read, unas «condiciones de mercado derivadas» en las que la gente compraba fotografías de Mapplethorpe anticipándose a su fallecimiento. «El sida —decía Read— ejerció una influencia *tremenda.*»

Lisa Lyon recordaba que un marchante la llamó para ver si querría vender alguna de las fotografías que Mapplethorpe había realizado para *Lady*. «El marchante –explica Lisa– me dijo: "Ya entiendes... Robert está muerto." Y yo inmediatamente monté en cólera y repuse: "Bueno, ¿a qué te refieres diciendo que está muerto?" Y él respondió: "Quiero decir que está muerto... en términos de mercado."»

Janet Kardon, quien por entonces era directora del Instituto de Arte Contemporáneo de Filadelfia, había sido admiradora de la obra de Mapplethorpe, pero hasta que no vio al artista hospitalizado a causa de una pulmonía no pensó seriamente en la posibilidad de organizar una retrospectiva. A comienzos de la primavera, le propuso realizar una muestra que se inaugurara en Filadelfia y que luego viajara a lo largo de seis ciudades de los Estados Unidos. Entretanto, el Museo Stedelijk había anunciado que proyectaba una retrospectiva de Mapplethorpe para comienzos del año siguiente, y Alex Knaust había organizado con Robin Gibson, director de la Galería Nacional de Retratos, una muestra en su institución. «Lo más curioso del caso –afirma Suzanne Donaldson– es que cuando comencé a trabajar con Robert no podía decirse que realmente hubiera mucho que hacer. Y de repente, en apenas seis meses, todo el mundo quería comprar sus fotografías, las galerías y los museos celebraban una exposición detrás de otra y era como si todo ocurriera al mismo tiempo.»

En el mes de abril, Mapplethorpe celebró una exposición de grabados de platino sobre lienzo en la Galería Robert Miller, que se había trasladado a un espacio situado en la segunda planta del número 41 de la calle Cincuenta y siete Este. El local acababa de ser abandonado por el marchante de arte Andrew Crispo, quien se había visto implicado en el brutal asesinato sadomasoquista de un joven modelo noruego. Aunque nunca llegó a verse acusado, se decía de él que solía llevar a cabo juegos sadomasoquistas en aquellas mismas salas en las que ahora Mapplethorpe exponía sus lujosas fotografías de flores, un busto de Mercurio y *Thomas in a Circle*. Escribió Andy Grundberg en el *New York Times:* «La antigua devoción del señor Mapplethorpe por el ideal clásico emerge con una nueva y sorprendente claridad platónica. El estilo clasicista y la presentación minimalista encajan a la perfección.» La muestra tuvo tal éxito que, cuando ya se aproximaba a su fin, Read elevó los precios de las piezas únicas de diez mil a quince mil dólares. «Para entonces era posible venderlo todo por anticipado», explicaba Read. «De hecho, hubo gente que se quedó sin poder comprar. Verdaderamente, causó sensación.»

El origen del concepto de platino sobre lienzo se remontaba a 1985, cuando Mapplethorpe y el grabador Martin Axon comenzaron a idear medios para realzar aún más el aspecto físico de sus fotografías. Si bien los grabados en platino de Mapplethorpe eran normalmente de 60 x 65 cm, el artista jugaba con la idea de realizarlos en tamaños de hasta 120 x 180 cm. Cuando se convenció de que no resultaba económicamente viable –Axon hubiera tenido que construir un cuarto oscuro de proporciones gigantescas– se conformó con la idea de prestar a sus fotografías un aspecto más similar al de los cuadros mediante la impresión de las imágenes sobre lienzos. Que Axon supiera, ningún otro grabador había utilizado jamás aquella técnica, y pasó la mayor parte del año 1986 investigando y perfeccionando el proceso. Mapplethorpe comenzó a colaborar con enmarcadores tales como David Cochrane y Ken Perkins para hacer las piezas aún más gráficas a base de rodear las imágenes con tejidos de seda y terciopelo. Todo ello formaba parte de su empeño por difuminar las fronteras entre pintura y fotografía. «Algunas personas me dicen "¡Me encantan tus pinturas!" –dijo en cierta ocasión a Martin Axon–, cuando en realidad están refiriéndose a fotografías. Aún sigo siendo un poco esnob en lo que se refiere a la fotografía frente a la pintura, y no puedo dejar de considerar como un cumplido que se refieran a una pintura cuando yo sé que están hablando de una fotografía. Agrandar los cuadros es hacerlos más potentes.» En este sentido, Mapplethorpe coincidía con toda una nueva generación de fotógrafos tales como Cindy Sherman y Doug y Mike Starn, que creaban obras únicas a gran escala, susceptibles de ser expuestas junto a pinturas contemporáneas igualmente grandes, y que solicitaban precios que en otro tiempo hubieran resultado impensables en el mundo de la fotografía.

En mayo, Mapplethorpe sufrió una recaída de su pulmonía, y aunque de por sí no era lo bastante grave para recomendar su hospitalización, se vio igualmente aquejado de neuropatía, una inflamación de los nervios que le produjo un terrible ardor en los pies. Alex Knaust, que iba y venía todos los días a trabajar a Londres, aún se encargaba de supervisar el estado de salud del artista, por lo que le cambió a la consulta de un médico del Memorial Sloan-Kettering Hospital y le recetó numerosos remedios antivirales, entre ellos el AL-721, un preparado a base de lípidos de huevo fabricado en Japón, y ácido tiocítico, sustancia que supuestamente protegía a los pacientes de sida de los efectos tóxicos de la medicación. Mapplethorpe era un paciente extremadamente pasivo: se tomaba cualquier pastilla que le fuera recomendada, pero, aunque diversos doctores le previnieron de que el consumo de cocaína no haría sino dañar aún más su sistema inmunológico, continuaba esnifándola y fumando casi dos paquetes de cigarrillos al día.

Había dejado de ver a Thomas Williams nada más enterarse de que padecía sida, pero no se molestó en comunicarle que había tenido que ser hospitalizado con PCP. Fue aquélla una cruel falta de previsión, ya que Williams, preocupado de haber hecho algo malo, no pudo evitar preguntarse por qué el fotógrafo hacía súbitamente caso omiso de él. También a él le fue diagnosticado posteriormente el sida, y en 1993 se quejó desde el *New York* afirmando que, a pesar de ser uno de los modelos más célebres del artista, la Fundación Mapplethorpe, dedicada a contribuir a causas relacionadas con el sida, se había negado a ayudarle.

El racismo de Mapplethorpe se fue intensificando a medida que avanzaba su enfermedad, y Kelly Edey, a cuyos oídos había llegado presumiblemente todo, se sintió tan asombrado ante los venenosos comentarios de Mapplethorpe que anotó un incidente en su diario. El 2 de agosto por la tarde, Mapplethorpe estaba frente a Keller's cuando, repentinamente, comenzó a gritar: «Ésta es la esquina más sórdida de Nueva York. ¿Cómo es posible que siga aquí, entre toda esta basura humana? ¿Cómo pueden ser todos tan éstupidos? Hasta el último de vosotros, sois todos increíblemente estúpidos.» Así y todo, continuó frecuentando Keller's, en la esperanza de que su semidiós emergiera de los escombros. «Mucha gente le gritaba que dejara de ir a los bares –explicaba Mark Isaacson–, pero él los miraba como pensando, bueno, eso es problema suyo: si ellos no se ocupan de protegerse, ¿por que habría de molestarme yo en hacerlo? Cuando Robert enfermó, le dije: "Tienes que acabar con tu estilo de vida", y él me respondió: "Si tengo que cambiar mi estilo de vida, no me interesa seguir viviendo."»

Mapplethorpe experimentaba un placer morboso escuchando historias acerca de otras personas aquejadas de sida, y siempre se interesaba por la salud de ciertos amigos cuyo historial médico se desarrollaba paralelamente al suyo. Se mostraba especialmente interesado en Peter Hujar, un fotógrafo de cincuenta años de edad cuya carrera era una réplica oscurecida de la de Mapplethorpe. Ambos hombres mantenían una relación que podría compararse con la de Mozart y Salieri; ambos fotografiaban desnudos masculinos en estudios desprovistos de mobiliario alguno, pero la susceptible personalidad de Hujar siempre le había valido la antipatía de los galeristas, mientras que Mapplethorpe manejaba las reglas del juego a la perfección. Hujar terminó por detestar a su joven rival, a quien consideraba un personaje prostituido y plagiario; Mapplethorpe, por su parte, consideraba a Hujar el típico caso que describe cómo *no* debe uno actuar si quiere hacerse famoso. No se le ocurría nada peor que caer víctima de lo que Stephen Koch describía como la «fama secreta» de Hujar.

A uno y otro les fue diagnosticado el PCP con el intervalo de dos meses, pero así como Mapplethorpe reanudó agresivamente el desarrollo de su carrera, Hujar no volvió a utilizar la cámara. De igual modo, se negó a someterse a la administración de AZT y –típico de él– recurrió a la exploración de remedios esotéricos hasta convertirse, por fin, al catolicismo. Lynn Davis, también amiga de él, le cuidó hasta su muerte, acaecida el día de Acción de Gracias. Mapplethorpe se hallaba entre los ciento cincuenta asistentes al funeral católico celebrado en la iglesia de San José, en Greenwich Village. El escritor Vince

Aletti y el artista David Wojnarowicz —este último antiguo amante de Hujar— transportaron los restos del fotógrafo en un sencillo ataúd de pino que depositaron en la nave central de la iglesia. Concluido el funeral, Mapplethorpe divisó en la escalinata de la iglesia a Kenny Tisa, antiguo alumno del Pratt, y cuando éste se interesó por su salud, respondió: «Tan sólo confío en vivir lo suficiente para disfrutar de la fama.»

La fama, no obstante, tenía su precio: cuando Mapplethorpe leyó el reportaje que publicaba sobre él el número de enero de 1988 de *American Photography*, cogió el teléfono y descargó una bronca monumental sobre la redactora Carol Squiers. «¡No puedo creer que tú me hagas esto a mí!», vociferó. «¡Conozco a toda la gente del medio, y procuraré asegurarme de que nadie vuelva a contratarte jamás!» Era la tercera vez que Squiers se enfrentaba a las iras de Mapplethorpe, pero nunca hasta entonces le había visto con una actitud tan vengativa. «Destilaba veneno a través del auricular», dijo luego. «Si hay algo que no esperaba entonces, era verme amenazada por un moribundo. Me alteró horriblemente. Estaba fuera de mí.»

El objeto de la cólera de Mapplethorpe era un artículo titulado «Mapplethorpe: el arte de mis perversos, perversos métodos», escrito por un crítico de arte australiano llamado Paul Taylor al que Squiers le había encomendado la crónica en cuestión. Aunque Taylor admiraba personalmente la obra del fotógrafo, había conseguido turbar a Mapplethorpe ya durante los primeros minutos de la entrevista al abordar la cuestión del sida. A continuación, se interesó por el papel que había desempeñado Sam Wagstaff en su carrera, así como por las provisiones del legado del mecenas. Hacía algún tiempo que Mapplethorpe, desde una postura revisionista de la historia, había comenzado a negar la influencia de Wagstaff en su carrera, y repuso con tono irritado que pediría a Michael Stout que censurara la entrevista a no ser que Taylor dejara de lado las cuestiones vedadas. «Lo único que pido es que escriban de mí como de un artista normal», suplicó.

Mapplethorpe cooperó con Taylor, pero le preocupaba que el artículo terminara siendo un libelo, y se preparó para responder al posible ataque. Finalmente, la crónica terminó viéndose rechazada por *American Photography* por excesivamente reverencial, y el material se combinó con el de entrevistas previas realizadas por Squiers y Stephen Koch, cuyo perfil de Mapplethorpe ya había desechado la revista en 1986. Si consideramos el número de escritores que intervinieron, el artículo resultó sorprendentemente honesto y equilibrado, y Squiers no lograba imaginar qué podía haber desencadenado tal ataque de histeria en el fotógrafo. Posteriormente, descubrió que ni siquiera se había molestado en leerlo antes de hablar con ella por teléfono. Le había disgustado el pie de foto que remataba el retrato de Wagstaff, en el que éste aparecía descrito como «amante» del fotógrafo. A pesar del tiempo transcurrido, a Mapplethorpe aún le atemorizaba la idea de que sus padres pudieran averiguar su homosexualidad, y aunque no solían leer revistas de arte ni el *New York Times*, sí era posible que el *American Photography* se cruzara en su camino durante alguna visita a la tienda de ultramarinos local y que se preguntaran quién sería el tal Sam Wagstaff.

Ed era el único miembro de la familia que sabía que Robert tenía sida, y no hacía mucho que había regresado a Nueva York para ayudar a su hermano. Robert, sin embargo, tenía tanto miedo de que sus padres sospecharan que algo marchaba mal si se enteraban de que Ed había abandonado Los Ángeles que convenció a éste para que colaborara en una complicada charada que implicaba mantener un contestador automático permanentemente conectado a su antiguo número de teléfono. Ed se ponía regularmente en contacto con el aparato para recoger los mensajes, y cada vez que descubría alguno de su madre le devolvía la llamada y fingía seguir aún en Los Ángeles. El hecho de que Ed se prestara a participar en aquel juego ridículo demuestra hasta qué punto ansiaba todavía gozar de la aprobación de su hermano, sin saber que era como intentar sacar agua de un pozo que seguía tan seco como antes.

Robert permitía a Ed vivir en Bond Street sin pagar alquiler, donde aún conservaba su cuarto oscuro y el espacio de trabajo de sus empleados, e incluso le pagaba un modesto salario por ayudar en el estudio, pero no parecía mostrar más agradecimiento hacia él que hacia cualquier otro de sus empleados. «En realidad, Ed adoraba a Robert y, en cierto modo, hubiera querido ser Robert», afirma Brian English. «En mi opinión, era insano. Trabajaba para él, vivía en su apartamento y dormía sobre un colchón bajo el que se apilaba todo aquel material sadomasoquista, bajo el punto de mira de las fotografías de Robert. ¿Alguna vez habéis visto esos retratos que te siguen con la mirada te pongas donde te pongas? Eso era lo que tenía que soportar Eddie.»

Para complicar aún más las cosas, Ed compartía el apartamento con una modelo de Mapplethorpe llamada Melody Danielson cuya inesperada irrupción en su vida había sido coreografiada por el propio fotógrafo. «De no haber sido gay –decía Robert–, habría escogido una mujer como Melody.» En efecto, la muchacha poseía todas las virtudes necesarias; Truman Capote podría haber reclutado sus «cisnes» entre las filas de la clase alta más elegante, pero los de Robert Mapplethorpe procedían del punk-rock, del Gold's Gym o, en el caso de Danielson, del mundo profesional del sexo.

Danielson había trabajado de *dominanta* al servicio de una clientela de importantes hombres de negocios neoyorquinos que le pagaban quinientos dólares por hora para complacer sus a menudo aberrantes fantasías de sumisión. Le habían pedido que fingiera ser una jefa deportiva de ceremonias, un niño pequeño y, en cierta ocasión, un grillo cantor, pero Danielson había renunciado recientemente a su profesión para fundar una firma de costura de prendas vaqueras bajo el nombre de *Hillbilly Heaven*. A Mapplethorpe, no obstante, le encantaba escuchar anécdotas de su experiencia como «institutriz» y de cómo, de adolescente, ella y su padre –un timador profesional– habían desarrollado en Sudamérica numerosos proyectos destinados a hacerse ricos en poco tiempo. Más importante aún, le fascinaba su andrógino estilo de belleza: flaca hasta el punto de resultar escuálida, Melody llevaba el cabello rapado casi al cero y se lo cambiaba de color a capricho, y su piel era tan blanca que parecía aerografiada. Cuando se maquillaba, sus ojos y su boca, poderosamente realzados, destacaban en contraste con su pálido rostro haciéndola parecer una jovencita que fingiera ser una mujer adulta y, de hecho, numerosas personas comentaban el parecido que mostraba con Mapplethorpe cuando éste se disfrazaba de mujer.

El 4 de noviembre de 1987, Robert, que cumplía cuarenta y un años, invitó a Melody a la fiesta en la esperanza de que Ed se sintiera atraído por ella y, dado que la muchacha lucía todos los signos de identidad del fotógrafo unidos al fuerte parecido que tenía con él, no es de extrañar que Ed se enamorara de ella. Como consecuencia, Melody, que había abandonado su profesión como *dominanta* sexual porque anhelaba disfrutar de una vida más estable, se vio atrapada por el enloquecido torbellino de la existencia de Robert. «Ed mostraba auténtica devoción hacia su hermano –decía Danielson, quien murió de cáncer en 1993–, por lo que supe que si me relacionaba con él estaría relacionándome también con Robert. Pero Robert llevaba una vida tan complicada y, a veces, tan jodida, que solía decirme a mí misma: "Para eso, podías volver a dedicarte a atar tíos con cordones de zapatos."»

Pocas semanas después de que Ed abandonara Los Ángeles, regresó también a Nueva York Jack Walls, quien llevaba algún tiempo intentando desarrollar allí una carrera cinematográfica, aunque sin demasiado empeño. Robert, acaso consciente de que las posibilidades de encontrar un nuevo amante eran cada vez más escasas, invitó a Walls a compartir con él el apartamento de la calle Veintitrés y le concedió un salario de trescientos dólares a la semana a cambio de que se encargara de supervisar el estado de la casa. Las peleas entre ambos no se hicieron esperar, como si con ello quisieran rememorar su antigua relación: Mapplethorpe acusaba a Walls de comprar droga en lugar de detergente, y Walls reprochaba al fotógrafo que siguiera malgastando el dinero en cristal de Venini. Ambos procuraban trasladar sus adquisiciones al piso de modo clandestino, y una vez allí las conservaban guardadas en lugares secretos hasta que uno u otro descubría el botín y se desencadenaba una trifulca que, inevitablemente, concluía con Walls abandonando la estancia con un portazo, para reanudar su condición de empleado y compañero de lecho pocas horas más tarde.

Mapplethorpe siempre había atesorado la libertad de poder ir y venir a su antojo, pero su enfermedad le hacía vulnerable ante Walls, quien le sermoneaba por el modo en que gastaba el dinero; ante los diversos médicos que le reprochaban su consumo de cigarrillos y cocaína; ante aquellos amigos que, de buena fe, le sugerían que recurriera al yoga, a la meditación o a los complementos vitamínicos; y ante Michael Stout, quien le aconsejó que escribiera su testamento. Tras un año de escaramuzas en torno al legado de Wagstaff, la hermana de Sam, Judith Jefferson, había decidido retirar sus demandas, lo que convertía a Mapplethorpe en un hombre rico. No obstante, apenas había obtenido el dinero cuando ya tenía que pensar en el modo de dárselo a otros. Tan sólo confiaba en vivir lo suficiente como para gastar al menos una parte en sí mismo.

Empero, su neuropatía empeoraba, y la fiebre y la diarrea le impedían conciliar el sueño por la noche. Alex Knaust le concertó diversas citas con los médicos del Instituto Nacional del Cáncer de Bethesda, Maryland, e inclusó viajó a París para consultar con los investigadores del Instituto Pasteur, pero nadie tenía nada prometedor que ofrecer aparte del AZT. Mapplethorpe detestaba tener que acudir a Sloan-Kettering para someterse a revisiones, ya que se había habituado a verse tratado como una celebridad y no le gustaba tener que esperar para ser atendido por médicos que no podían proporcionarle noticias reconfortantes. A mediados de febrero, tras acudir al hospital en compañía de Lia Fernández, juró no volver más: «¿Qué te ha dicho?», le preguntó Lia cuando salió de la consulta del médico. «Que me tiene cazado», repuso él, extendiendo la mano hacia las suyas. «Que me estoy consumiendo, por así decirlo.»

Así y todo, Mapplethorpe nunca había disfrutado de una presencia tan notoria en el mundo del arte, y además de la retrospectiva organizada por Janet Kardon en el Instituto de Arte Contemporáneo, que llevaba como título «El Momento Perfecto», había de protagonizar otra en el Whitney Museum. El hecho de que dos museos de importancia celebraran retrospectivas simultáneas del mismo artista constituía un acontecimiento sumamente infrecuente, especialmente si se tiene en cuenta que Kardon ya había negociado con el Whitney la posibilidad de convertirse en una de las etapas del itinerario de «El Momento Perfecto». Sin embargo, Richard Marshall, conservador del Whitney, había colaborado con Mapplethorpe en *50 Artistas de Nueva York* y se hallaba estrechamente ligado a la Galería Robert Miller a través de la amistad que mantenía con su director, John Cheim; así, acariciaba proyectos más ambiciosos, y comenzó a proyectar una retrospectiva independiente de la obra del fotógrafo. Y lo que aún era peor para Kardon: Marshall había proyectado su muestra para el mes de julio, siete meses antes de que se inaugurara «El Momento Perfecto» en Filadelfia; ello significaba que aún había otro conservador que se había anticipado a los planes del Instituto de Arte Contemporáneo, por lo que la retrospectiva de Kardon corría el riesgo de perder actualidad de antemano.

Irónicamente, «El Momento Perfecto» despertó más atención de la que Kardon habría podido esperar jamás cuando, en el verano de 1989, la Galería de Arte Corcoran de Washington D. C. canceló su exposición, provocando en torno a la censura una feroz polémica que ocupó las primeras páginas de los periódicos durante año y medio.

En aquel instante, sin embargo, Kardon se enfrentaba a la posibilidad de tener que renunciar a la exposición, y el propio Mapplethorpe, que dudaba de tener energía suficiente para encarar ambas retrospectivas, amenazó con cancelar «El Momento Perfecto». Aunque durante mucho tiempo había considerado al Whitney como una institución de segundo orden, quería sobre todas las cosas que su retrospectiva se expusiera en Nueva York, y se sintió desolado cuando la conservadora de fotografía del Metropolitan Museum, Maria Morris Hambourg, decidió no añadir el museo a la ruta de la muestra. Hambourg, no obstante, nunca había sido una admiradora de Mapplethorpe y, desde luego, no estaba dispuesta a arriesgarse por él. «No podía llevarle un pene ensangrentado a mi director y decirle: "Quisiera exponer esto"», explicaba. «El museo no está hoy preparado para eso; y si lo está algún día, no será durante los próximos diez o quince años. Procuré dejar aquello bien claro ante Robert, pero creo que nunca llegó a superarlo.»

Finalmente, Kardon persuadió a Mapplethorpe para que no abandonara el proyecto, y él aceptó, en parte porque le proporcionaba un incentivo adicional para continuar combatiendo contra su enfermedad. Por entonces, contemplaba cada retrospectiva como una meta que tenía que alcanzar para ganarle la partida al sida. Dado que «El Momento Perfecto» no tenía prevista su inauguración hasta diciembre, confiaba en que no moriría hasta haber sido testigo de los últimos vestigios de fama.

Entretanto, se había planteado objetivos más inmediatos, entre ellos el de asistir el 27 de febrero a la inauguración de su exposición en el Museo Stedelijk. Aunque nadie creía que pudiera encontrarse lo bastante bien como para viajar a Amsterdam, Robert partió en compañía de Lynn Davis y Jack Walls. «A Robert siempre le había encantado Amsterdam –afirma Davis–, y pasó el día de la inauguración rodeado de todos sus viejos amigos, como Rob Jurka, que había sido uno de sus primeros defensores. Se sentía realmente débil, pero nos pasamos una tarde contemplando los Van Gogh, y aquello pareció animarle.» A su regreso, Mapplethorpe cambió de médico y, siguiendo la recomendación de la actriz Susan Sarandon, a quien había acompañado alguna que otra vez a cenas de gala para recaudar fondos, acudió a ver a la doctora Barbara Starrett. La doctora Starrett, especializada casi exclusivamente en pacientes con sida, se mostró dispuesta a visitarle en su domicilio y a colaborar con Alex Knaust en la búsqueda de medicamentos experimentales para Mapplethorpe. Después de examinarle, anotó que parecía estar padeciendo «síndrome de consumición», un insidioso estado caracterizado por pérdida de peso y diarrea crónica en el que los pacientes iban consumiéndose literalmente. Entretanto, continuó administrándole AZT, pentamidina –un medicamento antiprotozoario–, Zovirax para el herpes y Elavil para la neuropatía.

El 14 de marzo, el fotógrafo se quejó a Starrett de terribles dolores abdominales y náuseas generalizadas, mas el 22 de aquel mismo mes se las arregló para volar a Londres, donde proyectaba pasar una semana asistiendo a acontecimientos organizados por la infatigable Knaust y relacionados con su obra. «Verdaderamente, no tenía proyectos de hacer nada en la línea de Mapplethorpe –admitió Robin Gibson, director de la National Portrait Gallery–, ya que somos una institución profundamente británica y no solemos aceptar esa clase de cosas. Sin embargo, se presentó un día Alex y me preguntó si estaríamos interesados en una muestra de Mapplethorpe. Se produjo una situación de cierta tensión, ya que realmente ignorábamos qué posición tenía Alex dentro de la organización de Mapplethorpe, y Robert jamás hablaba de ella. Nos convenció de que cubriéramos las paredes con seda y muaré de color gris afirmando que era su color favorito, y un mes antes de la exposición, cuando ya habíamos adquirido aquellas costosas telas, desapareció. Supimos que la habían detenido en el aeropuerto de Heathrow cuando intentaba introducir las fotografías de Mapplethorpe en el país, ya que algunos oficiales de aduana opinaban que ciertas imágenes podían calificarse de obscenas. Nunca estuvimos seguros de si finalmente se celebraría la exposición hasta que no vimos las fotografías colgadas. Verdaderamente, fue todo bastante extraordinario.»

Mapplethorpe se presentó en la National Portrait Gallery rodeado de una cohorte de seguidores, entre los que se contaban Michael Stout, Jack Walls, Dimitri Levas, Alex Knaust y Howard Read. En el exterior de la galería colgaba un enorme estandarte en el que podía leerse MAPPLETHORPE, y sobre la verja de entrada podían verse carteles en los que se reproducía un autorretrato del artista en 1987. En el interior, el retrato de Mapplethorpe colgaba junto a retratos de celebridades tales como lord Snowdon, Norman Mailer, Truman Capote, William Burroughs, Francesco Clemente, Peter Gabriel, Richard Gere, Glenn Close, Iggy Pop y David Byrne. Era como si el fotógrafo quisiera establecer su igualdad con ellos, y Sandy Nairne, conservadora de su muestra de 1983 en el Instituto de Arte Contemporáneo, se asombró del modo tan diferente en que ahora le trataba la gente. «Era como si se tratara de una estrella de rock», comentaba. «Los chiquillos se desvivían por verle y le pedían que autografiara sus catálogos. Sin embargo, había en todo ello algo bastante siniestro, ya que sabían que se estaba muriendo.»

En su crónica de la exposición para *The Times*, John Russell Taylor no atribuía el súbito interés por Mapplethorpe a su talento –que, según él, no pasaba del de cualquier estudiante recién graduado en Bellas Artes–, sino a los complicados mitos que rodeaban su carrera: «Ciertamente, no hay ningún fotógrafo de épocas recientes –acaso no lo ha habido jamás– que se haya visto tan despiadadamente sobrevalorado y tan hábilmente comercializado.» La cuestión de su inminente muerte a causa del sida no hacía sino realzar el mito.

Cuando Mapplethorpe hizo su aparición en la Galería Hamiltons de Mayfair para asistir a otra de las exposiciones organizadas por Knaust, Tim Jefferies, copropietario de la galería, se quedó atónito al contemplar la inmensa multitud que asistió a la inauguración. «Supongo que cierto porcentaje de los asistentes se hallaba allí por pura curiosidad morbosa», manifestó Jeffries, quien hasta entonces no conocía demasiado la obra de Mapplethorpe. «Sin embargo, aquello parecía la "Semana londinense de Robert Mapplethorpe", y al final resultó más homenajeado de lo que ninguno de nosotros podía esperar.»

Ello se debía, en parte, a un documental sobre la vida de Mapplethorpe que la BBC emitió por televisión aquella misma semana (otra iniciativa de Knaust). Según el productor, Nigel Finch, la experiencia había constituido una pesadilla. Knaust le acusó de intentar crear una exposición del «sida al desnudo», y obtuvo una orden judicial en la que se prohibía a la BBC emitir el documental a no ser que se censurara previamente cualquier referencia a la enfermedad. Pocas horas antes de que el programa saliera en antena, se reunió con Finch en la sala de montaje y exigió que se realizaran los cortes necesarios. «Alex destrozó la película», dijo posteriormente Finch. «A mí me interesaba situar a Mapplethorpe en un contexto social más amplio, en el que el sida desempeñaba un papel crucial. Quería que fuese la crónica de una década. Comprendía que Robert no quisiera pasar a verse catalogado como un "artista del sida", y durante las entrevistas que mantuve con él, ni una sola vez mencionó la palabra. Sin embargo, por culpa de Alex perdimos incluso un trozo de la entrevista en el que hablaba de la mortalidad. El hombre se estaba evaporando delante de nuestros ojos, y a pesar de ello se nos prohibía mencionar que pudiera estar pasándole algo. Todo obedecía a una obsesión por parte de Alex.»

El 27 de marzo, dos días después de que Mapplethorpe regresara de Londres, acudió a la Galería Miller para asistir a la inauguración de «New Color Work» («Nueva Obra en Color»), que incluía veinte grabados florales al tinte. A lo largo de su carrera, había realizado intentos esporádicos por introducir el color en su trabajo, pero los resultados nunca le habían dejado totalmente satisfecho. El color nunca había sido su fuerte, y en general no sabía enfrentarse a la fotografía cromática. No obstante, la había practicado con más frecuencia gracias a sus trabajos publicitarios, y ahora que contaba con el dinero necesario para invertir en los costosos procesos de transferencia de tinte, había comenzado a fotografiar lirios, tulipanes, rosas y orquídeas sobre fondos de púrpura intenso, magenta y negro. Howard Read no tardó en vender la totalidad de la muestra, y un cliente japonés llegó al punto de adquirir las veinte fotografías que la componían. «Las publicamos en ediciones de siete ejemplares –explicaba Read–, y se agotaron a una velocidad increíble.»

La coleccionista de arte Marieluise Black, propietaria de una extensa colección de Mapplethorpe, comentó la obra en color con el fotógrafo durante una entrevista celebrada en el mes de junio. Black opinaba que las fotografías de Mapplethorpe perdían impacto en color, pero el artista insistía: «Creo realmente que funcionan. Precisamente porque nunca me ha atraído la fotografía en color, siempre me he mantenido apartado de ella, incluso en lo que se refiere a la obra de otras personas. Pero, acaso porque son mías, lo cierto es que mis fotografías en color me gustan. Tampoco he hecho tantas. Tan sólo estoy empezando.»

La capacidad de Mapplethorpe para referirse a su trabajo afirmando que «tan sólo estaba empezando» constituía un ejemplo de hasta qué punto creía realmente en el poder mágico de su propia creatividad, y asimismo en qué medida era aún capaz de ampliar los límites de su visión a pesar del deterioro que estaba sufriendo su cuerpo. Físicamente, recordaba la fotografía de Thomas Williams atrapado en el círculo. La neuropatía se estaba extendiendo de los pies a la cabeza, y de los dedos a las manos. Dado que hacía ya tiempo que Mapplethorpe había definido su identidad en términos sexuales, debía de aterrorizarle imaginar una enfermedad nerviosa avanzando hacia sus genitales, y se obsesionó con la idea de que cuando atacara el centro de su cuerpo, él mismo dejaría de existir.

Con todo, el sida había aplacado sus apetencias sexuales y, en consecuencia, había dejado de concentrarse en la fotografía de desnudos negros. «He dejado atrás esa fase», explicaba a Janet Kardon. «Últimamente, ya no fotografío ninguna clase de desnudos. No quiero decir que no pueda volver a hacerlo, pero hace algún tiempo que he dejado de lado los cuerpos.» Por el contrario, desvió la atención a las estatuas de mármol: «helados iconos blancos del deseo», como las describiera la crítica de arte Kay Larson.

Con ello, Mapplethorpe había completado un círculo, ya que si en otro tiempo había destacado en la transformación de sus modelos en piezas de escultura, ahora intentaba insuflar vida a la piedra. La mayoría de las estatuas que fotografiaba eran reproducciones de los dioses clásicos realizadas en los siglos XVIII y XIX y adquiridas para él por Dimitri Levas en Malmaison y Niall Smith. Mapplethorpe buscaba específicamente las reproducciones debido a que las figuras clásicas de la antigüedad raramente se hallaban en perfectas condiciones, y no le interesaba poseerlas si les faltaban «narices y cosas». Sin embargo, sus reproducciones de los dioses nunca alcanzaban el nivel de exactitud que exigía, y tras descubrir una leve señal sobre el puente de la nariz de Apolo, envió la estatua para que la sometieran a una limpieza profesional. A continuación, comenzó a hacer lo propio con todos los ejemplares de su colección hasta que, por fin, Levas puso fin a su empeño. «Esto es ridículo», le dijo. «Estás echando a perder la maravillosa pátina que las cubre y haciendo que parezcan recién talladas. No tiene ningún sentido.»

Por más que pueda parecer que la incapacidad de Mapplethorpe para aceptar los estragos del tiempo indicara un rechazo hacia su propia mortalidad, ello no es en absoluto el caso. No le gustaba hablar de la muerte, y sin embargo sus fotografías pueden contemplarse como un desplazamiento progresivo desde el mundo de la carne al del espíritu. Sus retratos femeninos comenzaron a parecerse cada vez más a imágenes de ángeles, e incluso la princesa Gloria von Thurn und Taxis, célebre chica de sociedad de los ochenta con el apelativo de «Princesa TNT», se vio transformada en un ser celestial tan luminoso como el collar de perlas que lucía al cuello. Kay Larson señaló la «nueva morbosidad» de la obra de Mapplethorpe, una de cuyas más macabras imágenes es, sin duda, la fotografía que tomó de una calavera humana. Para él, constituía la imagen más puramente escultural de todas: ni los cabellos ni la piel mancillaban la limpieza de sus líneas, y todo aparecía, literalmente, descarnado.

Se había sentido atraído por la imagen de la calavera desde que convirtió a su mono *Scratch* en instrumento musical, pero hasta entonces nunca había empleado tan mortífero símbolo para manifestar con tal potencia el terrorífico proceso de la decadencia física. Con *Self Portrait, 1988* (Autorretrato, 1988), una de sus mejores fotografías, y desde luego la más íntima, regresó al mismo tema desde una perspectiva más personal. Al principio, su intención no había sido otra que la de fotografiar uno de sus bastones, rematado por una calavera a modo de empuñadura, pero mientras Ed Maxey y Brian English se afanaban en disponer el escenario, Mapplethorpe desapareció súbitamente en el dormitorio y emergió cinco minutos después ataviado con un jersey negro de cuello vuelto. Sabía que la ropa negra podía prestar al cuerpo una apariencia cuasi invisible, y de hecho ya había empleado eficazmente esa técnica en sus retratos de Doris Saatchi y de Roy Cohn. Ed comprendió instintivamente lo que intentaba hacer, y aprovechó el momento en que estaba fotografiando a su hermano para enfocar la cámara sobre la mano asida a la empuñadura en forma de calavera, dejando que las borrosas facciones de Robert se fundieran con la oscuridad.

El retrato reflejaba el modo en que Mapplethorpe enfocaba a la sazón su trabajo ya que, si bien todas las fotografías llevaban su firma, a medida que avanzaban los meses iba apartándose paulatinamente del proceso creativo.

Los retratos representaban una excepción, ya que se veía obligado a interactuar con la persona situada frente al objetivo, pero por entonces eran Maxey o English quienes fotografiaban la mayor parte de las naturalezas muertas. Durante años, había sido Dimitri Levas el responsable de seleccionar los jarrones y las flores, así como de organizar la disposición floral. El estilo de Mapplethorpe se había convertido hasta tal punto en un formulismo que al artista le bastaba con dar su aprobación a una prueba mediante Polaroid para delegar el proceso fotográfico en otra persona. «Al cabo de algún tiempo, se volvió todo tan esquematizado que era casi como trabajar en una fábrica –explicaba Levas–, y pensabas: "Bah, tampoco tiene tanto que ver con Robert." Lo cierto, sin embargo, es que ya desde el principio había organizado un proceso determinado para Tom, sus ayudantes y yo, por lo que, pasara lo que pasara, al final era su obra.»

De hecho, incluso cuando Mapplethorpe no intervenía en las fotografías, su perspectiva era tan minuciosa y precisa que tanto Maxey como English se sentían como si se les obligara a contemplar el mundo a través de sus ojos. «Verdaderamente, resultaba un poco neurótico –decía English–, porque cada vez que tomaba una fotografía era como si tuviera que introducirme en su mente. Formaba parte de la esencia de Robert: la gente se esforzaba en pensar cómo era, y luego él proyectaba la imagen que tenían de él sobre sus fotografías. No importaba qué hiciera cada uno, porque al final el que contaba era él... todos éramos Mapplethorpe.»

Los meses de mayo y junio transcurrieron como un viaje en montaña rusa en el que la emoción de la inminente retrospectiva del Whitney se veía contrarrestada por el empeoramiento de la salud de Mapplethorpe. Le resultaba imposible detener la pérdida de peso, y de los 55 kilos que alcanzara en marzo había pasado al esquelético peso de 51. La doctora Starrett le recomendó que contratara a una enfermera privada, pero Mapplethorpe, reacio a perder la poca libertad de que aún disfrutaba, continuó dependiendo del irresponsable Jack Walls, quien solía abandonarle periódicamente en mitad de la noche para salir a comprar droga. Walls achacaba su drogodependencia al hecho de tener que compartir el lecho con un enfermo. «¿Quién no necesitaría algo para calmarse en tales circunstancias?», decía. «Estaba constantemente sudoroso y mareado. Era horrible.» Para Mapplethorpe no resultaba tan inquietante la drogodependencia de Walls como la certeza de que estaba perdiendo el dominio que ejercía sobre él. «Robert jamás habría soportado aquella relación de haber estado sano», observaba Lynn Davis. «Jack le robaba dinero continuamente. Falsificaba la firma de Robert siempre que podía, pero también le proporcionaba la ilusión de que continuaba siendo una persona dotada de sexualidad.»

De hecho, si Mapplethorpe no hubiera contraído el sida es probable que no hubiera pasado tanto tiempo con la mayor parte de quienes para entonces componían su círculo íntimo, pero cada uno de ellos servía a un propósito determinado: Michael Stout se ocupaba de sus asuntos legales, Dimitri Levas supervisaba su trabajo, Alex Knaust estaba a cargo de su tratamiento médico, su hermano Ed le ayudaba a realizar sus fotografías y le proporcionaba algo parecido a una vida familiar, y Lynn Davis hacía las veces de figura materna y protectora. Desde la década de los setenta, la larga cabellera de Davis se había vuelto completamente blanca, y caía sobre sus hombros como un velo. Mapplethorpe la llamaba: «mi santa judía», porque se mostraba infatigablemente dedicada a él e irradiaba un aura de espiritualidad. Su sola presencia le hacía sentirse mejor, y ambos se limitaban a veces a pasar el rato sentados y cogidos de la mano. «Robert se enfrentaba a su enfermedad con tanta dignidad —afirma Davis—, que mi amistad hacia él se convirtió en auténtico respeto. Ni una sola vez le vi tener una rabieta, ni enfadarse ni gritar. Tenía presente el modo de actuar que había mostrado Sam cuando se acercaba su fin y, en mi opinión, debió de proponerse internamente que reprimiría sus impulsos.»

No obstante, Mapplethorpe mostraba distintas facetas de sí mismo a unas u otras personas, y del mismo modo que Davis y Patti Smith extraían su aspecto más dulce, otras despertaban su ira. En numerosas ocasiones presionó a sus amigos y empleados hasta el límite. Raramente expresaba su gratitud, y la única gentileza que era capaz de mostrar con alguien consistía en ofrecerse a hacer su retrato. Empero, se mostraba tan reacio a trabajar gratis que obligó a Stout a que le pagara el suyo, y después de acordar con Levas que le retrataría a cambio de que éste diseñara su papel de cartas, aplazó su compromiso durante cinco años hasta cumplir con él por fin a regañadientes. Jamás mostró interés alguno por fotografiar a su hermano, y parecía alimentar cierto placer secreto de la certeza de lo mucho que Ed ansiaba un retrato suyo. «Robert sabía que tenía el poder de aplastar a Eddie con su sola mirada —explicaba Melody Danielson—, y ello resultaba patético, porque Eddie mostraba una devoción absoluta hacia él.»

Tanto Ed como Melody procuraban siempre asegurarse de que Robert estuviera acompañado por las noches, y a menudo se quedaban con él hasta que se quedaba dormido. Invariablemente, Robert hacía caso omiso de Ed y pasaba la mayor parte del tiempo charlando con Melody, lo que hacía que Ed se sintiera aún más deprimido e inútil. Finalmente, tanto él como Melody decidieron descansar una temporada de Robert y partieron hacia Los Ángeles a finales de mayo.

Pocas semanas después, Jack Walls declaró que también él había soportado demasiado a Mapplethorpe. Persuadió a la directora de estudio, Suzanne

Donaldson, de que le extendiera un cheque a cargo de la cuenta oficial del fotógrafo y se marchó igualmente a Los Ángeles.

La partida de Walls dejó a Mapplethorpe desprovisto de alguien que le cuidara, pero seguía negándose a contratar una enfermera, y prefería delegar en Suzanne Donaldson y Brian English las responsabilidades de un asistente domiciliario. Entre ambos, limpiaban la casa, fregaban los platos, lavaban la ropa, le ponían compresas frías en la frente cuando le subía la fiebre y le acompañaban al cuarto de baño cuando se sentía demasiado débil para acudir por sí mismo. «Fue uno de los peores períodos de mi vida», recuerda English. «Día tras día, tenía que fregar retretes y cuidar de él en lugar de tomar fotografías. A veces no podía creer que pudiera estar trabajando para un moribundo. ¿Qué se suponía que debía hacer si en algún momento se desplomaba súbitamente sobre el suelo?»

Esa misma cuestión inquietaba profundamente a Michael Stout, consciente de que debía poner en orden los asuntos de Mapplethorpe. Durante los últimos meses había comentado con el fotógrafo diversos modos de conservar su archivo fotográfico y de reducir el importe de sus impuestos. El 27 de mayo, Mapplethorpe firmó los documentos pertinentes para la creación de la Fundación Robert Mapplethorpe y diseñó la normativa bajo la que habrían de administrarse los fondos de la organización. Por entonces, a Mapplethorpe no le interesaba destinar el dinero de la fundación a la investigación del sida, y prefería emplearlo exclusivamente en proyectos relacionados con la fotografía. Su primera donación fue al Instituto de Arte Contemporáneo de Filadelfia como contribución a la producción del catálogo de su próxima exposición. Además de a Stout, Mapplethorpe requirió a Lynn Davis y a Dimitri Levas para que formaran parte del Consejo de Administración. «Robert creó la Fundación en el convencimiento de que nunca habría de entrar en funcionamiento, ya que él nunca iba a morir», afirma Davis.

Mapplethorpe se mostraba tan resuelto a vivir que insistía en comer en restaurantes con Davis a pesar de que vomitaba prácticamente todo lo que ingería. «Íbamos a Il Cantinori y Da Silvano —relata Lynn—, y Robert comía hasta no poder más.» El 22 de junio, la doctora Starrett ordenó su ingresó en el hospital St. Vincent para implantarle un catéter Hickman en el tórax. A continuación, se insertó en el catéter un tubo flexible de color blanco a través del cual podía administrársele regularmente una solución proteínica por vía intravenosa. Al día siguiente, cuando regresó a casa, se mostró profundamente deprimido por los tubos que le salían del pecho, y no le quedó otra opción que contratar a un enfermero privado para supervisar el complicado sistema de alimentación. Los utensilios de cocina dieron paso a jeringuillas hipodérmicas, y el enfermero tenía que limpiarle el catéter con alcohol y Betadine antes de las comidas. «Todos estos tubos me hacen parecer una criatura del espacio», se lamentaba. «Es horroroso.»

A pesar del catéter Hickman y de su pérdida de independencia, Mapplethorpe mostraba aún una notable energía para alguien en tan lamentable estado de salud, y a la sazón se hallaba empeñado en un enfrentamiento con la Sociedad Histórica de Nueva York para la devolución de la colección de plata de Wagstaff. La institución había conservado la plata en concepto de préstamo desde la inauguración de la exposición de Wagstaff de marzo de 1987, pero cuando Michael Stout reclamó su devolución, James Bell, director de la sociedad, aportó una carta de Wagstaff en la que prolongaba el préstamo de ocho meses a cinco años. Mapplethorpe demandó a la sociedad, aduciendo que Sam Wagstaff no era capaz de adoptar decisiones racionales cuando la había firmado en su lecho de hospital, el 15 de diciembre de 1986. No obstante, cuando presentó su declaración a los abogados de la sociedad, el día 1 de julio, sus respuestas resultaron extremadamente vagas. De hecho, aunque afirmaba que Wagstaff no era capaz por entonces de tomar decisiones racionales, en ningún momento ponía en tela de juicio aquellas que resultaban beneficiosas para él, tales como el convenio de fideicomiso de enero de 1987, por el que se le concedían unos ingresos de seis mil dólares mensuales hasta la validación del testamento de Wagstaff. Lo cierto es que Mapplethorpe ignoraba qué planes tenía Sam para el destino final de la plata pero, según James Bell, que calificaba al fotógrafo de «embustero patológico», Wagstaff deseaba que permaneciera en la Sociedad Histórica para que quedara permanentemente expuesta en la «Samuel Wagstaff Gallery».

Felizmente para Mapplethorpe, el pleito coincidió con la revelación, por parte de la prensa, de escándalos sumamente embarazosos acerca de diversas irregularidades en la gestión financiera y conservadora de la Sociedad Histórica. Como resultado de ello, James Bell presentó su dimisión, y el director en funciones halló que tenía que enfrentarse a suficientes problemas publicitarios sin necesidad de verse involucrado en un pleito con alguien aquejado de sida. La Sociedad Histórica devolvió la plata a Mapplethorpe, quien se apresuró a negociar con Christie's la venta de la «Colección de Plata Norteamericana de Samuel Wagstaff», lo que habría de reportarle casi un millón de dólares.

En el acaloramiento suscitado por la controversia en torno a la plata, Mapplethorpe había comentado el pleito con un periodista del *New York* pero, a medida que se aproximaba el 11 de julio –fecha de publicación del artículo–, comenzó a preocuparse de que alguien pudiera hacer referencia a la muerte de Wagstaff a causa del sida o, peor aún, a su propio contagio del virus HIV. Del mismo modo que nunca había querido verse etiquetado como «fotógrafo gay», tampoco quería convertirse en portavoz de la enfermedad. Sin embargo, no podía seguir negándose a hablar de su enfermedad, especialmente ante la inminente publicidad que habría de generar su retrospectiva en el Whitney.

Así pues, llegó a la conclusión de que no le quedaba otro remedio que permitir que se corriera la voz.

En primer lugar, no obstante, telefoneó a Ed a Los Ángeles y le sondeó, diciendo: «En fin, imagino que papá y mamá tendrán que enterarse.» A Ed no le llevó mucho tiempo darse cuenta de que a pesar de encontrarse a casi cinco mil kilómetros de distancia, Robert contaba con él como portador de la noticia. Dado que no concebía la posibilidad de comunicárselo a sus padres por teléfono, llamó en primer lugar a su hermana Nancy quien, tras escuchar su tembloroso relato y recordar el aspecto consumido de Robert en el funeral de Richard, le interrumpió: «Se trata del sida, ¿no es cierto?», inquirió.

Antes de contárselo a sus padres, Nancy aprovechó la fiesta del 4 de julio para acudir a la ciudad y visitar a Robert. A pesar de haberse preparado mentalmente para lo peor, no pudo reprimir una sensación de ahogo cuando vio a su hermano arrastrando los pies a lo largo del pasillo en dirección al salón. Nancy se había sentido siempre muy próxima a Robert, y le había nombrado padrino de uno de sus hijos. Convencida de que su hermano debía de juzgar que llevaba una existencia aburrida, intentó despertar en él viejos recuerdos mostrándole uno de sus viejos álbumes de fotos familiares. Ambos estuvieron hojeándolo juntos, y Nancy, al advertir que Robert tenía los ojos cuajados de lágrimas, sintió el impulso de rodearle con sus brazos, pero tuvo miedo de verse rechazada. La visita duró menos de una hora y, al despedirse, advirtió que no había hecho la pregunta que todos los miembros de la familia temían hacer. «Robert —dijo—, ¿eres homosexual?» Él exhaló lentamente el humo del cigarrillo y repuso, con un murmullo apenas audible: «Sí.»

Dos días después, Nancy recogió a Susan y a James, y los tres hermanos acudieron a Floral Park para hablar con sus padres sobre el tema de Robert. No se molestaron en avisar de su llegada, ya que Joan aún dependía de su botella de oxígeno y rara vez abandonaba la casa. Cuando llegaron, Joan estaba en la cocina tomando café y Harry había salido al patio trasero a fumar un cigarrillo. Joan intuyó de inmediato que algo no iba bien e instintivamente buscó refugio en la alegre sala de estar. Elevó al cielo una oración muda —Por favor, Dios mío, que no haya más malas noticias— y a continuación se encaró con sus tres hijos, alineados sobre el vistoso sofá de girasoles. «Muy bien», dijo. «¿De quién es el problema esta vez?» Nancy, la mayor, fue la primera en responder: «De todos, mamá», repuso. «Robert está muy enfermo... tiene sida.»

Joan no respondió al principio, pero finalmente dejó escapar un sollozo acongojado. «¡Oh, no!», gimió. «¡Mi favorito, no!»

Cuando los detalles de aquella reunión familiar llegaron a oídos de Mapplethorpe, éste tan sólo fue capaz de manifestar su estupefacción al saber que era el favorito de su madre. «¿Cómo es posible que no lo haya sabido antes?», inquirió. Aun así, se le pusieron los nervios de punta cuando supo que sus padres tenían la intención de visitarle, y Ed y Melody regresaron a Nueva York para ayudarle a enfrentarse a la odisea. En cierta ocasión, se había jactado ante su padre de que algún día sería propietario del apartamento más hermoso de Nueva York, y dispuso las fotografías de la estantería próxima a la cocina en el orden que juzgó que coincidiría con sus preferencias. ¿Cómo iban a evitar sentirse impresionados por el retrato que le había hecho Warhol en el Suzie Frankfurt Room? ¿O por el James Ensor, el Edouard Vuillard y el Tony Smith... los cuadros y la escultura que había heredado de Wagstaff? A pesar de todo, le inquietaba que su éxito no tuviera ninguna importancia para ellos, porque, «finalmente, se había destapado el pastel... en el mejor de los casos, sabían que era bisexual».

El día que más había temido Mapplethorpe durante tantos años transcurrió sin enfrentamiento dramático alguno. Ninguno de los presentes se refirió al sida ni a la homosexualidad de Robert. Melody sirvió el té mientras Ed bromeaba con sus padres de cosas sin importancia, y Robert hizo algún comentario ocasional acerca de su exposición en el Whitney. Posteriormente, describió la visita de sus padres como «nada»: exactamente la misma palabra que empleó Harry para describir la experiencia de haber vuelto a ver a Robert.

Avanzada la tarde, cuando Joan regresó a su hogar, telefoneó a Nancy para quejarse porque no había preguntado a Robert a quemarropa si era gay. «Escucha, mamá», exclamó Nancy, exasperada. «Ya te lo he dicho antes... *¡Robert es gay!*» Pero Joan aún tenía sus dudas. «No», respondió. «No creo.»

A pesar del catéter Hickman, Mapplethorpe continuaba perdiendo peso, y aún padecía de fiebres altas y vómitos frecuentes. El 11 de julio, pocos días después de la visita de sus padres, ingresó en el hospital St. Vincent, donde le fue diagnosticada una *mycobacterium avium-intracellulare* (MAI), una infección de origen bacteriano que la doctora Starrett consideraba como «enfermedad terminal», dado que hacía su aparición en pacientes de sida con el sistema inmunológico gravemente afectado. A Mapplethorpe le aterraba St. Vincent, y sus recuerdos se remontaban constantemente a la estancia de Wagstaff en el hospital. Se daba la circunstancia de que Patti Smith estaba en Nueva York haciendo publicidad de *Dream of Life* —el álbum iba a ser lanzado próximamente por Arista—, y terminó sentada al borde del lecho de Mapplethorpe del mismo modo que lo había hecho con Wagstaff. Los visitantes que acudían a la estancia se sentían conmovidos al verla administrar vigorosos masajes sobre las piernas y los pies del fotógrafo, confiando acaso en infundir así algo de vida a las apagadas terminales nerviosas de sus extremidades.

Mapplethorpe había denunciado coléricamente a Jack Walls, acusándole de desertar de su lado, pero éste se mostraba optimista en la esperanza de que el fotógrafo sabría perdonarle por trasladarse a Los Ángeles. Una tarde, apareció en el hospital, confiando en que Mapplethorpe le dejaría las llaves del apartamento. «¿Te has vuelto loco?», gritó Mapplethorpe desde su lecho, y amenazó con llamar a la policía si Walls entraba siquiera en el edificio. Walls, experto en realizar gestos dramáticos, se fue a vivir a un edificio abandonado en compañía de un grupo de mendigos. «Pasé de estar con Robert y hacer por él lo que estaba en mi mano a... *¡puf!*», decía Walls. «No había ahorrado ningún dinero. No había pensado en mi futuro. Flipaba.»

Cuando Walls se quejó ante Lynn Davis de que estaba sufriendo de una depresión nerviosa, ésta le llevó al hospital Beth Israel y le ingresó en el pabellón psiquiátrico. «Era una ciudad de locos —dijo Walls—. Pero yo sabía que no estaba loco... tan sólo necesitaba un lugar donde vivir.» A los cinco días, abandonó el hospital y se trasladó al apartamento de Michael Stout hasta que Davis pudo convencer a Mapplethorpe de que le proporcionara suficiente dinero para un alquiler. «Para bien o para mal, Robert me había convertido en su puñetera esposa —explicaba Walls—, así que lo menos que podía hacer era mantenerme.»

El escritor Steven Aronson fue testigo involuntario de una escena grotescamente íntima la tarde en que visitó a Mapplethorpe en el hospital y encontró allí a Walls dándole masajes en los pies. «Nunca me he sentido tan incómodo en mi vida», reveló luego. «Robert gemía y producía la clase de sonidos que asociamos con el acto sexual. Finalmente, le pregunté: "¿Te resulta doloroso o agradable?", y él repuso: "Es una sensación intermedia." Me di cuenta entonces de que eso era lo que le gustaba: algo intermedio entre el placer y el dolor.»

Nada más extenderse la voz por la planta de que Robert Mapplethorpe ocupaba una de las camas, el fotógrafo comenzó a recibir visitas de otros pacientes de sida que experimentaban una afinidad especial con él. Uno de ellos se encaprichó con Robert y adquirió la costumbre de dejarse caer por su habitación. «No consigo que me deje en paz», se quejaba Mapplethorpe a Steven Aronson. «Y tiene un gusto espantoso... ¡fíjate en sus zapatillas!» Aronson, sin embargo, sospechaba que Mapplethorpe se sentía secretamente halagado por la atención que se le prestaba y por su condición de celebridad principal del pabellón. Hubo otro paciente de sida, no obstante, cuya visita le alteró profundamente. El tipo se llamaba Howard Brookner, y acababa de terminar de dirigir *Sabuesos de Broadway*, con Matt Dillon y Madonna como protagonistas, cuando se quedó ciego como resultado de complicaciones de la enfermedad. La idea de un director de cine ciego resultaba tan espeluznante como la de un fotógrafo ciego, y tras la partida de Brookner, Mapplethorpe no pudo por menos de sentirse angustiado cuando las enfermeras le trasladaron a la habitación que había ocupado el otro.

Tan sólo faltaban dos semanas para la inauguración del Whitney, y Mapplethorpe preguntaba constantemente a sus visitantes: «Yo creo que aún lo conseguiré, ¿no te parece?» Se refería a la exposición, pero algunos de sus amigos se preguntaron si no estaría expresando su confianza en abandonar el hospital. «Durante todo el curso de su enfermedad –explicaba Dimitri Levas–, hubo momentos en los que parecía sumamente enfermo, y los que le veíamos nos acongojábamos y pensábamos: "Ya está. Se acabó", pero volvía a salir a flote. Cada vez que esto ocurría, terminaba un poco más débil, pero no por ello perdía su increíble capacidad de recuperación. En el hospital, sin embargo, le vimos en peor condición física de lo que había estado nunca... la cosa no tenía en absoluto buen aspecto.»

Comenzó a extenderse el rumor de que Mapplethorpe no había de abandonar el hospital con vida, y aunque logró sorprender a los escépticos regresando a casa el 18 de julio, no parecía probable que tuviera la fuerza necesaria para asistir a la exposición del Whitney el día 27. Cuando la doctora Starrett acudió a visitarle, la víspera de la inauguración, Robert seguía vomitando y estaba tan débil que no podía levantarse de la cama. Así y todo, ya tenía planeado lo que iba a ponerse: un esmoquin de satén púrpura, una camisa blanca y unos zapatos de terciopelo con sus iniciales bordadas en oro.

CAPÍTULO VEINTITRÉS

«Mapplethorpe capta el cenit de la belleza, el apogeo del poder, el instante más seductor, el presente definitivo que detiene el tiempo y eleva el momento perfecto a la categoría de histórico.»

Janet KARDON

«Ya sabéis lo que dicen de Robert Mapplethorpe... Aquí hoy, aquí mañana.»

Sam GREEN

La inauguración de Mapplethorpe en el Whitney era uno de los eventos más esperados del verano de 1988: constituía el último acontecimiento de importancia antes de que las galerías cerraran durante el mes de agosto y el mundo del arte se trasladara a Bellport y Hamptons. Se trataba de una inauguración que Mapplethorpe no se hubiera perdido ni aun en el caso de no haber sido él la atracción estelar y, salvo la muerte, nada podría haber evitado su asistencia. Llegó con antelación, en limusina, para que los demás invitados no se apercibieran de los accesorios que delataban su enfermedad: para entonces, la silla de ruedas y la botella de oxígeno formaban una parte tan integral de su vida como el bastón con empuñadura de latón que llevaba. Acompañado por Lynn Davis —esta última con sus blancos cabellos cayendo en cascada sobre los hombros— y por una hermosa enfermera negra que cubría su cabeza con un turbante, saltó ágilmente del automóvil y afianzó el equilibrio con la ayuda de ambas mujeres. Rechazó la silla de ruedas y, aspirando profundamente, se encaminó a pasitos cortos en dirección al Whitney y a sus momentos de celebridad.

Se había dispuesto para él un sofá en el centro de la exposición, compuesta por noventa y siete imágenes que constituían un diario visual de su vida, desde los colages y las *polaroids* de comienzos de los setenta hasta su más reciente fotografía de un busto de Apolo. Entre las obras sadomasoquistas, las flores y los desnudos negros, aparecían diseminados quince años de autorretratos. El Mapplethorpe real representaba la imagen concluyente de la serie: demacrado y cadavérico, apenas era reconocible como el mismo Mapplethorpe que colgaba de las paredes. Así y todo, en su consumición corporal había alcanzado cierta suerte de perfección. El director del Whitney, Tom Armstrong, no había podido obtener la certeza de que Mapplethorpe se encontrara lo bastante bien como para acudir, y al verle gallardamente aposentado en el sofá hubo de realizar un esfuerzo por contener las lágrimas. «Quiero darte las gracias por todo esto», le dijo Mapplethorpe, esforzándose por incorporarse y estrechar la mano de Armstrong. «Me derrumbé allí mismo», confiesa Armstrong. «Tenía un valor extraordinario.»

Los asistentes iban compareciendo por docenas, hasta que Mapplethorpe se vio finalmente envuelto por una muchedumbre de seiscientas personas. El aire acondicionado del museo no funcionaba correctamente, por lo que las salas eran un horno, y los elegantes invitados no tardaron en protestar de que el museo parecía una sauna. Entretanto, los paparazzi montaban guardia en torno al sofá en la confianza de obtener lo que comenzaba a convertirse a toda prisa en un nuevo género retratístico: la imagen del sida. El grabador Martin Axon pudo oír a uno de ellos intentando convencer a Mapplethorpe de que posara frente a su autorretrato de 1987 con objeto de comparar el «antes» y el «después». «Aquella experiencia me dejó los nervios hechos trizas», recordaba Dimitri Levas, quien se pasó la tarde entera sentado junto al fotógrafo. «Era como un frágil pajarillo rodeado por una manada de búfalos.»

A pesar de todo, aquella noche pertenecía a Mapplethorpe, y éste estaba decidido a disfrutarla. Le ardían los dedos por efecto de la neuropatía, pero no por ello dejó de estrechar la mano de todos los personajes importantes que se le acercaban, y pudo vérsele charlar durante toda la velada con los artistas Francesco Clemente, Ed Ruscha, Robert Rauschenberg, Brice Marden, Barbara Kruger y Louise Bourgeois, y con los galeristas Leo Castelli, Tony Shafrazi y Holly Solomon. Algunos se vieron sometidos a la necesidad de inclinarse tanto frente a él que parecían humildemente arrodillados a sus pies. «Robert vivía para que le idolatraran», observaba Levas. «Le encantaba todo aquello, la adoración de toda aquella gente.» Lamentablemente, los que más importancia tenían para él no se hallaban presentes. Sam Wagstaff llevaba muerto más de un año, y Patti Smith no había querido dejar de nuevo a su familia, ya que apenas hacía dos semanas que había regresado a Detroit. En cuanto a Jack Walls, había decidido boicotear la muestra por motivos personales: «No tenía ganas de ver a esa gente superaburrida fingiendo que se le caía la baba con Robert.»

Mapplethorpe había enviado una invitación a sus padres, pero Joan, que también dependía de su silla de ruedas y su botella de oxígeno, no se sentía con fuerzas para enfrentarse a la multitud. Nancy, Susan y James, sin embargo, habían acudido a la ciudad, por lo que pudieron contemplar desde la distancia el alcance de la celebridad de su hermano. Ed ya había avisado a Nancy de que Robert no dispondría de mucho tiempo para hablar con ella pero, posteriormente, la joven se sintió agradablemente sorprendida al advertir que había merecido el interés de la cámara de uno de los paparazzi. La imagen habla por sí misma: Nancy está intentando captar la atención de su hermano, pero él está estrechando las dos manos de Robert Rauschenberg al mismo tiempo y no advierte su presencia.

Cuando ya había transcurrido la mitad del acto, Mapplethorpe se sintió mareado y febril y se refugió en una de las habitaciones traseras para huir de la muchedumbre. Dio instrucciones a Levas para que vigilara la puerta de acceso e impidiera el paso a todo el mundo menos unos pocos escogidos. Típicamente en él, Mapplethorpe era capaz de crear su propia sala VIP por más enfermo que se encontrara. De vez en cuando, llamaba a Levas: «Dile a Brice que venga», o «¿Dónde está Francesco?» Lo estaba pasando tan bien que no quería marcharse, y hasta que los guardias de seguridad del museo no comenzaron a hacer salir a la gente no se resignó a despedirse, si bien a regañadientes. Alguien del Whitney le sugirió que hiciera uso de la silla de ruedas, pero Mapplethorpe repuso: «Puedo caminar», y abandonó el museo como transportado por un par de alas, o así le pareció a Levas, quien afirmó que parecía flotar en el aire.

«La moda Mapplethorpe ha llegado a Nueva York», escribió Andy Grundberg en su crónica de la muestra para el *New York Times*. En efecto, la retrospectiva del Whitney había atraído hasta tal punto la atención del público sobre la figura del fotógrafo que raro era el día en que su nombre no aparecía en la prensa. Protagonizó un artículo de *Newsweek* titulado «Walk on the Wild Side» («Sigue la ruta salvaje»), en el que se le describía como el «pararrayos de una actitud cultural urbana: un espejo del narcisismo contemporáneo». Richard Lacayo, en *Time*, sugería que, «concluida la era del extremismo sexual, algunas de las imágenes de Mapplethorpe resultan aún más intensas y desasosegantes que nunca». Arthur C. Danto, en *The Nation*, sostenía que «una exposición de Mapplethorpe es siempre oportuna debido a su inusual talento artístico (...) pero las circunstancias hacen que ésta resulte oportuna desde otra dimensión de la realidad moral». Kay Larson, en *New York*, observaba que Mapplethorpe había «seguido una curva cultural que se iniciaba en los setenta y ochenta con los diversos movimientos de liberación sexual y que ahora parece descender hacia el temor y la muerte».

Efectivamente, el sida había proporcionado una importancia adicional a la obra de Mapplethorpe, y los críticos, acaso porque sabían que estaba gravemente enfermo del virus, se mostraban más prudentes que de costumbre en sus comentarios. Sin embargo, hacía tiempo que la cuestión de hasta qué punto era un artista importante o mediocre había pasado a segundo plano frente a otros factores más importantes: la relación entre la fotografía y el arte, por ejemplo, o entre el arte y la pornografía. Del mismo modo, la obra de Mapplethorpe había llegado a identificarse tanto con la subcultura homosexual sadomasoquista que las reacciones que despertaba dependían a menudo del carácter conservador o liberal, heterosexual o gay, de cada observador. Asimismo, a caballo como estaba sobre un territorio fronterizo entre la fotografía y otras formas de arte, nunca había llegado a ser aceptado en el mundo de la fotografía «normal» de los Garry Winogrand, Lee Freidlander o William Eggleston, ni tampoco podía ubicarse del todo en el mundo de la pintura y escultura contemporáneas. «No hace falta ser un genio para darse cuenta de que Robert no lo era», afirmaba Jane Livingston quien, a pesar de ello, accedió a colgar la exposición del «Momento Perfecto» de Janet Kardon en la Galería Corcoran. «Hay, sin embargo, numerosos artistas que gozan de más apreciación y mejor reputación que Robert Mapplethorpe sin ser tan buenos como él. Se trata, en definitiva, de una cuestión de mercadotecnia y de creación de mitos.»

«En definitiva, resulta imposible adivinar cómo percibirán a Robert Mapplethorpe las generaciones futuras», dijo Philippe Garner, de Sotheby's. «Opino que muchas personas compraban sus flores por la emoción de poseer un Mapplethorpe o, en su caso, la punta del iceberg, por así decirlo. Muchas de ellas jamás habrían colgado sus imágenes sexuales en su casa, pero el hecho de poseer una de sus flores les permitía coquetear levemente con su mundo. La exploración de la sexualidad representa un tema de gran importancia en fotografía, y Robert, sin duda, ha de contemplarse como una figura crucial.»*

«¿Has visto más noticias acerca de mí?», solía preguntar Mapplethorpe a Jack Walls, a quien encargaba frecuentemente la observación de los quioscos de prensa. Mapplethorpe, al igual que hiciera con los artículos publicados en el catálogo del Whitney, apenas leía por encima muchas de aquellas crónicas.

* En los cinco años posteriores a su muerte, el mito Mapplethorpe continuó floreciendo, reforzado por exposiciones de su obra celebradas en Francia, España, Suiza, Alemania, Dinamarca, México, Japón, Bélgica, Suecia, Israel y Australia.

Aunque Ingrid Sischy era su amiga, calificó la suya, titulada «Un artista social», de ilegible, quejándose de que se atascaba demasiado con el vocabulario; tampoco alcanzaba a comprender el artículo de Richard Howard, y se preguntaba si el propio crítico era capaz de entenderlo. A la postre, las únicas palabras importantes para él eran «Robert Mapplethorpe», y cada vez que su nombre aparecía en los periódicos reaccionaba como si acabaran de ponerle una inyección de vitamina B_{12}. «¿Te imaginas el dinero que estaría ganando ahora si siguiera dedicándome a la fotografía comercial?», se jactaba ante Anne Kennedy, quien súbitamente se encontraba con que su cliente se había vuelto más popular que nunca. La cadena de tiendas de ropa The Gap le había ofrecido un lucrativo contrato destinado a una campaña basada en naturalezas muertas. Como observó la propia Anne, «todo el mundo se moría por trabajar con él».

Sin embargo, Mapplethorpe no se sentía lo bastante bien como para aprovechar aquellas ofertas, y pasó los meses de agosto y septiembre cautivo en su apartamento. Siempre había detestado la luz del sol, y tras pasar la mayor parte de su vida en estudios fotográficos y bares sombríos, había llegado a volverse insensible a los cambios estacionales. Ahora, no obstante, experimentaba una súbita nostalgia del aire libre y el sol, y ansiaba sumergirse de nuevo en la vida callejera neoyorquina. Hasta su enfermedad, había caminado siempre tan velozmente que sus amigos apenas conseguían mantenerse a su altura; corría de tienda en tienda, de club en club, a la caza de obsesiones fugaces: una vasija de cerámica, un jarrón de Venini o un negro de piel lustrosa. Encerrado en casa, se entretenía contemplando comedias en el nuevo televisor que le había comprado Lynn Davis. Su serie favorita era «Las chicas de oro». En otros momentos, se dedicaba a escuchar música, y una tarde se le inundaron los ojos de lágrimas al oír la canción *Tired of Being Alone* (Cansado de estar solo) interpretada por Al Green. Confesó a Davis que lo que más lamentaba en la vida era no haber logrado mantener una relación duradera con nadie. Sopesó la posibilidad de comprar un cachorrito, porque ansiaba tener algo que abrazar por las noches, pero sus amigos le convencieron de que eligiera una mascota que exigiera menos atenciones, por lo que se decidió por una serpiente. Pero no quería una serpiente ordinaria; deseaba algo especial, y pidió a Steven Aronson que investigara al respecto. Aronson le llevó el espécimen más sobresaliente que logró encontrar: una serpiente de las montañas de Sonoran que costó seiscientos dólares. La serpiente, no obstante, comenzó a padecer sus propios problemas físicos; aunque devoraba con evidente placer los temblorosos ratoncillos con que era alimentada, cambiaba de camisa con demasiada frecuencia y comenzó a perder el brillo. Mapplethorpe preguntó a Aronson si no podría cambiarla por alguna otra criatura.

Steven Aronson acudió a hacerle compañía durante casi todos los fines de semana del verano y de comienzos del otoño. Había acudido a la ciudad para supervisar el cuidado de su spaniel de aguas americano *Rory*, el mismo al que Mapplethorpe retratara con resultados memorables y que a la sazón se hallaba gravemente enfermo. Su vivaz ingenio, su afilada lengua y su perverso talento para la imitación hacían de Aronson un bufón ideal para Mapplethorpe, y el escritor no tardó mucho en verse arrastrado por las intrigas cortesanas del fotógrafo.

«Robert era líricamente egoísta, una condición que se alcanza cuando se es tan egocéntrico que el resultado es hasta cierto punto poético», solía decir Aronson. «Sin embargo, se enfrentaba a las humillaciones y a la ignominia de su enfermedad con enorme valor. Si alguien acudía a visitarle, adoptaba inmediatamente su papel de anfitrión. Realizaba un esfuerzo heroico, se ponía su batín de seda, se peinaba y comparecía dando traspiés en el salón con un cigarrillo encendido. Lo suyo era una actuación en toda regla. En algunos aspectos, era un caballero al estilo antiguo. En otros, era el reptil más astuto de la era moderna. Devoraba glotonamente todos los artículos de prensa en torno a él, irritado porque aquel día en cuestión no hubieran aparecido más. Había leído ya centenares de ellos, y nunca tenía bastante. La enfermedad que padecía exageraba y desproporcionaba todos sus defectos y virtudes personales, quizá porque cuando estás muriéndote intentas comprimir *todo* aquello que eres en el poco tiempo que aún te queda.»

Mapplethorpe anotaba mentalmente qué presentes había recibido de qué personas, así como el valor de cada uno. Cuando Robert Rauschenberg le envió una de sus fotografías, se mostró ultrajado. «¡Puaj!», exclamó al desenvolver el cuadro. «Debería haberme regalado una pintura o, al menos, un dibujo.» Cada vez que Aronson acudía a visitarle, Robert se interesaba por la salud de su perro, pero cuando el animal se recuperó exclamó con exasperación: «*Él* se está poniendo bien y yo no. ¿Por qué a mí no me hacen efecto las pastillas?»

Mapplethorpe se mostraba igualmente interesado por la salud de su ex rival Jim Nelson, quien había empleado parte de la herencia recibida de Wagstaff en cumplir un sueño largamente anhelado, consistente en viajar a Londres en la primera clase del *Queen Elizabeth II* y alojarse en una *suite* del Ritz. Cuando Nelson se encontró dispuesto para partir, apenas era ya capaz de caminar, por lo que su abogado, Leonard Bloom, tuvo que conducirle en una silla de ruedas hasta la verja, desde donde contempló cómo su cliente se arrastraba prácticamente pasarela arriba. «Aunque muera en este barco, no me importa –declaró Nelson–: pienso subir a él.» Estuvo enfermo durante la mayor parte del trayecto, y en el mes de junio, cuando regresó a Nueva York, los médicos descubrieron que el sarcoma de Kaposi había invadido sus órganos internos y calcularon que le quedaba poco tiempo de vida. A comienzos de octubre fue trasladado en ambulancia al hospital de Nueva York para someterle a una transfusión de sangre, pero dado que no había camas disponibles recaló en un pasillo, donde le situaron junto a un paciente que agonizaba a causa de varias heridas por arma blanca. Por fin, Leonard Bloom llevó a Nelson a casa y le preguntó si quería que avisara al hermano de Jim, Art, residente en California. Jim, no obstante, se había pasado la vida negando su homosexualidad ante su familia: les había escrito cartas hablándoles de sus «novias», e incluso había abandonado el piso de Wagstaff para trasladarse a otro apartamento cada vez que algún sobrino iba a visitarle a Nueva York. «No soy capaz de enfrentarme a ellos en este momento», confesó a Bloom, quien terminó por convencerle de que era preciso requerir la presencia de su hermano en Nueva York. Para entonces, Nelson agonizaba en un pequeño estudio-apartamento situado varios pisos por debajo del que en otro tiempo compartiera con Wagstaff. Había pintado las paredes de marrón para que hicieran juego con un resto de cerámica pompeyana que Sam le había regalado, y cerca de su lecho colgaban dos retratos de Mapplethorpe, entre ellos uno del propio Nelson en días mejores. Cuando Art Nelson y su familia llegaron, Jim apenas era capaz de hablar. Así y todo, se sentía tan profundamente avergonzado de su situación que cuando su sobrina se inclinó para besarle, se las arregló para resollarle al oído: «¿No has oído? No debes tocar a personas como yo.» Fueron prácticamente sus últimas palabras. Murió al día siguiente, 8 de octubre, y Leonard Bloom, siguiendo sus instrucciones, transportó sus cenizas a Oakleyville para esparcirlas en la rosaleda.

La reacción de Mapplethorpe ante la muerte de Nelson fue de típico hastío. Nunca había confesado sentir aprecio por él, por lo que no estaba dispuesto a mostrarse emocionado ante su desaparición. Adicionalmente, acababa de enterarse de que Harry y Joan iban a visitar la retrospectiva del Whitney, y le angustiaba pensar en lo impropio de algunas de sus fotografías sadomasoquistas. «¿Crees que pasaría algo si llamara al Whitney y les pidiera que descolgaran algunas de las fotos?», preguntó a Steven Aronson, quien repuso: «No sé, la verdad es que hay *algunas* que ni siquiera a una madre le pueden gustar.» A pesar de todo, Aronson le recomendó que las dejara donde estaban. «Por más que Robert se hubiera convertido en un personaje relativamente sofisticado y que hubiera alcanzado cierta categoría en el mundo —observaba—, sus padres eran aún los sacerdotes represores de su infancia, y él seguía siendo el mismo chiquillo asaeteado por la culpa.»

Empero, si Mapplethorpe temía la censura de sus padres, éstos no le concedieron siquiera ese placer, pues ni Harry ni Joan declararon haber hallado en la muestra demasiadas cosas que cupiera calificar de ofensivas. De hecho, Joan le envió posteriormente una nota encantadora en la que le alababa, afirmando que era «el mejor fotógrafo de Nueva York». Fue acaso el mismo mecanismo de bloqueo que le impedía admitir la homosexualidad de su hijo el que cegó sus ojos a fotografías tales como *Richard, 1978* y *Jim and Tom, Sausalito.* O quizá ocurría que, a su modo, siempre le había amado y aceptado como era. La opinión de Harry acerca de su hijo era tan pobre que confesó haber esperado algo aún más escandaloso, preguntándose si el museo no habría retirado deliberadamente «las fotografías realmente ofensivas» con motivo de su visita. Resulta difícil imaginar cuánto más ofensivas podían esperar que fueran, pero su apática reacción parece descubrirnos el propio motivo por el que Robert las tomó. «No es para tanto», dijo Harry, como resumen de sus impresiones tras contemplar la exposición.

Para Mapplethorpe, la vida y la publicidad eran una misma cosa, por lo que cuando su nombre desapareció de los periódicos, dijo a Jack Walls en tono sombrío: «En fin, me imagino que esto es todo.» Para asegurarse de no ser olvidado por completo, había aceptado una entrevista de Dominick Dunne para *Vanity Fair.* Muchos de sus amigos le habían recomendado que no colaborara con semejante publicación, ya que Dunne difícilmente le retrataría con admiración. Mapplethorpe, no obstante, necesitaba algún proyecto en el que depositar su expectación y, dado que la revista había aceptado publicar una serie de siete fotografías como acompañamiento gráfico de la entrevista, organizó sesiones con Jack Walls; con Ed Maxey y Melody Danielson; con la hija de Susan Sarandon, Eva Amurri; con Carolina Herrera; con el actor John Shea y con el escritor Dominick Dunne.

En otro tiempo, Mapplethorpe se había vanagloriado de realizar su trabajo sin aspaviento alguno, pero la enfermedad le creaba tantas complicaciones que aún no había terminado el primer rollo de película cuando ya se sentía exhausto. En primer lugar, tuvo que fijar sus citas de tal modo que no coincidieran con sus sesiones de alimentación intravenosa ni con los períodos en que vomitaba con más frecuencia. Como no quería que la gente le viera arrastrarse del dormitorio al salón, solía disponer que su enfermero le ayudara a sentarse en su sillón de roble, donde esperaba la llegada de los visitantes. La conversación solía consistir en un esfuerzo por su parte para controlar los accesos de tos: un rumor de congestión brutal que sonaba como si su cuerpo estuviera partiéndose en dos. Por entonces, carecía de la energía necesaria para tomar las fotografías de pie, por lo que había de sentarse en una silla de ruedas graduable y dependía de Brian English o Ed Maxey para desplazarse. «Era como ver el espíritu humano adaptándose al desgaste del cuerpo humano», observa John Shea. «Al mirar a la cámara, vi a aquel diminuto y frágil espectro avanzando y retrocediendo, y se me llenaron los ojos de lágrimas al pensar que aquel tipo estaba muriéndose delante de mis ojos. Justamente entonces, le miré y él disparó la cámara. Supo exactamente lo que estaba sintiendo yo en aquel momento, y creo que también el motivo, porque inmediatamente desplazó la silla hacia atrás. Aquel instante fue demasiado intenso para él.»

Mapplethorpe decidió incluir un autorretrato entre las fotografías que habría de publicar la revista. English y Maxey le retrataron ataviado con el uniforme de su enfermedad, un batín de seda de cachemira de mil quinientos dólares procedente de Sulka que le había regalado Michael Stout, y un par de zapatillas de terciopelo rematadas por coronas doradas. La imagen que presenta de sí mismo como aristocrático dandi resulta conmovedora por su propia presunción; nos recuerda a Dirk Bogarde en el papel del agonizante Gustave Aschenbach de *Muerte en Venecia* cuando, sentado en el Lido y aderezado de perfumes y pomadas, contempla a un Tadzio hermoso y joven luchando en la arena.

De hecho, se da la coincidencia de que una semana después de aquel autorretrato el propio Mapplethorpe visitó esquivamente la playa. La galerista Barbara Gladstone había alquilado una limusina durante todo el día y, tras ofrecerse para llevarle adonde quisiera, se encontró finalmente en Coney Island en compañía de Mapplethorpe, Walls y un enfermero. Ataviado con un abrigo negro de cachemira y una bufanda de color rojo vivo y sosteniendo en la mano su bastón de caoba pulida, Mapplethorpe paseó por la acera arrastrando los pies, deteniéndose cada pocos minutos para recuperar el aliento y mirar a su alrededor. En temporada baja, Coney Island era como un poblado fantasma, y sus chillonas atracciones, tales como la Noria Maravillosa y el Agujero del Infierno, resultaban siniestras por su propia inmovilidad. A pesar de todo, sus ojos se iluminaron de inmediato al ver el cartel de NATAN'S FAMOUS. Llevaba meses sin tomar alimentos sólidos, pero pidió a Walls que le comprara un perrito caliente y una bolsa de patatas fritas mientras él le esperaba fuera inhalando el punzante aroma del salitre mezclado con el olor de la carne al cocinarse. «No creo que sea una buena idea», le previno Walls, pero regresó al poco rato con un perrito caliente condimentado con mostaza y un plato de patatas fritas empapadas en *ketchup*. Mapplethorpe devoró la comida en pocos minutos y estaba a punto de encargar una segunda ronda cuando el establecimiento de Nathan's comenzó súbitamente a oscilar ante sus ojos y, asiéndose el vientre, vomitó cuanto había comido sobre la acera. Avergonzado, regresó velozmente al coche, y durante el trayecto hasta su casa apenas pronunció palabra.

Todo parecía indicar que Mapplethorpe era un hombre agonizante. Él, sin embargo, por más accesos de vómito que sufriera, seguía convencido de que al final se salvaría. Su cuarto de baño, con el tiburón montado sobre la bañera, estaba lleno de su nueva colección de objetos: frascos de plástico para medicamentos, alineados según sus formas y tamaños. Ninguna de las medicinas que tomaba parecía estar haciéndole efecto alguno, pero él creía firmemente que la cura para el sida existía, y que todo era cuestión de resistir hasta que apareciera.

El 2 de noviembre inició un curso de hiperinmunoterapia, consistente en inyectar a aquellos pacientes en estado más avanzado de enfermedad anticuerpos extraídos de individuos infectados. Era una de las primeras personas del mundo en recibir tal tratamiento, administrado por un médico londinense. Poco después, informó a la doctora Starrett de que se encontraba mejor; tenía más color en las mejillas y se mostraba más activo y animado de lo que se le había visto en meses.

Dos días más tarde, Mapplethorpe celebró su cuadragésimo segundo aniversario invitando a doscientas cincuenta personas a su casa. Como en una secuencia de Fellini, los invitados iban de habitación en habitación consumiendo grandes latas de caviar beluga, bebiendo Dom Perignon y contemplando a las celebridades que Mapplethorpe había fotografiado en otro tiempo, incluidos Gregory Hines –uno de los pocos negros invitados a la fiesta–, Sigourney Weaver y Susan Sarandon. Mapplethorpe se vio cubierto de flores y regalos y felicitado por su aspecto, y posteriormente los asistentes cantaron *Cumpleaños feliz* y le obsequieron con una tarta. Él apagó valientemente las velas y expresó para sus adentros un deseo secreto mientras todos le aplaudían. Le hacían feliz la atención que despertaba y el hecho de poder seguir ofreciendo una fiesta elegante. «Fíjate en la gente –dijo, sonriendo a un invitado–: aún conservo la misma magia.»

Posteriormente, cuando todos se hubieron marchado, abrió sus presentes y, rodeado por un montón de lazos y papeles de regalo, expresó su disgusto por los obsequios gruñendo «¡Puaj!» No había nada en la pila que le gustara. ¿Para qué quería él más crucifijos de marfil, más figurillas demoníacas o más bufandas de cachemira? A lo largo de los días siguientes, estuvo recibiendo nuevos ramos de flores de sus invitados como expresión de agradecimiento, y los detestó igualmente. Tendido en la cama y respirando de una bombona de oxígeno, indicó a Dimitri Levas que retirara un ramo de rosas rojas que su enfermero había colocado sobre el buró situado frente a él. «El jarrón... –jadeó– ... ¡es de plástico!»

Los ojos de Mapplethorpe eran una de las pocas partes de su cuerpo que se mantenían relativamente inmunes a la enfermedad, y su obsesión por separar lo feo de lo hermoso constituía el único modo en que aún lograba controlar su vida. Muy apropiadamente, su último autorretrato consistía en una imagen de sus ojos, un primer plano inquietante tomado por Ed, cuyo sombrío reflejo resulta visible en el iris de su hermano. Ed veía morir a su hermano del mismo modo que había visto a Richard, recogiendo desde tan privilegiado punto de observación información acerca del estado de Robert que luego pudiera transmitir a su familia. Robert evitaba las llamadas telefónicas de su madre, por lo que ésta recurría a su hijo menor en busca de consuelo. «¿Sabes si Robert sigue yendo a misa los domingos?», solía preguntarle. «¿Crees que reza?» En nombre de Robert, había ofrecido una novena a San Judas, patrono de las causas perdidas, pero no soportaba la idea de que pudiera morir sin los santos sacramentos, por lo que telefoneó al padre George Stack, el sacerdote de infancia de Robert, y le preguntó si querría ir a visitar a su hijo.

Poco después del día de Acción de Gracias, el padre Stack acudió al edificio de Mapplethorpe, subió en ascensor y penetró en la «Habitación Suzie Frankfurt». La luz del atardecer se filtraba a través de las persianas plateadas e iluminaba el Mefistófeles de bronce del rincón, los crucifijos de marfil, las máscaras africanas, los dibujos pornográficos de Tom of Finland, los muchachitos sicilianos del barón Von Gloeden y varias calaveras de cuencas vacías y bocas torcidas. Sentado frente al *EVIL* de Ruscha, Mapplethorpe, ataviado con sus mejores prendas de seda, fumaba un cigarrillo y expulsaba esputos en un recipiente de plástico.

El sacerdote se quedó hipnotizado al contemplar los objetos que adornaban la habitación ya que, salvo en el arte religioso, nunca había visto la batalla del bien contra el mal tan decorativamente representada. No podía imaginar el estilo de vida que había llevado el artista, y aunque había acudido con la intención de ofrecerle confesión, decidió esperar a una futura visita para hacerlo. En su lugar, ambos pasaron hora y media evocando recuerdos de Floral Park y de sus amistades comunes en los Columbian Squires: muchachos con nombres tales como Tommy, Terry y Philly que por entonces ya eran adultos hechos y derechos y cuyas hazañas únicamente interesaban a Mapplethorpe en la medida en que le servían de punto de comparación con su propio éxito. Antes de partir, el padre Stack preguntó a Mapplethorpe si creía en algún concepto de Dios. «No lo sé», respondió él. «No creo en dogmas ni en teologías. Tan sólo creo en que hay que ser buena persona. Siempre he sido honesto con la gente. Nunca he mentido. Y creo que he llevado una vida moral.» El sacerdote confiaba en poder regresar otro día para seguir charlando, y se sintió complacido cuando Mapplethorpe le preguntó: «¿Podríamos vernos de nuevo?»

Así y todo, donde el fotógrafo hallaba auténtico consuelo era en la certeza de que las ventas de sus obras habían alcanzado un punto máximo. El incremento de las cifras se había convertido para él en una especie de religión, y cada vez que hablaba por teléfono con Howard Read, éste solía interrumpir la conversación para anunciar la presencia de nuevos compradores en la sala. «Otros veinticinco mil... otros quince mil... ¡Eso supone cuarenta mil dólares más en tan sólo dos horas!» Desde la exposición del Whitney y los artículos subsiguientes acerca de la enfermedad de Mapplethorpe, Read había vendido varios millones de dólares en obra de Mapplethorpe sin que el mercado pareciera resentirse por ello. «Nuestras ventas crecieron enormemente», afirmaba Read. «Era como estar en Wall Street, con la diferencia de que en nuestro caso la gente compraba incentivada por la muerte. Compraba, y compraba, y compraba.»

Dada la demanda de obras de Mapplethorpe, Read comenzó a visitar el estudio cada vez con más frecuencia para mantener el suministro de fotografías lo más fluido posible. «Aquello se había convertido en una cadena de montaje –recordaba Tom Baril–, hasta el punto de que se dio vía libre incluso a algunas fotografías que no habían salido perfectas.» Suzanne Donaldson se sentía tan desolada ante aquella orquestación del frenético suministro de Mapplethorpe por parte de Read que se quejó al fotógrafo, afirmando que estaban convirtiendo el estudio en una fábrica de *posters*. «Eres un fotógrafo de arte –le dijo–, y el cariño y el cuidado que pones en tu obra no se corresponde con la necesidad de Read de mantener contentos a sus clientes.» Mapplethorpe intentó apaciguarla, pero las agresivas tácticas de venta de Read no parecían incomodarle en absoluto. «En dos años realizamos tres exposiciones, lo que resulta increíble», se jactaba éste. «Si Robert hubiera vivido seis meses más y hubiera anunciado desde su lecho que se había limitado a sacar fotografías de su almohada y que quería montar otra exposición, lo más probable es que la hubiéramos hecho.»

Read se apresuró a organizar una muestra de fotografías de Mapplethorpe basadas en bustos e iconos religiosos y ésta se inauguró en la Galería Robert Miller el 29 de noviembre. Los asistentes se detenían a meditar ante la imagen de un Cristo crucificado como si estuvieran contemplando la *Pietà*. Un hombre aseguraba ser capaz de distinguir una lágrima real en los ojos de una estatuilla africana de bronce. «Las fotografías no eran más que un elemento de producción», explicaba Brian English. «Howard había dicho: "Vamos a organizar una exposición de objetos escultóricos, así que ponte a fotografiarlos", cosa que hice bajo la supervisión de Robert. Imprimimos diez copias de cada uno y se vendieron así, *¡zas!* Sin embargo, creo que aquella exposición no le emocionó. Resultó en cierto modo vacía.» Dimitri Levas se mostraba de acuerdo: «No era una buena exposición, y me entristeció profundamente porque giraba en torno al confinamiento: todos los motivos seleccionados eran objetos que Robert tenía al alcance de la mano. Quizá no había otro remedio, dada su enfermedad, pero sé que de haber estado sano no la habría autorizado.»

«El Momento Perfecto» tenía prevista su inauguración el día 9 de diciembre en el Instituto de Arte Contemporáneo de Filadelfia. Constituía el último de los objetivos de Mapplethorpe para 1988, y el fotógrafo no deseaba perdérselo. Esta vez, sin embargo, no hubo recuperaciones sorprendentes: la hiperinmunoterapia había demostrado no constituir un milagro antisida después de todo, y el artista sufría vómitos de tal intensidad que ni siquiera podía digerir las pastillas de AZT, y hubo de permanecer en Nueva York, cual fantasma viviente de «El Momento Perfecto», mientras sus amigos tomaban el Metroliner con destino a Filadelfia. Posteriormente, pudo contemplar en video una grabación del acontecimiento, durante el cual se había solicitado a los asistentes que miraran a la cámara y se dirigieran directamente a él. «Fue como asistir a mi propio funeral y oír a la gente hablando de mí», dijo. «Me sentí tan entristecido que me eché a llorar.»

El hecho de no haber podido asistir a la inauguración de «El Momento Perfecto» sumió a Mapplethorpe en la peor depresión de toda su enfermedad. Comenzó a experimentar temor a la oscuridad y a menudo pasaba las noches en vela, evocando su vida, mientras su enfermero, Tom Peterman, intentaba consolarle. Aunque Peterman era de la misma edad de Robert, su aspecto no podía ser más diferente: el aspecto físico del enfermero era el de un tipo medio; sin embargo, había dedicado su vida a la extraordinaria tarea de cuidar de pacientes terminales. Peterman ni siquiera estaba seguro de si Mapplethorpe le caía o no bien, pero así y todo solía sentarse junto a su lecho para escuchar el relato de sus temores. «Me voy a morir», le oyó decir con angustia una noche. «Sé que va a ocurrir, y no quiero que ocurra.» Peterman le aseguró que «nadie quiere morir y, además, aún no estás muerto».

A pesar de ello, Mapplethorpe sabía que no le quedaba mucho, y comenzó a expresar su frustración por no haber sido capaz de hallar el compañero ideal. Acababa de recibir una inquietante carta de Milton Moore, quien acababa de ser declarado culpable de asesinar a un hombre golpeándole con una tubería de plomo y cumplía condena en una prisión de Alabama. Preguntaba a Mapplethorpe si podría prestarle tres mil dólares, ya que se encontraba en una «situación delicada». Jack Walls acababa de pedirle trescientos dólares con la excusa de que tenía que visitar a su madre, enferma en Chicago, para ayudarla a «mudarse de edificio». Levas sospechaba que Walls no tenía que viajar en absoluto a Chicago, y que necesitaba el dinero para comprar droga, pero no logró persuadir a Mapplethorpe de que se estaban aprovechando de él. «Eso es lo que más me molestaba de Robert y de su enfermedad», decía Levas. «Comenzó a creer únicamente aquello que deseaba creer, en lugar de contemplar la perspectiva general de las cosas. Sin embargo, yo tampoco podía pasarme la vida señalando a Jack y diciendo: "Pero, fíjate: está colgado, te está robando, te está mintiendo", así que lo dejé correr.»

En Nochebuena, Levas preparó una complicada cena a base de pavo, pero el fuerte olor del asado provocó tantas náuseas a Mapplethorpe que hubo de permanecer en cama. Levas compartió el banquete con Walls, Knaust, Maxey y Danielson, y los cinco compartieron la cena frente a un abeto decorado con *polaroids* de Mapplethorpe. La Nochevieja resultó aún más deprimente. Lia Fernández pasó una hora con Mapplethorpe y Levas, sentados los tres en el salón del apartamento. «Fue terrible –relató posteriormente–, porque difícilmente podías desearle un feliz Año Nuevo.»

El mes de enero transcurrió de modo igualmente tenebroso. Nada lograba levantar el ánimo de Mapplethorpe. Tan sólo durante el mes de diciembre, las ventas de Read habían alcanzado la abrumadora cifra de quinientos mil dólares en fotografías de Robert, pero ¿qué significaba para éste el dinero en semejante situación? No hallaba consuelo en nada; no podía disfrutar del sexo, de las drogas ni de la comida. Los cigarrillos constituían la única reliquia hedonista de su anterior estilo, y se negaba en redondo a renunciar a ellos. «Necesito *algo*», dijo a Tom Peterman.

Inocentemente, Mapplethorpe había confiado en que el artículo de *Vanity Fair* le haría sentirse mejor, pero tan sólo sirvió para confirmar sus peores temores. El titular escogido rezaba: «El largo adiós de Robert Mapplethorpe», lo que le hizo sentirse como una de esas personas a las que se invita a cenar y luego no saben marcharse. «¿El *largo* adiós?», repetía, una y otra vez. «¿Quizá *Vanity Fair* preferiría que aligeráramos la cosa? ¿Acaso no estoy muriéndome lo bastante deprisa para ellos?» El antetítulo le deprimió aún más: «El artista se entrevista con DOMINICK DUNNE mientras escenifica valientemente su partida del escenario de este mundo.» Todavía resultaba peor la fotografía tomada por Jonathan Becker durante la inauguración del Whitney, ya que realzaba despiadadamente todos los defectos y desfiguraciones de la piel de Mapplethorpe. La revista publicaba asimismo su propio y elegante autorretrato, ataviado con un batín de seda, pero era la imagen del reportero la que capturaba la áspera realidad de su estado, la misma que la gente recordaría cuando revisara mentalmente la «imagen» de los efectos del sida en víctimas célebres. Poco importaba que el artículo de Dunne conformara un retrato relativamente compasivo de su persona, ya que le resultaba imposible superar el efecto de la fotografía. En cierta ocasión, había descrito la labor de los paparazzi como «un robo de secretos», y estaba convencido de que a él le habían robado el último vestigio de dignidad. «Es monstruoso», se lamentaba. «Es como lo de Diane Arbus.»

Poco después de publicarse el artículo de *Vanity Fair*, Mapplethorpe relató el siguiente sueño: «Me hallaba rodeado por docenas de personajes espeluznantes... mongoloides... mujeres con la dentadura y la piel podridas... gente huida de sanatorios psiquiátricos. Gritaban y me aferraban las piernas; querían arrastrarme consigo a un infierno al que yo me resistía a acompañarles.»

El artículo de *Vanity Fair* despertó una reacción sumamente hostil entre los lectores de la revista; Mathilde Krim, directora de la Fundación Norteamericana para la Investigación del Sida, escribió una carta al director de la revista en la que recriminaba a Dunne el haber establecido un vínculo causal entre la vida privada de Mapplethorpe y el sida. «El hecho de aludir a ese vínculo siquiera como posibilidad –afirmaba– equivale a corroborar las creencias más ignorantes y perjudiciales en torno a las causas del sida.» Otros lectores se manifestaron abrumados por el relato que hacía Dunne de la vida sexual de Mapplethorpe, y criticaban a la revista, acusándola de enfermiza y depravada por dedicar espacio «a un hombre que veneraba el ano». Finalmente, sin embargo, lo que más pareció desasosegar a los lectores fue el hecho de que Mapplethorpe, a diferencia de Rock Hudson o Ryan White, no se contara entre las víctimas de la enfermedad dignas de compasión.

Muchos de los amigos de Mapplethorpe confiaban en que la Fundación Mapplethorpe habría de contribuir a la investigación en torno al sida además de a la fotografía, pero el artista estaba fundamentalmente interesado en emplear su dinero para perpetuar su nombre. Pensó en la posibilidad de crear el equivalente de los Oscar de la Academia de Hollywood en el campo de la fotografía, con la diferencia de que los ganadores recibirían un Mapplethorpe diseñado por él mismo en lugar de un Oscar. En enero, decidió súbitamente destinar una parte de los fondos al sida: un año después de su muerte, la fundación concedería al Hospital Beth Israel un millón de dólares destinado a la creación de una unidad de cuidados para enfermos del sida; hoy en día, el pabellón es conocido entre sus pacientes y los miembros del personal con el nombre de «Mapplethorpe».

«Ahora ya no tengo ningún objetivo por el que luchar», había dicho Mapplethorpe después de que se publicara el artículo de *Vanity Fair*, pero el 1 de febrero sorprendió a todos anunciando que asistiría a la inauguración de la retrospectiva de Andy Warhol que había de celebrarse en el Museo de Arte Moderno. Warhol había muerto en 1987, y Paul Morrissey, el director de sus películas, había descrito el futuro acontecimiento en el *New York Times* como una «reunión de los miembros del clan». Aunque Mapplethorpe no había pertenecido al círculo íntimo de Warhol, formaba parte de su tribu. Había acudido al principio a Nueva York para conocer a Warhol, y aunque nunca había conseguido traspasar la glacial fachada del artista, sí había logrado localizar el Warhol que había en él. Mapplethorpe estaba igualmente dotado para la autopromoción, y su arte se caracterizaba por una frialdad similar. Warhol ansiaba ser una máquina; Mapplethorpe se refugiaba tras otra.

Para la ocasión, se puso el mismo esmoquin de color púrpura que había vestido en su inauguración del Whitney pero, a diferencia de entonces, esta vez no era él el protagonista principal de la velada, y la acogida que le dispensaron los demás invitados fue cortés pero no efusiva. Algunos fingieron no advertir la presencia de aquella figura marchita en silla de ruedas, y otros se limitaron a saludarle distraídamente con un «¿Cómo te va?» Por lo general, la franca respuesta de Mapplethorpe a aquella pregunta –«No demasiado bien»– provocaba el silencio de su interlocutor o, en un caso en particular, la sugerencia: «Comamos juntos.» A pesar de ello, pasó allí dos horas dejando que Tom Peterman le paseara frente a los más célebres símbolos de Warhol: las Diez Lizs, la Marilyn Dorada, el Marlon Plateado, el Elvis Rojo y las Dieciséis Jackies. Para Peterman, el acontecimiento resultó desagradable en su conjunto, ya que resultaba obvio que Mapplethorpe era agua pasada y que, rebelándose contra las mercuriales normas de la fama, había sobrevivido a su momento. Para su sorpresa, sin embargo, Robert no dio muestras de advertirlo.

El desgaste de su «largo adiós», no obstante, estaba afectando a sus empleados. Nadie quería abandonarle, pero Suzanne Donaldson y Brian English no sabían cuánto tiempo más podrían seguir trabajando en su estudio. «Lo mismo te esforzabas por ayudarle a vivir –explicaba English–, que por desear internamente que ya hubiera muerto. Luego te sentías culpable de haberlo pensado, pero te dabas cuenta de que lo único que intentabas era protegerte a ti mismo. Quisiera que no hubiera estado enfermo, pero lo estaba, y resultaba patético.» Jack Walls también había llegado a cansarse de la prolongada agonía, y esperaba el día en que pudiera anunciar finalmente: «Todo ha terminado.» Alex Knaust era la única que se negaba a admitir la inminencia de la muerte del fotógrafo, y su obsesivo empeño por mantenerle vivo había alcanzado un grado febril. Donaldson se negaba a responder a las llamadas telefónicas de Knaust e incluso Mapplethorpe, cuya vida tanto ansiaba preservar, le había dicho que «fuera a ver a un psiquiatra o, si no, que no volviera». Knaust, sin embargo, se mostraba tan increíblemente persistente que logró abrirse paso a través de una jungla de obstáculos para proporcionarle los más avanzados tratamientos existentes contra el sida.

Dado que Mapplethorpe no era capaz de digerir las pastillas de AZT sin vomitarlas, Knaust obtuvo un permiso especial de Burroughs-Welcome para que se le administrara el medicamento por vía intravenosa y luego hizo que el fotógrafo retratara a C. Everett Koop, máxima autoridad sanitaria del país, para la revista *Time*. Knaust sabía que Mapplethorpe no se atrevería a comentar su estado con Koop, por lo que decidió asistir a la sesión para hablar con él personalmente. Temiendo que organizara una escena, nadie del estudio se molestó en comunicarle la cita de Koop para el 3 de febrero y, tal como había vaticinado, Mapplethorpe no se refirió en ningún momento a su enfermedad. Por el contrario, se limitó a enfocar la cámara hacia aquel hombre robusto que había sorprendido a los conservadores recomendando el uso del preservativo como medio para prevenir el sida y llevó a cabo su último encargo fotográfico.

Enfurecida con los miembros del estudio por no haberla avisado de la visita de Koop, Knaust intensificó de inmediato sus esfuerzos por incluir a Mapplethorpe en el programa de ensayos humanos de un nuevo medicamento, el CD-4, que por entonces ya estaba en proceso de desarrollo en el Boston's New England Deaconess Hospital. La fórmula era una copia del receptor CD-4 presente en numerosas células del sistema inmunitario y del cerebro del cuerpo humano, y se creía que actuaría a modo de señuelo, aferrándose al virus del sida y dotando a las células de una protección absoluta. El encargado de supervisar las pruebas era el doctor Jerome Groopman, de la Escuela Médica de Harvard, quien, tras ocho meses de insistencia por parte de Knaust, se dejó persuadir finalmente para suministrar el medicamento en cuestión a Mapplethorpe. Knaust estaba convencida de que se trataba del milagro que habían estado esperando y, aunque a Mapplethorpe no le agradó tener que abandonar su hogar para trasladarse a un hospital de Boston, él mismo creía que se le había concedido una especie de indulto de última hora. Sin embargo, el 14 de febrero, una semana antes de que tuviera previsto viajar a Boston, comenzó a expectorar un esputo verde y espeso. La doctora Starrett le recetó antibióticos y, aunque para el día 20 de febrero ya había mejorado, la doctora manifestó su sospecha de que pudiera padecer una neumonía de origen bacterial.

Patti Smith no había visto a Mapplethorpe desde el mes de junio, pero hablaba con él por teléfono varias veces a la semana, y sus conversaciones le alegraban invariablemente el ánimo. Patti tenía una voz cálida y acariciante y, consciente de cuánto estaba sufriendo Robert, se esforzaba cuidadosamente por no mencionar sus propios problemas. Restringida su libertad por las obligaciones que debía a Fred y a los niños, había cometido la torpeza de renunciar a las giras para promocionar *Dream of Life*, por lo que el álbum había resultado ser un fracaso comercial. Llevaba casi una década apartada de la escena musical y, aunque muchas bandas juveniles la conservaban como ídolo, no le era posible generar ventas de discos basándose únicamente en su reputación. Cuando Patti se enteró de que Mapplethorpe se trasladaría pronto a Boston, pidió a Fred que la llevara a Nueva York para desearle personalmente buena suerte. Llegó varios días antes de la partida del artista y se lo encontró peleándose con su hermano Ed acerca de la longitud de los cabellos de éste, que le colgaban hasta los hombros. «Así estás espantoso —le reñía Mapplethorpe—: pareces una chica.» Pocos instantes después, el fotógrafo sacudió la cabeza y sonrió: «Oyéndome, cualquiera diría que soy mi padre, ¿no os parece?», dijo.

Finalmente, Ed se marchó, y Mapplethorpe y Patti pasaron juntos el resto de la tarde. Michael Stout le había llevado un ejemplar de un viejo número de la revista *Life* fechado el día de su cumpleaños e ilustrado en la portada con una escena desértica. «Contemplamos aquella fotografía durante largo tiempo —recordaba Patti—, hasta que sentimos como si se hubiera abierto y hubiéramos penetrado en ella.» En mitad de su ensimismamiento, Mapplethorpe sufrió un acceso de dolores gástricos y una enfermera tuvo que conducirle al cuarto de baño. Cuando regresó, pocos minutos después, tenía los ojos vidriosos y febriles, y apenas podía mantener el equilibrio. «Patti —dijo—, me estoy muriendo.»

Patti le miró las manos, en otro tiempo tan hermosas, y vio que los dedos, artríticos, se habían retraído hasta reducirse a algo parecido al puño de un bebé. Sintió que las lágrimas acudían a sus ojos, y aunque intentó retenerlas, comenzó a sollozar sin poder contenerse hasta que Mapplethorpe sugirió que se trasladaran al salón. Una vez allí, él se sentó en su butaca favorita y ella se acomodó frente a él en el sofá. Sobre la mesita de café que los separaba reposaba el catálogo de la plata de Sam Wagstaff editado por Christie's. Mapplethorpe se sentía culpable por no haber cumplido el deseo de Sam de que fuera él quien fotografiara las piezas. «Debería haber salido mejor», dijo. Patti trató de convencerle de que se había hecho lo mejor posible, y a continuación ambos se sumieron en un largo silencio. «No hay nada más que decir, ¿verdad?», dijo Mapplethorpe, por fin. Patti comenzó a llorar de nuevo, y Mapplethorpe se levantó de la butaca y se instaló a su lado en el sofá. Apoyando la cabeza sobre su hombro, intentó reconfortarla, pero al cabo de unos minutos Patti advirtió que se había quedado dormido. Para no despertarle, permaneció inmóvil media hora escuchando su fatigosa respiración y el débil latido de su corazón. Mientras tanto, rememoró la vida que habían vivido juntos, remontándose a su primera inauguración, en la Galería Miller, al Max's Kansas City, al Hotel Chelsea y, finalmente, a Brooklyn, donde le viera por vez primera, dormido sobre su cama. Era como volver al principio. «Nunca me había sentido tan joven —dijo—, ni tan vieja.»

El 21 de febrero, Mapplethorpe viajó a Boston en un autocar turístico de Trailways que Knaust le había alquilado en Woodstock, Nueva York. El autocar había pertenecido en otro tiempo al grupo Jethro Tull, y estaba equipado con un televisor y un vídeo que Mapplethorpe empleó para ver *Las profecías de Nostradamus*. Además de Knaust, le acompañaron en aquellas cuatro horas de viaje Lynn Davis y Tom Peterman, quien había aceptado continuar con él como enfermero privado. Mapplethorpe había pedido a Jack Walls que acudiese a Boston con él, pero éste declinó la oferta, aduciendo vagos pero innumerables motivos que supuestamente le obligaban a quedarse en la ciudad. La relación entre ambos había sido siempre una lucha de voluntades, y aquel rechazo por parte de Walls constituyó un último alarde de superioridad sobre él.

Apenas se había instalado en su amplia habitación privada del undécimo piso del Deaconess Hospital cuando Mapplethorpe recibió la primera salva de malas noticias. La doctora Groopman no había advertido que padecía neumonía bacteriana, y le dijo que no podría administrarle el CD-4 hasta que no controlara previamente la infección pulmonar. Durante los cinco días siguientes, Mapplethorpe se sometió a un tratamiento de antibióticos por vía intravenosa en espera del CD-4. Había dado a Suzanne Donaldson instrucciones estrictas de que no quería recibir visitas, por lo que pasaba todo el tiempo con Knaust y Peterman. Lynn Davis había regresado a Nueva York, pero permanecía en estrecho contacto telefónico con Knaust. Walls llamó a Mapplethorpe para pedirle diez mil dólares y Peterman oyó cómo el fotógrafo le decía: «No eres más que una puta.» Sin embargo, aceptó entregarle el dinero a la vez que le exhortaba a hacer algo con su vida, ya que, según dijo, «No voy a durar para siempre». Sus padres no acudieron a visitarle, ya que Joan acababa de salir del hospital y estaba en casa, recuperándose. Cierta tarde, una enfermera le entregó un modesto arreglo floral que normalmente hubiera arrojado a la basura, de no ser por la tarjeta, en la que podía leerse: «Con cariño, mamá y papá.» Consciente de la gravedad de su madre, supo que debía de haber sido Harry el encargado de enviar las flores y, conmovido por aquel gesto de reconciliación, se volvió hacia Knaust y dijo: «¿Te puedes creer que mi padre haya sido capaz de ocuparse de esto?» Pocos minutos después, reapareció la enfermera y se excusó diciendo que había habido una equivocación: «Las flores iban destinadas al paciente del otro lado del pasillo», explicó.

El 5 de marzo, día en que debía comenzar el tratamiento de CD-4, Mapplethorpe comenzó súbitamente a sufrir hemorragias gastrointestinales, y los médicos le insertaron tubos por la garganta para drenar el estómago. Tenía la garganta en carne viva debido a una infección y se puso a gritar de dolor. «Por favor —imploró más tarde a Knaust—: no dejes que sigan haciéndome daño.» Las nuevas pruebas realizadas revelaron que su sistema inmunitario se hallaba en tan mal estado que no tenía modo de salvarse por muchos medicamentos que se le administraran. «Su organismo está siendo atacado por todos los flancos», afirma Knaust. «Era como ver a un amigo acribillado a tiros con una ametralladora.» No tuvo valor de decirle que Groopman había decidido no administrarle el CD-4 después de todo, y le explicó que habían surgido ciertas complicaciones que obligarían a retrasar el tratamiento unos pocos días más. Entretanto, se dedicó a realizar urgentes llamadas telefónicas a sus amistades de Nueva York, y el 7 de marzo acudió junto al artista un nutrido grupo de personas entre las que se encontraban su hermano Ed, Dimitri Levas, Amy Sullivan, Ingrid Sischy, Lynn Davis y Michael Stout. Incluso el propio Jack Walls hizo el esfuerzo de acudir y, tras irrumpir en la habitación ataviado con un traje veraniego de color gris, saludó al fotógrafo con un despreocupado «¡Hola papaíto!»

Mapplethorpe no quería que al hospital acudieran más miembros de su familia, y le irritó enterarse de que Ed había alertado a su hermana Nancy acerca de su estado. Ésta había abandonado la cama a las cinco de la mañana para conducir hasta el hospital en compañía de su hijo, pero cuando llegó a su destino no pudo evitar sentirse fuera de lugar. Mapplethorpe se hallaba circundado por sus familiares adoptivos, que rodeaban por completo la cama mientras le daban masajes en las manos y las piernas. La Navidad anterior, Mapplethorpe había enviado mil dólares a Nancy, y ella, tras pagar las facturas pendientes, aún había tenido lo suficiente para comprarse un anillo de marcasita como recuerdo de su hermano. Deliberadamente, se lo mostró, ya que aquel anillo parecía constituir la única prueba concreta de la relación entre ambos. Permaneció varias horas en el hospital y, cuando por fin se despidió, lo hizo sabiendo que no volvería a verle nunca más. «Tenía la misma mirada que había visto en Richard», dijo. «No sabría explicarlo, pero es como si hubiera descendido un velo sobre sus ojos.» Antes de partir, le susurró al oído: «¿Hay algo que quieras que les diga a papá y a mamá?» «No, nada», repuso él.

Patti Smith sabía que no había sido posible administrarle el tratamiento de CD-4 a Robert, pero no por ello se hallaba preparada para aquel súbito empeoramiento. El día 7 de marzo, cuando telefoneó, fue Amy Sullivan quien respondió al teléfono, y todo lo que oyó fue una sucesión de amargos sollozos que no cesaron hasta que por fin Patti pudo controlarse. Tanto ella como Mapplethorpe habían solido referirse a sus obras como «sus niños», y durante la última conversación que habían mantenido juntos, él la había obligado a prometerle que escribiría la introducción de su próximo libro de flores. A continuación, se habían despedido.

A lo largo de aquella semana, Mapplethorpe se entretuvo esbozando figuras en un cuaderno. Entre sus últimas imágenes destaca un vago autorretrato rematado por su firma: «Robert Mapplethorpe... Robert Mapplethorpe... Robert Mapplethorpe.» El nombre, al final, termina convirtiéndose en una mancha borrosa. Ya no le quedaba nada que hacer.

El 8 de marzo sufrió una parálisis que inmovilizó la parte izquierda de su rostro. Uno de sus ojos se cerró. Ya no podía hablar, y los únicos sonidos que emitía eran profundos gemidos. Los médicos aumentaron las dosis de morfina, pero él seguía esforzándose por permanecer despierto. «No estaba dispuesto a morir», relata Alex Knaust, quien había hecho instalar otra cama en la habitación para estar con él. «Luchaba con uñas y dientes.»

Durante la estancia de Mapplethorpe en el hospital, Tom Peterman había intentado frecuentemente abordar el tema de la muerte, relatándole experiencias con otros pacientes que a menudo soñaban que se internaban por un largo y oscuro túnel al final del cual podía distinguirse una luz. «Era un método que solía emplear cuando quería animar a alguien a hablar de la muerte –explicaba Peterman–, pero Robert no se mostraba interesado.» A la caída de la tarde, Mapplethorpe comenzó a apagarse a tal velocidad que Ed tuvo ocasión de cumplir la promesa que le había hecho a su madre y dio aviso al capellán del hospital, quien acudió para administrarle los últimos sacramentos. Knaust permaneció junto a Robert hasta las cuatro de la madrugada del día siguiente, pero consintió finalmente en marcharse ante la insistencia de Peterman para que se permitiera algún descanso. El enfermero sabía que estaba exhausta, y no creía que fuera capaz de enfrentarse al instante de la muerte de Mapplethorpe. «Si Robert se despierta –suplicó ella–, dile que Dios está con él. No quiero que piense que está solo.»

Mapplethorpe no despertó: a las cinco y media de la madrugada del día 9 de marzo, sufrió un violento ataque que sacudió convulsivamente todo su cuerpo. Peterman había sido testigo de episodios similares anteriormente, y comprendió que las frenéticas sacudidas de su organismo constituían un síntoma de disfunción cerebral. En su interior, no obstante, creyó que Mapplethorpe había pasado sus últimos momentos librando su propia batalla interna mientras avanzaba hacia la luz.

EPÍLOGO

22 DE MAYO DE 1989

El funeral de Robert Mapplethorpe en el Museo Whitney fue un acontecimiento «sólo para invitados», y varios amigos del fotógrafo deseosos de darle un último adiós hubieron de burlar subrepticiamente la vigilancia de los centinelas instalados en la puerta. Cuando el empresario musical Danny Fields, la primera persona en trabar amistad con Patti y Robert en Max's Kansas City, intentó acceder al local, le salió al paso una mujer pidiéndole la entrada. Él confesó que no tenía. «Esto es un funeral –dijo–, no un concierto de rock», y ella repuso que no podría sentarse pero que aún quedaba sitio para estar de pie. «Uno de los bedeles era amigo mío –recuerda Fields–, así que le llamé y le dije: "Esto resulta violento... consígueme un asiento." Cuando miré a mi alrededor, me fue imposible adivinar qué podían tener que ver aquellas personas con la vida de Robert. No había ni negros ni miembros de la clientela gay del Eagle's Nest o el Mineshaft. El auditorio se componía en general de galeristas trajeados y personajes del mundo de la moda. Casi resultaba posible ver cómo los precios iban subiendo en la mente de todos. Parecía una subasta de Christie's.»

De las paredes colgaban fotografías florales de Mapplethorpe, y en el centro de la estancia se alzaba un podio flanqueado por dos enormes jarrones de cristal llenos de lilas. Michael Stout, Dimitri Levas y Lynn Davis, todos ellos miembros de la Fundación Robert Mapplethorpe, habían sido los encargados de organizar el funeral, un acto adecuadamente desapasionado en el que hubo intervenciones habladas a cargo de Tom Armstrong, director del Whitney; la doctora Mathilde Krim, investigadora especializada en sida; el galerista Harry Lunn; Anne Horton, antigua empleada de Sotheby's, y la escritora Fran Lebowitz. Aparte de Ingrid Sischy, quien pronunció unas conmovedoras palabras refiriéndose a la gracia y elegancia inherentes al fotógrafo, Patti Smith fue la única oradora que supo despertar auténtica emoción entre los asistentes. Había llegado al Whitney acompañada de Fred y, abrumada ante el encuentro con tantos amigos del pasado, no podía parar de llorar. Cuando finalmente subió al estrado, daba la impresión de que se derrumbaría en cualquier momento, y durante unos embarazosos instantes sus labios temblaron y no pudo evitar tartamudear. Sin embargo, logró sobreponerse como de costumbre e interpretó una canción que había escrito para Mapplethorpe, su «pájaro de ojos verdes».*

Posteriormente, los camareros sirvieron champán a los invitados, muchos de los cuales aprovecharon el momento para huir, reclamados por otros compromisos. Alguien oyó decir a la fotógrafa Sheila Metzner: «Me da pena que Robert haya muerto, pero no puedo evitar alegrarme de estar viva.» Una fotógrafa de la revista británica *Vogue* vertía sus lágrimas en la copa de champán: nadie sabía con seguridad si había conocido siquiera a Mapplethorpe o si había acudido en busca de fotografías con las que adornar el reportaje del funeral y se sentía frustrada por la escasez de rostros famosos. En cierto momento, miró fugazmente a la madre de Mapplethorpe y, rápidamente, desvió los ojos.

Joan estaba sentada en su silla de ruedas, respirando de su botella de oxígeno, y mostraba el rostro empalidecido en contraste con el intenso verde azulado del vestido. Robert no había dejado nada a sus padres en el testamento, pero si Joan se sentía dolida por el millonario desaire, no dio ninguna muestra de ello. Todo cuanto reclamaba del patrimonio de su hijo eran un par de cuentas de rosario que le había regalado, una mesita de café diseñada por él, y sus cenizas. Harry, preocupado de que pudiera encontrarse demasiado débil para desplazarse al centro de la ciudad, le había recomendado que se quedara en casa, pero Joan llevaba demasiado tiempo implorando a Dios que le concediera la suficiente vida para asistir al funeral de su hijo.

Joan murió tres días después, y Harry se dispuso a organizar un nuevo funeral en Nuestra Señora de las Nieves. Ed preguntó a Michael Stout si la Fundación Mapplethorpe devolvería finalmente las cenizas de Robert, las cuales, a falta de un lugar más adecuado, se conservaban por el momento en una caja sobre la repisa de la chimenea de Lynn Davis. Nadie había reclamado los restos del artista, por lo que Lynn había tenido que volar a Boston para recogerlas del crematorio. «Robert estaba metido en aquella bolsita –dijo–, y cuando miré dentro no vi nada más que esquirlas de hueso.» Lynn había estado buscando algún objeto hermoso en el que depositar las cenizas de Robert, hasta

* Fred Smith murió a causa de un fallo cardíaco el 4 de noviembre de 1994, en el aniversario del nacimiento de Mapplethorpe. Exactamente un mes después, el hermano de Patti, Todd, murió de un ataque al corazón. Ambos se hallaban en la cuarentena.

descubrir finalmente una exquisita caja de plata. Quería depositar la caja en una cripta, de tal modo que Mapplethorpe tuviera su propio santuario. «Lynn no quería entregarme las cenizas –recordaba Ed–, porque pensaba que Robert no lo habría querido así. Cuando fui a su casa y cogí la caja, no podía dejar de llorar.» Ed llevó las cenizas a la casa de Floral Park, y depositó los restos de su hermano en el féretro que contenía el cuerpo de Joan. Ambos fueron sepultados juntos en el cementerio de San Juan, en Queens, si bien Harry se negó a incluir el nombre de su hijo sobre la lápida, «por motivos personales».

Un mes después, el 22 de junio, se proyectaron diapositivas de fotografías de Mapplethorpe sobre la fachada de la Galería Corcoran como parte de una protesta organizada contra la decisión del museo de cancelar la exposición de «El Momento Perfecto». Los manifestantes vieron flotar sobre ellos el autorretrato del fotógrafo, ataviado con su chaqueta de cuero y con un cigarrillo colgando entre los labios, como si el artista se hubiera alzado de entre los muertos para escribir el nombre de Mapplethorpe en el firmamento de Washington D. C. Por fin, aquella imagen espectral se desvaneció, para verse reemplazada por una de sus fotografías: las brillantes estrellas y las andrajosas barras de una bandera norteamericana hecha jirones.

Cronología de la controversia sobre «El Momento Perfecto»

9 de diciembre, 1988: «The Perfect Moment» («El Momento Perfecto») se inaugura en el Instituto de Arte Contemporáneo de Filadelfia. Entre las ciento cincuenta fotografías y objetos que componen la muestra se encuentra «X Portfolio» («Carpeta X»): trece imágenes de hombres inmersos en actos sadomasoquistas. Las fotografías aparecían en un formato de menor tamaño que el resto de las que intervenían en la exposición, y se hallaban emplazadas junto a las carpetas «Y» y «Z», montadas a su vez en una vitrina independiente. La muestra se clausura en Filadelfia el 29 de enero sin incidentes, y parte con destino a otras cinco ciudades de los Estados Unidos.

Abril de 1989: La Asociación Familiar Norteamericana (AFA, o *American Family Association*), grupo activista conservador encabezado por el reverendo Donald Wildmon, de Tupelo, Misisipí, inicia una campaña de censura contra el arte «blasfemo». La AFA sitúa en el objetivo al artista neoyorquino Andrés Serrano, cuyo *Piss Christ* (Cristo meado), consistente en la imagen de un crucifijo sumergido en un líquido amarillento, había sido expuesto varios meses antes en el Centro de Arte Contemporáneo del Sudeste (SCCA) de Winston-Salem. (Serrano describía *Piss Christ* como una protesta contra la comercialización de las imágenes sagradas.) Al igual que «El Momento Perfecto», la muestra del SCCA se había visto parcialmente financiada por una donación de la Fundación Nacional para las Artes. Wildmon, antiguo inspirador de diversos boicoteos de la película de Martin Scorsese *La última tentación de Cristo*, envió a todos los miembros del Congreso de los Estados Unidos una carta a la que acompañaba una reproducción de *Piss Christ.*

18 de mayo, 1989: Treinta y seis senadores firman una carta expresando la necesidad de introducir modificaciones en el sistema de subvenciones económicas de la Fundación Nacional para las Artes, con objeto «de evitar la financiación de formas de arte que resulten extravagantes, abominables y por completo carentes de mérito».

12 de junio, 1989: Christina Orr-Cahall, directora de la Galería Corcoran, conmociona el mundo del arte cancelando «El Momento Perfecto», cuya inauguración se hallaba prevista para el 30 de junio. La muestra había viajado ya al Museo de Arte Contemporáneo de Chicago, donde había sido visitada por gran número de personas sin despertar protestas. Orr-Cahall, sin embargo, opta por cancelar la etapa del Corcoran debido, según dice, a que no desea que «El Momento Perfecto» ponga en peligro las subvenciones de la Fundación Nacional para las Artes en el Congreso.

30 de junio, 1989: Se proyectan diapositivas de las fotografías de Mapplethorpe sobre la fachada de la Galería Corcoran como forma de protesta contra la cancelación de la exposición. Una muchedumbre de setecientas personas enarbolan pancartas y gritan «Vergüenza, vergüenza, vergüenza» frente al local.

22 de julio, 1989: «El Momento Perfecto» se inaugura en el Proyecto para las Artes de Washington, una organización creada y gestionada por artistas tras la cancelación de la Galería Corcoran.

26 de julio, 1989: El Senado aprueba las restricciones propuestas por el senador republicano Jesse Helms, de Carolina del Norte, según las cuales la Fundación Nacional para las Artes no contribuirá económicamente a la realización de formas de arte «obscenas» o «indecentes», «incluyendo, pero no limitándose a, representaciones de carácter sadomasoquista u homosexual o que presenten cualquier forma de explotación infantil o de individuos realizando actos sexuales; ni obras que denigren los elementos o creencias de miembros de cualquier religión o no-religión». El Senado aprueba igualmente la limitación de fondos destinados al Instituto de Arte Contemporáneo y al SCCA para la exhibición de las muestras de Mapplethorpe y Serrano. Helms logra la aprobación de la enmienda mostrando al senador Robert Byrd, el poderoso demócrata de West Virginia, una selección de fotografías de Mapplethorpe, incluyendo *Mr. 10¹/2*. Al verlas, Byrd exclama: «¡Demonios! ¿Nosotros hemos patrocinado eso? Acepto vuestra enmienda.»

7 de septiembre, 1989: El Whitney Museum of American Art publica un anuncio en *The New York Times* ilustrado con una fotografía de Mapplethorpe en la que puede verse un tulipán marchito. La leyenda del anuncio reza: «¿Vas a permitir que la política acabe con el arte?»

19 de septiembre, 1989: Christina Orr-Cahall, de la Galería Corcoran, expresa su pesar por haber ofendido a los miembros de la comunidad artística al cancelar «El Momento Perfecto». «En el futuro –afirma por escrito en su declaración–, nuestro objetivo será la defensa del arte, de los artistas y de la libertad de expresión artística.»

29 de septiembre, 1989: El Senado rechaza la enmienda de Jesse Helms para restringir las subvenciones federales al arte «obsceno o indecente». Una vez más, Helms había acudido al debate provisto de las fotografías de Mapplethorpe y había rogado a «todas las damas» que abandonaran la cámara antes de distribuirlas entre los presentes. A pesar de ello, los senadores rechazan la enmienda por sesenta y dos votos contra treinta y cinco, y aprueban finalmente un sistema de restricciones más leve que evitará que la Fundación Nacional para las Artes subvencione el arte «obsceno» durante un año, de acuerdo con las normas impuestas por la sentencia del Tribunal Supremo de 1973 en el caso de *Miller contra California.*

18 de diciembre de 1989: Christina Orr-Cahall dimite de su puesto en la Galería Corcoran.

Marzo de 1990: Las autoridades, grupos antipornográficos y empresarios de Cincinnati emprenden una activa campaña de presión contra el Centro de Arte Contemporáneo encaminada a la cancelación de la inminente muestra de Mapplethorpe. «El Momento Perfecto» acababa de exhibirse en Hartford y Berkeley, donde apenas había causado problemas. Sin embargo, la conservadora Cincinnati, escudada en sus severas leyes antipornográficas, llevaba varios meses organizando su ataque. El jefe de policía de la ciudad, Lawrence Whalen, promete visitar la exposición y confiscar cualquier fotografía que pueda considerarse obscena. «Los habitantes de esta comunidad –declara– no coinciden con lo que otros presentan como arte.»

6 de abril, 1990: Un tribunal municipal rechaza una solicitud del Centro de Arte Contemporáno para la celebración de un juicio que determine la consideración de «obscenidad». La iniciativa del Centro de Arte Contemporáneo se hallaba destinada a prevenir cualquier acción policial.

7 de abril, 1990: Se inaugura «El Momento Perfecto» en el Centro de Arte

Contemporáneo. Los agentes de la policía y del sheriff ordenan el desalojo de cuatrocientos asistentes y filman en vídeo las fotografías de Mapplethorpe en calidad de pruebas de sus acusaciones de obscenidad. En el exterior, una multitud indignada grita: «¡Gestapo, a casa!» Y «*Sieg heil!*» Dennis Barrie, director del CAC es acusado de obscenidad y de abuso de menores con fines pornográficos. Siete obras reciben la calificación de «ofensivas», entre ellas los retratos de «Rosie» y de Jesse McBride, así como cinco imágenes de «X Portfolio». Barrie se enfrenta a una pena máxima de seis meses en prisión.

29 de mayo, 1990: «El Momento Perfecto» concluye su recorrido en Cincinnati tras atraer la mayor afluencia de visitantes de toda la historia de la ciudad.

19 de junio, 1990: El juez David J. Albanese ordena el juicio de Dennis Barrie y del CAC, acusándolos de obscenidad. El CAC se convierte en la primera galería de arte estadounidense sometida a juicio por el arte que exhibe.

28 de septiembre, 1990: Comienza en Cincinnati el «Proceso Mapplethorpe» por obscenidad; el jurado se componía de cuatro hombres y cuatro mujeres de la clase trabajadora con escasos conocimientos de arte. Así, la obra de Mapplethorpe estaba siendo juzgada por la misma clase de personas junto a las que el artista había crecido en Floral Park. La tarea del jurado consistía en determinar hasta qué punto una persona media que se rija según las normas de la comunidad opinaría que las fotografías de Mapplethorpe obedecen a intereses lascivos, presentan actos sexuales de un modo notoriamente ofensivo y carecen de valor artístico serio.

5 de octubre, 1990: Dennis Barrie y el CAC son declarados inocentes de obscenidad. La acusación no ha logrado hallar testigos creíbles que puedan convencer al jurado de que las fotografías de Mapplethorpe carecen de valor artístico. De hecho, la acusación tan sólo convocó a cuatro testigos al estrado: tres agentes de policía y Judith Reisman, de la Asociación Familiar Norteamericana, quien había trabajado en otro tiempo como autora de letras de canciones para el programa de televisión *Capitán Canguro*. La defensa, entretanto, presentó a una cohorte de expertos internacionales en arte que testificaron que Mapplethorpe era un artista extraordinario, y que sus imágenes de actos sexuales no eran otra cosa que «estudios de figuras» y «composiciones clásicas». Robert Sobieszek, conservador jefe del Museo Internacional de Fotografía de la George Eastman House de Rochester, Nueva York, comparó el carácter atormentado de la obra de Mapplethorpe con «una búsqueda de comprensión similar a la de Vincent van Gogh cuando pinta su autorretrato de la oreja cortada». El jurado se mostró unánime al decidir que las fotografías de Mapplethorpe respondían a un interés lascivo por el sexo, y que resultaban claramente ofensivas, pero no logró concluir que carecieran de valor artístico. «Yo no soy un experto», declaró uno de los miembros del jurado, James Jones, director de almacén. «No comprendo el arte de Picasso, pero presumo que quienes lo definen como tal saben de qué están hablando.»

AGRADECIMIENTOS

En los seis años que llevo trabajando en este libro, me han ayudado muchas personas que compartieron conmigo sus pensamientos y sus recuerdos de Robert Mapplethorpe. Estoy especialmente agradecida a Patti Smith por su orientación y cooperación; a Edward Maxey por su generosa perspicacia y ayuda en la disposición del material gráfico; y a Michael Stout por permitirme reproducir las fotos tomadas por Mapplethorpe que aparecen en este libro. Pero, por encima de todo, estaré siempre en deuda con Robert Mapplethorpe por haberme confiado su historia.

Mi agradecimiento a: John Abbott, Kathy Acker, Michael Alago, Russ Albright, Sam Alexander, Claude Alverson, Stanley Amos, Pierre Apraxine, Tom Armstrong, Steven M. L. Aronson, Susan Arthur, Martin Axon, Linda Bahr, Stanley Bard, Tom Baril, Jared Bark, Bob Barrett, James Bell, Richard Bernstein, Stan Bernstein, Marieluise Black, Leonard Bloom, Victor Bockris, William Burke, Jim Carroll, Bill Cassidy, Dorothy Cassidy, Jim Cassidy, John Cheim, Lydia Cheng, Lucinda Childs, Jim Clyne, David Cochrane, Bob Colacello, Diego Cortez, Charles Cowles, David Croland, Rosita y Violetta Cruz, Sandy Daley, Clarissa Dalrymple, Melody Danielson, Lynn Davis, Ingeborg Day, Edward de Celle, Loulou de La Falaise, Maxime de La Falaise, Joe Dolce, Suzanne Donaldson, Dovanna, Bill y Nancy Dugan, Dominick Dunne, George Dureau, Phillip Earnshaw, Kelly Edey, Linda Lee Egendorf, Allen Ellenzweig, Jim Elliott, Brian English, Betsy Evans, Miles Everett, Scott Facon, Gary Farmer, Pat Farre, Tom Farre, Agustín y Lia Fernández, Danny Fields, Nigel Finch, Fred Folsom, Robert Fosdick, Jeffrey Fraenkel, Suzie Frankfurt, Andrew Freireich, Jane Friedman, Jack Fritscher, Julie Gallant, Philippe Garner, Henry Geldzahler, Monah Gettner, Marty Gibson, Robin Gibson, Barbara Gladstone, Fay Gold, Brad Gooch, Dotty Gray, Terry Gray, Sam Green, Dr. Jerome Groopman, Claudia Gropper, Andy Grundberg, Catherine Guinness, Agnes Gund, Maria Morris Hambourg, Janet Hamill, Sam Hardison, Reinaldo Herrera, Peter Hetzel, Susanne Hilberry, Charles Hill, Ron Hoffman, Bob Hogrefe, Anne Horton, Fredericka Hunter, Gérald Incandela, Mark Isaacson, Colta Ives, Bob Jacob, Barbara Jakobson, Tony Jannetti, Tim Jefferies, Harold Jones, Rob Jurka, Janet Kardon, Lenny Kaye, Anne Kennedy, Margaret Kennedy, Patrick Kennedy, Klaus Kertess, Alexandra Knaust, Stephen Koch, Herb Krohn, Allen Lanier, Gilles Larrain, Kay Larson, Marcus Leatherdale, Fran Lebowitz, Carol Judy Leslie, Bonnie Lester, Dimitri Levas, Gerard Levy, Ben Lifson, Judy Linn, Ann Livet, Jane Livingston, Fern Logan, Tom Logan, Simon Lowinsky, Harry Lunn, Lisa Lyon, Anne MacDonald, Peter MacGill, Bruce Mailman, Gerard Malanga, Harry Mapplethorpe, James Mapplethorpe, Joan Mapplethorpe, Helen Marden, Richard Marshall, Jim Maxey, Elaine Mayes, Boaz Mazor, Harry McCue, Howie Michels, Sylvia Miles, Caterine Milinaire, Bobby Miller, Robert Miller, Stan Mitchell, Ken Moody, Milton Moore, Mike Myers, Sandy Nairne, Marjorie Neikrug, Art Nelson, Nancy Nemeth, Guy Nevill, Jeremiah Newton, Nick y Ray, Andi Ostrowe, Rande Ouchi, David Palladini, Mary Palmer, Tom Peterman, Berry Perkins, Ken Perkins, Ellen Phelan, Lisa Phillips, Victor Pope, Ann Powell, Nicholas Quennell, Howard Read, Peter Reed, John Reinhold, Dan Renuss, John Richardson, George Rinhart, Lisa Rinzler, Nancy Mapplethorpe Rooney, Allen Rosenbaum, Howard Rosenman, Norman Rosenthal, Fernando Sánchez, Susan Sarandon, Francesco Scavullo, Peter Schjeldahl, Helmut Schmidt, Paul Schmidt, Susan Mapplethorpe Schneider, Peter Schub, Marylynn Celado Serrafin, Tennyson Shad, John Shea, Robert Sherman, Laurie Simmons, Ingrid Sischy, Jane Smith, Linda Smith, Todd Smith, Holly Solomon, Carol Squiers, padre George Stack, George Stambolian, Dra. Barbara Starrett, Carol Steen, Andrea Stillman, Amy Sullivan, Tina Summerlin, William Targ, Paul Taylor, Kenny Tisa, Jesse Turner, Veronica Vera, Arnon Vered, Jack Walls, Paul Walter, Shelley Wanger, Beth Gates Warren, Thomas Williams, Daniel Wolf y Jack Woody.

Estoy en deuda con mi primera editora, Susan Kamil, por cuidar del libro y de mí durante los primeros años del proyecto, así como por su energía y entusiasmo inflaqueables. Lamento que no haya podido estar conmigo hasta el final.

Mi agente, Kathy Robbins, me guió hábilmente a través de los recovecos de la industria editorial. Le estoy especialmente agradecida por sus ánimos, sus expertos consejos y mucho más. Mis más sinceras gracias también a Elizabeth Mackey por sus sutiles consejos y su eficiencia.

En Random House tuve la suerte de conocer a Kate Medina, quien asumió las responsabilidades de edición durante mi último año de trabajo. Su sensibilidad y profesionalidad fueron de gran ayuda para la conclusión del proyecto. También me gustaría dar las gracias a Ned Rosenthal, de Frankfurt, Garbus, Klein & Selz, por su cuidadoso asesoramiento legal en el manuscrito y a Vincent Virga por su hábil creatividad en la elección de las fotos.

Algunos de los artículos que escribí para *New York* en los años ochenta ayudaron a inspirar este libro y quisiera agradecer a Ed Kosner el haberme dado la confianza necesaria para abordar cualquier asunto. Peter Herbst nunca escatimó su tiempo ni sus consejos conmigo y le estoy agradecida por ser mi editor y mi amigo.

James Danziger merece un agradecimiento especial por haberme presentado a Robert Mapplethorpe y también por sus agudas reflexiones sobre el manuscrito.

Mi gratitud a mis amigos y la gente que me rodea, ya que escribir sobre la vida de otra persona siempre afecta a la propia. Mi reconocimiento a la Dra. Clarice Kestenbaum por su sabiduría y perspicacia; a Ira Resnick por ser el hombre más divertido y bondadoso de Nueva York; y a Jamie Delson por darme mi primera oportunidad como escritora y seguir siendo un amigo leal.

También mi gratitud para David Blum, Jennifer Delson, Glynnis O'Connor y Doug Stern, Elaine Spivak y Dorothy Stern. Stephanie Fogel fue una verdadera amiga que siempre supo escuchar. Lamento que su propia historia terminara tan pronto. Gracias a mis padres por tantos años de afecto y atención y a mis hermanas y compañeras más íntimas, Marise y Nancy, por hacerme ver que no es mejor ser hija única.

Y, finalmente, lo más importante: estaré eternamente agradecida a mi marido, Lee Stern, cuyo amor, fuerza y serenidad me han sostenido durante más de una década.

NOTA

La mayor parte de este libro está basada en entrevistas mantenidas con Robert Mapplethorpe y con varios cientos de personas más que me facilitaron información sobre su vida. Salvo indicación contraria, el lector deberá suponer que todas las citas de Mapplethorpe proceden de mis entrevistas con él durante el período comprendido entre septiembre de 1988 y febrero de 1989. Lo mismo debe aplicarse a Patti Smith, cuyas citas proceden de las numerosas entrevistas que mantuve con ella durante los últimos cuatro años.

CRÉDITOS FOTOGRÁFICOS

PRIMER PLIEGO

Página 1: cortesía de la familia Mapplethorpe; Pág. 2, *arriba*: cortesía de Nancy Rooney; *abajo*: cortesía de Dorothy Cassidy; Pág. 3, *arriba*: cortesía de la familia Mapplethorpe; *abajo*: cortesía de Nancy Rooney; Pág. 4: cortesía de la familia Mapplethorpe; Pág. 5, *arriba*: cortesía de la familia Mapplethorpe; *abajo*: cortesía de Marylynn Celano; Pág. 6, *arriba*: cortesía de la familia Mapplethorpe; *abajo*: fotógrafo desconocido; Págs. 7 y 8, © Gerard Malanga; Pág. 9: © 1986, The Estate of Robert Mapplethorpe; Pág. 10: Anton Perich; Pág. 11: © 1970, The Estate of Robert Mapplethorpe; Pág. 12, *arriba*: foto de Horst Ebersberg © 1970. Cortesía de Sandy Daley; *abajo*: cortesía de Norman Seeff; Pág. 13: © 1975, The Estate of Robert Mapplethorpe; Pág. 14, *arriba*: Gerard Malanga; *abajo*: © Gerard Malanga; Pág. 15: © 1975, The Estate of Robert Mapplethorpe; Pág. 16, *arriba*: colección de la autora; *abajo*: © 1976, The Estate of Robert Mapplethorpe.

SEGUNDO PLIEGO

Pág. 1: © Francesco Scavullo; Pág. 2, *arriba*: colección de la autora; *abajo*: © 1978, The Estate of Robert Mapplethorpe; Pág. 3: © 1975, The Estate of Robert Mapplethorpe; Pág. 4: colección de la autora; Pág. 5: © 1976, The Estate of Robert Mapplethorpe; Pág. 6, *arriba*: colección de la autora; *abajo*: © 1982, The Estate of Robert Mapplethorpe; Pág. 7: © 1981, The Estate of Robert Mapplethorpe; Pág. 8: © 1977, The Estate of Robert Mapplethorpe.

TERCER PLIEGO

Pág. 1: © 1984, The Estate of Robert Mapplethorpe; Pág. 2, *arriba*: colección de la autora; *abajo*: cortesía de Edward Maxey; Pág. 3: © 1987 The Estate of Robert Mapplethorpe; Pág. 4, *arriba*: cortesía de Gilles Larrain; *abajo*: © 1987, The Estate of Robert Mapplethorpe; Pág. 5: colección de la autora; Pág. 6, *arriba*: © 1987, The Estate of Robert Mapplethorpe; *abajo*: © Teresa Mae Engle; Pág. 7: © 1980, The Estate of Robert Mapplethorpe; Pág. 8, *arriba*: Louis Psihoyos © 1980 Matrix; *abajo*: © 1978, The Estate of Robert Mapplethorpe; Pág. 9: © 1988, The Estate of Robert Mapplethorpe; Págs. 10, 11, 13 y 16: © 1985, © 1988, The Estate of Robert Mapplethorpe; Pág. 12: © 1988, Jonathan Becker; Pág. 14, *arriba*: cortesía de Edward Maxey; *abajo*: colección de la autora; Pág. 15: cortesía de *Artforum*, reproducida con autorización.

BIBLIOGRAFÍA

LIBROS

BARTHES, Roland, *Camera Lucida*, The Noonday Press, Nueva York, 1981. Hay edición española: *La cámara lúcida: nota sobre la fotografía*, Paidós, Barcelona, 1992.

BATAILLE, Georges, *Eroticism: Death and Sensuality*, City Lights Books, San Francisco, 1986.

— *The Tears of Eros*, City Lights Books, San Francisco, 1989. Hay edición española: *Las lágrimas de Eros*, Tusquets, Barcelona, 1981.

BILLETER, Erika, ed., *Self-Portrait in the Age of Photography*, Musée cantonal des Beaux-Arts, Lausanne, 1985.

BOCKRIS, Victor, *The Life and Death of Andy Warhol*, Bantam Books, Nueva York, 1989.

BOGDAN, Robert, *Freak Show*, University of Chicago Press, Chicago, 1988.

BROMBERG, Craig, *The Wicked Ways of Malcolm McLaren*, Harper & Row, Nueva York, 1989.

BROWNING, Frank, *The Culture of Desire*, Crown, Nueva York, 1993.

BURCHILL, Julie, y PARSONS, Tony, *The Boy Looked at Johnny*, Faber & Faber, Winchester, MA, 1987.

CARROLL, Jim, *The Basketball Diaries*, Viking Penguin, Nueva York, 1987.

— *Forced Entries: The Downtown Diaries, 1971-1973*, Viking Penguin, Nueva York, 1987.

COLACELLO, Bob, *Holy Terror: Andy Warhol Close Up*, Harper-Collins, Nueva York, 1990.

COLEMAN, A. D., *Light Readings*, Oxford University Press, Nueva York, 1979.

COOPER, Emmanuel, *The Sexual Perspective*, Routledge & Kegan Paul, Londres, 1986.

CRANE, Diana, *The Transformation of the Avant-Garde*, University of Chicago Press, Chicago, 1987.

D'EMILIO, John, y FREEDMAN, Estelle B., *Intimate Matters*, Harper & Row, Nueva York, 1988.

DOWNING, Christine, *Myths and Mysteries of Same-Sex Love*, The Continuum Publishing Co., Nueva York, 1989.

ELLENZWEIG, Allen, *The Homoerotic Photograph*, Columbia University Press, Nueva York, 1992.

FEINBERG, David B., *Eighty-Sixed*, Viking, Nueva York, 1989.

FINKELSTEIN, Nat., *Andy Warhol: The Factory Years, 1964-1967*, St. Martin's Press, Nueva York, 1989.

FRANK, Peter, y MCKENZIE, Michael, *New, Used & Improved: Art for the 80's*, Abbeville Press, Nueva York, 1987.
GARBER, Marjorie, *Vested Interests: Cross-Dressing & Cultural Anxiety*, Routledge, Nueva York, 1992.
GILL, Michael, *Image of the Body*, Doubleday, Nueva York, 1989.
GITLIN, Todd, *The Sixties: Years of Hope, Days of Rage*, Bantam, Nueva York, 1987.
GONZALEZ-CRUSSI, F., *On the Nature of Things Erotic*, Vintage, Nueva York, 1989.
GREEN, Jonathan, *American Photography*, Harry N. Abrams, Nueva York, 1984.
GRUNDBERG, Andy, y MCCARTHY GAUSS, Kathleen, *Photography and Art*, Abbeville Press, Nueva York, 1987.
HACKETT, Pat, ed., *The Andy Warhol Diaries*, Warner Books, Nueva York, 1989. Hay edición española: *Diarios/Andy Warhol*, Anagrama, Barcelona, 1990.
HAGER, Steven, *Art After Midnight*, St. Martin's Press, Nueva York, 1986.
HERDT, Gilbert, ed., *Gay Culture in America*, Beacon Press, Boston, 1992.
HESS, John L., *The Grand Acquisitors*, Houghton Mifflin, Boston, 1974.
HOLLERAN, Andrew, *Dancer from the Dance*, William Morrow, Nueva York, 1978. Hay edición española: *El danzarín y la danza*, Vergara, Barcelona, 1981.
HUGHES, Robert, *Nothing If Not Critical*, Alfred A. Knopf, Nueva York, 1991. Hay edición española: *A toda crítica: ensayos sobre arte y artistas*, Anagrama, Barcelona, 1992.
HUJAR, Peter, *Peter Hujar*, Grey Art Gallery & Study Center, Nueva York, 1990.
HUYSMANS, J.-K., *Against Nature*, Viking Penguin, Nueva York, 1959. Hay edición española: *Contra natura*, Tusquets, Barcelona, 1980.
JUSSIM, Estelle, *Slave to Beauty*, David R. Godine, Boston, 1981.
KOCH, Stephen, *Stargazer: Andy Warhol's World and His Films*, Marion Boyars, Nueva York, 1973.
KRAMER, Hilton, *The Revenge of the Philistines*, The Free Press, Nueva York, 1985.
KRAMER, Larry, *Faggots*, Random House, Nueva York, 1978.
LEVIN, Kim, *Beyond Modernism*, Harper & Row, Nueva York, 1988.
LIPPARD, Lucy R., *Pop*, Thames & Hudson, Londres, 1966. Hay edición española: *El pop art*, Destinolondon: Thames and Hudson, Barcelona, 1993.
MALCOLM, Janet, *Diana & Nikon*, David R. Godine, Boston, 1980.
MCSHINE, Kynaston, *Andy Warhol: A Retrospective*, Museo de Arte Moderno, Nueva York, 1989.
MONETTE, Paul, *Borrowed Time*, Harcourt Brace Jovanovich, Nueva York, 1988.
NEWHALL, Beaumont, ed., *Photography: Essays & Images*, Museo de Arte Moderno, Nueva York, 1980.
NEWTON, Helmut, *Sleepless Nights*, Congreve, Nueva York, 1978.
PAGLIA, Camille, *Sex, Art, and American Culture*, Vintage Books, Nueva York, 1992.
—*Sexual Personae*, Yale University Press, New Haven, 1990.
PERL, Jed, *Gallery Going*, Harcourt Brace Jovanovich, Nueva York, 1991.
A Personal View: Photography in the Collection of Paul F. Walter, Museo de Arte Moderno, Nueva York, 1985.
PHILLIPS, Donna-Lee, ed., *Eros & Photography*, Camerawork/NFS Press, San Francisco, 1977.

PINCUS-WITTEN, Robert, *Postminimalism into Maximalism*, Ann Arbor: UMI Research Press, 1987.
PRONGER, Brian, *The Arena of Masculinity*, St. Martin's Press, Nueva York, 1990.
RACHLEFF, Owen S., *The Occult in Art*, Cromwell Editions, Londres, 1990.
RATCLIFF, Carter, *Warhol*, Abbeville Press, Nueva York, 1983.
ROSENBLUM, Naomi, *A World History of Photography*, Abbeville Press, Nueva York, 1984.
RUSSO, Vito, *The Celluloid Closet*, ed. rev., Harper & Row, Nueva York, 1987.
SANDLER, Irving, *American Art of the 1960s*, Harper & Row, Nueva York, 1988.
SAUNDERS, Gill, *The Nude*, Harper & Row, Nueva York, 1989.
SAYRE, Henry M., *The Object of Performance*, University of Chicago Press, Chicago, 1989.
SHEPARD, Sam, *Angel City, Curse of the Starving Class and Other Plays*, Urizen Books, Nueva York, 1976.
SHEWEY, Don, *Sam Shepard*, Dell, Nueva York, 1985.
SHILTS, Randy, *And the Band Played On*, St. Martin's Press, Nueva York, 1987.
—*The Mayor of Castro Street*, St. Martin's Press, Nueva York, 1982.
SINGER, June, *Androgyny*, Anchor Press/Doubleday, Nueva York, 1976.
SMITH, Joshua P., *The Photography of Invention*, Museo Nacional de Arte Moderno, Smithsonian Institution, Washington D. C., 1989.
SMITH, Patti, *Babel*, G. P. Putnam's Sons, Nueva York, 1978. Hay edición española: *Babel*, Anagrama, Barcelona, 1979.
—*Early Work 1970-1979*, W. W. Norton, Nueva York, 1994.
—*Seventh Heaven*, Telegraph Books, Nueva York, 1972.
—*Witt*, Gotham Book Mart, Nueva York, 1973.
SOBIESZEK, Robert A., *Masterpieces of Photography*, Abbeville Press, Nueva York, 1984.
SONTAG, Susan, *AIDS and Its Metaphors*, Farrar, Straus & Giroux, Nueva York, 1988. Hay edición española: *El sida y sus metáforas*, Muchnik, Barcelona, 1989.
—*On Photography*, Farrar, Straus & Giroux, Nueva York, 1980. Hay edición española: *Sobre la fotografía*, Edhasa, Barcelona, 1981.
—*Under the Sign of Saturn*, Farrar, Straus & Giroux, Nueva York, 1980. Hay edición española: *Bajo el signo de Saturno*, Edhasa, Barcelona, 1987.
STAMBOLIAN, George, *Male Fantasies/Gay Realities*, SeaHorse Press, Nueva York, 1984.
STEIN, Jean, *Edie: An American Biography*, Alfred A. Knopf, Nueva York, 1982. Hay edición española: *Edie*, Circe, Barcelona, 1988.
STICH, Sidra, *Made in USA*, University of California Press, Berkeley, 1987.
SUKENICK, Ronald, *Down and In: Life in the Underground*, Beech Tree Books, Nueva York, 1987.
SULLIVAN, Constance, *Nude: Photographs 1850-1980*, Harper & Row, Nueva York, 1980.
SZARKOWSKI, John, *Looking at Photographs*, Museo de Arte Moderno, Nueva York, 1973.
—*Photography Until Now*, Museo de Arte Moderno, Nueva York, 1989.
TAYLOR, Paul, ed., *Impresario: Malcolm McLaren and the British New Wave*, The MIT Press, Cambridge, 1988.
—*Post-Pop Art*, The MIT Press, Cambridge, 1989.
THORN, Dr. Mark, *Taboo No More*, Shapolsky Publishers, Nueva York, 1990.
TOMPKINS, Calvin, *Post-to Neo-New York*, Henry Holt, Nueva York, 1988.

—*The Scene: Reports on Post-Modern Art*, Viking, Nueva York, 1976.
TURNER, Florence, *At the Chelsea*, Harcourt Brace Jovanovich, Nueva York, 1987.
ULTRA VIOLET, *Famous for 15 Minutes*, Harcourt Brace Jovanovich, Nueva York, 1988. Hay edición española: *Famosa durante 15 minutos: mis años con Andy Warhol*, Plaza y Janés, Barcelona, 1989.
WAGSTAFF, Sam, *A Book of Photographs*, Gray Press, Nueva York, 1978.
WALTERS, Margaret, *The Nude Male*, Paddington Press, Londres, 1978.
WARHOL, Andy, y HACKETT, Pat, *POPism*, Harcourt Brace Jovanovich, Nueva York, 1980.
WEAVER, Mike, ed., *The Art of Photography, 1839-1989*, Royal Academy of Arts, Londres, 1989.
WEBB, Peter, *The Erotic Arts*, Secker & Warburg, Londres, 1983.
WISE, Kelly, ed., *Portrait: Theory*, Lustrum Press, Nueva York, 1981.
WOODY, Jack, ed., *George Platt Lynes: Photographs 1931-1955*, Twelvetrees Press, Pasadena, 1981.

REVISTAS Y PERIÓDICOS

ALBRIGHT, Thomas, «Realism, Romanticism and Leather», *San Francisco Chronicle*, 24 de febrero, 1978.
—«The World of Decadent Chic», *San Francisco Chronicle*, 1 de mayo, 1980.
ALFRED, William, «The Roller Coaster History of Coney Island», *New York*, 9 de septiembre, 1968.
ALTMAN, Billy, «Lenny Kaye Speaks His Mind», *Creem*, septiembre, 1979.
ANDERSON, Alexandra, «The Collectors», *Vogue*, marzo, 1985.
ANDRE, Michael, «Recent Religious and Ritual Art (Buecker and Harpsichords)», *ARTnews*, marzo, 1974.
ANTHONY, Michael, «Concert Proves Patti Smith Can Be Bad», *Minneapolis Tribune*, 29 de junio, 1979.
ARONSON, Steven M. L., «The Art of Living», *Vanity Fair*, abril, 1987.
ARTNER, Alan G., «The Eye of the Storm», *Chicago Tribune*, 5 de marzo, 1989.
—«Going for a Gut Reaction», *Chicago Tribune*, 5 de marzo, 1989.
—«Mapplethorpe Photographs Seek More Than Arousal», *Chicago Tribune*, 29 de febrero, 1980.
—«The 1989 Artist of the Year: Photographer Robert Mapplethorpe», *Chicago Tribune*, 31 de diciembre, 1989.
—«"Sex Specific" Exhibit Is Tiring in Its Unoriginality», *Chicago Tribune*, 16 de noviembre, 1984.
BANNON, Anthony, «Show Is Echo of College Art», *Buffalo Evening News*, 16 de agosto, 1979.
BARKER, Paul, «Vulgar Factions», *Evening Standard*, 24 de marzo, 1988.
BLACK, Cindy, «Patti Smith in 78», *New Wave*, noviembre, 1978.
BLOOM, Michael, «Dancing Critic: The Patti Smith Band», *Boston Phoenix*, 21 de diciembre, 1976.

BOCKRIS, Victor, «Robert Mapplethorpe», *New York Rocker*, 1976.
BOETTGER, Suzaan, «Black and White Leather», *Daily Californian*, 11 de abril, 1980.
BOHDAN, Carol Lorrain, y MITCHELL VOLPE, Todd, «Collecting Arts & Crafts», *Nineteenth Century*, otoño, 1978.
BONDI, Inge, «The Yin and the Yang of Robert Mapplethorpe», *Print Letter*, enero-febrero, 1979.
BOURDON, David, «The Artist As Sex Object», *New York*, 16 de septiembre, 1974.
— «Not Good Ain't Necessarily Bad», *The Village Voice*, 8 de diciembre, 1975.
— «Robert Mapplethorpe», *Arts Magazine*, abril, 1977.
BRAZIER, Chris, «The Resurrection of Patti Smith», *Melody Maker*, 18 de marzo, 1978.
BROE, Dennis, «Patti Smith and Other Artists "Draw"», *Good Times*, 12 de febrero, 1979.
BROWN, Susan Rand, «Sam Wagstaff: Photography Collecting's Howard Hughes Brings An Exhibit to Hartford», *Hartford Courant Magazine*, 26 de abril, 1981.
BULGARI, Elsa, «Robert Mapplethorpe», *Fire Island Newsmagazine*, 3 de julio, 1978.
BULTMAN, Janis, «Bad Boy Makes Good», *Darkroom Photography*, julio, 1988.
BURN, Gordon, «Will Patti Smith Ever Get to You?», *Honey*, febrero, 1977.
BURNETT, W. C., «Ex-Painter Gets in Focus with Camera», *Atlanta Journal*, 2 de abril, 1982.
BURNHAM, Sophy, «The Manhattan Arrangement of Art and Money», *New York*, 8 de diciembre, 1969.
BURROUGHS, William, «When Patti Rocked», *Spin*, abril, 1987.
CARLSON, Margaret, «Whose Art Is It, Anyway?», *Time*, 3 de julio, 1989.
CARSON, Tom, «Patti Smith: Under the Double Ego», *Rolling Stone*, 28 de junio, 1979.
CASTRO, Janice, «Calvin Meets the Marlboro Man», *Time*, 21 de octubre, 1985.
Certain People, crítica. Photo Design, diciembre, 1985.
— *The Print Collector's Newsletter*, marzo-abril, 1986.
CHRISTGAU, Robert, «Save This Rock & Roll Hero», *The Village Voice*, 17 de enero, 1976.
CHRISTY, Duncan, «Howard Read's Photo Opportunities», *M*, abril, 1988.
COHEN, Scott, «Radioactive», *Circus Magazine*, 14 de diciembre, 1976.
COLGAN, Susan, «Sam Wagstaff, Collector of 19th- and 20th-Century Photographs», *Art & Antiques*, noviembre-diciembre, 1982.
COON, Caroline, «Punk Queen of Sheba», *Melody Maker*, 15 de enero, 1977.
COOPER, Dennis, «At the Mapplethorpe Opening», *7 Days*, 10 de agosto, 1988.
CORBEIL, Carole, «For Wagstaff, the Image is Everything», *The Globe and Mail*, 24 de enero, 1981.
COTT, Jonathan, «Rock and Rimbaud», *The New York Times Book Review*, 19 de febrero, 1978.
DADOMA, Giovanni, «This Girl's Got a Lotta Neck», *Sounds*, 23 de abril, 1977.
DALY, Michael, «The Comeback Kids», *New York*, 22 de julio, 1985.
DANTO, Arthur C., «Robert Mapplethorpe», *The Nation*, 26 de septiembre, 1988.
DANZIGER, James, «Miller Time», *New York*, 11 de enero, 1988.
DAVILA, Albert, «On Borderline, It's a Victory», *Daily News*, 13 de octubre, 1988.
DAVIS, Douglas, «An Irreverent Eye», *Newsweek*, 8 de abril, 1985.
— «The Return of the Nude», *Newsweek*, 1 de septiembre, 1986.

—con ROURKE, Mary, «Doctored Images», *Newsweek*, 15 de agosto, 1977.
—«The Romance of Old Photos», *Newsweek*, 21 de febrero, 1977.
DAVIS, Peter, «The Man Who Undressed Men», *Esquire*, junio, 1986.
DAVIS, Stephen, «They Speak for Their Generation», *The New York Times*, 21 de diciembre, 1975.
DEMOREST, Stephen, «Patti vs. the Devil-the Artist Wins!», *Daily News*, Nueva York, 10 de abril, 1977.
DONOVAN, Mark, «You Don't Have to Be an Expert», *People*, 17 de abril, 1978.
DOWD, Maureen, «A Different Bohemia», *The New York Times Magazine*, 17 de noviembre, 1985.
DRICKS, Sally, «Poet for Good Fortune, in a Brand New Army», *Aquarian Weekly*, 18 de mayo, 1977.
DUKA, John, «For the Fine Art of Collecting Photography, a Newfound Status», *The New York Times*, 19 de noviembre, 1980.
DUNDY, Elaine, «Crane, Masters, Wolfe, etc., Slept Here», *Esquire*, octubre, 1964.
DUNNE, Dominick, «Grandiosity: The Fall of Roberto Polo», *Vanity Fair*, octubre, 1988.
—«Robert Mapplethorpe's Proud Finale», *Vanity Fair*, febrero, 1989.
DURBIN, Karen, «Pretty Poison: The Selling of Sexual Warfare», *The Village Voice*, 9 de mayo, 1977.
EDWARDS, Owen, «Blow-Out: The Decline and Fall of the Fashion Photographer», *New York*, 28 de mayo, 1973.
EHRMANN, Eric, «MC5», *Rolling Stone*, 4 de enero, 1969.
ELLENZWEIG, Allen, «The Homosexual Aesthetic», *American Photography*, agosto, 1980.
—«Picturing the Homoerotic», *Out/Look: National Lesbian and Gay Quarterly*, n.º 7, invierno, 1990.
—«Robert Mapplethorpe at Robert Miller», *Art in America*, noviembre, 1981.
EVERLY, Bart, «Robert Mapplethorpe», *Splash*, abril, 1988.
FERGUSON, Scottie, «Erotica: An Old Pro Gets a Grand New Show», *The Advocate*, febrero, 1980.
FERRETTI, Fred, «A Very Fine Line Divides Floral Park from Floral Park», *The New York Times*, 2 de noviembre, 1977.
FILLER, Martin, «Robert Mapplethorpe», *House & Garden*, junio, 1988.
FISCHER, Hal, «Calculated Opulence», *Artweek*, 21 de noviembre, 1981.
—«An Eye for Photographic Expression», *Artweek*, 9 de diciembre, 1978.
—«The New Commercialism», *Camera Arts*, enero, 1981.
FORGEY, Benjamin, «A Photo Exhibit Combines Technical and Historic Import», *Washington Star*, 3 de febrero, 1978.
FRITH, Simon, «Patti: Love Conquers All», *Melody Maker*, 5 de mayo, 1979.
FRITSCHER, Jack, «Fetishes, Faces, and Flowers of Evil», *Drummer* 133.
GAINES, Steven, «Sometimes a Somebody», *Vanity Fair*, enero, 1987.
GAMAREKIAN, Barbara, «Crowd at Corcoran Protests Mapplethorpe Cancellation», *The New York Times*, 1 de julio, 1989.
—«Hundreds in the Arts Rally for Grants Without Strings», *The New York Times*, 21 de marzo, 1990.

—«"Tragedy of Errors" Engulfs the Corcoran», *The New York Times*, 18 de septiembre, 1989.
GELATT, Dorothy S., «Mapplethorpe's Photography Collection Sold», *Maine Antique Digest*, agosto, 1982.
GEYELIN, Milo, «Cincinnati Sends a Warning to Censors», *The Wall Street Journal*, 8 de octubre, 1990.
GLEASON, Kathryn, «Photographs: The Whole Truth», *Metro Herald*, 14 de septiembre, 1988.
GLUECK, Grace, «Images of Blacks Refracted in a White Mirror», *The New York Times*, 7 de enero, 1990.
GOLDBERG, Michael, «Whatever Happened to Gracious Patti Smith?», *San Francisco Examiner*, 22 de julio, 1979.
GOLDBERG, Vicki, «The Art of Salesmanship», *American Photography*, febrero, 1987.
—«Robert Mapplethorpe», *New York*, 13 de abril, 1979.
GOLDSTEIN, Patrick, «Patti the Rock Poet, Screaming and Loving It», *Chicago News*, 4 de diciembre, 1976.
—«Patti Smith: Rock'n'Roll Pandora Unleashes Violence and Mayhem», *Creem*, marzo, 1977.
GOOCH, Brad, «Club Culture», *Vanity Fair*, mayo, 1987.
GREEN, Roger, «Dureau and Mapplethorpe», *The New Orleans Times-Picayune*, 3 de enero, 1982.
—«Softening a Sexy Image with Flowers», *Lagniappe*, 30 de enero, 1987.
GRIMES, William, «The Charge? Depraved. The Verdict. Out of the Show», *The New York Times*, 8 de marzo, 1992.
GROSS, Kenneth, «Stepchild of Queens Fights City's Neglect», *Newsday*, 13 de febrero, 1978.
GRUEN, John, «The Best Thing in Life Is Me», *New York*, 18 de octubre, 1971.
GRUNDBERG, Andy, «The Allure of Mapplethorpe's Photographs», *The New York Times*, 31 de julio, 1988.
—«Certain People», *The New York Times Book Review*, 8 de diciembre, 1985.
—«Is Mapplethorpe Only Out to Shock?», *The New York Times*, 13 de marzo, 1983.
—«The Mix of Art and Commerce», *The New York Times*, 28 de septiembre, 1986.
—«Prints That Go Beyond the Border of the Medium», *The New York Times*, 3 de mayo, 1987.
HADEN-GUEST, Anthony, «The Macabre Case of the Man in the Mask», *New York*, 24 de junio, 1985.
—«Steve Rubell: From the Big House to His House», *New York*, 8 de octubre, 1984.
HAGEN, Charles, «Robert Mapplethorpe: Black-and-White Polaroids, 1971-1975», *The New York Times*, 28 de mayo, 1993.
HANSON, Bernard, «Compelling Contrasts of Images», *Hartford Courant*, 12 de agosto, 1984.
HAWKINS, Margaret, «Pictures Sharpen into Focus», *Chicago Sun-Times*, 29 de noviembre, 1985.

HAYES, Robert, «Robert Mapplethorpe», *Interview*, marzo, 1983.
HELLMAN, Peter, «Soho: Artists' Bohemia Imperiled», *New York*, 21 de agosto, 1970.
HEMPHILL, Essex, «Does Your Mama Know About Me? Does She Know Just Who I Am?» *Gay Community News*, 25-31 de marzo, 1990.
HENRY, Gerrit, «Robert Mapplethorpe-Collecting Quality», *The Print Collector's Newsletter*, septiembre-octubre, 1982.
HERSHKOVITS, David, «Shock of the Black and the Blue», *The Soho Weekly News*, 20 de mayo, 1981.
— «Sight Unseen», *Paper*, mayo, 1985.
HILBURN, Robert, «Patti Smith on a Hot Streak», *Los Angeles Times*, 15 de mayo, 1978.
— «The Return of Rock's High Priestess», *Los Angeles Times*, 24 de julio, 1988.
HODGES, Parker, «Robert Mapplethorpe, Photographer», *Manhattan Gaze*, 10 de diciembre, 1979.
HOELTERHOFF, Manuela, «New Values in Vintage Photographs», *The Wall Street Journal*, 17 de julio, 1974.
HOLLERAN, Andrew, «Dicks and Daffodils», *Christopher Street*, junio, 1983.
HOLMES, Jon, «Black Leather in Black and White», *Boston Phoenix*, 11 de noviembre, 1980.
HONAN, William H., «Senators Reject Curb on U. S. Fund for the Arts», *The New York Times*, 29 de septiembre, 1989.
HOPKINS, Ellen, «Silver Rush», *New York*, 11 de julio, 1988.
HUGHES, Robert, «Art, Morality and Mapplethorpe», *The New York Review of Books*, 23 de abril, 1992.
HUME, Martha, «A Surprise Pop Hit for Punk Rocker Patti Smith», *US*, 13 de junio, 1978.
HUNTINGTON, Richard, «Kenan Center Offers Collection of Winners», *Buffalo Courier-Express*, 17 de abril, 1979.
INDIANA, Gary, «Mapplethorpe», *The Village Voice*, 14 de mayo, 1985.
— «Robert Mapplethorpe», *Bomb*, invierno, 1988.
JARMAN, Derek, «In Art, As Life», *The Independent*, 8 de noviembre, 1992.
JENTZ, Terri, «Robert Mapplethorpe: Restless Talent», *New York Photo District News*, abril, 1983.
JONES, Allan, «Meet the Press», *Melody Maker*, 30 de octubre, 1976.
JONES, Gwen, «My Style: Lisa Lyon in Conversation with Gwen Jones», *Los Angeles Herald Examiner*, 11 de julio, 1983.
KEMNITZ, Robert, «Patti Smith in Combat», *Los Angeles Herald-Examiner*, 12 de noviembre, 1976.
KIMMELMAN, Michael, «Bitter Harvest: AIDS and the Arts», *The New York Times*, 19 de marzo, 1989.
KING, Nicholas, «Familiar Thrills: Coney Island Revisited», *The Wall Street Journal*, 30 de junio, 1988.
KISSEL, Howard, «A Focus on Unsettling Images», *Women's Wear Daily*, 8 de julio, 1986.
KISSELGOFF, Anna, «Dance: Lucinda Childs Offers World Premiere», *The New York Times*, 29 de enero, 1986.

KOCH, Stephen, «Guilt, Grace and Robert Mapplethorpe», *Art in America*, noviembre, 1986.
KOGAN, Rick, «Puzzling Patti Smith-Interesting to Hear and See», *Chicago Sun-Times*, 11 de junio, 1979.
KOHN, Michael, «Robert Mapplethorpe», *Arts Magazine*, septiembre, 1982.
KOLBOWSKI, Silvia, «Covering Mapplethorpe's "Lady"», *Art in America*, verano, 1983.
KOZAK, Roman, «Patti Smith Group-*Wave*», *Billboard*, 9 de junio, 1979.
KRAMER, Hilton, «Mapplethorpe Show at the Whitney: A Big, Glossy, Offensive Exhibit», *New York Observer*, 22 de agosto, 1988.
— «Robert Mapplethorpe», *The New York Times*, 5 de junio, 1981.
KRON, Joan, «Copping a Feel at *Vogue*», *New York*, 26 de mayo, 1975.
LACAYO, Richard, «Leatherboy and Angel in One», *Time*, 22 de agosto, 1988.
«Lady: Lisa Lyon» (crítica), *People*, 21 de marzo, 1983.
LAFFERTY, Elizabeth, «The Cool Elegance of Robert Mapplethorpe», *San Francisco Focus*, abril, 1980.
LARSON, Kay, «Between a Rock and a Soft Place», *New York*, 1 de junio, 1981.
— «Getting Graphic», *New York*, 15 de agosto, 1988.
— «How Should Artists Be Educated», *ARTnews*, noviembre, 1983.
— «Plundering the Past: The Decline of the New-York Historical Society», *New York*, 25 de julio, 1988.
LELAND, John, «The New Voyeurism: Madonna and the Selling of Sex», *Newsweek*, 2 de noviembre, 1992.
LEMON, Brendan, «Aftershocks», *Aperture*, primavera, 1989.
LEONHART, Mark Michael, «Photographer Evokes Precise Portrait Statements», *Gay Life*, 29 de febrero, 1980.
LEWIS, Jo Ann, «Mapplethorpe's Transformations», *The Washington Post*, 21 de julio, 1989.
LIFSON, Ben, «Games Photographers Play», *The Village Voice*, 2 de abril, 1979.
— «The Philistine Photographer: Reassessing Mapplethorpe», *The Village Voice*, 9 de abril, 1979.
— «Sam Wagstaff's Pleasures», *The Village Voice*, 17 de julio de 1978.
— «The Simple Art of Persuasion», *The Village Voice*, 8 de octubre, 1980.
LINGEMAN, Richard, «Where Home Is Where It Is», *The New York Times Book Review*, 24 de diciembre, 1967.
LIPSON, Karin, «Celebration and Crisis», *Newsday*, 1 de agosto, 1988.
«Lisa Lyon: Body Beautiful», *Playboy*, octubre, 1980.
«Lisa Lyon by Robert Mapplethorpe», *Artforum*, noviembre, 1980.
LODER, Kurt, «The Resurrection of Patti Smith», *Good Times of South Florida*, 11 de julio, 1978.
LOKE, Margarett, «Collecting's Big Thrill Is the Chase», *The New York Times Magazine*, 17 de marzo, 1985.
LUCIE-SMITH, Edward, «The Gay Seventies?» *Art and Artists*, diciembre, 1979.
— «Mapplethorpe Gets His Revenge», *The Independent*, 18 de noviembre, 1989.
MANEGOLD, C. S., «Robert Mapplethorpe 1970-1983; On the 1983-1984 Retrospective», *Arts Magazine*, febrero, 1984.

«Mapplethorpe's Art: A Sensual Symphony in Black and White», *Milwaukee Journal*, 30 de junio, 1985.
«Mapplethorpe: Split Vision», *The New York Times*, 10 de enero, 1986.
«Mapplethorpe at the Whitney», *W*, 22 de agosto, 1988.
MARSH, Dave, «Can Patti Smith Walk on Water?», *Rolling Stone*, 20 de abril, 1978.
— «Her Horses Got Wings, They Can Fly», *Rolling Stone*, 1 de enero, 1976.
MARZORATI, Gerald, «Just a Bunch of Photographs», *Soho Weekly News*, 13 de julio, 1978.
MASTERS, Kim, «Cincinnati Gallery Indicted for Mapplethorpe Show», *The Washington Post*, 8 de abril, 1990.
MCDARRAH, Fred, «In Print-Reviews of the Black Book, 50 New York Artists», *Photo District News*, abril, 1987.
MCDONALD, Mark, «Censored», *The Advocate*, 28 de junio, 1978.
MCGUIGAN, Cathleen, «A Garden of Disco Delights», *Newsweek*, 20 de mayo, 1985.
— «New Art, New Money», *The New York Times Magazine*, 10 de febrero, 1985.
— «The Pleasure of the Chase», *Newsweek*, 30 de enero, 1989.
— «Walk on the Wild Side», *Newsweek*, 25 de julio, 1988.
MCKENDRY, Maxime de La Falaise, «Patti Smith», *Interview*, febrero, 1976.
MCKENNA, Kristine, «Patti Smith's "Wave": For Those Who Think Jung», *Los Angeles Times*, 3 de junio, 1979.
MORGAN, Stuart, «Something Magic», *Artforum*, mayo, 1987.
MORSE, Steve, «Lackluster Patti Smith», *Boston Globe*, 14 de mayo, 1979.
MORTIFOGLIO, Richard, «Patti Smith's Leaps of Faith», *The Village Voice*, 4 de junio, 1979.
MURRAY, Joan, «Weegee the Famous», *Artweek*, 11 de marzo, 1978.
«"New York/New Wave" at P. S. 1», *Artforum*, verano, 1981.
O'BRIEN, Glenn, «In Memory of Max's», *The Village Voice*, 6 de enero, 1975.
ORESKES, Michael, «Senate Votes to Bar U. S. Support of "Obscene or Indecent" Artwork», *The New York Times*, 27 de julio, 1989.
PANICELLI, Ida, «Robert Mapplethorpe, Palazzo delle Centro Finestre, Galleria Lucio Amelio», *Artforum*, octubre, 1984.
PAPALE, Richard S., «Mapplethorpe's Forgotten Art», *Bostonia*, enero-febrero, 1980.
PARSONS, Tony, «Seventh Vertebra During the Seventh Number», *New Musical Express*, 5 de febrero, 1977.
POST, Henry, «Mapplethorpe's Camera Lusts for Exposing Sex Objects», *GQ*, febrero, 1982.
POUSNER, Howard, «Shoot First, Ask Questions Later», *Atlanta Constitution*, 17 de abril, 1982.
PUZO, Mario, «Meet Me Tonight in Dreamland», *New York*, 3 de septiembre, 1979.
RAEDEKE, Paul, «Interview with Sam Wagstaff», *Photo Metro*, diciembre, 1985.
RATCLIFF, Carter, «The Art Establishment: Rising Stars vs. the Machine», *New York*, 27 de noviembre, 1978.
RATHBONE, Belinda, «The Photography Market: Image or Object?» *The Print Collector's Newsletter*, marzo-abril, 1989.

RAYNOR, Vivien, «Photographic "Feast" Ending 3-Year Tour», *The New York Times*, 7 de junio, 1981.
REIF, Rita, «Silver Spoons for Victorian Yuppies», *The New York Times*, 8 de enero, 1989.
REILLY, Peter, «Patti Smith's "Radio Ethiopia"», *Stereo Review*, febrero, 1977.
REISMAN, Judith, «Promoting Child Abuse as Art», *Washington Times*, 7 de julio, 1989.
REYNOLDS, Charles, «From the Wagstaff Collection», *Popular Photography*, mayo, 1985.
RICARD, René, «Patti Smith and Robert Mapplethorpe at Miller», *Art in America*, septiembre-octubre, 1978.
RICH, Frank, «The Gay Decades», *Esquire*, noviembre, 1987.
RICHARD, Paul, «Sam Wagstaff, the Collector for Establishment Trusts», *The Washington Post*, 3 de febrero, 1978.
«Robert Mapplethorpe», *Artforum*, febrero, 1978.
«Robert Mapplethorpe», *Photo/Design*, agosto, 1985.
«Robert Mapplethorpe: Blacks and Whites», *San Francisco Guardian*, 3 de abril, 1980.
«Robert Mapplethorpe», crítica de «Contact», *Arts Magazine*, junio, 1979.
ROBINSON, Lisa, «Patti Smith: Songs from a Marriage», *Vogue*, 19 de marzo, 1988.
ROCKWELL, John, «Patti Smith Battles to a Singing Victory», *The New York Times*, 28 de diciembre, 1975.
— «Patti Smith Personalizes Rock Art», *The New York Times*, 25 de noviembre, 1976.
— «The Pop Life», *The New York Times*, 25 de noviembre, 1977.
RODRÍGUEZ, Richard, «Late Victorians», *Harper's*, octubre, 1990.
ROSE, Barbara, «The Triumph of Photography, or: Farewell to Status in the Arts», *New York*, 6 de marzo, 1972.
— «Vaginal Iconology», *New York*, 11 de febrero, 1974.
RUEHLMANN, William, «It May Be Kinky, but He Says It's Art», Norfolk *Ledger-Star*, 25 de enero, 1978.
RUSSELL TAYLOR, John, «Images Without a Vision», *The Times* (Londres), 5 de abril, 1988.
RYAN, Robert, «The Lost Community», *Herald-Tribune*, 29 de mayo, 1964.
«Sam Hardison», *Provincetown Arts*, 1990.
SCHIFFMAN, Amy, «Through the Loupe», *American Photography*, agosto, 1982.
SCHJELDAHL, Peter, «The Mainstreaming of Mapplethorpe», *7 Days*, 10 de agosto, 1988.
— «New Wave No Fun», *The Village Voice*, 4 de marzo, 1981.
— «Photo Synthesis», *7 Days*, 14 de marzo, 1990.
SCHRUERS, Fred, «Patti Smith Riding Crest of New Wave», *Circus*, 22 de junio, 1978.
SCHWARTZ, Andy, «Patti Smith», *New York Rocker*, octubre, 1980.
SCOBIE, W. I., «Mad for Each Other», *The Advocate*, 9 de junio. 1983.
SELCRAIG, Bruce, «Reverend Wildmon's War on the Arts», *The New York Times Magazine*, 2 de septiembre, 1990.
SELVIN, Joel, «Patti Puts Her Fans to the Test», *San Francisco Chronicle*, 28 de julio, 1979.
SHAFTER, Richard A., «Investing in Photos Spreads, but It Has Its Negative Aspects», *The Wall Street Journal*, 7 de julio, 1977.

SIMELS, Steve, «Patti Smith», *Stereo Review*, agosto, 1978.
— «Patti Smith Has Not (Yet) Gone Disco», *Stereo Review*, julio, 1979.
SIMSON, Emily, «Portraits of a Lady», *ARTnews*, noviembre, 1983.
SISCHY, Ingrid, «Sam Wagstaff's Silver», *HG*, enero, 1989.
SMITH, Paul, «Bruce Weber at Robert Miller», *Art in America*, noviembre, 1986.
SMITH, Roberta, «It May Be Good But Is It Art?», *The New York Times*, 4 de septiembre, 1988.
— Crítica de «Book of Photographs from the Collection of Sam Wagstaff», *Art in America*, septiembre-octubre, 1978.
SOMER, Jack, «Gurus of the Visual Generation», *New York*, 28 de mayo, 1973.
SOZANSKI, Edward J., «Distinctive Artistry in Photographs», *Philadelphia Inquirer*, 18 de diciembre, 1988.
SPINA, James, «Patti Smith: Rock 'n' Roll Renegade», *Women's Wear Daily*, 20 de junio, 1978.
SPRITZ, Kenneth, «Will Coney Island Go the Way of Fun City?» *The Village Voice*, 18 de julio, 1974.
SQUIERS, Carol, «Mapplethorpe off the Wall», *Vanity Fair*, enero, 1975.
— «Undressing the Issues», *The Village Voice*, 5 de abril, 1983.
SQUIERS, Carol, RIPP, Allan, y KOCH, Stephen, «Mapplethorpe», *American Photography*, enero, 1988.
STAMBOLIAN, George, «Sleaze», *New York Native*, 15 de febrero, 1982.
STAMBOLIAN, George, y HARDISON, Sam, «The Art and Politics of the Male Image», *Christopher Street*, marzo, 1980.
STEINBACH, Alice C., «Photography Comes Out of the Closet», *Baltimore Sun*, 9 de noviembre, 1975.
STEVENS, Mark, «Direct Male», *The New Republic*, 26 de septiembre, 1988.
SZEGEDY-MASZAK, Andrew, «A Distinctive Vision: The Classical Photography of Robert Mapplethorpe», *Archaeology*, enero-febrero, 1991.
TAMBLYN, Christine, «Poses and Positions», *Artweek*, 27 de junio, 1987.
TAVENNER, John, «Safe Art», *New York Native*, 7 de octubre, 1985.
TAYLOR, Paul, «Mad Max's», *Fame*, mayo, 1989.
THOMPSON, Mark, «Mapplethorpe», *The Advocate*, 24 de julio, 1980.
THORNTON, Gene, «Portraits Reflecting a Certain Sensibility», *The New York Times*, 21 de noviembre, 1982.
— «This Show Is a Walk Down Memory Lane», *The New York Times*, 18 de septiembre, 1983.
— «The Wagstaff Collection», *The New York Times*, 2 de julio, 1978.
TOBIAS, Tobi, «Mixed Blessings», *New York*, 17 de febrero, 1986.
TOLCHIN, Martin, «Congress Passes Bill Curbing Art Financing», *The New York Times*, 8 de octubre, 1989.
TOMPKINS, Calvin, «Disco», *The New Yorker*, 22 de julio, 1985.
TOSCHES, Nick, «Patti Smith, Straight, No Chaser», *Creem*, septiembre, 1978.
«Twelve on 20-by-24», *Boston Globe*, 16 de noviembre, 1984.
VON LEHMDEN, Mark, «Patti Smith, CBGB», *Rolling Stone*, 28 de julio, 1977.

WALKER, Barry, «Subversive Classicism», *New York Native*, 28 de marzo, 1983.

WEAVER, Mike, «Mapplethorpe's Human Geometry: A Whole Other Realm», *Aperture*, invierno, 1985.

WEBER, Nicholas Fox, «Silver Futures», *House & Garden*, marzo, 1987.

WELCH, Marguerite, «Mapplethorpe Garden: Manhattan "Fleurs du Mal"», *New Art Examiner*, enero, 1982.

WHELAN, Richard, «Robert Mapplethorpe: Hard Sell, Slick Image», *Christopher Street*, junio, 1979.

WHITE, Edmund, «The Irresponsible Art of Robert Mapplethorpe», *The Sentinel*, 5 de septiembre, 1980.

WILKERSON, Isabel, «Cincinnati Jury Acquits Museum in Mapplethorpe Obscenity Case», *The New York Times*, 6 de octubre, 1990.

— «Clashes at Obscenity Trial on What an Eye Really Sees», *The New York Times*, 3 de octubre, 1990.

— «A Nervous Cincinnati Awaits Exhibit Today», *The New York Times*, 7 de abril, 1990.

— «Obscenity Jurors Were Pulled 2 Ways», *The New York Times*, 10 de octubre, 1990.

— «Profiles from Cincinnati: Cutting Edge of Art Scrapes Deeply Held Beliefs», *The New York Times*, 14 de abril, 1990.

— «Test Case for Obscenity Standards Begins Today in an Ohio Courtroom», *The New York Times*, 24 de septiembre, 1990.

WILSON, William, «Upstaged by Its Own Notoriety», *Los Angeles Times*, 21 de enero, 1990.

WOODWARD, Richard B., «It's Art, but Is It Photography?», *The New York Times Magazine*, 9 de octubre, 1988.

YOUNG, Charles M., «Patti Smith Catches Fire», *Rolling Stone*, 27 de julio, 1978.

— «Patti Smith Whirls into Hospital», *Rolling Stone*, 10 de febrero, 1977.

ZURLINDEN, Jeff, «Robert Mapplethorpe: Art on the Edge», *Outlines*, marzo, 1989.

ÍNDICE ONOMÁSTICO

A

B

C

K

L

M

N

O

P

Q

R

S

T

U

V

W

Y

Z

ÍNDICE

TÍTULOS PUBLICADOS

FRIDA KAHLO
Rauda Jamís

ISABELLE EBERHARDT
Eglal Errera

EDIE
Jean Stein
George Plimpton

CAMILLE CLAUDEL
Anne Delbée

ISADORA
Maurice Lever

SYLVIA PLATH
Linda W. Wagner-Martin

JANE BOWLES
Millicent Dillon

KATHERINE MANSFIELD
Claire Tomalin

ALEXANDRA DAVID-NÉEL
Ruth Middleton

LOTTE LENYA
Donald Spoto

NINA BERBEROVA
Nina Berberova

ANNEMARIE SCHWARZENBACH
Dominique Grente
Nicole Müller

MOURA BUDBERG
Nina Berberova

JACKSON POLLOCK
Steven Naifeh
Gregory White Smith

COLETTE
Herbert Lottman

TINA MODOTTI
Pino Cacucci

LEOPOLD SACHER-MASOCH
Bernard Michel

PIER PAOLO PASOLINI
Nico Naldini

GEORGIA O'KEEFFE
Roxana Robinson

VICTORIA OCAMPO
Laura Ayerza de Castilho
Odile Felgine

H. G. WELLS
Antonhy West

CISNES SALVAJES
Jung Chang

VANESSA BELL
VIRGINIA WOOLF
Jane Dunn

LAWRENCE DE ARABIA
Jeremy Wilson

JEAN HUGO
Jean Hugo

LOUISE BROOKS
Barry Paris

JACK KEROUAC
Gerald Nicosia